A CASA DO CÉU

A CASA DO CÉU

AMANDA LINDHOUT
SARA CORBETT

Tradução
Ivar Panazzolo

Novo Conceito

Título original: *A house in the sky*

1ª Impressão — 2013

Produção editorial:
Equipe Novo Conceito
Impressão e Acabamento RR Donnelley 151013

Este livro segue as regras da Nova Ortografia da Língua Portuguesa.

Dados Internacionais de Catalogação na Publicação (CIP)
(Câmara Brasileira do Livro, SP, Brasil)

Lindhout, Amanda
A casa do céu : um livro de memórias / Amanda Lindhout; tradução Ivar Panazzolo Junior. -- Ribeirão Preto, SP : Novo Conceito Editora, 2013.

Título original: A house in the sky.
ISBN 978-85-8163-303-9

1. Jornalistas - Canadá - Biografia
2. Lindhout, Amanda 3. Reféns - Somália - Biografia
4. Somália - História - 1991- I. Corbett, Sara.
II. Título.

13-10373 CDD-070.92

Índices para catálogo sistemático:
1. Jornalistas : Biografia 070.92

Novo Conceito

Rua Dr. Hugo Fortes, 1885 — Parque Industrial Lagoinha
14095-260 — Ribeirão Preto — SP
www.editoranovoconceito.com.br

Para minha mãe e meus dois pais

e

Katherine Porterfield

Esta é uma obra de não ficção. Para garantir a fidelidade aos fatos, baseamo-nos em várias fontes — incluindo diários, correspondências, relatos jornalísticos, entrevistas e transcrições de conversações gravadas e outras comunicações com investigadores, negociadores e sequestradores. Além disso, esta obra também é um livro de memórias; assim, a história reflete as recordações de Amanda e suas interpretações sobre os eventos. Os diálogos foram recriados segundo as lembranças. Modificamos os nomes de alguns personagens secundários para proteger sua privacidade e comprimimos linhas do tempo ou omitimos detalhes em certos locais em nome da clareza. Os trechos em português do Alcorão foram obtidos da tradução para o inglês de H.M. Shakir e Abdullah Ali Yusuf. Os valores mencionados no texto estão expressos em dólares americanos, salvo nos trechos indicados de forma diferente.

Na casa queimada, eu tomo o café da manhã.
Entenda: não existe casa, não existe café da manhã. Mesmo assim, aqui estou.

— MARGARET ATWOOD, *MORNING IN THE BURNED HOUSE.*

Prólogo

Demos nomes às casas onde nos puseram. Ficamos trancados em algumas delas durante vários meses; em outros lugares, apenas por alguns dias ou algumas horas. Havia a Casa dos Construtores de Bombas e também a Casa Elétrica. Em seguida, veio a Casa da Fuga, uma estrutura baixa de concreto onde, às vezes, ouvíamos o som de tiros do lado de fora da janela e, às vezes, uma mãe cantando para seu filho nas proximidades, com a voz baixa e melodiosa. Depois que fugimos da Casa da Fuga, fomos transferidos, meio que às pressas, para a Casa Cafona, em um quarto com uma colcha florida e uma cômoda de madeira onde havia frascos de laquê e gel para cabelos guardados em perfeita ordem. Um lugar onde, pelas palavras da mulher irritada e contrariada que tagarelava na cozinha, não deveríamos estar.

Quando nos levavam de uma casa para outra, faziam isso com bastante ansiedade e em silêncio, e, geralmente, nas horas mais tranquilas da noite. Viajando no banco traseiro de uma perua Suzuki, avançávamos rapidamente por estradas asfaltadas e nos desviávamos da rota, atravessando caminhos de terra ou areia macia no deserto, passando por acácias solitárias e vilarejos sombrios, sem nunca saber onde estávamos. Passamos por mesquitas e mercados noturnos iluminados por cordões dos quais pendiam lâmpadas, homens que guiavam camelos e grupos de garotos espalhafatosos, alguns deles empunhando metralhadoras, agrupados ao redor de fogueiras à beira da estrada. Se alguém tentasse nos ver, não seríamos percebidos; fomos obrigados a usar lenços atados ao redor da cabeça, cobrindo nosso rosto da mesma forma que nossos captores faziam com os seus — tornando impossível saber quem, ou o que, cada um de nós era.

As casas que escolhiam para nós eram, em sua maioria, estruturas desertas em vilarejos distantes, onde todos nós — Nigel, eu, os oito rapazes e um capitão de meia-idade que nos vigiavam — permaneceríamos invisíveis. Todos aqueles lugares ficavam atrás de portões trancados com correntes e cercados por muros altos feitos de concreto ou metal corrugado. Quando chegávamos a uma nova casa, o capitão se ocupava com seu molho de chaves. Os garotos, como nós os chamávamos, corriam para dentro com armas em punho e encontravam quartos onde pudessem nos trancafiar. Em seguida, encontravam seus próprios lugares para descansar, rezar, urinar e comer. Às vezes, eles saíam e lutavam uns com os outros no quintal.

Havia Hassam, um dos garotos do mercado; Jamal, que se encharcava de colônia, sonhando com a garota com quem planejava se casar; e Abdullah, que desejava somente poder se explodir. Havia Yusuf, Yahya e o Jovem Mohammed. Havia Adam, que telefonava para a minha mãe no Canadá, assustando-a com suas ameaças, e o Velho Mohammed, que controlava o dinheiro, e a quem apelidamos de Donald Trump. Havia também o homem que chamávamos de Skids, que me levou para o deserto em uma determinada noite e observou impassível enquanto outro homem segurava uma faca serrilhada contra a minha garganta. E, finalmente, havia Romeu, que fora aceito em um curso de pós-graduação em Nova York, mas tentava fazer com que eu me casasse com ele antes disso.

Cinco vezes por dia, nós nos prostrávamos no chão para rezar. Cada um se apegava a algum ideal secreto, alguma visão do paraíso que parecia estar além do nosso alcance. Às vezes, eu imaginava se seria mais fácil se Nigel e eu não houvéssemos nos apaixonado certa vez; se, em vez disso, fôssemos dois estranhos trabalhando em algum projeto. Eu conhecia a casa onde ele morava, a cama onde ele dormia, o rosto da sua irmã e os amigos que tinha em nosso país. Tinha uma noção do que ele desejava, e isso me fazia sentir tudo em dobro.

Quando os tiroteios e as explosões de morteiros entre as milícias inimigas à nossa volta ficavam altos demais, ou próximos demais, os garotos nos enfiavam novamente na perua, faziam alguns telefonemas e encontravam outra casa para nós.

Algumas casas abrigavam os resquícios fantasmagóricos da família que as ocupara, fosse quem fosse — o brinquedo de uma criança deixado em um canto, uma panela velha, um tapete mofado e enrolado. Havia a Casa Escura, onde as coisas mais horríveis aconteciam; a Casa dos Arbustos, em algum lugar distante no interior do país; e a Casa Positiva, quase uma mansão, onde, por um breve momento, as coisas pareceram estar melhorando.

Em um dado momento, fomos levados até um apartamento no segundo andar de uma cidade na região sul, onde podíamos ouvir carros buzinando e os muezins chamando as pessoas para as orações. Podíamos sentir o cheiro da carne de cabrito assada no espeto de um vendedor ambulante. Escutávamos a voz das mulheres que conversavam enquanto entravam e saíam da loja que ficava logo abaixo do lugar onde estávamos. Nigel, que estava barbado e muito magro, podia olhar pela janela do seu quarto e ver uma nesga do Oceano Índico, uma faixa distante de azul-marinho. A proximidade da água, assim como a das pessoas que faziam compras e dos carros, era ao mesmo tempo reconfortante e provocadora. Se conseguíssemos escapar, de alguma forma, não haveria como saber se encontraríamos ajuda ou se simplesmente seríamos sequestrados novamente por alguém que nos via da mesma maneira que os nossos captores — não apenas inimigos, mas inimigos que valem dinheiro.

Éramos parte de uma transação desesperada, multinacional e importante. Éramos parte de uma guerra santa. Éramos parte de um problema maior. Fiz promessas a mim mesma sobre o que faria se conseguisse sair daquela situação. *Levar minha mãe para viajar. Fazer algo de bom para outras pessoas. Desculpar-me pelo que fiz de errado. Encontrar o amor.*

Estávamos próximos de muitas coisas, mas, ainda assim, fora do alcance, isolados do mundo. Foi aqui, finalmente, que comecei a acreditar que essa história seria algo que eu nunca conseguiria contar, que eu me tornaria uma rasura em uma página, um redemoinho em um rio que, subitamente, se misturaria à corrente. Comecei a ter certeza de que, escondidos no interior da Somália, em meio a este local estranho e maltratado, nós nunca seríamos encontrados.

1

Meu Mundo

Quando menina, eu confiava naquilo que sabia sobre o mundo. Não era um lugar feio ou perigoso. Era estranho, atraente e tão bonito que você sentiria vontade de colocá-lo em uma moldura e pendurá-lo na parede. Eu o conhecia por fotografias e páginas debaixo de capas douradas, em uma pilha de revistas, edições antigas da National Geographic Magazine compradas por vinte e cinco centavos em um brechó que ficava perto da minha casa. Eu as mantinha empilhadas sobre a mesa de cabeceira ao lado do beliche onde dormia. Pegava-as quando precisava delas, quando o apartamento onde morávamos ficava barulhento demais. O mundo chegava em ondas e flashes de luz, como uma maré prateada encobrindo uma esplanada em Havana ou os cintilantes campos nevados de Annapurna. O mundo era uma tribo de pigmeus arqueiros no Congo e a geometria verde dos jardins de chá de Kyoto. Era um catamarã de velas amarelas rasgando as ondas encapeladas do Oceano Ártico.

Eu tinha nove anos e morava em uma pequena cidade chamada Sylvan Lake. O lago que a cidade margeava tinha nove quilômetros de comprimento, uma fenda da época do Plistoceno aberta nas vastas pradarias pardas da província de Alberta, no Canadá — bem ao norte dos prédios de Calgary, bem ao sul das plataformas de petróleo instaladas ao redor de Edmonton e mais de cento e cinquenta quilômetros a leste das Montanhas Rochosas — um lugar que não era muito mais do que uma rota de passagem. Em julho e agosto, os turistas vinham boiar nas águas tranquilas do lago e lançar linhas de pesca dos atracadouros dos seus chalés. Havia uma marina na região central da cidade, ao lado de um farol pintado de vermelho, e um pequeno parque de diversões onde os turistas compravam ingressos para escorregar por um tobogã gigante ou correr por um labirinto feito com painéis de madeira compensada pintados em cores vivas. Durante todo o verão, o som dos risos das crianças e o barulho dos motores dos barcos ecoava pela cidade.

Éramos novos em Sylvan Lake. Alguns anos depois de se divorciar do meu pai, minha mãe trouxe meus dois irmãos e eu para cá após sairmos de Red Deer, a pequena cidade onde sempre vivemos, a pouco mais de quinze minutos pela estrada. Russell, o namorado dela, veio conosco, junto com seu irmão mais novo, Stevie. Os tios, primos, outros irmãos e primos de segundo grau de Russell sempre apareciam em nossa casa para festas no dia em que recebiam seus salários e acabavam passando vários dias no nosso apartamento, acampados na sala de estar. Eu me lembro dos rostos deles enquanto dormiam, seus braços morenos e esguios pendendo ao lado das nossas cadeiras. Minha mãe se referia a Russell e sua família como "nativos", mas, por toda a cidade, as pessoas os chamavam de índios.

Nosso prédio tinha quatro andares e acabamento em estuque branco, com um telhado de duas águas e sacadas revestidas em madeira escura. As janelas recuadas do nosso apartamento, no subsolo, eram pequenas e estreitas; não deixavam passar quase nenhuma luz. Uma caçamba de lixo verde da prefeitura ficava no estacionamento do prédio, coberto por cascalhos. Minha mãe, fã de um visual vivo e tropical para todas as suas coisas, instalou uma cortina azul-piscina no *box* do nosso novo banheiro e uma colcha estampada em cores alegres sobre sua cama. Na sala de estar, colocou sua bicicleta ergométrica ao lado do nosso velho sofá marrom.

As pessoas sempre olhavam para a minha mãe. Era alta e magra, com as maçãs do rosto proeminentes e cabelos escuros com um permanente, que insistia em deixar armado ao redor das orelhas. Tinha olhos castanhos límpidos que sugeriam uma espécie de vulnerabilidade, a possibilidade de que poderia ser convencida a fazer (ou a não fazer) certas coisas. Cinco dias por semana, ela colocava um vestido branco com listras vermelhas e dirigia até Red Deer para trabalhar como caixa no supermercado Food City. Voltava para casa com caixas cheias de embalagens de suco de marcas genéricas, compradas com seu desconto para funcionários, que nós guardávamos no *freezer* e comíamos às colheradas depois de voltar da escola. Às vezes, ela chegava em casa com uma bandeja plástica de sobras da confeitaria, folhados e pães recheados pegajosos depois de passar um dia inteiro dentro de uma estufa. Outras vezes, trazia filmes alugados que nunca chegamos a devolver.

Russell trabalhava apenas ocasionalmente, empregando-se por algumas semanas ou, eventualmente, por alguns meses como podador de árvores em uma empresa de paisagismo chamada High Tree, cortando os galhos que se aproximavam dos cabos de eletricidade em estradas secundárias. Era magro como um galgo e deixava seus cabelos longos e escuros lhe caírem por sobre os ombros, decorando-os com penas nas laterais. Quando não estava trabalhando, vestia camisas de seda fina, em cores como o roxo ou o azul-turquesa. Tinha uma tatuagem caseira em seu antebraço esquerdo, um pássaro formado pelo contorno de linhas azuis com as asas abertas — uma águia ou uma fênix, talvez. Os contornos do desenho estavam começando a desaparecer, os detalhes do pássaro se esmaecendo em um borrão sobre sua pele, como algo que deveria estar no corpo de um homem muito mais velho. Tinha vinte e um anos, enquanto minha mãe tinha trinta e dois.

Conhecíamos Russell havia vários anos, desde antes de se tornar o namorado da minha mãe. Desde que ele tinha treze anos, na verdade; nossas famílias acabaram se ligando por alguma combinação de azar e generosidade cristã. Ele foi criado na reserva indígena de Sunchild First Nation. Seu pai desapareceu cedo; sua mãe morreu em um acidente de carro. Os pais da minha mãe, que moravam a cerca de uma hora de distância da reserva, administravam um acampamento pentecostal de verão para os filhos das famílias da First Nation, e acabaram por adotar Russell e seus quatro irmãos mais novos como parte da família. Minha mãe e seus irmãos já haviam saído de casa havia bastante tempo naquele momento, e os garotos nativos deram aos meus avós uma espécie de segunda oportunidade para experimentar a paternidade.

Meu avô trabalhava como soldador e minha avó vendia Tupperware — na verdade, mais Tupperware do que qualquer outra pessoa na região central de Alberta, com recordes de vendas regionais e uma *minivan* da empresa para comprovar seu sucesso. Durante muitos anos, eles levavam Russell e os outros garotos para a igreja e para a escola, até cumprirem o Ensino Médio. Levavam-nos para competições de atletismo, jogos de hóquei e aulas de tecelagem no Centro para a Amizade dos Povos Nativos.

Quando os garotos brigavam, minha avó suspirava e lhes dizia para saírem da casa e voltar somente depois que tudo estivesse resolvido. Perdoava-os quando lhe roubavam dinheiro. Perdoava-os quando eles a insultavam. Os garotos cresceram, transformaram-se em adolescentes e depois em homens. Um deles chegou até a faculdade; o restante acabou em algum ponto entre a reserva e Red Deer. O que ninguém imaginou, algo que nem mesmo Jesus poderia ter previsto, era que, em algum ponto do caminho, durante uma visita ao rancho dos seus pais para alguma celebração ou feriado, minha mãe — com seus três filhos pequenos e o casamento com meu pai, que já desmoronava — acabaria se apaixonando por Russell.

★

Ela o chamava de Russ. Lavava suas roupas. Gostava de beijá-lo em público. De vez em quando, ele a presenteava com rosas. Quando eu ainda era pequena, pensava nele como uma espécie de primo, mas, agora, Russell — depois que saíra da casa dos meus avós e viera morar na minha — era algo diferente, um híbrido entre um garoto e um adulto, uma mistura de parente e intruso. Praticava golpes de *kickboxing* na nossa sala de estar e comia batatas fritas no sofá. De vez em quando, comprava bichos de pelúcia para mim e para o meu irmão menor, Nathaniel.

Minha avó dizia que éramos "uma familiazinha engraçada". Meu irmão mais velho, Mark, tinha uma opinião diferente. De acordo com ele, éramos "uma familiazinha de merda".

Eu fui à reserva Sunchild algumas vezes para visitar os parentes de Russell, sempre sob os protestos do meu pai, que achava que o lugar era perigoso, embora não tivesse mais qualquer direito de me dizer o que eu deveria ou não fazer. Os primos de Russell moravam em casas de pé-direito baixo erguidas em uma espécie de conjunto habitacional ao longo de estradas de terra. Durante nossas visitas nós comíamos *bannock*, um pão frito, doce e duro, e brincávamos com outros garotos que nunca iam à escola e que bebiam cervejas em lata escondidas dentro de sacos de papel pardo. Todas as casas, pelo que me lembro, tinham as paredes cobertas por buracos causados por socos. Eu reconhecia o formato daqueles buracos porque Russell, às vezes, fazia a mesma coisa com a parede de gesso da nossa casa.

A vida da minha mãe com Russell poderia ser encarada como uma espécie de "foda-se" direcionado a todos os garotos brancos com quem ela frequentara a escola em Red Deer, que, em sua grande maioria, ainda moravam naquela região. Minha mãe saíra de casa aos dezesseis anos e engravidara aos vinte. Russell causou uma mudança em sua vida. Era jovem e relativamente bonito, e vinha de um lugar que as pessoas pensavam ser selvagem e exótico, mesmo que também considerassem a área suja e pobre. Minha mãe usava brincos de miçangas e dirigia pela cidade em um pequeno cupê branco, com um apanhador de sonhos decorado com penas pendurado no retrovisor.

Havia também o fato de que meu pai, o homem por quem ela se apaixonara aos vinte e poucos anos, o homem que aparecia nas fotos da sala de parto com os bebês dela nos braços, anunciara recentemente que era gay. Um homem jovem, em boa forma física, com a barba cuidadosamente aparada e um enorme sorriso, chamado Perry, mudou-se para a casa do meu pai. Quando íamos visitá-lo, Perry nos levava para nadar na piscina do centro de recreação enquanto meu pai, que nunca cozinhara em toda a sua vida, preparava jantares improvisados para nós. Fazia rolinhos de presunto e espetava-lhes alguns palitos, cercando-os com alguns pedaços de queijo e aipo, acrescentando um pedaço de pão ao lado. Colocava os nossos pratos sobre a mesa, com todos os quatro grupos alimentares devidamente representados.

Meu pai havia começado a construir sua nova vida. Oferecia jantares aos amigos em companhia de Perry e se matriculou em um curso na faculdade para se tornar terapeuta de reabilitação e trabalhar com pessoas com problemas mentais. Minha mãe, enquanto isso, trabalhava em sua própria ressurreição. Nos dias de folga, lia livros de autoajuda e assistia a reprises dos programas de Oprah Winfrey.

À noite, Russell abria uma garrafa enorme de uísque de centeio e servia-se em um copo alto de plástico. Minha mãe sentava-se ao seu lado no sofá, em frente à TV, colocando os pés sobre o colo dele. Mais de uma vez, ele apontava para a tela, no momento em que o policial bonito ou o jovem pai de família arrumadinho aparecia. Dizia:

— Você acha esse cara bonito, não é, Lori?

Era uma imagem que todos nós reconhecíamos.

— Aposto que acha — prosseguia Russell, lentamente, com os olhos fixos na minha mãe. — Aposto que você tem vontade de estar com um cara desses.

Uma pausa. Em um instante, o rosto do homem na TV parecia se derreter e se reconstruir em algo mais agressivo e jocoso.

— Certo, Lori? É nisso que você está pensando?

Minha mãe respondia de maneira gentil. Ele já havia lhe quebrado alguns ossos antes. Machucara-a com força suficiente para deixá-la no hospital durante dias. Enquanto o resto de nós olhava fixamente para a televisão e o ar na sala ficava carregado de eletricidade, ela estendia a mão para tocar o braço de Russell e apertá-lo gentilmente.

— Não, querido — dizia ela. — Nem um pouco.

Mark tinha treze anos e estava no limite de várias coisas. Cortava o cabelo em um estilo *mullet* desgrenhado, tinha olhos azuis e uma jaqueta jeans desbotada que raramente tirava do corpo. Era um garoto solitário que gostava de fazer longas caminhadas, o proprietário devoto de um estilingue feito de plástico duro. Nathaniel, por sua vez, tinha seis anos e um cisto na parte inferior da pálpebra direita, o que lhe dava uma aparência sinistra. Minha mãe e Russell o mimavam demais, chamando-o de "Bud" e "Pequeno Buddy". À noite, ele dormia no mesmo beliche que eu ocupava, na cama de baixo, abraçado com um coelho de pelúcia.

Eu vivia seguindo Mark, acompanhando seus passos como uma canoa atrás de um barco maior.

— Olhe só para isso — disse ele, certo dia, depois da escola, enquanto estávamos em frente à enorme caçamba verde de lixo no estacionamento do prédio onde morávamos. Aconteceu várias semanas depois que nos mudamos para Sylvan Lake, numa tarde quente no início do outono. Eu estava no quarto ano da escola e Mark havia começado o Ensino Médio havia poucas semanas. Nenhum de nós tinha muitos amigos. Os outros garotos e garotas da nossa nova cidade instantaneamente tiveram a impressão de que éramos pobres e desinteressantes. Mark apoiou as mãos na borda da lixeira e se ergueu, levantando uma perna e caindo dentro da caçamba. Alguns segundos depois, sua cabeça surgiu novamente, o rosto enrubescido e a mão ao redor de uma garrafa vazia de cerveja Labatt. Ele a agitou na minha direção. — Venha, Amanda — disse ele. — Tem dinheiro aqui dentro.

Nossa caçamba servia como um repositório aberto para receber o lixo de toda a vizinhança, que era recolhido por um caminhão toda quarta-feira. Acabou por se tornar a versão do meu irmão de uma piscina no clube de campo. O interior, mesmo nos dias mais frios de outubro, era macio e úmido como uma velha pilha de folhas, com cheiro de leite azedo. Nós dois escorregávamos por entre as pilhas de sacos de lixo, com as superfícies engorduradas por líquidos que escorriam pelo plástico e outras coisas amontoadas na lixeira, enquanto nossas vozes ecoavam pelas paredes. Mark rasgava os sacos de lixo fechados, jogando latas e garrafas na faixa de grama em frente ao prédio, encontrando moedas esquecidas de vinte e cinco centavos, velhos batons, potes de comprimidos e canetas hidrocor — quase tudo isso ele enfiava nos bolsos ou jogava na minha direção. Certa vez ele encontrou uma blusa felpuda cor-de-rosa, exatamente do meu tamanho, e deu de ombros, escandalizado:

— Porra, o que há de errado com essas pessoas?

Colocávamos nossos achados em sacolas vazias de supermercado e, cheirando a comida e bebidas velhas, levávamos tudo para o depósito de garrafas da cidade. Vinte latas rendiam um dólar. Uma sacola do Food City tinha capacidade para guardar quinze latas. Uma sacola × quinze latas × cinco centavos = setenta e cinco centavos. Um dólar e cinquenta por duas sacolas; três dólares por quatro. E então, a soma total dividida por dois — metade para Mark e metade para mim. Nenhuma lição de matemática era tão eficiente quanto aquilo. O dinheiro de verdade, no entanto, estava naquilo que chamávamos de *sixties* ou *sixty-pounders* — termos que aprendemos com Russell —, as enormes garrafas de bebida de quase dois litros que rendiam dois dólares cada uma quando as vendíamos ao homem do depósito. Essas eram o nosso ouro.

Com o passar do tempo, Mark e eu começamos a ir mais longe, alguns quarteirões mais ao norte e outros ao sul da nossa rua, até as ruas sem saída onde famílias viviam em casas em vez de prédios, visitando cinco ou seis caçambas de lixo regularmente. Uma área mais nobre, geralmente, significava que o lixo era melhor.

Você se surpreenderia com o que as pessoas jogam fora, mesmo as pessoas pobres. É possível encontrar uma boneca com um braço faltando ou uma fita de vídeo em perfeitas condições com um filme em perfeitas condições.

Lembro-me de uma vez em que encontrei uma carteira vazia, de couro marrom, com um fecho dourado delicado. Outra vez, encontrei um lenço branco antigo com personagens de desenho animado sorridentes bordados no tecido. Guardei aquelas duas peças durantes vários anos, o lenço dobrado dentro da carteira, uma lembrança de tudo o que era bonito e que ainda esperava para ser encontrado.

★

Eu quase sempre torrava o meu dinheiro da venda de latas e garrafas em um único lugar, o brechó que ficava perto do lago. A loja era mal-iluminada e organizada como se fosse a toca de um coelho. Vendia roupas usadas, bibelôs de porcelana e os detritos literários dos turistas que vinham para a cidade no verão — enormes livros de Tom Clancy e praticamente tudo que Danielle Steel escrevia. As edições da *National Geographics* ficavam em uma estante em um canto mais afastado, com as lombadas amarelas voltadas para fora e cuidadosamente alinhadas.

Seduzida pelo que via nas capas, eu levava para casa todas que tivesse condição de comprar. Pegava rapidamente as edições com os templos cobertos de grama em Angkor e os esqueletos recuperados das cinzas do vulcão Vesúvio. Quando a revista perguntava: "As Florestas Suíças Estão em Perigo?", eu tinha certeza de que precisava saber. Não é que eu não desse uma olhada, com o mesmo interesse, nas revistas em quadrinhos de Archie, expostas em outro canto da loja, estudando as roupas justas de Verônica ou o rabo de cavalo elegante de Betty, a filha esnobe do milionário *versus* a garota meiga e proativa. Elas tinham uma linguagem que eu estava apenas começando a compreender.

Eu guardava os Archies em uma gaveta, mas deixava as *National Geographics* em uma mesa no meu quarto. Quando chegou a época do Dia de Ação de Graças, eu provavelmente já havia acumulado umas duas dúzias. Às vezes, eu as dispunha em leque, como via nas mesas de centro das casas de alguns dos garotos mais endinheirados da minha antiga escola. Meu tio Tony — irmão do meu pai e a pessoa mais rica da nossa família — era assinante. À noite, deitada no alto do meu beliche em Sylvan Lake, eu folheava as revistas, página por página, maravilhada com o que elas sugeriam em relação ao mundo. Havia vaqueiros húngaros, freiras austríacas e mulheres parisienses passando laquê nos cabelos antes de saírem para curtir a noite. Na China, uma mulher nômade batia iogurte de iaque até transformá-lo em manteiga. Na Jordânia, garotos palestinos moravam em tendas da cor de batatas. E, em algum lugar das montanhas dos Bálcãs, havia um urso que dançava com um cigano.

O mundo sugava a umidade do carpete em nosso apartamento no subsolo do prédio. Descongelava a calçada lá fora, afastava a cor de chumbo que cobria o céu sobre as planícies. Quando uma garota chamada Erica gritou no corredor da escola, dizendo que eu era uma menina suja, dei de ombros como se aquilo não tivesse importância. Meu plano era poder me mudar dali, para bem longe da minha escola, da minha rua e de garotas chamadas Erica.

★

Certa noite, pouco antes de eu começar a quinta série, Carrie Crowfoot e eu saímos para andar pela cidade. Carrie era uma bela garota da tribo indígena Blackfoot, um ano mais velha do que eu e uma das minhas poucas amigas. Tinha longos cabelos pretos, olhos em forma de amêndoas e cílios longos. Tinha algum parentesco com Russell e havia saído da reserva de Sunchild junto com sua mãe e seus irmãos para vir morar em Sylvan Lake. Morava em uma casa que ficava perto do brechó e nunca ia à escola.

Com dez anos de idade e sem nenhum dinheiro, Carrie ainda conseguia exibir uma espécie de glamour rebelde. Falava duro com o dono da loja que nos vendia chicletes a cinco centavos e se vangloriava para mim das várias crianças que havia surrado quando morava na reserva. Quando vinha à minha casa, não reparava nos móveis velhos ou nos primos de Russell largados em nossas cadeiras depois de se embebedarem. Eu gostava da maneira que ela dizia que o jantar feito com macarrão instantâneo seco e triturado que eu lhe servia era "maravilhoso" e do fato de ela recentemente haver me explicado o que era um boquete.

Nós andamos ao longo da Avenida Lakeshore Drive, em direção ao parque de diversões. Um vento frio soprava por cima da água. Era o começo de setembro. A estação dos turistas já se encerrara havia um bom tempo. As calçadas estavam vazias; poucos carros passavam por nós. Carrie sempre reclamava sobre como Sylvan Lake era entediante, dizendo que queria voltar a morar em Sunchild. Tinha inveja por eu poder ficar com meu pai em Red

Deer nos finais de semana. Eu poderia ter dito que aquilo não era motivo para ter inveja, mas, na verdade, contava os dias para ir até lá. A casa do meu pai tinha um carpete felpudo e paredes grossas. Eu tinha meu próprio quarto, uma colcha marrom com babados, um toca-fitas com cassetes dos New Kids on the Block e uma coleção de livros novos, coleções completas do Baby-Sitters Club e a série *Sweet Valley Twins*. Nunca contei nada disso para Carrie.

Na marina, várias fileiras de lanchas flutuavam em suas docas. O parque de diversões jazia adormecido. O tobogã de fibra de vidro fora drenado durante a noite, um esqueleto contra o céu tingido de rosa.

— Já viu o que tem ali? — perguntou Carrie, chutando um quiosque de venda de ingressos que estava fechado. Balancei a cabeça negativamente.

Não demorou muito até que ela conseguisse subir em uma lixeira e passar as pernas por cima do muro alto do Labirinto Maluco, que ziguezagueava como uma cerca para o gado ao longo de uma das extremidades do parque. Abruptamente, ela desapareceu por trás do muro. Ouvi o som de um par de tênis batendo contra o piso de concreto e depois uma risada.

Eu era uma criança assustada, na maior parte do tempo. Tinha medo do escuro, tinha medo de estranhos, tinha medo de quebrar meus ossos e também de ir ao médico. Tinha medo da polícia, que às vezes vinha até a nossa casa quando os amigos de Russell começavam a fazer tumulto demais em nossa sala de estar. Tinha medo de altura. Tinha medo de tomar decisões. Não gostava de cachorros. Sentia pavor de que rissem de mim. Neste momento, tinha um pressentimento sobre o que aconteceria a seguir: sem querer que Carrie risse de mim, eu subiria no muro, sentiria tontura, cairia lá de cima e quebraria alguns ossos. A polícia chegaria — estranhos, todos eles — e trariam seus cães. Naturalmente, tudo isso aconteceria no escuro, e, logo depois, eu teria que ir ao médico.

E foi por isso que eu quase dei meia-volta e saí correndo. Mas o caminho de volta para a minha casa também estava escuro agora, e eu conseguia ouvir Carrie chamando meu nome de dentro do labirinto. Apoiei-me sobre a lixeira, tomei impulso e ergui o corpo até o topo do muro. Em seguida, pulei.

Quando cheguei ao chão, Carrie saiu correndo. Em meio à pouca luz, os cabelos dela pareciam ter um brilho azulado. As paredes do interior do labirinto eram pintadas com desenhos amadores que representavam palhaços, *cowboys* e monstros apalermados — qualquer coisa que servisse para aumentar a empolgação e o terror leve na cabeça das crianças que corriam livres durante o verão.

Carrie Crowfoot e eu seríamos amigas somente por mais seis meses. Sua mãe levaria a família de volta à reserva de Sunchild em algum momento daquela primavera. Antes disso, eu comecei a ficar mais interessada nas outras crianças que conhecia na escola e na própria escola, sendo escolhida para participar de um grupo de desenvolvimento para alunos avançados. Carrie continuaria a ser uma criança excluída, sem qualquer interesse na escola e, aparentemente, não se exigia que ela comparecesse às aulas. Alguns anos depois, quando estava terminando o Ensino Fundamental, ouvi minha avó dizer que Carrie tivera um bebê. Não cheguei a saber muito mais sobre o que aconteceu com ela porque, após algum tempo, minha família arrancou todos eles das nossas vidas, incluindo Russell, Carrie e quase todas as pessoas que conhecemos durante essa época.

Mas naquela noite, dentro do labirinto, foi impossível não segui-la. Corríamos bem rápido, girando enquanto fazíamos as curvas, fazendo as solas dos nossos tênis guincharem contra o piso quando chegávamos a um beco sem saída. Quando me lembro dessa noite, imagino que podíamos ter soltado alguns gritinhos enquanto corríamos, animadas pela desorientação do momento. A verdade, entretanto, é que estávamos sérias e em silêncio, com exceção do som dos nossos tênis que batiam contra o piso e o farfalhar das nossas jaquetas. Os cabelos de Carrie esvoaçavam por trás da sua cabeça conforme ela avançava, entrando e saindo dos corredores, concentrada em meio às decisões que deviam ser tomadas em uma fração de segundo sobre o próximo caminho a seguir. Mesmo assim, nós finalmente conseguimos relaxar e nos sentir alegres, esquecendo que estava escuro e estávamos invadindo uma propriedade particular, esquecendo tudo que nos assustava ou assombrava, perdidas em meio ao parque de diversões que nunca víramos antes.

★

High Tree, a companhia de jardinagem e paisagismo onde Russell trabalhava, daria uma festa enorme no final do ano em um restaurante em Red Deer. Minha mãe ficou pensando naquilo durante várias semanas. Quando encerrava seu expediente no supermercado, ela saía para olhar os vestidos no Parkland Mall, examinando os cabideiros com as peças em promoção. Em casa, anunciou a todos que estava de dieta.

Armamos a árvore de Natal em um canto da sala, um pinheiro maltratado que minha mãe pegou no estande montado no estacionamento do Food City. Ela foi até o Centro Natalino de Red Deer, assinou um papel atestando o fato de que tinha três filhos e ganhava sete dólares por hora de trabalho e recebeu presentes gratuitamente. Todos foram recolhidos e embrulhados por voluntários e finalizados com laços coloridos. Eu sabia quais eram os meus dois presentes debaixo da árvore, porque ambos tinham a mesma etiqueta: MENINA, 9 ANOS.

★

Alguns dias antes da festa, minha mãe foi ao cabeleireiro para fazer um novo permanente. Encontrou também um vestido, que estava pendurado num cabide no armário do seu quarto. Era preto e reluzente, e eu já passara um bom tempo tocando o tecido.

Agora era a noite de sexta-feira. Russell tomou banho, vestiu calças pretas e uma camisa social, abotoando-a até o pescoço. Serviu-se de uma dose de uísque e sentou-se no sofá, colocando Nathaniel em seu colo. Meu irmão não parava de se contorcer. Stevie, o irmão de Russell, com dezessete anos, cuidaria de nós naquela noite. Estávamos esperando pela minha mãe.

Ouvíamos o som do secador de cabelos vindo do quarto. Mark e Stevie colocavam e tiravam suas fitas cassete do nosso aparelho de som, apertando os botões e avançando as fitas até as músicas de que gostavam, enquanto eu fazia a minha lição de casa de matemática no chão. Nathaniel, com seu urso de pelúcia, foi até onde estava a televisão e apertava o rosto contra a tela, tentando ouvi-la em meio a todo aquele barulho.

Russell serviu-se de uma segunda dose e depois uma terceira. Cruzou as pernas e começou a cantarolar:

— Looooori. LoooooRIIII.

Quando ela veio pelo corredor, todos nós nos viramos para olhar. Seu vestido preto era curto na frente e longo atrás, cascateando em uma pilha de babados que chegava a tocar o chão. Suas pernas finas apareciam quando ela andava. Calçava sapatos novos.

Como se estivesse seguindo um roteiro, Russell ficou em pé. O rosto da minha mãe parecia estar enrubescido, os olhos brilhantes, os lábios pintados de vermelho. Sua pele pálida tinha um tom de creme contra o vestido preto, que era tão justo e reluzente que parecia ter sido colado em seu corpo. Eu e as outras crianças prendemos a respiração, esperando para ouvir o que Russell diria.

— Puta que pariu! — foi o que ele disse. — Você está maravilhosa.

Era verdade. Minha mãe parecia uma estrela de cinema. Ela sorriu e estendeu a mão para Russell. Beijou nossos rostos para nos desejar boa noite. Lembro-me que estávamos literalmente gritando, como se estivéssemos na arquibancada de um evento esportivo, alegres pela ótima noite que eles teriam.

Russell deixou o copo na mesa, pegou um casaco elegante da minha mãe, uma peça forrada com pelo de arminho que ela herdara da minha bisavó, e depois conduziu-a pela porta.

⋆

Naquela noite, nós assistimos a alguns filmes da nossa coleção. Vimos *Três Solteirões e Um Bebê* e o novo *Batman*. Estourei milho na pipoqueira e enchi as tigelas, passando-as para as pessoas. Em algum lugar em Red Deer, minha mãe dançava com Russell. Imaginei a cena ocorrendo em um salão de baile, com cordões de luzes pendentes e taças de champanhe de boca larga. Adormeci e acordei várias vezes, até bem tarde, e finalmente despertei com um sobressalto. A tela da TV estava escura, o apartamento em silêncio. Acordei Nathaniel, que estava dormindo no chão, e levei-o para o quarto que dividíamos, guiando seu corpo sonolento até a cama. Subi na cama de cima do beliche, com um resquício das festividades do fim do ano ainda aceso na cabeça, e deitei-me para finalmente dormir de verdade.

Houve um toque surreal no que aconteceu a seguir. Sempre havia, mesmo que essas coisas — quando aconteciam — acontecessem quase sempre no meio da noite. Os gritos da minha mãe invadiriam a minha mente adormecida, gradualmente destruindo o cenário dos meus sonhos, até que eu não conseguisse mais permanecer inconsciente e estivesse completamente desperta.

Alguma coisa se quebrou com um impacto na nossa sala de estar. Ouvi um berro. Depois, um grunhido. Eu conhecia esses sons. Ela estava revidando. Às vezes, eu via marcas de arranhões no pescoço dele pela manhã. As palavras estavam transbordando da boca de Russell, estridentes, histéricas, algo sobre arrancar os olhos da minha mãe com uma faca, algo sobre o sangue no chão, tanto sangue que ninguém conseguiria saber quem era ela.

— Sua vaca! — eu o ouvi dizer. Depois, um baque enorme, que eu também reconhecia: o sofá acabara de ser virado.

Eu a ouvi correr da cozinha para a sala e depois pelo corredor. Ouvi quando ela resfolegava contra a porta do meu quarto antes de ser agarrada e jogada com força contra ela. Consegui ouvir a respiração dele, também, como se ambos estivessem lutando para respirar. Na cama de baixo do beliche, Nathaniel começou a chorar.

— Está com medo? — eu sussurrei, olhando para o teto escuro.

Era uma pergunta injusta. Ele tinha seis anos.

Já havíamos tentado intervir antes. Saíramos correndo dos nossos quartos e começáramos a gritar. E então, os dois, com olhos escuros e ensandecidos, correram para o seu quarto e bateram a porta. Se nossa mãe queria nossa ajuda, não demonstrava. Às vezes, eu ouvia Stevie no corredor, dizendo para seu irmão:

— Ei, pare com isso! Relaxe, Russ. — Mas ele também ficava sem ação quando tinha que encarar a fúria do casal. Depois de algum tempo, um dos vizinhos sempre chamava a polícia.

Minha mãe chegou a ir algumas vezes para o abrigo para mulheres em Red Deer. Prometeu ao meu avô e à minha avó que terminaria o namoro com Russell, mas não demorava muito tempo até os dois estarem juntos outra vez. No abrigo para mulheres havia pisos reluzentes de linóleo, muitas crianças e montes de brinquedos legais para brincar. Eu me lembro do rosto arrasado do meu pai quando ele foi até lá para nos buscar.

A briga após a festa do fim do ano acabou rapidamente. Minha mãe e Russell voltaram aos braços um do outro, minhas pipocas ficaram espalhadas por toda a sala, a armação de madeira do sofá estava quebrada e havia um novo buraco na parede. Eu sabia como essas coisas aconteciam. Na manhã seguinte, Russell choraria e pediria desculpas a todos nós. Por algumas semanas, teria um comportamento exemplar. Viria sentar-se na sala conosco com a cabeça baixa e conversaria com Deus, repetindo a linguagem que conhecemos na igreja que nossos avós frequentavam — *glória a Deus nosso salvador abençoado seja o seu filho por favor salvai-me do diabo vosso é o caminho e em Jesus Cristo obrigado e amém.* Ao cair da noite, fazia bastante alarde sobre ir às reuniões dos Alcoólicos Anônimos. Durante aquelas semanas, minha mãe tinha mais poder. Conseguia controlar Russell, mandando-o recolher suas roupas do chão e passar o aspirador de pó.

Mas o ponteiro de uma válvula invisível e interna começaria a se agitar e voltaria para a área vermelha. O arrependimento seria esquecido. Minha mãe sairia alegremente em alguma tarde para cortar o cabelo e voltaria, de acordo com Russell, tarde. Ele estaria esperando no sofá, com a voz afiada.

— Por que demorou tanto, Lori? — E também: — Com quem você estava, vestida igual a uma puta desse jeito?

Eu via minha mãe empalidecer ao perceber que a máscara de Russell havia caído e que, em pouco tempo — talvez hoje, talvez daqui a três semanas —, ele iria agredi-la outra vez.

Eu não conseguia entender aquilo. Nunca conseguiria. Simplesmente tentava ignorar a situação. Quando as luzes estavam apagadas e todos os corpos estavam deitados, eu desaparecia, voava para longe. Minha mente saía de debaixo dos lençóis, corria pelas escadas e ia para longe, para os desertos de seda e águas marinhas espumantes da minha coleção da *National Geographic*, através de florestas cheias de criaturas noturnas de olhos verdes e templos encravados no alto das montanhas. Eu visualizava orquídeas, ouriços, peixes-bois, chimpanzés. Via garotas árabes em balanços e células borbulhando sob um microscópio, e cada uma delas era seu próprio milagre prestes a acontecer. Via pandas, lêmures e mergulhões. Via os anjos da Capela Sistina e guerreiros Masai. Tinha certeza de que o meu mundo ficava em outro lugar.

2

The Drink

Quando eu tinha dezenove anos, fui morar em Calgary. Para qualquer jovem da região central de Alberta, Calgary é a cidade grande, um núcleo de possibilidades, cercada por rodovias movimentadas e com torres de aço e vidro que se erguem das planícies como uma floresta. Também é uma cidade com a economia focada no petróleo, uma base para a ascensão e queda de empresários do mercado de ações e executivos de empresas de energia que trabalham para extrair e vender as gigantescas reservas escondidas debaixo do solo. Cheguei lá no ano 2000, em uma época particularmente boa. Os preços do petróleo estavam praticamente dobrando e, antes que o ano terminasse, triplicariam. Calgary estava cheia de dinheiro e novas construções. Restaurantes e lojas reluzentes estavam abrindo em ritmo frenético.

Meu namorado, Jamie, veio junto comigo. Era um ano mais velho do que eu e crescera em uma fazenda ao sul de Red Deer. Estávamos namorando havia oito meses. Com olhos e cabelos castanho-escuros, era bonito ao estilo de Johnny Depp, com ombros estreitos e mãos fortes que faziam dele um excelente carpinteiro. Nós dois gostávamos de frequentar brechós, montando combinações de roupas que achávamos estilosas e rebeldes. Jamie usava camisas de *cowboy* com botões de madrepérola. Eu usava qualquer coisa que tivesse lantejoulas, junto com os maiores brincos que conseguisse encontrar. Ele era capaz de tocar qualquer instrumento, desde a gaita de boca até bongôs ou violino. Dedilhava canções de amor em seu violão. Trabalhava na construção civil quando precisava de dinheiro, mas, quando não precisava, passava dias inteiros desenhando ou tocando música. Eu estava totalmente encantada por ele.

Eu pensava que, em Calgary, Jamie poderia gravar um CD ou conseguir algum contrato. Para mim, também, a cidade seria uma nova plataforma —

embora não soubesse exatamente para o quê. Encontramos um apartamento de um quarto em um arranha-céu sujo no centro da cidade. Nossa cama era um colchão jogado sobre o piso. Jamie pintou as paredes do banheiro de amarelo. Eu pendurei pôsteres e coloquei vasos de plantas na janela. Minha vida parecia ter ficado instantaneamente urbana e adulta. Mas viver na cidade era caro. Consegui um emprego em uma loja de roupas, outra filial da mesma rede nacional onde trabalhara em Red Deer quando estivera no Ensino Médio. Jamie encontrou trabalho como lavador de pratos no Joey Tomato's, um restaurante elegante no Eau Claire Market, enquanto procurava trabalho na construção civil. Juntando nossos salários, mal conseguíamos pagar o aluguel.

Em uma tarde muito fria, pouco tempo depois de chegarmos a Calgary, eu vesti meu casaco de inverno, uma jaqueta *vintage* de couro marrom com um enorme colarinho forrado com pele de carneiro, e saí para caminhar com uma pilha de currículos enfiados em um envelope pardo. Queria tentar a sorte como garçonete. Nunca havia trabalhado em um restaurante, mas, quando vi as garotas que trabalhavam no Joey Tomato's, senti admiração e inveja ao mesmo tempo. Elas andavam pelo lugar usando saltos altos. Jamie me disse que elas ganhavam muito dinheiro.

★

O primeiro lugar onde entrei, especialmente porque estava com frio, foi um restaurante japonês com uma bela aparência, onde havia um balcão esmaltado preto para o *sushi bar* e luminárias penduradas no teto que se pareciam com lanternas de papel. O horário de almoço já havia terminado e o lugar estava tranquilo. Havia uma música *techno* tocando baixo no sistema de som, enquanto duas garçonetes incrivelmente bonitas preparavam as mesas para o jantar. Num canto mais afastado, um grupo de seis homens estava participando de alguma espécie de almoço de negócios, com papéis espalhados sobre a mesa. Timidamente, entreguei meu currículo para a elegante recepcionista japonesa e gaguejei algumas palavras sobre haver acabado de chegar à cidade. Agradeci pela atenção e dei meia-volta para ir embora. Tive a certeza de que não me encaixaria naquele lugar.

— Ei, espere um segundo — alguém me chamou.

Um dos homens da mesa do canto me seguiu até a entrada. Parecia ter seus vinte e tantos anos, com cabelos escuros, rosto anguloso e queixo quadrado e cinzelado, não muito diferente de um super-herói dos quadrinhos.

— Está procurando emprego? — perguntou.

— Ah, sim — respondi.

— Ótimo — disse ele. — Acabou de encontrar.

Eu estava falando com Rob Swiderski, o gerente de uma danceteria chamada The Drink, que ficava a poucos quarteirões do restaurante japonês e era do mesmo proprietário. Estava me oferecendo a vaga de garçonete para servir bebidas.

Senti-me em uma situação conflituosa. Estava lisonjeada. Ouvira alguns amigos que às vezes vinham até Calgary para participar de alguma festa comentarem sobre o The Drink em Red Deer, e diziam que o lugar era elegante e caro. Mas eu queria servir refeições, não bebidas. De algum modo, parecia ser mais respeitável.

Quando eu disse não, Rob riu.

— Se você está procurando um emprego, está querendo ganhar dinheiro, não é? — disse ele. — Experimente trabalhar lá por uma semana. Ou mesmo uma noite, se quiser. Se não gostar, é só pedir demissão.

Voltei para a rua fria após concordar em ir até a danceteria na noite seguinte. Ele nem pediu uma cópia do meu currículo.

★

O The Drink ficava em um dos vértices de um quarteirão da cidade, com um restaurante e cinco áreas diferentes de bar, e oferecia quarenta tipos diferentes de martínis. Enormes candelabros, iluminados como se fossem constelações no céu, pendiam do teto alto. Uma pista de dança com piso de madeira de lei ocupava o centro do espaço, com uma escadaria curta que levava a uma área VIP cercada por um cordão de isolamento de veludo. Havia mais ou menos vinte garçonetes trabalhando em cada turno, e todas eram bonitas. Usavam saltos altos e vestidos de grife e levavam as bebidas em pequenas bandejas redondas emborrachadas para evitar que os copos deslizassem e fossem derrubados. Algumas se apresentaram, mas a maioria nem olhou na minha direção. Não demorei a aprender que garotas novas chegavam e partiam com bastante frequência. Algumas eram descuidadas demais para anotar e entregar os pedidos corretamente, enquanto outras não conseguiam manter uma imagem à altura da danceteria, que — como Rob fazia questão de lembrar a todas nas reuniões semanais com a equipe — deveria ser "elegante e sexy". Quem estivesse desleixada era mandada para casa.

Sob a gerência de Rob, o The Drink se tornou o bar mais popular da cidade — chegando até mesmo a ponto de oferecer um *happy hour* após o expediente para a Calgary corporativa, que se transformava em uma zona de paqueras e flertes glamourosa e liberal conforme a noite avançava. Era aqui que os jogadores da NHL se reuniam após seus jogos, onde os astros do rock que passavam pela cidade em turnê vinham após os seus shows e onde os barões do petróleo ostentavam seu dinheiro. Nos finais de semana, as pessoas chegavam a formar cinco filas para entrar na casa e todas elas davam a volta no quarteirão.

Trabalhando das 22 horas até as 2 da manhã na minha primeira noite, calçando saltos altos e brincos com pingentes dourados e com o meu melhor vestido, recebi uma bandeja e instruções sobre como lidar com os pedidos de bebidas e como imprimir as contas. Em seguida, fui mandada para uma seção mais tranquila no fundo da danceteria. Durante as horas seguintes eu levei martínis gelados e doses de uísque de centeio do bar para as quatro ou cinco mesas dali, onde os clientes — em sua maioria, empresários — me agradeciam educadamente e me entregavam seus cartões de crédito. Ao final da noite, uma garçonete chamada Kate mostrou como usar o computador para receber o dinheiro das minhas gorjetas. Faturei cinquenta dólares em quatro horas, além do meu salário, e estava transbordando de alegria. Embora Jamie, que não tinha nenhum interesse em bares, tenha ficado irritado comigo quando lhe disse que consegui um emprego para servir drinques, eu achava que ele poderia admitir que eu estava recebendo um bom dinheiro, pelo menos.

— Quanto você ganhou? — disse Kate, olhando por cima do meu ombro. Ao visualizar o meu total, ela gemeu. — Oh — disse ela. — Isso é brutal.

Eu não fazia ideia do que ela estava dizendo.

★

Pelos meus padrões, fiquei rica trabalhando no The Drink. Quando cheguei para a minha segunda noite de trabalho, fui mandada outra vez para uma divisão com pouco movimento do outro lado da casa, mas não demorou muito até um grupo de corretores de ações muito tagarelas aparecer e começar a pedir garrafas de champanhe Cristal, que custavam trezentos dólares cada. Voltei para casa algumas horas depois com quinhentos dólares em gorjetas. No decorrer de alguns meses, passei a trabalhar em seções maiores e em noites mais movimentadas. Comprei sapatos bonitos e belos vestidos para a noite. Em uma noite boa, eu conseguia ganhar setecentos dólares. Em uma noite excepcional, ganhava mil. Enfiava os rolos de dinheiro em um pote no armário da nossa cozinha, até ele ficar tão cheio que comecei a guardar as notas no freezer. Quando outra garçonete me disse que os freezers eram o primeiro lugar onde os ladrões procuravam ao assaltar uma casa, passei a considerar mais seriamente a ideia de fazer depósitos no banco.

Fiz amizade com as outras garotas, aprendendo como me esquivar com sucesso de cantadas embriagadas e como conseguir uma boa gorjeta com dedicação e um sorriso. Aproximei-me de Priscilla, que faturava gorjetas astronômicas no The Drink e usava o dinheiro para fazer viagens longas e exóticas em suas férias. Quando conversamos pela primeira vez, ela acabara de voltar da Tailândia, que, para mim, parecia ser um lugar incrivelmente distante. Priscilla me deu as dicas sobre como manter um grupo regular de clientes — bons pagadores que pediriam suas bebidas sempre à mesma garçonete — oferecendo-lhes um tratamento VIP, colocando plaquetas de "reservado" em suas mesas e servindo suas bebidas em copos que trazia do bar do andar superior, em vez dos copos plásticos de sempre.

Durante um tempo, eu simplesmente desfrutei da liberdade que estava associada ao fato de ter dinheiro. Larguei o meu emprego na loja de roupas. Durante o dia, Jamie trabalhava em algum dos vários canteiros de obras que havia pela cidade, embora, cada vez mais, ficasse em casa comigo durante as minhas horas de folga. Às vezes, ele tocava um repertório curto em uma cafeteria perto do nosso apartamento, que deixava um microfone à disposição de qualquer pessoa que quisesse utilizá-lo, e sempre era aplaudido com entusiasmo.

Ele não se incomodava mais com o fato de eu trabalhar no The Drink, mas nunca foi me ver lá. Eu preparava o nosso jantar bem cedo e passava quase uma hora em frente ao espelho enquanto Jamie ficava sentado na sala, lendo um livro ou tocando música. Para mim, vestir a roupa para ir trabalhar era como me preparar para entrar no palco. Eu tinha um armário cheio de vestidos pretos e uma quantidade enorme de produtos de maquiagem. Toda aquela rotina já se tornara fácil agora: você calçava seus saltos mais altos, prendia os cabelos, pintava os olhos e os lábios. Seu trabalho não era ser bonita, mas ser maravilhosa, para que os homens se sentissem atraídos e as mulheres, invejosas, mesmo que tudo não passasse de um flerte. Algumas das garotas do The Drink economizavam o dinheiro que ganhavam durante alguns meses e se submetiam a cirurgias para implantes de silicone nos seios, como se aquilo fosse um investimento profissional. Decidi seguir um velho truque das garçonetes que aprendi no vestiário do The Drink, colocando um sutiã com uma armação *push-up* por cima de um outro sutiã com enchimento. Isso me dava a sensação de que eu tinha uma barra de ferro amarrada ao redor do peito, mas, mesmo assim, serviu ao seu propósito.

Depois do trabalho, quando algumas das minhas amigas do The Drink iam a bares que ficavam abertos durante toda a madrugada, eu voltava para casa para me aconchegar ao lado de Jamie enquanto ele dormia. Nós dois havíamos nos acomodado em uma rotina tranquila. Pela manhã, fazíamos caminhadas sinuosas ao longo do Rio Bow. Quando ele não estava trabalhando, saíamos para almoçar em restaurantes caros. Descobri uma loja de livros usados chamada Wee Book Inn perto do nosso apartamento e comprei pilhas de livros em edições econômicas. Pela primeira vez na minha vida eu tinha dinheiro de verdade no banco, o bastante para custear um ano em uma faculdade. Havia acabado de completar dezenove anos. Sabia que seria melhor comprar um conjunto de livros didáticos e ter algum tipo de plano superior em mente, mas isso não me interessava. Pensava que ir à universidade acabaria por me colocar na mesma categoria das pessoas de vinte e poucos anos que usavam terno e gravata e que passavam pela nossa rua todas as manhãs a caminho dos prédios comerciais onde trabalhavam, saindo deles para ir ao The Drink ao final do expediente, agindo como se tivessem cinquenta anos, desabando nas cadeiras forradas de couro e dizendo: "Meu Deus, que dia horrível. Vou querer um gim com suco de limão, sem gelo".

★

Na casa onde minha família morava, o namorado mais recente da minha mãe — um homem cruel chamado Eddie, com quem ela estava morando em Red

Deer — acabou sendo preso por crime de extorsão. Meus irmãos e eu concordamos que isso era um alívio. Minha mãe se livrara de Russell quando eu tinha doze anos, mas ainda gravitava em direção a homens instáveis. Assim, durante a maior parte do Ensino Médio, eu morara com meu pai e Perry em uma casa que eles compraram em Sylvan Lake. Mark fora morar com alguns amigos, e Nathaniel ficara com a nossa mãe. Todos nós a amávamos, mas sempre ficávamos preocupados quando algum homem se aproximava dela.

Minha mãe estava com quarenta e poucos anos, e seus cabelos escuros ainda não tinham nenhum toque de grisalho. Depois que Eddie se foi, passei a pegar um ônibus em Calgary para ir jantar com ela uma ou duas vezes por mês. Ela se mudou para uma casa bonita e pequena em Red Deer e conseguiu um bom emprego com uma agência católica de serviços sociais, trabalhando como auxiliar em um abrigo para adolescentes com problemas. Estava lendo livros de autoajuda, tentando ensinar a si mesma a meditar. Falava em guardar dinheiro para poder viajar. Sua conversa estava tingida pela linguagem dos recomeços.

Eu costumava dizer a Jamie, em tom de brincadeira, que a minha infância parecia ter sido feita sob medida para aparecer no *The Jerry Springer Show*[1] — não apenas um episódio, mas uma temporada inteira. Minha mãe tinha uma queda por homens maus. Meu pai era uma das poucas pessoas assumidamente gays na cidade. Meus avós oravam ardentemente para Jesus, falando em línguas estranhas quando a ocasião pedia. Meus irmãos se envolveram com drogas. Eu também tinha meus problemas. Frequentemente me recusava a comer para permanecer magra, contando calorias de maneira obsessiva. Cortava minha comida em duas partes, depois em quatro, e comia somente a metade. Depois de vários dias sem uma refeição verdadeira, eu perdia o controle e me empanturrava, comendo tudo o que havia à minha volta antes de me forçar a vomitar. Isso também estava presente no manual da família problemática.

Mesmo assim, nós tentávamos sobreviver. No ano em que Eddie foi preso, meu pai ligou para a minha mãe e, embora estivesse hesitante, convidou-a para vir passar o Natal na casa dele. Meus pais acabaram suavizando as relações, após anos de comunicação forçada sobre horários escolares e qual

[1] Programa de auditório exibido na televisão norte-americana desde 1991, caracterizado pela exposição de pessoas com conflitos familiares e incitação à discussão violenta, com o uso de baixarias e até agressões. (N. T.)

dos filhos precisava de sapatos novos. Além disso, Perry e meu pai eram tão estáveis e tinham um casamento tão sólido quanto qualquer casal, mais do que a minha mãe já tivera com qualquer um de seus homens. Lentamente, ela passou a reconhecer a isso.

Na manhã de Natal, minha mãe entrou pela porta da casa onde meu pai e Perry moravam com uma guirlanda feita com fios metalizados e um laço de veludo vermelho, sorrindo para mim e meus irmãos, desculpando-se várias vezes por não ter condições de nos comprar presentes. Trouxe, em vez disso, várias cartas longas, escritas cuidadosamente e impressas em papel decorado com desenhos de luzes de Natal ao redor das bordas. Uma para cada pessoa na sala, incluindo meu pai e Perry. Eu abri a minha carta e li lentamente. Ali, ela descrevia algumas das suas melhores lembranças, momentos belos e felizes, como o dia em que nós duas estávamos dançando e fazendo caretas em frente ao espelho naquele apartamento no subsolo do prédio em Sylvan Lake enquanto armávamos os nossos cabelos. Descreveu na carta o amor que sentia por mim e sua esperança de que eu sempre teria boa sorte e grandes aventuras. Não sei o que ela colocou nas outras cartas. Tudo o que sei é que todos nós estávamos em silêncio e com lágrimas nos olhos.

Depois disso, sempre passamos todos os Natais juntos. Nunca seríamos exatamente uma família muito próxima, mas amávamos uns aos outros de uma maneira feroz.

3

Ir a Algum Lugar

— Jamie — eu disse. — Vamos para algum lugar.

Levamos um cobertor até o rio certa noite, no final do verão, mais ou menos nove meses depois de nos mudarmos para Calgary. Eu estava cansada e inquieta. Vinha estudando os anúncios de viagens no jornal de domingo — os voos ao redor do mundo ao custo de oitocentos dólares, as fotos granuladas de palmeiras em lugares distantes, os pacotes que eram oferecidos e os voos para cidades com nomes que eu nunca vira antes.

Jamie estava deitado com as costas no chão, observando as nuvens do verão deslizarem pelo céu. Eu admirava o arco harmonioso do seu nariz, a textura lisa da sua pele, o castanho dos seus cabelos. Ele era imperturbável e, por vezes, um enigma para mim. Seu talento para vagar por horas a fio em lojas de discos e brechós, passando o tempo sem qualquer propósito na vida ou semanas sem trabalhar, estava me deixando impaciente.

— Para onde você quer ir? — disse ele.

— Qualquer lugar — eu respondi. — Estou falando sério. Qualquer lugar. Vamos planejar alguma coisa, ir a algum lugar.

Eis aqui o que eu amava em Jamie: o sorriso que se formava lentamente, a mão com dedos longos que agarrava meu ombro afetuosamente.

— Vamos, sim — disse ele. — Qualquer lugar, é uma ótima ideia.

★

No dia seguinte, eu estava na Wee Book Inn, folheando as edições antigas da *National Geographic*. O lugar para onde eu realmente queria ir era a África, mas isso não parecia ser exatamente um destino para iniciantes. O único lugar fora do Canadá onde eu estivera fora a Disneylândia, quando ainda era criança, uma vez com meu pai e outra com a minha mãe, depois do divórcio.

Jamie nunca saíra do Canadá. Peguei uma pilha enorme de revistas, sentei-me no chão e comecei a buscar um destino.

Jerusalém? Tibete? Berlim? Um aspecto engraçado da *National Geographic* era o fato de contar o mesmo tipo de história elementar toda vez, mostrando coisas que estavam perdidas ou lugares inexplorados, místicos ou selvagens. *Você está aqui*, a revista parecia dizer, *e nós estamos lá*. Não era realmente um insulto; era algo mais ao estilo de uma pequena bandeira empunhada em nome dos mais acomodados. Ter a revista era um gesto de respeito aos limites exteriores do mundo, seus predadores e suas presas. Ela permitia que alguém dissesse: *Estou vendo tudo que há lá fora e, agora, obrigado. Vou continuar aqui.*

Para mim, também era uma provocação. Havia uma chamada na capa de um exemplar sobre a Bolívia e o Madidi, um pequeno parque nacional na parte superior da bacia amazônica, onde araras e papagaios voavam por entre as árvores de mogno. Em outro artigo, encontrei fotos de altas cachoeiras que batiam contra as pedras e erguiam nuvens diáfanas cortando as florestas do Paraguai. Encontrei uma velha edição que eu tinha quando era criança, com uma história sobre um planalto mágico em algum ponto da Venezuela chamado Monte Roraima, coberto de cristais de quartzo e flutuando acima das nuvens. Os nomes, por si só, pareciam ser lindos e inventados pelos jornalistas. Fervilhavam na minha mente como poesia enquanto eu caminhava para casa, suavizando as sílabas brutas do lugar onde eu morava, os lugares de onde eu vim. *Madidi. Venezuela. Paraguai.* A decisão sobre aonde ir parecia ser direta. Nenhuma cidade, nenhum país, nenhum litoral em particular. Apenas um continente: a América do Sul.

Havia um lugar chamado de Adventure Travel Company a poucos quarteirões do The Drink, onde duas mulheres ficavam sentadas atrás dos seus computadores, cercadas por um minicoliseu de brochuras brilhantes dispostas em prateleiras que exibiam *resorts* e hotéis. As passagens mais baratas que conseguimos encontrar saindo de Calgary tinham como destino Caracas, a capital da Venezuela. Era o início de setembro de 2001. Reservei duas poltronas para uma viagem em janeiro, com o voo de regresso programado para seis meses depois, e paguei tudo em dinheiro vivo.

Estava feito. A viagem iria acontecer. Ela se tornou nosso princípio organizacional. Era assim que eu e Jamie começávamos nossas frases:

— Quando sairmos para a nossa viagem...

— Quando a data da viagem ficar mais próxima...

Na livraria de segunda mão eu comprei um guia *Lonely Planet* para a América do Sul, grosso como uma Bíblia, uma edição publicada cinco anos antes e já bastante manuseada. Jamie e eu o lemos página por página. Imaginávamo-nos atravessando as selvas cheias de árvores e cipós, comungando com os quéchuas a caminho dos altos picos nevados por baixo de um sol ofuscante.

Lemos a seção do guia que descrevia os insetos, as cobras e as moscas comedoras de carne humana que penetravam no corpo pelas pernas e cobras enormes que se enrolavam em árvores, e deixamos que aquilo nos assustasse. Lemos a seção intitulada "Perigos e Aborrecimentos", que disse que poderíamos ser assaltados, agredidos ou enganados, entregando todo o nosso dinheiro para um orfanato que não era realmente um orfanato. Lemos os avisos sobre a malária, vigaristas, golpistas de rua e assaltantes nas estradas. Deixamos que nossos pais expressassem suas preocupações em relação a acidentes de carros e febres fatais. Imaginamos o pior — ou aquilo que, em nossa inocência, pensávamos ser o pior — porque isso parecia ser uma parte necessária da nossa preparação, já que estávamos apostando alto em uma experiência completamente nova.

★

Quando Jamie e eu partimos para a América do Sul em uma manhã gelada em janeiro de 2002, os perigos do mundo já estavam amplamente expostos. Milhares de pessoas morreram nos ataques de 11 de Setembro. Houvera ameaças de ataques químicos com antraz, alarmes falsos e pessoas falando na televisão sobre um submundo muçulmano jihadista e um eixo do mal. Pouco antes do Natal, um terrorista embarcara em um avião em Paris e tentara, sem sucesso, atear fogo em uma bomba que trazia escondida no sapato. No Paquistão, algumas semanas depois, um repórter do *The Wall Street Journal* chamado Daniel Pearl tentara fazer uma entrevista com pessoas ligadas ao financiamento do homem com a bomba no sapato. Ele fora sequestrado e, semanas depois, decapitado. Em se tratando de perigo, os riscos totalmente irreais haviam se tornado totalmente plausíveis em uma questão de meses.

Apesar de tudo, estávamos a caminho. Nosso plano era chegar à Venezuela e depois ir ao Brasil e ao Paraguai. Dentro do avião no aeroporto de Calgary, esperando enquanto as asas e os motores eram descongelados, tentei afastar quaisquer pensamentos que envolvessem morte e desastre. A América do Sul não era o Oriente Médio, eu disse a mim mesma. Não era nem mesmo os Estados Unidos. Comprimimos, enrolamos e batemos os nossos pertences até que as malas estivessem duras como tijolos, criando espaço para coisas que víamos como necessidades — frascos extras de repelente de insetos e protetor solar, sabão para lavar roupas, spray antifungo para nossos sapatos, além de um tubo gigante de ketchup e os pacotes de sal e pimenta-do-reino que vínhamos pegando em lanchonetes havia vários meses.

Quando visitei minha avó antes de partir, ela nos doou um frasco enorme de gel antibacteriano e alguns potes Tupperware, e, de algum modo inexplicável, eu consegui enfiar tudo na minha bagagem. Para se despedir, ela alegremente desaprovou os meus planos de viagem e o gosto que eu tinha por usar saias curtas e sapatos de salto alto diariamente.

— Espero que você saiba que não vai poder ir até aquele lugar e usar essas roupas de *modelo* de que tanto gosta — disse ela enquanto eu lhe dava um beijo no rosto.

Da sua poltrona na sala de estar, com seu velho piano e a coleção de rosas de cerâmica roxa da minha avó, meu avô acrescentou:

— Espero que você saiba que, caso se meta em alguma encrenca, não teremos dinheiro para livrar a sua cara.

Deixei esse comentário passar sem lhe dar qualquer importância.

4

A Afirmação de uma Pequena Verdade

Caracas, tarde da noite, parecia-se somente um pouco com a cidade no meio da selva que eu imaginei que seria. O motorista do táxi em que embarcamos falava inglês e nos indicava os pontos turísticos. A maioria dos prédios já estava fechada àquela hora da noite. Eu via grandes palmeiras com suas folhas pendendo sobre as amplas avenidas. A cidade parecia tranquila, verdejante, exótica.

Este poderia ser o momento para me aninhar nos braços de Jamie ou beijar-lhe a palma da mão e dizer algo sobre o quanto me sentia viva, após fazer um percurso quase impossível sobre a curvatura da Terra com ele em apenas um dia, começando no frio cortante do Canadá e terminando no mormaço do outro hemisfério. Mas não fiz nada disso. Não era o momento adequado. Uma parte de mim tinha medo do que havíamos feito.

Na manhã seguinte, acordamos no quarto de um hotel de três estrelas, que nossa agente de viagens agendara com antecedência e era mais caro do que qualquer outro lugar onde ficaríamos hospedados. Abri as cortinas e vislumbrei, pela primeira vez, a cidade que despertava. Havia um enorme *outdoor* da Pepsi em frente à minha janela. Havia também arranha-céus ao longe e aviões a jato que voavam sobre nossa cabeça. Na rua, vários andares abaixo, as pessoas estavam sentadas em seus carros, olhando para a frente enquanto esperavam que a luz verde do semáforo se acendesse. Era estranhamente, depressivamente familiar. Não havia carroças puxadas por jumentos, nenhuma arara, nenhum flautista andino, nenhuma mulher idosa e charmosa com blusa pregueada e touca de renda na cabeça. Somente o ar parecia ser diferente — denso e um com um leve cheiro de musgo.

Abri a janela e olhei para baixo. Na calçada, vários homens de pele morena e usando bonés de beisebol vendiam frutas guardadas em caixotes de madeira; pilhas de laranjas, pêssegos, mamões e várias outras coisas que eu não reconhecia.

— Jamie, venha dar uma olhada nisso — eu disse.

Olhando por cima do meu ombro, ele disse:

— Vamos descer para comprar algumas? — Jamie sempre estava com fome.

Eu estava me lembrando do que o guia dissera sobre frutas e legumes, que tudo precisava ser lavado, enxaguado e descascado. Naquele momento eu tinha medo de bactérias, o mesmo medo que sentia de terroristas, de bandidos e de ficar sozinha. Estava planejando não comer nada além de arroz e feijão bem cozidos por toda a América do Sul e lavar as mãos várias e várias vezes. Além disso, tínhamos o nosso ketchup.

— É melhor não — eu disse.

★

Esta é uma lição que aprendi bem rápido: o seu guia de viagens — especialmente quando é uma edição com mais de cinco anos — vai deixar você na mão em algum momento. Os Hiltons e Sheratons do mundo, com seus bufês de café da manhã e bandas de *mariachis* tocando à beira da piscina à noite, provavelmente ficarão ali por toda a eternidade, enquanto lugares como o Hostel Hermano e a Posada Guamanchi, que alugam quartos a oito dólares por noite, vêm e vão. A *doña* que antigamente preparava churros com fatias de manga e café quente para os seus hóspedes sai para uma visita indefinida com seus netos. O senhor idoso que tinha uma hospedaria "imaculada e amigável" perto da rodoviária a passa para o seu filho, que não se preocupa tanto com as aranhas, as baratas e o mofo dos chuveiros espalhado pelas paredes, preferindo passar cantadas durante as altas horas da noite em todas as mochileiras bronzeadas que, sem ter uma atualização do guia à disposição, precisam ser mandadas a outros lugares.

Em nossas primeiras semanas na Venezuela, Jamie e eu caminhamos por vários e vários quilômetros, carregando nossas mochilas nas costas enquanto suávamos sob o calor, procurando por casas de câmbio com taxas de serviço baixas e *posadas* de duas estrelas que haviam se transformado abruptamente em casas de massagens ou oficinas para conserto de motocicletas. Esperamos em um ponto de ônibus à beira da estrada sob um sol abrasador, sendo informados, horas mais tarde, mal-humorados e queimados pelo sol, que o ônibus que ia para Caripe nas tardes de terça-feira agora fazia o trajeto na sexta-feira de manhã.

Depois de algum tempo, descobrimos que podíamos conseguir as melhores informações se conversássemos com outros viajantes, os britânicos, alemães e dinamarqueses com suas enormes bagagens e histórias variadas de inconveniência e extravagância, que eles adoravam contar enquanto tomavam canecas de cerveja gelada. Matávamos mosquitos com tapas e trocávamos fragmentos de dados bastante subjetivos. Ana, de Portugal, conhecia um bom lugar para lavar roupas. Um australiano chamado Brad acabara de voltar de uma viagem incrível às Cataratas Ángel e dizia que todo mundo deveria contratar o seu guia.

Preocupar-se acabou se tornando um esforço grande demais. O ônibus não chegava, o ventilador de teto não funcionava e uma garota sueca nos convenceu a acompanhá-la junto com outros nove mochileiros para pegar carona em uma viagem noturna de barco com destino a Trinidad, e nós acabamos enjoados e passando muito mal. Naquele convés, enquanto o barco jogava de um lado para o outro sem parar, eu percebi que, no fim das contas, não havia muito que eu pudesse fazer em relação ao que acontecia. Viajar fazia bem para a minha alma ansiosa. Mas não posso dizer que relaxei completamente. Quando desembarcamos em Port of Spain, Trinidad, no negrume profundo do início da manhã, encharcados de vômito e assustados com a violência do oceano, as autoridades portuárias algemaram o capitão do nosso barco assim que ele pisou na doca e nos levaram até um centro de detenção por não termos vistos de viagem. Naquele momento, eu comecei a chorar.

Mas estar em movimento me deixou mais tranquila, de uma maneira que eu nunca sentira antes. Relaxei minha resolução de não comer frutas, por exemplo. As ofertas eram deliciosas e podiam ser encontradas em praticamente todo canto. Comemos bananas polpudas e goiabas verdes e doces. Enfiávamos a lâmina do canivete suíço na pele firme dos melões frescos e a usávamos para raspar a polpa doce das graviolas amareladas, levando-as diretamente para a boca. Também começamos a nos livrar do excesso de peso das nossas mochilas. Entregamos nossos potes Tupperware para os habitantes de um vilarejo, deixamos o frasco de sabão antibacteriano da minha avó em um albergue sujo e doamos uma pilha de roupas para um orfanato.

Os cabelos escuros de Jamie adquiriram um tom acobreado, e sua pele estava bronzeada e lustrosa após passar vários dias ao ar livre. Eu também me sentia bronzeada e atlética, como se houvesse nascido para viver sob o ar morno. O sol trouxe de volta as sardas que eu tinha quando era criança. Jamie e eu compramos os cartões-postais mais bonitos que conseguimos encontrar e os enviamos para casa com mensagens que anunciavam o quanto tudo era magnífico. Em Isla Margarita, no litoral norte da Venezuela, encontramos praias amplas de areias macias e palmeiras preguiçosas que se agitavam com a brisa do mar. Armamos nossa barraca amarela para duas pessoas no quintal de um hotel econômico por uma semana, após fechar um acordo com o gerente, onde poderíamos usar os banheiros e pagar menos da metade do preço que ele cobrava pela hospedagem em um quarto. Com o dinheiro que economizamos, comíamos sanduíches de carne de tubarão e bebíamos rum barato na hora do almoço.

Fizemos amizade com a garota que trabalhava na recepção e que recebia o dinheiro que pagávamos pela hospedagem todas as tardes, guardava os nossos passaportes no cofre do hotel e nos vendia garrafas de água e empanadas douradas recheadas com queijo picante, que ela trazia em um saco de papel do vilarejo onde morava. Tinha mais ou menos vinte anos, como eu. Seu nome era Peggy. Tinha o rosto arredondado, um sorriso tímido e vestia-se com blusas decotadas e saias longas. Falava um inglês arrastado, mas versátil. O vilarejo onde morava ficava a uns dez quilômetros do hotel.

— Por que não vão até lá? — disse Peggy, certa noite, quando eu estava passando pelo saguão com a minha escova de dentes e o estojo das lentes de contato. — Vocês podem conhecer a minha família. Vamos cozinhar algo para vocês comerem.

Em retrospecto, não era algo muito complicado de fazer — tomar um táxi até a cidade de Peggy, conhecer sua enorme família de tios e tias e irmãos e primos menores que andavam descalços, deixar que ela nos mostrasse a praia que ficava nas proximidades e fazer uma caminhada de cinco minutos por uma trilha em meio aos arbustos, onde poderíamos erguer nossa barraca sem precisar pagar. Naquele momento, entretanto, pareceu algo imenso. A praia era uma meia-lua estonteante de areias brancas contornadas por palmeiras de troncos recurvados ao redor de uma enseada protegida. Não havia sinais de que seres humanos estiveram ali antes — nenhuma tampinha de garrafa naufragada na areia, nenhum iate ancorado perto da praia. Peggy nos trouxe uma bandeja de empanadas e abacaxis fatiados na hora do jantar, e, com o céu começando a adquirir tons de roxo e a brisa da noite ficando intensa, nos deixou. Nosso isolamento era estranho e empolgante. Jamie e eu entramos na água morna, observando cardumes de pequenos peixes azuis que nadavam nas partes mais rasas. Se pudéssemos ver aquela cena de cima, provavelmente teríamos dificuldade em nos reconhecer — uma mulher jovem, um homem jovem, apanhados em um paraíso saído dos livros de escola, sem destino, felizes e totalmente sozinhos.

Também me ocorreu que estávamos em uma situação na qual seria quase impossível sermos encontrados — que, sem pensar duas vezes, nos afastamos dos locais mais movimentados por onde os viajantes passavam. O vilarejo de Peggy não era mencionado no guia de viagem. Não dissemos a ninguém para onde iríamos. Minha alegria se dissolveu rapidamente e a minha mente se fixou no nosso desaparecimento inevitável. A polícia encontraria nossos rastros até o hotel onde estivemos e também ao motorista de táxi. O taxista os levaria até a vila. Os moradores da vila apontariam para Peggy, e ela os acompanharia até a praia. E ali eles nos descobririam, mortos havia um bom tempo e jogados na areia, nossa barraca em farrapos. Jamie e eu teríamos sido atingidos por um relâmpago ao mesmo tempo ou nos afogado com a forte correnteza e o mar jogando nossos corpos de volta na praia. Provavelmente, no entanto, nossa morte seria causada por bandidos, e os bandidos seriam espertos o bastante para nos levar para longe da praia antes de nos roubar, nos matar e enterrar nossos corpos onde nunca poderiam ser encontrados.

Adormeci, naquela noite, petrificada pelo medo e sem ter a certeza de nada, agarrando-me às costas de Jamie enquanto ele dormia na barraca, levantando-me com um sobressalto a cada vez que o vento agitava as árvores ou que um sapo coaxava na floresta. Isso, eu imaginava, era a sensação de estar em uma fronteira, no limite entre a felicidade e o terror.

Acordamos cedo, quando o sol da manhã começou a torrar a nossa barraca, com o ar ali dentro úmido e sufocante. Jamie beijou a minha testa.

Sobrevivemos. É claro.

Alguma coisa estava se desdobrando para mim, especialmente enquanto uma longa viagem de ônibus levava a uma segunda e depois a uma terceira, e nós entrávamos cada vez mais no interior da Venezuela, seguindo um plano flexível, mas sem uma agenda ou cronograma. O efeito era narcótico. Eu observava o interior passar em arbustos emaranhados e densas florestas, pontilhadas com frequência pela visão de uma arara escarlate ou um pequeno vilarejo construído perto de uma fazenda de cacau.

O último ônibus nos deixou em uma cidadezinha chamada Santa Elena de Uairén, perto da fronteira com o Brasil. Encontramos um albergue e dormimos sob uma tela que nos protegia dos mosquitos, em um quarto pintado em um tom berrante de azul-turquesa. Na manhã seguinte, depois de pechinchar um pouco, contratamos um guia indígena da tribo Pemon e andamos pela floresta até chegar ao pé das montanhas.

Demoramos dois dias em uma marcha bem íngreme, subindo por uma trilha sinuosa antes que eu conseguisse ver a razão de ter ido até lá: a vista do alto do Monte Roraima. Não era exatamente uma montanha, mas um planalto encantadoramente enorme, uma formação rochosa de quase quinze quilômetros de arenito castigada pelo vento, tão ampla e alta que era capaz de criar seu próprio clima. Seus paredões íngremes se transformavam em penhascos, várias centenas de metros acima das planícies gramadas que ficavam mais abaixo; cachoeiras de espumas brancas serpenteavam pelas suas laterais. Durante cinco meses, o Roraima ficara exposto em nossa mesa de centro no apartamento de Calgary, seu formato de fatia de torta ocupando a capa do nosso exemplar mais querido da *National Geographic*. E, agora, estávamos do outro lado do espelho. Éramos como personagens em um mundo de fantasia, escalando uma fotografia que se tornara tridimensional. Aqui estavam os cristais de quartzo rosa espalhados aos milhares pelas encostas de um vale; aqui estavam os beija-flores, coloridos como pedras preciosas, e as minúsculas rãs negras de aspecto pré-histórico cujas fotografias nos deixaram maravilhados.

— Consegue acreditar nisso? — eu me ouvia dizer a Jamie, sem parar. — Consegue? Eu não consigo.

Nós dois nos sentamos sobre a borda rochosa da chapada, com os pés pendurados sobre o abismo, sem dizer nada. Mais abaixo, as nuvens espiralavam em tufos e pompons, formando uma cerca estranhamente branca que nos isolava de tudo o que havia abaixo. Era como se estivéssemos sentados na beirada do caldeirão de uma bruxa, ou na proa de um enorme navio no centro de um oceano sobrenatural. Eu vira este lugar na revista, e agora nós estávamos aqui, perdidos nele. Era a afirmação de uma pequena verdade. E era tudo de que eu precisava para continuar a viver.

5

Um Corte de Cabelo às Margens do Lago

Enquanto descíamos o Monte Roraima, Jamie tropeçou e quebrou o pé, fazendo com que tivéssemos que interromper precocemente a nossa grande viagem pela América do Sul. Não houve nenhum diálogo sobre eu prosseguir sozinha. Éramos dois garotos do campo, diferentes de todas as pessoas que conhecíamos, e ambos com medo de tomar qualquer decisão sozinhos. Voamos de volta para o Canadá, cansados. De algum modo, mesmo enquanto passávamos por mais um ano juntos e fizemos mais uma viagem com mochilas nas costas, desta vez pelo Sudeste Asiático, o fim do nosso relacionamento já parecia estar previsto. Estávamos muito insatisfeitos, percebendo que tomáramos a decisão de morar juntos quando ainda éramos muito jovens. A separação foi lenta e dolorosa. Quando Jamie finalmente saiu do nosso apartamento em uma noite na primavera de 2003, dizendo que não voltaria mais, o que mais me marcou foi uma sensação de alívio.

Tentei me ocupar. Consegui um novo emprego em um restaurante, trabalhando em um lugar chamado Ceili's, um lugar elegante que servia como ponto de encontro para executivos e era decorado como um *pub* irlandês, com o piso coberto com tábuas de madeira e música típica tocando nos alto-falantes. O dinheiro que eu ganhava ali superava as gorjetas do The Drink. Fazia tantas horas extras quanto conseguisse, com a intenção de juntar dinheiro para viajar mais.

Pela primeira vez na minha vida eu estava morando sozinha, alugando um apartamento minúsculo no centro de Calgary. Entre os meus turnos de trabalho no restaurante, eu continuava a frequentar a Wee Book Inn, comprando livros com relatos de viagens, revistas antigas e preparando um novo conjunto de planos. Comprei um guia *Lonely Planet* focado na América Central — desta vez, um exemplar novo e atualizado — e comecei a levá-lo ao restaurante para lê-lo durante as minhas pausas para descanso.

No trabalho, fiz amizade com uma garota de Vancouver Island chamada Kelly Barker. Ela era pequena e tinha o nariz arrebitado, com olhos de um verde elétrico que fazia as pessoas na rua pararem para olhar para ela. Tinha um riso longo e melódico, cabelos negros que cascateavam sobre seus ombros como se ela fosse a modelo de um comercial de xampu, e parecia nunca ficar cansada. Ganhava mais gorjetas do que qualquer outra pessoa no restaurante. Em uma sexta-feira, já na época do verão, Kelly e eu fomos almoçar em um restaurante chamado Earls, no meio da tarde. Pedimos petiscos de alcachofra e uma rodada de *high tea* — uma versão mais espessa do chá gelado de Long Island[2] servido em copos altos. Tirei o exemplar do *Lonely Planet* da minha bolsa para mostrar a Kelly as fotos da Costa Rica, o destino que eu havia escolhido. Kelly viajara pela Europa com sua família e participara de um programa de intercâmbio estudantil no México, mas nunca fizera uma viagem do tipo "mochilão".

— Acho que eu devia ir com você — disse ela.

— É claro que devia! — eu disse.

Calculamos quanto dinheiro precisaríamos receber em gorjetas para financiar nossa viagem e quanto tempo levaríamos para juntar tudo aquilo. Começamos planejando uma viagem de três semanas, mas, depois de três coquetéis, decidimos que precisaríamos de, pelo menos, seis semanas. Passei a ler as descrições sobre a Guatemala. Kelly tirou os sapatos e ouvia a minha voz enquanto brincava com seu canudo.

— Há pontes suspensas com cordas sobre uma cachoeira — eu dizia, folheando as páginas. — Jardim de borboletas, fazendas de café... ah, parece que tem também um retiro espiritual no qual você pode aprender a meditar e coisas assim.

— Sim — dizia Kelly a tudo o que eu lia. — Aham. Sim. E aposto que haverá rapazes na Guatemala.

Quando a conta do nosso almoço chegou, já havíamos desistido de definir uma data para o fim da nossa viagem e agora pensávamos em voar para a Costa Rica, andar pela Guatemala e Nicarágua com a mochila nas costas e embarcar num voo para St. Thomas, onde Kelly tinha certeza de que conseguiríamos empregos em algum *resort* para servir bebidas ali mesmo, na praia. Dali para a frente, o que mais poderia acontecer?

---

[2] Coquetel elaborado com tequila, rum, vodca, gim, limão, açúcar e Coca-Cola. (N. T.)

Entramos correndo pela porta da Adventure Travel Company pouco antes de a loja fechar, joviais e totalmente bêbadas, querendo tornar tudo real antes que pudéssemos pensar melhor naquela ideia. Esforçando-me para fazer uma expressão séria, eu plantei meus cotovelos no balcão.

— Queremos duas passagens para a Costa Rica, com data de partida daqui a seis semanas — anunciei.

Kelly estava ao meu lado com um sorriso torto. A agente de viagem era apenas alguns anos mais velha do que nós, mas usava um blazer e tinha um corte de cabelo comportado. Olhou para mim e para Kelly como se estivesse tentando imaginar o que nossas mães diriam.

— Por favor — eu disse. — Temos cem por cento de certeza.

★

Kelly tinha razão. Havia rapazes na Guatemala. Cerca de cinco semanas depois do início da nossa viagem, depois de atravessarmos o Panamá, a Costa Rica, a Nicarágua e Honduras, passamos várias horas na estrada depois de sairmos da capital da Guatemala em um ônibus de galinhas — um dos velhos ônibus escolares americanos que circulavam pela América Central, repintado com cores alegres e carnavalescas, com bagageiros armados precariamente no teto para levar as bagagens e os produtos rurais. Desembarcamos em uma cidade fria de origem maia chamada Todos Santos Chuchumatán, e lá, em um restaurante úmido com o teto baixo e paredes pintadas de amarelo, conhecemos Dan Hanmer e Richie Butterwick.

Sim, esses eram os nomes deles, como dois personagens saídos das minhas velhas revistas em quadrinhos de Archie e Verônica, como dois garotos que usavam jaquetas de equipes esportivas universitárias. A diferença é que eles eram britânicos. Dan Hanmer era loiro, tinha olhos azuis e estudava em Oxford. Estava passando um semestre na Guatemala para estudar espanhol. Richie Butterwick era estudante de direito. Os dois tinham o brilho avermelhado dos viajantes, mas sem o desleixo habitual dos mochileiros — a aparência descuidada, com barbas longas e sujas e montes de braceletes de contas, que fazia vários homens parecerem ogros, de acordo com a impressão que eu e Kelly tínhamos. Falavam com sotaques que indicavam que vinham de famílias de classe alta. Riam e nos encheram de perguntas enquanto descrevíamos nossas histórias de viagem com a rebeldia e o charme adequados — como conseguimos nossas licenças para mergulhar em Honduras, como fomos devoradas pelos mosquitos em uma praia do Panamá, como fomos pegas por uma tempestade terrível no topo de um vulcão na Nicarágua.

Nos próximos dias, nós quatro fomos a toda parte juntos, pegando carona nas carrocerias das caminhonetes de agricultores maias, assistindo a corridas de cavalos no festival anual do Dia de Todos os Santos, percorrendo trilhas até chegar a fontes de águas termais ao lado de uma colina entre hibiscos com flores rosadas. Richie Butterwick e Dan Hanmer eram muito risonhos. Cavalheirescamente, estendiam as mãos para nos ajudar a subir na caçamba dos caminhões.

À noite, deitadas em nossas camas na hospedaria, Kelly e eu rimos muito pensando naquelas cenas. Dissemos os nomes dos garotos com sotaque britânico, acrescentando expressões britânicas típicas como *well then!* e *cheerio!*. Na verdade, eles eram caras legais com coisas interessantes a dizer. Além disso, algo empolgante estava acontecendo. Quando nós quatro pegamos outro ônibus de galinhas e fomos para a região do Lago Atitlán, enquanto nos empilhávamos no terraço cheio de plantas de uma pequena lanchonete vegetariana e pedíamos tigelas de sopa de feijão preto acompanhadas por guacamole salgado, enquanto Richie e eu continuávamos a beber cerveja como se fôssemos velhos amigos, Kelly e Dan Hanmer começaram a trocar olhares significativos.

— Está se apaixonando pelo Dan Hanmer? — perguntei a ela enquanto estávamos deitadas nas redes que ficavam em frente ao nosso quarto, certa noite. Kelly e eu estávamos vivendo de maneira relativamente casta em nossa viagem, flertando com outros rapazes que encontrávamos, mas nunca chegando às vias de fato. Eu a estava provocando, e era muito divertido dizer o nome dele. Ainda conversaríamos sobre Dan Hanmer por vários e vários anos, e ele sempre seria Dan Hanmer — nunca Dan, nunca "aquele cara que conhecemos na Guatemala".

— Eu *definitivamente não estou* me apaixonando pelo Dan Hanmer — disse Kelly, de uma maneira que não conseguiu me convencer nem um pouco. — E pare de fazer perguntas.

O Lago Atitlán era um poço de águas cintilantes negras e azuis, encravado entre três montanhas vulcânicas verdejantes, com margens cheias de juncos, uma névoa que pairava sobre sua superfície e todo tipo de casais em lua de mel e *hippies* acampados em pequenas hospedarias construídas ao longo da margem. A vila em que estávamos hospedadas era um enclave *new age*, com um centro de meditação onde era possível aprender sobre massagens com água e metafísica. Havia pôsteres anunciando sessões de ioga *ashtanga* ao nascer do sol e massagens indianas baratas na cabeça. Lojas de livros usados exibiam cópias bem maltratadas de livros de Jack Kerouac e do *Kama Sutra.*

Todas as pessoas com quem conversamos anunciavam a mesma coisa: planejavam ficar ali por três ou dez dias, mas já estavam entrando na terceira semana. Era uma espécie de distintivo a exibir: quanto mais tempo você passava nas margens do Atitlán, mais deixava que as obrigações do dia a dia — as passagens de volta para casa, as prestações de um apartamento que ficava muito longe, relacionamentos com pessoas distantes — perdessem a importância. Algo que, como as pessoas da meditação diziam, abandonava uma pessoa no momento em que ela começava: nada de pensar no passado, nada de pensar no futuro. Apenas o fato de estar presente e em paz. E era uma desculpa muito boa para fazer qualquer coisa que se quisesse fazer.

Dan Hanmer, agora, ficava de mãos dadas com Kelly em todos os lugares aonde íamos.

Enquanto isso, Richie Butterwick e eu bebíamos muita cerveja e tínhamos algumas sessões de troca de beijos. Nós dois sabíamos que aquilo não iria muito longe, que estávamos só matando o tempo. O avião que o levaria de volta à Inglaterra partiria dentro de alguns dias para a vida de advocacia que ele se dispusera a ter. Quando nos despedimos dele na rodoviária de San Pedro, eu deixei Kelly e Dan Hanmer a sós, para que tivessem seu momento de não pensar nem no passado nem no futuro, e segui para outro vilarejo às margens do lago para encontrar uma garota americana que conhecêramos anteriormente. Havia apenas mais quarenta e oito horas antes que Dan Hanmer também tivesse que voltar para casa.

★

Uma das melhores coisas em que alguém pode acreditar sobre o mundo é que sempre, não importa como, há alguém que vale a pena querer ter ao seu lado. Dois dias depois, quando tomei um táxi aquático de volta a San Pedro para buscar Kelly, eu a encontrei chorando nos degraus de pedra que havia entre a margem do lago e a cidade. Realmente, pelo menos por um momento, ela se apaixonara por Dan Hanmer. E agora Dan Hanmer se fora.

— Ah, deixe disso — eu disse, colocando os braços ao redor dela, oferecendo-lhe aquilo que, naquele momento, se tornou a panaceia universal para os nossos problemas. — Vamos tomar umas cervejas.

Ela ficou com a cara amarrada durante os vinte minutos do trajeto do táxi de volta à vila *new age* e chorou várias vezes enquanto estávamos sentadas no terraço do restaurante do nosso hotel com vista para o lago com minha amiga americana, uma entusiasta de ioga com várias sardas no rosto chamada Sarah. Sarah e eu dávamos a Kelly mais uma garrafa de cerveja Gallo sempre que ela começava a lacrimejar. Evitávamos tocar no nome de Dan Hanmer, mas, sem perceber, logo estávamos falando sobre ele outra vez.

— Ele colocou um CD do Bob Marley para tocar no *Discman* dele — disse Kelly, suspirando, como se essa fosse a coisa mais romântica que lhe acontecera em toda a sua vida. Ela começava a chorar e depois se desmanchava em risadinhas. Ou então se desmanchava em risadinhas e depois começava a chorar. Em seguida, nós três suspirávamos. Dan Hanmer — por tudo que ele era e pelo que passou a significar — já era uma lenda.

No final da tarde, fomos até o ancoradouro precário de madeira da nossa hospedaria e nos sentamos ali, ouvindo o som dos respingos da água e o zumbido baixo dos motores dos barcos dos pescadores que voltavam para casa. O rosto bonito de Kelly estava inchado após toda aquela choradeira, mas parecia já ter superado a pior parte, finalmente. Sarah e eu estávamos deitadas sobre a doca, debatendo se seria melhor permanecer mais alguns dias na cidade e fazer um curso sobre "sonhos lúcidos" no centro de meditação, quando a voz de Kelly interrompeu subitamente a nossa conversa:

— Quero que vocês cortem o meu cabelo.

Sarah e eu nos viramos para olhar para ela.

— O quê?

Kelly correu os dedos por entre os cabelos e depois deixou-os cair — como se aquilo não fosse o motivo de inveja para todas as mulheres que ela já conhecera, caindo-lhe pelas costas até a altura do traseiro, e a característica mais marcante da sua beleza, mas, em vez disso, um farrapo sujo e incômodo.

— Quero me livrar disto — disse ela. — De tudo.

— De jeito nenhum — eu disse. — Você está louca.

Aquela ideia a fazia sorrir. Reconheci o ponto de ignição, uma nova chama espalhando um novo tipo de coragem em Kelly. Trocamos um olhar sério por cerca de trinta segundos antes que eu desse de ombros.

— Bom, só não me culpe quando você odiar o que está pedindo.

Isso se tornaria algo de que eu viria a me lembrar, uma lembrança à qual eu me agarraria com unhas e dentes na minha mente cinco anos depois, quando estivesse trancafiada e sozinha em um quarto infestado de ratos na Somália, quando estivesse sofrendo, passando fome, e quando minha vida anterior parecesse somente uma história de ficção. O início desta noite quente às margens de um lago resplandecente na Guatemala parecia ser o delírio de uma mente febril. Eu tentaria alcançá-lo novamente, buscando amarrar os detalhes e acalmar a mente: Kelly e Sarah com as pernas balançando por cima do ancoradouro, o rosto iluminado pelo laranja do pôr-do-sol. O momento em que eu corri descalça até o saguão da hospedaria, peguei emprestadas uma cadeira e uma tesoura de pontas redondas de uma gaveta no balcão da recepção e perguntei a Kelly, pela última vez, se tinha certeza. Havia o fato — algo inimaginável, já que um dos meus sequestradores me bateu com tanta força que chegou a quebrar vários dos meus dentes — de que um simples corte de cabelos pudesse ter um impacto tão grande. Havia o espectro de Dan Hanmer e a história de amor interrompida, mas eternamente perfeita, e os primeiros cachos dos cabelos escuros de Kelly caindo ao chão. Havia a imagem das montanhas e seus ângulos esculpidos como se fossem cortinas verdes ao fundo dos olhos cintilantes do lago. Estávamos rindo naquele momento, mais do que já rimos em todos aqueles três meses que passamos viajando, enquanto Kelly estava na cadeira e eu me esforçava para segurar a tesoura com firmeza, cortando um cacho grosso, e depois outro, enquanto Sarah — que nunca mais voltaríamos a ver depois daquela semana — ria tanto que chegava a chorar, agarrando a própria barriga, e Kelly, que não sofria mais pelo coração partido e continuava linda com um corte chanel repicado e irregular, empurrava os restos dos seus longos cabelos na direção da água do lago.

6

Olá, Madame

Pelos meus cálculos, três ou quatro meses servindo martínis para frequentadores de casas noturnas em Calgary seriam o bastante para comprar uma passagem de avião e quatro ou cinco meses de viagem — ou seis, se eu conseguisse manter meus gastos sob controle.

— O que você faz? — as pessoas me perguntavam casualmente, como geralmente fazem os novos amigos, o dentista ou a mulher sentada ao meu lado no casamento de algum amigo. Ou então: — O que você *quer* fazer? — era o que as pessoas que vinham ao bar perguntavam, com mais frequência, sabendo que quase todos os que trabalhavam ali tinham outros desejos.

— Sou viajante — era o que eu respondia. — Quero ver o mundo.

Realmente, parecia ser bem simples.

Fiz duas viagens à América Latina e uma ao Sudeste Asiático, e fiquei obcecada em fazer mais. Viagens me davam histórias para contar, coisas que pudesse sentir orgulho de ter feito. O fato de que acabara de voltar da Nicarágua e a ideia de ir à Etiópia pareciam, aos olhos das pessoas com quem eu conversava no trabalho, encobrir o fato de que eu não havia ido à faculdade ou que estava demorando muito para levar uma rodada de *dirty mojitos*[3] à mesa numero nove. Também ajudava a apagar o passado, permitindo que me esquivasse de perguntas sobre o lugar onde eu crescera ou sobre meus pais. Entre os viajantes, falar sobre o passado geralmente significava conversar sobre o que havia acabado de acontecer. A data de vencimento das velhas experiências chegava rapidamente. O que mais importava era o seu próximo destino.

---

[3] Bebida elaborada com rum envelhecido, hortelã, limão, açúcar mascavo (ou melaço de açúcar) e água mineral com gás. (N. T.)

No final do outono de 2004, quando eu tinha vinte e três anos, passei um mês viajando pela Tailândia com a minha mãe. Passamos por praias e templos budistas, comemos curry e mangas e dormimos em hotéis de três estrelas em vez das hospedarias baratas onde eu ficava quando viajava com a mochila nas costas. Minha mãe era uma viajante surpreendentemente agradável. Pela primeira vez, nós duas estávamos aprendendo a rir juntas, de modo a expurgar um pouco as dificuldades do passado. Quando ela viajou de volta para o Canadá, eu prossegui em direção à Birmânia, onde — ainda nervosa por estar viajando sozinha — imediatamente me juntei a um grupo de geólogos viajantes que estavam fazendo pesquisas de campo no meio da selva. Dali, fui para Bangladesh — em parte porque o voo era barato, em parte porque ficava no caminho para a Índia, o próximo destino que eu queria conhecer. Tinha a noção de que precisava aprender a ser mais independente. Não conhecia ninguém em Bangladesh. Não conhecia ninguém que já estivera em Bangladesh. Parecia ser o destino certo para mim.

★

Bangladesh é um dos países mais densamente povoados do mundo, e Dhaka, onde pousei em janeiro de 2005, é a cidade mais densamente povoada do país. Ao sair do salão de desembarque do aeroporto e andar sob o calor da tarde, tudo que vi foram pessoas, algumas centenas delas apinhadas contra os portões de ferro negro que separavam o aeroporto do estacionamento — taxistas, condutores de riquixás, carregadores de bagagens, mulheres que usavam sáris de cores brilhantes segurando as mãos de crianças pequenas, famílias enormes esperando algum parente chegar.

— Olá, madame! — gritou um homem, aparentemente um taxista cheio de esperança. E depois outro: — Olá! Olá, madame? — e ainda mais: — Estados Unidos? Di-na-mar-ca? De onde? Hotel? Hotel?

No avião eu conheci um homem chamado Martin, um alemão de meia-idade que devia ter mais ou menos a mesma idade do meu pai. Trabalhava em uma empresa de equipamentos eletrônicos e vinha a Dhaka para fazer negócios todo o tempo.

— Está viajando sozinha? — perguntou ele, erguendo as sobrancelhas. — Isso vai ser interessante.

Martin insistiu que tomar um táxi até a região da Cidade Velha e ao hotel que eu escolhera no *Lonely Planet* levaria três horas, e o taxista tentaria me extorquir por causa da minha pele branca e do fato de ser mulher.

— Eles nunca a levam para onde você quer ir, de qualquer maneira — disse. — Você vai ser levada ao hotel do primo de algum deles.

Ele tinha um motorista à sua espera por trás da cerca com uma *minivan* branca, com ar-condicionado, estacionada ali perto. Ao sair da área de recebimento de bagagens, dei uma olhada nos taxistas que se acotovelavam loucamente para chamar nossa atenção e decidi que não faria mal — uma infração menor na minha resolução de ser autossuficiente em Bangladesh — aceitar uma carona no carro de Martin.

Levamos duas horas para rastejar pelo trânsito de Dhaka até chegarmos à parte antiga da cidade, ao longo da margem norte do Rio Buriganga, que estava cheio de barcaças de carga navegando lentamente e balseiros remando em canoas finas, naquelas águas marrons e lamacentas. O sol estava se pondo. As ruas eram mais estreitas e os cruzamentos eram uma terra de ninguém, sem qualquer tipo de patrulha, com uma enxurrada de bicicletas puxando riquixás, veículos que buzinavam sem parar e gente andando a pé. Quando o motorista de Martin encontrou uma maneira de estacionar a *minivan* em uma esquina perto do meu hotel, desembarquei, coloquei a mochila nas costas e apertei as mãos dos dois homens alegremente.

O ruído ao nosso redor era ensurdecedor, uma cacofonia de buzinas de bicicletas e carros, pessoas gritando umas com as outras e uma espécie de sirene estridente cortando tudo aquilo. Martin suava, molhando sua camisa elegante e bem passada. Teve que gritar para que eu pudesse ouvi-lo.

— Tem certeza de que não quer simplesmente ficar no Sheraton? — disse ele.

Fiz um gesto com a mão como se já houvesse passado por aquela esquina centenas de vezes antes.

— Não, não, aqui está ótimo!

— Tudo bem. Ligue-me se precisar de alguma coisa. Martin me entregou seu cartão. Com isso, as portas da *minivan* se fecharam e eles foram embora. E eu fiquei sozinha.

Mas não totalmente sozinha. Todas as cabeças na rua pareceram se virar na minha direção. Conforme eu caminhava pelos cinco metros até a placa que indicava o meu hotel, os pedestres paravam e olhavam fixamente para mim. Um homem com uma enorme barriga trotava atrás de mim, dizendo:

— Inglês? Olá? Olá, olá, olá?

Enfiei-me pela porta do hotel e subi um lance estreito de escadas que levava até um saguão no segundo andar. Dois homens que usavam toucas de oração brancas típicas dos muçulmanos estavam sentados atrás de uma escrivaninha de fórmica, assistindo a um jogo de futebol em uma pequena televisão instalada no canto da sala. O guia identificava este como um lugar barato onde se falava inglês, com os banheiros construídos no estilo ocidental e limpos.

— Olá — eu disse. — Quero um quarto individual, por favor. — Tirei minha carteira e o passaporte.

O homem mais velho me olhou por um longo momento. Tinha olhos castanhos por trás dos óculos sem aro e uma barba rala e grisalha.

— Para você? — perguntou ele.

— Para mim.

— Onde está o seu marido?

— Não tenho marido.

O homem inclinou a cabeça.

— Então, onde está o seu pai?

Conheci várias mulheres viajantes que usavam alianças falsas de casamento e fingiam que seus maridos estavam ocupados em outros lugares, na tentativa de afastar homens que acreditavam que uma mulher solteira, que não estava virtuosamente em sua casa enquanto seu pai negociava o seu casamento, havia de algum modo caído em desgraça e, portanto, seria uma prostituta ou uma bruxa. Aquilo sempre me irritou. Eu pensava que a atitude dos homens em relação a mulheres como eu era uma bobagem completa, e que a solução da aliança fajuta não ajudaria a causa. Eu usava alguns anéis na minha mão direita — peças feitas com prata barata e pedras semipreciosas que comprara em uma praia da Tailândia —, mas não fingiria que elas tinham algum significado.

— Meu pai está em sua casa, no Canadá — eu disse ao homem, um pouco irritada. — E eu preciso de um quarto, por favor.

Neste momento, o segundo homem já havia tirado os olhos do jogo de futebol e estava balançando a cabeça lentamente, em silêncio, como se aquela ideia fosse absurda. O homem mais velho se recostou em sua cadeira.

— O que você está fazendo aqui? — perguntou. — Não entendo. O seu pai sabe que você está aqui? — Ele ergueu as mãos, fingindo estar desamparado, como se quisesse dizer que não tinha culpa por meu pai haver me deixado sair sozinha de casa. Não mencionei o fato de que meu pai estava em casa com seu amante gay e que eu estava em Bangladesh para curtir as minhas férias, após servir bebidas alcoólicas para pessoas jovens e solteiras que saíam à noite, a maioria delas à procura de sexo. Mas não nego que tive vontade de dizer tudo isso.

Apesar disso, continuei tentando conseguir um quarto.

— Não vou incomodar ninguém. Meu dinheiro não é diferente do dinheiro de um homem. Qual é o problema aqui? — Ao mesmo tempo, eu estava examinando o mapa de hotéis no meu *Lonely Planet*, aliviada por ver que havia outro hotel recomendado pelo guia a duas quadras dali. Aceitando o que parecia ser uma derrota inevitável, desci as escadas em busca do meu possível próximo local de descanso.

A Velha Dhaka cheirava a óleo diesel e pasta de peixe. Buzinas gritavam e as sinetas dos riquixás tilintavam quando saí do primeiro hotel. Era o começo da noite agora. O homem com a barriga enorme se materializou quase instantaneamente, voltando a entoar o seu cântico de: "Olá? Olá? Como vai? Madame?". Em poucos minutos, eu estava presa em meio a um redemoinho de pessoas curiosas, uma multidão que parecia se multiplicar rapidamente e era composta, em sua maioria, por homens.

Um homem com um bigode bem aparado e cabelos cortados bem rentes conseguiu abrir caminho até o espaço onde eu estava, o olho do nosso furacão humano. Usava um gorro branco de orações, mas, enquanto os homens do hotel vestiam camisas folgadas em estilo árabe e saiotes *lungi* ao redor da cintura, este usava jeans e uma camisa de mangas curtas.

— Com licença, com licença — disse ele, oficiosamente. — Qual é o seu bom nome? — A multidão se aproximou para ouvir.

— Bom, meu bom nome é Amanda! — eu respondi, achando aquilo engraçado. — Vim do Canadá!

— Posso ajudá-la?

Apontei para o mapa, virando o guia para que ele pudesse vê-lo.

— Acho que fica aqui perto, não é?

— Ah — disse o homem, pegando o livro para examiná-lo. Alguém no meio da multidão deu algum conselho em uma língua que pareceu ser o bengalês. Mais pessoas começaram a falar. O *Lonely Planet* foi passado entusiasticamente de mão em mão até que um consenso pareceu ser alcançado, e todo aquele grupo de pessoas, comigo no meio, começou a seguir pela calçada.

O homem amigável com o bigode se apresentou como Sr. Sen e me seguiu para dentro do hotel. Outro lance estreito de escadas, outro saguão apertado com uma escrivaninha de fórmica, embora desta vez houvesse um sofá, e, sobre ele, três rapazes de cabelos escuros que pareciam estar dormindo. O quarto estava sentado atrás da escrivaninha.

Pedi um quarto.

O homem na escrivaninha apontou para o meu novo amigo.

— Ele é o seu marido?

Suspirei.

— Não. Preciso de um quarto apenas para mim.

O Sr. Sen entrou na conversa, falando rapidamente em bengalês enquanto o cara atrás do balcão agitava as mãos para indicar que não tinha nenhum interesse em me receber como hóspede no hotel. O Sr. Sen se voltou para mim.

— Ele está dizendo que, se você tiver um marido aqui, não haverá problemas. — Ele abriu um sorriso afobado. — Tem um irmão que a esteja acompanhando?

Eu podia sentir um pequeno nó de medo se formando no meu peito.

— Não, não tenho um irmão aqui. Estou sozinha e preciso de um lugar para ficar.

O Sr. Sen sorriu outra vez.

— Sem problema, sem problema — disse ele, e acrescentou: — Você pode vir para a minha casa. Minha mãe vai recebê-la.

— Não, não posso ir à sua casa. Preciso de um hotel — eu respondi, esperando não ofendê-lo. — Por favor — eu disse. — Estou cansada.

Caminhamos por vários quarteirões até o próximo hotel indicado no guia — eu e uma comitiva do que pareciam ser quarenta homens de Bangladesh, liderados pelo Sr. Sen. Quase todos naquele grupo pareciam estar conversando com outra pessoa sobre a minha situação e espalhando a notícia conforme caminhávamos ao entardecer. Uma mulher fritava pimentas em uma fogueira e as vendia em sacos plásticos a pessoas que estavam voltando para casa para jantarem seus pratos de curry. O cheiro era tentador. Eu não comia nada desde aquela manhã.

No terceiro hotel, o homem mais velho que estava atrás da escrivaninha me olhou de cima a baixo e perguntou a respeito do meu marido. Silenciosamente, comecei a sentir o pânico crescer em mim. Não era brincadeira. Essas pessoas realmente estavam olhando para mim — com meu rabo de cavalo, minha calça jeans e minha velha mochila azul, meus brincos de argola e meu sorriso ansioso — e enxergando algum tipo de ameaça.

Eu não era totalmente ingênua. Compreendia os pormenores da situação, pelo menos em parte. Entendia que aquela era uma cultura construída sobre a modéstia e a adesão aos preceitos conservadores do islã. A maioria das mulheres na rua cobriam a cabeça com véu. Algumas mantinham o rosto totalmente coberto. Eu já havia lido sobre a *purdah*, a prática de ocultar os corpos e rostos das mulheres da apreciação pública. Sabia o quanto eu parecia estranha aos olhos daquela gente.

— Na, na, na! — o último recepcionista estava dizendo, negando enfaticamente com o dedo enquanto o Sr. Sen tentava argumentar em bengalês. Suas palavras ecoavam indistintas para mim, em um borrão parecido com uma série de mensagens telegráficas, até que meu autodeclarado protetor se voltou para mim.

— Olhe — disse ele, calmamente. — É simplesmente impossível que você fique aqui — acrescentou, com um tom de derrota na voz. — Lamento.

Sem saber o que mais poderia fazer, levei minha mochila até o sofá de couro sintético preto encostado contra a parede do saguão e larguei o corpo sobre ele.

— Vou dormir aqui mesmo, então — ouvi a minha voz dizer, surpresa pela energia que consegui colocar naquelas palavras. Fixei meu olhar no recepcionista de cabelos brancos. Ele desviou o olhar. Lutei para conter as lágrimas. Cruzei os braços em frente ao peito, tentando parecer formidável. — Não vou embora — eu disse.

Hesitante, o homem do hotel olhou para o Sr. Sen, esperando uma tradução.

Uma conversa mais calma se seguiu. O homem atrás da escrivaninha parecia estar ponderando suas opções. Após alguns minutos, ele fez um sinal a contragosto para que eu me aproximasse e entregasse o meu passaporte.

Manteve os olhos baixos. Fez uma anotação apressada no livro de registro de hóspedes. Uma pequena chave metálica surgiu e foi passada a um garoto magricela que usava um gorro bordado e esperava ao lado das escadas que levavam para cima, aparentemente tendo acabado de receber a ordem de me conduzir para um quarto.

Aquela trégua era estranha. O inimigo estava dentro dos portões. Agradeci carinhosamente ao Sr. Sen, tomando o cuidado de não estragar ainda mais a sua reputação apertando-lhe a mão. Curvei-me desajeitadamente na direção do recepcionista e depois, sem qualquer palavra, segui o garoto com a chave até o andar de cima.

★

Quando me acostumei à cidade, Dhaka me encantou. Comprei um véu negro semitransparente e coloquei-o ao redor dos cabelos, com uma amarração frouxa e confortável, como muitas mulheres de Bangladesh faziam. Acostumei-me a ser a única ocidental na calçada. Passei pelos mercados hindus de rua, onde nuvens de incenso perfumavam o lugar e joalheiros em pequenas bancas martelavam prata. Entrei em uma das mesquitas com a cobertura em forma de cúpula da cidade onde, sob o teto decorado com um mosaico em estilo casca de ovo, várias filas de homens ajoelhavam-se e murmuravam preces, tocando o chão ardentemente com a testa.

Em Dhaka, o islã estava por toda parte. No espelho do meu quarto havia um pequeno adesivo em forma de seta que indicava a direção da cidade de Meca. Os muezins chamavam os fiéis cinco vezes por dia e as preces começavam. Eram momentos estranhamente públicos e privados ao mesmo tempo. Os homens no saguão do meu hotel, hóspedes e funcionários, se organizavam em uma linha e se curvavam com os mesmos movimentos, sem perceber ou se incomodar com a minha presença. As pessoas, em sua maioria homens, rezavam nas ruas, fora das mesquitas, que frequentemente eram pequenas demais para comportar todas aquelas pessoas, especialmente às sextas-feiras, o dia sagrado do islã. Eu achava tudo aquilo muito bonito. Os islâmicos curvando-se repetidamente, fileiras e fileiras de pessoas em adoração a Deus. Depois de se curvarem, sentavam-se com as mãos juntas em frente ao rosto em súplica, sussurrando as palavras finais das suas preces. Era algo inusitado para mim, uma religião que exigia tanto dos seus fiéis, essa demonstração de devoção várias vezes ao dia.

Como viajante, eu estava desenvolvendo uma fibra que me ajudaria por vários anos — encontrar e aproveitar o limite que havia entre um comportamento amistoso que, ao mesmo tempo, servia bem aos mochileiros, mas os tornava presas fáceis, e uma maneira mais agressiva de usar meu próprio poder. Sem a linguagem ou uma maneira de perceber as nuances culturais, era difícil diferenciar as oportunidades dos perigos. A mente sempre precisa pensar duas jogadas adiante. Eu creio que era boa nisso, de maneira geral; afinal, passara uma boa parte da minha infância tentando perceber as nuances e navegar pela incerteza. A incerteza era o que eu conhecia.

De volta ao meu hotel, certa noite, ouvi um farfalhar no corredor e uma respiração masculina arfante, entrecortada. Quando levantei-me para investigar, percebi, horrorizada, que havia um homem deitado no corredor, com o rosto pressionado contra o chão enquanto tentava enxergar pelo vão de quase dois centímetros que havia entre e o piso a minha porta. Meu primeiro instinto foi gritar, mas rapidamente mudei de ideia. Tinha certeza de que a culpa por qualquer tumulto cairia sobre mim. Se houvesse qualquer problema, eu seria jogada na rua e forçada a fazer outra busca humilhante por um hotel.

Fiz o que sempre fazia quando estava com medo. Lembrei a mim mesma de que devia respirar, ignorar a comichão da ansiedade, acomodar-me de volta no meu próprio corpo. *Calma, calma, calma*, pensei. Dei uma olhada na tranca da minha porta, arrastei a cadeira para longe da linha de visão sob a porta e sentei-me, esperando que ele ficasse entediado e fosse embora.

Alguns dias depois, quando fui até a periferia da cidade, fiz sinal para um riquixá motorizado e pedi ao motorista para me levar de volta à Velha Dhaka, ao meu hotel.

— Sem problema! — ele disse quando embarquei. Era jovem, e imaginei que tínhamos quase a mesma idade. Estava cansada o bastante para levar quinze minutos para perceber que, ao invés de nos levar para a parte mais densa da cidade, ele havia me levado para uma parte ainda mais distante de Dhaka, e que nós dois, agora, estávamos viajando pelo que parecia quase ser uma estrada rural, onde os edifícios da cidade se transformavam em barracos frágeis e pequenas bancas que vendiam comida à beira da estrada.

Eu disse:

— Espere, com licença. Aonde você está me levando?

O motorista não olhou para trás. Simplesmente fez um gesto com a mão.

— Sem problema — disse ele. — Não há problema, madame.

Em Bangladesh, parecia que nunca havia problemas. Ou, pelo menos, era isso que todos diziam.

Falei um pouco mais alto:

— Acho que você está indo para o lado errado. Por favor, leve-me para o hotel. Na cidade. Na *cidade*.

— Sem problema, sem problema — disse o motorista. Parecia estar dirigindo cada vez mais rápido.

Rodamos por mais alguns minutos e senti um formigamento incômodo na minha nuca. Será que estávamos tomando um atalho? Será que eu estava sendo sequestrada? Será que eu seria morta e meus órgãos seriam vendidos, um por um, no mercado negro da medicina, como rezava a pior lenda dos mochileiros naqueles dias? O que eu devia fazer?

O que aconteceu a seguir surpreendeu até mesmo a mim.

Do lugar onde eu estava, no banco traseiro, gritei:

— Você tem que voltar!

Para mostrar que não estava brincando, inclinei o corpo para a frente e bati com o punho na lateral da cabeça do motorista, com toda a minha força. As pedras semipreciosas dos anéis que comprei na Tailândia fizeram cortes na testa dele.

Eu nunca havia batido em ninguém em toda a minha vida.

Estonteado, o motorista diminuiu a velocidade do riquixá, levando uma mão à cabeça para tatear o sangue. Eu o observei enquanto examinava o estrago no escuro.

As juntas dos meus dedos latejavam. Uma nova paranoia tomou conta de mim. Obviamente, eu havia cruzado um limite. Agora, com certeza, este homem iria me machucar.

Mas eu estava errada. Sem dizer uma palavra, o motorista fez uma lenta meia-volta e nós começamos o trajeto longo e silencioso de volta a Dhaka, onde as luzes da cidade e as calçadas movimentadas me deram uma estranha sensação de conforto relativo. Quando chegamos à esquina onde ficava o meu hotel, eu desembarquei, inundada por um misto de raiva e alívio. O rapaz me olhava timidamente. Tinha um corte profundo embaixo do olho direito. Eu não tinha certeza do que ele planejava, para onde estava me levando e por que motivo. Fosse lá o que fosse, estava envergonhado.

— Me desculpe — disse ele, duas vezes. Cumprimentou-me com um movimento de cabeça e eu virei as costas. Não lhe dei qualquer quantia em dinheiro, e ele também não pediu.

7

A Regra da Proximidade

Eu estava me envolvendo cada vez mais com minhas viagens. Depois de três meses na Ásia, estava aprendendo a navegar pelos guetos dos mochileiros — as encruzilhadas caóticas para os exploradores do mundo que existem em quase toda cidade grande, as ruas cheias de hotéis baratos, mas não muito sujos, com vendedores ambulantes apregoando DVDs piratas, romances e guias de viagem usados, chinelos, malas e bolsas de viagem baratas, óculos Gucci falsificados e as calças folgadas de algodão que os viajantes compram para ficarem mais confortáveis em viagens noturnas de trem, mas que passam a usar em todos os lugares aonde vão. Para quem está sem dinheiro, há os escritórios da financeira Western Union. Para os doentes e ansiosos, há farmácias que vendem antibióticos baratos e embalagens de Valium genérico. Para quem não tem planos, há agentes de viagem e seus quiosques, pessoas que vestem placas dizendo que, por duzentos dólares, você pode ir até Phuket, na Tailândia, Angkor Wat, no Camboja, ou Mysore, na Índia.

Saí de Bangladesh e fui em direção à Índia viajando de ônibus e trem. Cheguei a Calcutá em fevereiro e consegui um quarto na hospedaria do Exército de Salvação, no coração do gueto dos mochileiros. Depois de Bangladesh, a Índia parecia ser mais amigável aos turistas, mas com a mesma aglomeração de pessoas. Crianças andavam atrás de mim pela rua, chamando:

— Tia! Tia! — com as palmas abertas para conseguir esmolas.

Homens se aproximavam, falando em voz baixa:

— *Ganja? Ganja?* Haxixe? Cigarros?

Passei cerca de duas semanas ali, trabalhando como voluntária em uma das instituições de caridade da Madre Teresa, cuidando da ala feminina do Lar de Kalighat para os Destituídos, Doentes e Moribundos pela manhã, trazendo chá para os enfermos e dando banhos de esponja em pacientes com tuberculose, malária, disenteria, AIDS e câncer — e, às vezes, com mais de uma dessas doenças em combinação. A franqueza de tudo aquilo era chocante, até mesmo nauseabunda no início, mas, lentamente, eu relaxei. Nunca conseguiria ser tão santificada quanto as enfermeiras que trabalhavam no lugar, mas, pelo menos, tentava ajudar de alguma forma.

Estava também me acostumando a ficar sozinha. O que antigamente poderia ser demais para mim, agora, não era mais. Já era capaz de ler as tabelas com os horários dos ônibus, entender as várias classes descritas nos bilhetes de trem, pedir ajuda quando precisava, sentar-me em um restaurante e comer uma refeição sozinha sem me sentir constrangida. Estava aprendendo a aproveitar minhas oportunidades.

★

Minha mãe não era exatamente o tipo de pessoa que se preocupava, mas queria ter uma noção de onde eu estava. Conforme eu cruzava a Índia, ela me mandava e-mails estimulantes e encorajadores. Expressava o seu amor. Eu respondia com mensagens similares, frequentemente enviando cópias para meu pai e Perry. Pontuava meus e-mails com descrições das coisas que mais me encantavam — os camelos cor de mel que andavam por Acra, os encantadores de serpentes que se exibiam nos degraus da escadaria de Varanasi, as belas cores das mulheres indianas vestidas com seus sáris. Usei muitos pontos de exclamação para ilustrar o quanto tudo era maravilhoso. Escrevi para meus pais enquanto estava em um cyber-café em Acra: "Amanhã eu vou para uma cidade diferente chamada Jodhpur. Fica no deserto e é chamada de Cidade Azul, porque todas as casas e prédios são pintados de azul! Estou tendo a MELHOR EXPERIÊNCIA DA MINHA VIDA!".

E estava mesmo. Estava conhecendo pessoas do mundo inteiro — enfermeiras da Austrália, um casal de adolescentes israelenses que aproveitava a licença do exército —, viajando com elas por alguns dias ou uma semana antes de prosseguir sozinha outra vez. Enquanto estava em um ônibus em Calcutá, certo dia, eu comecei a conversar com um compatriota canadense — um homem loiro de trinta e poucos anos, com belos olhos azuis de surfista — e acabei tendo um minicaso de amor com ele que durou vários meses. Seu nome era Jonathan. Viajava com uma mochila de lona preta nas costas e um violão.

Sempre me senti atraída por homens que sabiam tocar violão. Desde que terminara o namoro com Jamie eu me resguardava quando estava perto de homens, sem vontade de pular no meio do carnaval dos romances entre viajantes. O sexo na estrada, para vários viajantes, parecia fazer parte das jornadas. As canecas de cerveja sob o ar quente, os meses que se passavam sem um corte de cabelo ou uma lâmina de barbear, as conversas nas quais todos se vangloriavam de seus feitos e as horas preguiçosas passadas dentro de ônibus acabavam resultando em uma certa receptividade sexual. As opções eram, quase todas, exóticas demais para serem ignoradas. Vi chilenos de mãos dadas com dinamarquesas, homens mais velhos com mulheres mais jovens, mulheres mais velhas com homens mais jovens, homens com homens e mulheres com mulheres, e, de vez em quando, um grupo de três pessoas de nacionalidades diferentes embaladas pelas bebidas alcoólicas, passando por entre as árvores de tamarindo para chegar até o quarto de uma delas.

Eu não tinha nada contra aquilo. Simplesmente nunca tive tanta autoconfiança. Se me envolvesse com um homem, mesmo que por pouco tempo, eu geralmente acabava me apegando demais e sentindo-me bastante vulnerável. Queria ser mais como as outras garotas da minha idade, capaz de me divertir e deixar esses romances para trás, mas isso não acontecia facilmente. Com Jonathan, que era bastante extrovertido e não levava nada a sério, eu aprendi a não me preocupar tanto. Consegui me divertir e nunca perguntei a mim mesma se estaria me apaixonando. Nós dois éramos tão devotados a viajar sozinhos que nos víamos somente depois de algumas semanas, combinando por e-mail que nos encontraríamos em alguma cidade por alguns dias antes de prosseguirmos sozinhos.

As pessoas me diziam o tempo inteiro:

— Deve ser muito difícil viajar sozinha, sendo mulher.

Mas eu estava achando cada vez mais fácil. Tinha certeza daquilo. Se você sorrisse, se mostrasse às pessoas que estava feliz por estar ali, frequentemente receberia carinho e amizade em resposta. Os vigaristas se afastavam facilmente. Os motoristas de *tuk-tuks* e os mendigos deixavam de ser tão insistentes e passavam a ser mais humanos. Talvez, até mesmo, mais protetores também.

Nada conseguia impedir o meu avanço. Peguei um trem para Varanasi, uma cidade sagrada para os hindus, considerada um portal direto para o paraíso.

Ali, os peregrinos sentavam-se, deixando que as águas verde-acinzentadas do Rio Ganges os cobrissem até a cintura, lavando seus corpos, lavando suas roupas e pratos, lavando vacas, enquanto cadáveres eram cremados nos *ghats* das escadarias mais acima. Fui para Délhi, Mysore, Pushkar. Aprendi a dormir nos trens, a não pensar duas vezes enquanto usava as latrinas que se esvaziavam diretamente sobre os trilhos que corriam abaixo. Experimentei as praias de Kerala, mais ao sul, onde as ondas do Oceano Índico espumavam sobre longos trechos de areia branca.

Esta é a regra da proximidade: você chega a um lugar e, basicamente, torna-se impossível não começar a olhar para tudo o que existe em volta. Suba até o alto de uma montanha e é possível ver toda a cordilheira. Se conseguir chegar até o Camboja, o que impede você de ir até a Malásia? Da Malásia, não é difícil chegar à Indonésia, e, dali, basta seguir em frente.

Por um tempo, o mundo me pareceu ser como um brinquedo que as crianças podem escalar e nele se pendurar. Eu ia rapidamente de um lugar para outro; às vezes, voltava, às vezes, prosseguia, aproveitando o meu próprio ânimo, sabendo que, em algum momento os meus braços — ou, mais exatamente, o meu saldo bancário inconstante, acessado nos caixas eletrônicos dos países por onde eu passava — jogariam a toalha e eu cairia no chão.

O Paquistão ficava ao lado da Índia. Impossível ignorá-lo.

Havia inúmeras razões para evitar o Paquistão. Se você lesse as notícias ou escutasse as pessoas passando sermões sobre o estado do mundo, o Paquistão seria descrito como um problema enorme e difícil de resolver. Havia bombas nos ônibus, corpos decapitados encontrados em valas, minas terrestres e sequestros. A Al-Qaeda estava no Paquistão, Osama bin Laden estava no Paquistão, o Talibã estava no Paquistão. Parecia que não se podia confiar em ninguém naquele país.

Ainda assim, as pessoas iam para lá. Conheci dois viajantes na Índia que passaram por ali. E encontrei pessoas que conheciam outras pessoas que disseram que conversaram com um cara, uma semana antes, que havia acabado de cruzar a fronteira, vindo de Lahore, ou que tinha um amigo que fora até lá seis meses antes. As palavras sobre o Paquistão, neste contexto, eram sempre positivas, uma interessante linha melódica de contrabaixo tocando em meio a uma canção familiar. O lugar era maravilhoso, intocado. A comida era deliciosa, as pessoas eram amistosas e receptivas. As manchetes eram as manchetes, tão feias e assustadoras como eram em qualquer outro lugar. Imaginava-se que o país, em si, era algo bem diferente.

Enviei um e-mail à minha mãe dizendo que eu iria ao Paquistão para conhecer a realidade do país. Enquanto estava em Délhi, conseguira um visto. Agora, eu estava na cidade de Amritsar, no extremo norte do país, a pouco mais de vinte e cinco quilômetros da fronteira com o Paquistão.

Sua resposta foi rápida e carregada de emoção, anunciando que não queria que eu fosse até lá. Ela carregou seu pedido com uma bela fatia de culpa. "Eu nunca iria querer mudar seu jeito de ser, Amanda, assim como ninguém mais em sua família", escreveu ela. "Mas quero pedir a você que pare e pense com calma, considere a nós e nossos sentimentos antes de partir... não consigo evitar me sentir fisicamente doente quando penso no perigo que você vai correr." Ela chegou até mesmo a comparar os meus planos de viagem com a prática do sexo sem camisinha. Irresponsável, em outras palavras.

Li aquele e-mail e considerei o caso. Parei e pensei com calma. Mas não funcionou. Minha mãe e eu estávamos mais próximas do que jamais estivéramos. Mesmo assim, as imagens de Russell, de seus parentes e os olhares enviesados que eles lançavam na minha direção, das pilhas e pilhas de garrafas de bebida, tudo isso também passou pela minha mente, a incerteza do lugar pendendo no ar como uma nuvem de vapor. Não estávamos seguros naquela época. Pensei: que direito minha mãe tinha de se preocupar com isso agora?

★

No Paquistão, eu me senti como se fosse um pássaro pousado no galho de uma árvore — empoleirada e incrivelmente leve. Lahore, onde o ônibus do norte da Índia me deixou, era uma cidade movimentada e moderna. Com lanchonetes como o Dunkin' Donuts e o KFC perto do hotel barato onde eu me hospedei, o lugar era mais familiar e menos exótico do que a maioria das cidades que visitei na Índia. Imediatamente comecei a afastar meus medos, associando-os à paranoia do Ocidente. A discussão com minha mãe continuou silenciosamente durante vários dias. Irresponsável, eu pensei, era a maneira como as pessoas decidiam descrever áreas gigantescas do mundo como perigosas, instáveis e hostis, quando tudo que precisavam fazer era conhecê-las pessoalmente.

Era uma "noite sufi" no meu hotel em Lahore, que cobrava três dólares por diária. O gerente do hotel enfiou vários viajantes em uma *van* e nos levou até uma mesquita onde, em um pátio ao ar livre e cheio de insetos, homens batiam em tambores do tamanho de barris enquanto outros se agitavam, chicoteando o próprio corpo em um estado de êxtase espiritual. Os homens que batiam os tambores entoavam cânticos: *La Ilaha Illa Allah!* O gerente do hotel traduziu: *Não há nenhum deus além de Alá.*

Enquanto isso, eu ignorava deliberadamente os e-mails da minha mãe. Certa ou errada, eu a estava castigando por tentar me impor limites. Deixei-a cozinhando suas preocupações em banho-maria quando tomei um ônibus para uma viagem de dois dias de Lahore a Gilgit, no Vale de Hunza, no norte do Paquistão, onde me encontrei com Jonathan para que percorrêssemos juntos a Rodovia Karakoram, uma faixa estreita de asfalto que cortava algumas das montanhas mais altas do mundo, ligando o Paquistão e a China.

De acordo com as instruções do *Lonely Planet*, fizemos sinal para um caminhão que seguia pela estrada no sentido norte — um dos veículos de transporte ornamentados que são comuns na Ásia central, com correntes e sinetas pendurados no para-choques para ajudar a espantar os animais que estivessem na estrada. O motorista diminuiu a velocidade e parou à nossa frente. Ele desembarcou, um homem sorridente e bigodudo, que usava um colete cor de areia por cima de um *shalwar kameez* branco, o traje típico das pessoas daquela região, composto por uma blusa e calças folgadas. Fez um gesto para que subíssemos na escada de metal que ia até um espaço para cargas descoberto acima da cabine.

Era outro sonho realizado — as páginas do meu guia de viagem, das revistas, abrindo-se na vida real.

Durante toda a semana seguinte, Jonathan e eu pegamos caronas em caminhões diferentes, subindo e descendo pelas montanhas em direção à fronteira chinesa, desembarcando em pequenos vilarejos para comer e descansar. Havia tantos caminhões e tantos caminhoneiros felizes pela novidade de transportar turistas estrangeiros na traseira dos seus caminhões que começamos a escolher com mais atenção, chamando apenas os caminhões com as decorações mais exageradas e berrantes. O interior dos caminhões era decorado com almofadas e bancos forrados com colchas e lantejoulas, e era pintado à mão em tons alegres de laranja, azul, verde e vermelho. Os maiores painéis exibiam murais incrivelmente detalhados de cenas que traziam esperança — paisagens tranquilas, mulheres bonitas, versos do Alcorão e olhos abertos que serviam para afastar o mal.

Os motoristas, geralmente dois em cada caminhão, cuidavam de seus veículos como se fossem seus filhos. Davam-nos almofadas no compartimento de carga para ter certeza de que estávamos confortáveis. Davam também cigarros, doces e muitos damascos. Quando oferecíamos algum pagamento, eles quase sempre recusavam. A comunicação ocorria com gestos e fragmentos básicos de urdu e inglês, e parávamos em frente a bancas à beira da estrada para comprar pratos engordurados de *karai* de galinha, tão apimentados que faziam meus olhos lacrimejar. Quando avançávamos pela estrada, os caminhões iam de um lado para outro para evitar os rebanhos de iaques e cabras, caminhões que vinham em sentido contrário e pedras enormes, do tamanho de tratores, que haviam rolado das montanhas e caído na pista. Mais ou menos cinco meses depois que eu e Jonathan passamos pela Rodovia Karakoram, o maior terremoto em um século atingiu aquele lugar do norte do Paquistão, arrasando vilarejos e desencadeando enormes deslizamentos, matando cerca de oitenta mil pessoas.

Não nos descuidávamos dos vários perigos da estrada. Os alertas estavam ali, desde os Suzukis virados de cabeça para baixo e muretas destruídas até as pequenas pirâmides de pedra, memoriais para indicar a morte de uma pessoa. A possibilidade de um desastre sempre estava próxima em nossos dias, mas nunca chegou a se materializar. Às vezes, algumas crianças nos perseguiam, jogando pedras em nossa direção, mas era impossível saber se estavam irritadas ou somente brincando. Jonathan e eu estávamos felizes porque era fácil ficar feliz: um bom dia reforçava a ideia de que o próximo também seria bom.

Em minha mente, eu já havia redigido um e-mail para enviar para casa, no qual eu narraria a emoção da aventura, preparando o relato para a minha mãe; um pequeno triunfo — o mesmo do qual ela tentara me convencer a abrir mão. Quando, talvez uma semana mais tarde, depois de me separar de Jonathan, eu estava na cidade de Peshawar, no extremo oeste do Paquistão, em um restaurante com piso de linóleo com conexão discada à internet e um computador de aparência bem antiga no canto, sentei-me para digitá-lo.

Ainda estava empolgada pela estrada, pelas montanhas e pelo fato de que ninguém sabia onde eu estava.

O e-mail que enviei para a minha mãe e meu pai era como um caminhão enorme e decorado em cores exageradas, sinos, correntes e o título "Eu amo o Paquistão!!!". Nele, descrevi em detalhes que estava comendo montes de comida deliciosa comprada nas ruas e visitando sozinha os mercados nos becos, atravessando um mar de pessoas — pessoas amigáveis, fiz questão de dizer; ainda mais amistosas do que aquelas que conhecera na Índia. Enquanto compunha meu e-mail, anunciei que, no dia seguinte, tentaria conseguir um visto para ir ao Afeganistão, outro lugar que ouvira dizer ser muito melhor e mais rico do que indicavam as manchetes descrevendo os movimentos de tropas, os homens-bomba e a busca incessante por Osama bin Laden. A viagem de ônibus levaria um dia. Finalizei o e-mail dizendo: "Nunca estive tão feliz em toda a minha vida".

A alfinetada era intencional. Para o caso de alguém não conseguir entender o que eu estava dizendo, acrescentei mais quatro pontos de exclamação.

8

Não se Brinca com o Afeganistão

Bem no momento em que eu estava planejando partir para o Afeganistão, uma mulher desapareceu em Cabul. Era italiana, tinha trinta e dois anos e trabalhava com causas humanitárias. Vivia por lá havia cerca de dois anos. Enquanto andava pelo calçadão de Peshawar, eu acabei comprando um jornal paquistanês com notícias escritas em inglês e li a história. O artigo era curto e não estava na primeira página, mas o resumo da história estava ali: seu nome era Clementina Cantoni. Fora arrancada de seu carro no centro da cidade, certa noite, por quatro homens armados, jogada em outro veículo e levada para longe. Além disso, ninguém parecia saber de nada.

Voltei para o dormitório sujo da minha hospedaria, que eu dividia com outros dez viajantes, e analisei o visto mais recente que fora colado no meu passaporte. Tinha um carimbo oficial em tinta roxa, levemente borrado nas bordas. Os detalhes — a data, o número do meu passaporte, minha nacionalidade — foram preenchidos com caneta preta por um funcionário do consulado. "Sra. Amanda" tinha direito de viajar livremente pelo Afeganistão durante um mês.

Alguns turistas realmente iam ao Afeganistão. Conheci um casal mais velho de ingleses em uma perua convertida para ser usada como *motorhome* que havia viajado por todo o país, sem incidentes. Eles se registraram na minha hospedaria, sentaram-se no sofá na área de convívio, em meio a um grupo variado de mochileiros que fumavam haxixe, e falaram bastante sobre a Mesquita Azul em Mazar-i-Sharif e as encostas floridas de Panjshir. Era tudo o que eu queria — ver essas coisas, saltar por cima de outro obstáculo —, mas a história do sequestro me incomodava. Era como se um galho invisível houvesse prendido a gola da minha camisa. Sentia medo, mas também algo mais. Como se faltasse alguma coisa — uma súbita ausência de convicção. Uma dúvida, quando eu não estava acostumada a ter dúvidas. Eu sabia que a minha avó chamaria aquilo de um ataque agudo de *bom senso*, mas, na minha cabeça, isso era somente outro nome para "medo de coisas novas".

Passei uma semana considerando minhas opções. Saí de Peshawar e fui na direção contrária do Afeganistão, em longos trajetos de ônibus que me fizeram atravessar o Paquistão e voltar à Índia, imaginando que tentaria ver as montanhas de Ladakh. Aquele plano já parecia bem entediante. Durante uma viagem noturna de ônibus, consegui ficar no assento ao lado da janela e, proativamente, empilhei todos os meus pertences no banco ao lado para afastar potenciais companheiros de assento. Já sentira vários dedos de homens deslizando em minha direção enquanto dormia em ônibus.

Por cerca de sete horas, sentei-me sob uma lâmpada acesa com um livro aberto sobre o colo, observando o cenário indiano passar por mim em meio à escuridão. Conseguia identificar caminhões, árvores, os contornos dos vilarejos e das montanhas. Dividia meu tempo entre a leitura e uma ou outra soneca curta. Assim que surgiram as primeiras luzes da manhã, o ônibus estacionou em um complexo rodoviário à beira da estrada para que os passageiros pudessem usar os banheiros e tomar uma xícara de chá antes de embarcarem outra vez. Depois, mais caminhões, árvores, vilas. Minha cabeça doía e meu estômago estava embrulhado depois de tanto tempo sentada e com tão pouca comida. Não era raro ver um lampejo de um rio de águas cinzentas, uma fábrica jogando fumaça no céu ou algum fazendeiro usando bois para arar um terreno.

Eu estava me punindo por não ir ao Afeganistão, por haver recuado. Alguns anos antes, eu me sentara no alto do Monte Roraima e jurara silenciosamente que sempre seguiria em frente, não importava o que ocorresse. Cada fronteira que cruzara, desde então, parecera ser uma revelação. Era melhor do que ir à escola. Melhor do que ir à igreja.

O livro que eu estava lendo chamava-se *O Poder do Agora*, de autoria de Eckhart Tolle. Eu o carregara por toda a Índia e o Paquistão, mas ainda não o havia examinado; sempre preferia ler outros livros em vez dele. Quando estivera em Calgary, o livro fora passado de mão em mão entre algumas das minhas amigas que estavam começando a tomar grandes decisões sobre se deveriam ou não se casar com um rapaz, comprar uma casa ou assumir um novo emprego. A opinião de Tolle parecia ser que o momento presente importava mais do que qualquer coisa. Se você conseguisse se concentrar totalmente no presente, coisas como a dor, a culpa e a preocupação acabariam por se afastar e você conseguiria escutar o seu eu interior. E o eu interior lhe diria o que fazer.

Quando o ônibus entrou na cidade indiana de Jammu, no meio do dia seguinte, eu havia virado a última página. Meu eu interior, agora, estava inteiramente e exuberantemente no comando, e ocupava-se em espancar o meu outro eu por ter fugido do Afeganistão, tão cheia de medos.

Encontrei um guichê de passagens, consegui um reembolso para o restante da viagem que eu não chegaria a completar e usei-o para comprar outra — voltando exatamente pela estrada por onde viera, rumo a Peshawar e à fronteira com o Afeganistão. Enquanto esperava pelo próximo ônibus, o destino da mulher italiana surgiu na minha mente. Estremeci quando pensei nela. Mas eu não era ela, e ela não era eu. Clementina Cantoni tivera azar, eu decidi. Eu ficaria bem.

★

Entrei em Cabul em um dia quente no início de junho, depois de pagar vinte dólares para viajar em um micro-ônibus que passou pelo Desfiladeiro de Khyber. A cidade tinha um cheiro distinto; não era a mistura de lixo, esgoto e fumaça que permeava o ar de outras cidades asiáticas. Em vez disso, Cabul parecia ser o local de uma incineração enorme e invisível, com o cheiro desagradável de querosene, fumaça de lenha e um toque de algo mais acre, como plástico derretido. Minha mochila e minhas roupas ficariam impregnadas com o cheiro de Cabul por várias semanas, muito depois de eu haver deixado o país, mesmo tendo sido lavadas várias vezes desde então.

Era uma bela cidade, mas estava arrasada. Veículos militares blindados se arrastavam como répteis pelas ruas, ao lado de carroças puxadas por jumentos e ciclistas. Vítimas amputadas da guerra com a Rússia pediam esmolas pelas ruas. Mulheres caminhavam pelas ruas vestindo burcas, parecendo-se com as petecas usadas em partidas de *badminton* ou com fantasmas azuis flutuantes. Homens com lenços *keffiyeh* ao redor da cabeça vendiam minutos de conversa em telefones celulares debaixo de guarda-chuvas, ao lado de lojas de sapatos e ternos em estilo ocidental e quiosques cheios de aparelhos eletrônicos chineses. Os bairros mais velhos, construídos em meio às encostas de terracota com vista para o resto da cidade, com suas casas semidestruídas de teto baixo e feitas com tijolos de barro, pareciam ter saído do Velho Testamento, enquanto guindastes de construção se erguiam sobre edifícios de blocos de concreto cinzento em estilo soviético, que estavam sendo reformados com a ajuda de outros países.

Viajei ao lado de Amanuddin, um simpático homem de meia-idade que vendia tapetes, que eu conhecera em Peshawar, e um de seus filhos mais novos. Amanuddin emigrara para o Paquistão havia várias décadas, mas voltava a Cabul sempre que podia para visitar sua família. Em Peshawar, eu fora até a loja dele para tomar chá quase todos os dias. Ele me mostrara os álbuns de fotografias dos dias em que fizera parte do exército dos mujahedins afegãos, lutando contra os russos. Descrevera Cabul em detalhes, desde o barulhento mercado de pássaros no centro da cidade até a bela profusão dos jardins de rosas da sua mãe.

Da estação rodoviária, nós três tomamos um táxi até um bairro nas redondezas da cidade e desembarcamos quando a rua se estreitou até se tornar uma viela. Amanuddin me emprestou um *abaya* da sua esposa, um robe preto drapeado que não era tão sufocante quanto uma burca e que, quando combinado com um véu, demonstrava a modéstia adequada. O *abaya* era curto demais para o meu tamanho, cerca de quinze centímetros, e eu sabia que o meu jeans aparecia por baixo da barra do vestido, denunciando-me como uma impostora. Com nossas bagagens nas mãos, percorremos o restante do caminho até uma trilha de pedregulhos, saltando por cima de um riacho borbulhante.

Antes de chegarmos à casa da sua família, os parentes de Amanuddin já estavam vindo em nossa direção, gritando suas saudações. Crianças, mulheres, homens, dúzias de pessoas. As mulheres me beijaram três vezes, alternando as faces. A mãe de Amanuddin, que usava uma burca em tom de índigo, pegou minha mão. Todas as pessoas cercaram Amanuddin e seu filho. Por trás do muro havia três casas, amplas e com o teto baixo, feitas de barro e palha, além de uma pequena latrina que servia à família inteira.

Após o jantar naquela noite, a mãe de Amanuddin me levou a um quarto com um colchonete no chão e uma vela acesa no peitoral da janela. Ela me levou até lá em silêncio, sem a burca, com o rosto magro e marcado pela idade, os cabelos grisalhos amarrados em duas longas tranças que lhe caíam pelas costas. No piso, ela colocou uma pilha de cobertores tecidos à mão para me proteger do frio da noite, cada um deles bordado com fios coloridos. Era mais grosso e mais pesado do que qualquer cobertor que eu já erguera antes. Ela desapareceu durante alguns minutos, retornando com um bule de chá e um prato de doces em uma bandeja prateada. Naquele momento eu estava olhando pela janela, olhando para o céu amplo e o amarelo pálido da lua, pensando: *Não acredito. Eu realmente estou no Afeganistão.* Vislumbrei as densas roseiras que cresciam junto aos muros da propriedade. As flores eram vermelhas, robustas e estavam totalmente abertas sob a luz do luar, exatamente como Amanuddin as descrevera.

★

No meu sexto dia em Cabul, os sequestradores de Clementina Cantoni a libertaram. Nenhuma declaração pública foi feita em relação a como isso aconteceu — que tipo de acordo foi firmado, quais concessões foram ou não feitas durante as três semanas em que ela ficara no cativeiro. Um ministro afegão insistia com a mídia que não se pagara nenhuma espécie de resgate e nenhum prisioneiro do governo fora solto em troca da liberdade da italiana. Do lado de fora da embaixada da Itália em Cabul, Cantoni, abatida, acenou para as câmeras de televisão antes de desaparecer dentro do prédio para passar a noite sob vigilância reforçada. No dia seguinte, ela tomou o primeiro avião de volta para a Itália, sem falar muito sobre o que lhe acontecera.

No dia em que ela foi libertada — 9 de junho de 2005 — eu não sabia o que tinha acontecido. Na verdade, não pensara muito na italiana sequestrada desde a minha chegada a Cabul. Explorando a cidade por conta própria, tomei um táxi naquele dia até uma área com um mercado ao ar livre que vendia produtos a preço de custo perto do centro da cidade e que se espalhava em todas as direções, abraçando as margens do Rio Cabul e enveredando por um labirinto de becos retorcidos. Comprei um copo plástico cheio de uvas-passas e damascos, misturados com pistaches e água adoçada com mel, e comi com uma colher. Olhei as mercadorias que havia em lojas pequenas. Em uma delas, encontrei uma caixa cheia de barras de sabonete, com as embalagens mostrando a fotografia do rosto de uma mulher sorridente — entretanto, todos os rostos haviam sido rabiscados com uma caneta hidrocor. Era uma ação islâmica fundamentalista, algo que o Talibã costumava exigir que fosse cumprido à força: quaisquer imagens de coisas feitas por Alá não deveriam ser replicadas por mãos humanas, porque consideravam que isso era o equivalente a brincar de ser Deus. Amanuddin me explicou: não havia problemas em pintar ou imprimir uma fotografia de um carro ou um prédio, mas não de uma pessoa ou um animal. A idolatria era um pecado. Era por isso que, vários anos antes, o Talibã dinamitara duas estátuas enormes e antigas do Buda na cidade de Bamiyan, causando um escândalo global. Pensei em comprar um dos sabonetes como suvenir, mas olhar para a face rabiscada daquela modelo do Oriente Médio me deu calafrios.

Ao sair, andei por ruas de terra batida, serpenteando ao redor de pessoas que faziam compras, observando as mercadorias expostas sobre mesas e cobertores — frutas secas, pirâmides de temperos moídos, montanhas de roupas de poliéster —, quando senti algo ser pressionado contra as minhas costas. Havia um homem jovem às minhas costas. Tinha os olhos arregalados. Percebi naquele momento que havia uma arma de fogo apertando as minhas costelas, algum tipo de pistola.

No meu ouvido, o homem disse de maneira bem clara:

— Vou matar você. Me dê o seu dinheiro.

Acabou antes que eu entendesse realmente o que estava acontecendo. Foi somente depois que entreguei a minha carteira a ele — um porta-moedas que comprara no Rajastão com trezentos dólares dentro, cerca de metade do dinheiro que eu tinha para o restante da minha viagem — e a multidão o engoliu novamente que meu corpo inteiro começou a tremer. Sentindo-me paralisada no meio daquele mercado, com homens empurrando suas bicicletas ao meu redor e mulheres andando apressadamente com a cabeça baixa e coberta por véu, eu comecei a chorar — meses de lágrimas contidas, pelo que parecia; talvez até mesmo anos. Sentia-me perdida e pequena. Todos os instintos pareceram me abandonar. Não consegui pensar em nada a fazer além de chorar. O véu ao redor da minha cabeça e o *abaya* curto demais não serviram para fazer com que eu me mesclasse àquele ambiente. Senti-me completamente desmascarada como estrangeira, chorando de uma maneira que eu sabia que devia parecer ridícula e infantil, mas que simplesmente era incapaz de conter. Pela primeira vez em vários anos, senti falta da minha casa.

Senti saudades da minha mãe. Queria apenas ser uma mulher em uma rua que eu conhecia, em um lugar onde me encaixava.

Uma multidão começou a se reunir, homens com expressões curiosas no rosto. Não demorou muito até que alguém localizasse um soldado afegão, que, por sua vez, encontrou um taxista solidário para me tirar dali. Alguns dias depois, usei quase tudo o que restava do meu dinheiro para comprar uma passagem de ônibus de volta para o Paquistão. De lá, chegando ao final das minhas reservas, fui até Délhi para pegar o avião que me levaria de volta para casa.

Durante uma semana, eu levei comigo um hematoma em forma de estrela no lugar onde aquela pistola pressionara a minha carne, abaixo das costelas. Estava dolorido e mudou de cor algumas vezes, até desaparecer lentamente. Mas a mensagem ainda era bem clara para mim, como um asterisco acrescentado ao que foram quase sete meses de viagens despreocupadas, como se, finalmente, eu houvesse chegado a uma cerca que estabelecesse limites: *Não se brinca com o Afeganistão,* era o que a mensagem dizia. Mesmo assim, ainda havia algo que pulsava dentro de mim, a chama que me impulsionara durante todos os caminhos que eu trilhara, e que nem mesmo agora estava extinta. Algo que dizia: *Sim, avance.*

9

O Início de uma Nova Sentença

Foi cerca de oito meses depois, no inverno de 2006, que vi Nigel Brennan pela primeira vez — um rapaz magro que usava um casaco de lã de carneiro, bermuda cargo e botas de montanhismo, sentado sozinho na varanda vazia de um hotel em Adis-Abeba, a capital da Etiópia. Eu passara o verão e o outono servindo mesas em bares de Calgary, juntando dinheiro. Agora, já fazia cinco semanas desde que iniciara aquilo que seria um *tour* de seis meses pela África e pelo Oriente Médio, desde que conseguisse controlar cuidadosamente o meu dinheiro.

Essa era a viagem dos meus sonhos. Ver a África era um dos meus objetivos desde que começara a viajar. Já havia atravessado algumas partes da Uganda e do Quênia, cruzando as imensas planícies a bordo de ônibus e passando longos dias sozinha. Sentia-me encantada e intimidada pelo que via, pelas multidões suarentas das cidades e as vastidões espinhosas das planícies. A paisagem era muito diferente do esplendor rústico do Afeganistão ou da exuberância verde da Ásia meridional. Até mesmo o céu parecia ser unicamente africano — mais plano e amplo, como uma redoma de cromo azul colocada sobre a terra.

Quando cheguei a Adis-Abeba, estava me sentindo solitária. Parecia que Nigel estava esperando por mim, embora, na realidade, fosse apenas um viajante que conseguira encontrar um lugar tranquilo para ler um livro, num sofá velho na varanda do Baro Hotel, de apenas uma estrela, bem no momento em que meu táxi surgiu naquela rua. Senti uma atração instantânea me puxando na direção dele.

Já tinha seus trinta e poucos anos, pelo que imaginei. Reconheci a capa do livro que ele estava lendo — um grosso relato de viagem chamado *Dark Star Safari*, de autoria de Paul Theroux, que estava fazendo sucesso no universo dos mochileiros. Eu o havia devorado duas vezes. As primeiras linhas eram assim: *Todas as notícias sobre a África são ruins. E foi exatamente isso que me despertou o desejo de ir até lá.*

Enquanto passava por Nigel com minha mochila nas costas a caminho da recepção, eu disse:

— Oi, tudo bem?

Ele ergueu o rosto. Tinha olhos azuis, um nariz aquilino e um rosto bonito, com a barba por fazer.

— Oh — disse ele, como se eu o houvesse acordado. — Estou bem. — E voltou a ler.

Na recepção do Baro, entreguei o meu passaporte e paguei dez dólares por um quarto. Dois viajantes bastante frugais haviam erguido barracas castigadas pelo sol em frente à área da recepção. O carpete do meu quarto estava manchado e a iluminação era ruim, com um colchão de casal e um banheiro pequeno. Em uma bandeja sobre a pia havia uma embalagem de preservativos africanos — um gesto costumeiro em um país que lutava para diminuir suas taxas de contaminação por HIV, em um hotel que às vezes exercia a função de prostíbulo para os residentes locais e em meio a um universo de viajantes que tendiam a ser jovens, impulsivos e doidos por aventuras.

Afastei os preservativos, escovei meus dentes, peguei um maço de cigarros que estava na minha bolsa e voltei até a varanda, encontrando o rapaz que estava lendo.

Cigarros, para quem viaja da maneira mais econômica possível, são um quebra-gelo universal. Nas ruas de praticamente qualquer cidade eles podem ser trocados por instruções sobre como chegar a algum lugar ou pelo direito de usar o banheiro. Entre os viajantes, são uma desculpa para iniciar uma conversa e trocar experiências.

Deixei meu corpo cair na cadeira ao lado de Nigel e estendi o maço de cigarros.

— Importa-se se eu fumar? — eu disse.

Ele deu de ombros.

— Claro que não. — Finalmente ele largou o livro, puxando um cigarro para si.

Era um australiano que morava em Londres — fotógrafo, pelo que disse, recém-chegado à Etiópia para tirar fotografias para o Comitê Internacional de Resgate, para ajudar a promover alguns de seus projetos de ajuda humanitária. Estava viajando sozinho. Passaria os três meses seguintes na África.

A conversa fluiu sem dificuldade. Nigel sempre tinha um sorriso no rosto. Conversamos por algum tempo sobre o livro de Theroux. Perguntei-lhe como começara a trabalhar com fotografia. Ele disse que percebera o quanto adorava tirar fotos durante uma viagem à Índia havia alguns anos, e isso o estimulara a voltar à escola para obter um diploma em fotografia. Tive a impressão de que aquilo era algo glamouroso — receber um salário para viajar assim, para capturar uma paisagem ou um rosto estrangeiro, para oferecer tudo aquilo às pessoas que nunca teriam a coragem de ir até lá e ver com os próprios olhos. Nigel tinha as panturrilhas magras e musculosas, um riso fácil e um forte sotaque australiano. Passava a impressão de ser autoconfiante e bem-sucedido. Mencionou casualmente que tivera uma reunião com alguém que trabalhava no *The Times*, o famoso jornal londrino.

Eu passara anos estudando revistas, jornais e livros de viagem, alimentando-me das impressões que outras pessoas tinham do mundo enquanto buscava minhas próprias ideias a respeito dele. O fato de que Nigel não era somente um fotógrafo, mas *um fotógrafo que morava em Londres* pareceu ter importância. E ele parecia sentir-se bem, como se estivesse vivendo exatamente a vida que planejara para si.

Estava ficando tarde. Levantei-me e me espreguicei, anunciando que, após toda a distância que percorrera naquele dia, precisava dormir um pouco.

— Vejo você amanhã? — perguntei.

Nigel olhou para o seu relógio.

— Bem, na verdade, eu vou tomar o ônibus para Harar às seis da manhã.

Harar, pelo que eu sabia das minhas leituras, era uma cidade murada na parte oriental da Etiópia, um centro histórico de comércio islâmico, um percurso de cerca de dez horas.

— Mesmo assim, espero que consiga descansar — disse ele. — Boa sorte em suas viagens. — E voltou a se ocupar com seu livro.

Disfarcei a minha decepção. Ele nem chegara a perguntar qual era o meu e-mail. Talvez, pensei, aquele fosse o limite que dividia os jornalistas e os mochileiros.

Voltando para o meu quarto pequeno, senti uma onda de confusão. Alguma coisa em Nigel havia mexido comigo. Ele parecia estar resistindo, mas eu imaginava que também havia mexido com ele.

Por volta das nove horas da manhã seguinte eu acordei, tomei um banho e voltei para o terraço. Estava tomando minha segunda xícara de café quando Nigel apareceu na minha mesa. Vestia as mesmas roupas que estava usando na noite anterior. À luz do dia, parecia um pouco mais velho. A pele ao redor dos seus olhos se enrugava quando ele sorria.

— Ei, boneca — disse ele, com um termo que somente um australiano é capaz de usar de maneira razoavelmente convincente. — Parece que estou de volta.

Pelo que me disse, seu táxi ficara preso no trânsito do início da manhã. Perdera o ônibus que o levaria a Harar por cinco minutos. Disse-me que o próximo não partiria antes de vinte e quatro horas. Parecia que aquilo era um golpe de sorte. Conforme Nigel arrastava uma cadeira até a minha mesa, alguma coisa dentro de mim começou a funcionar.

Nigel e eu gostamos um do outro. Passamos seu dia extra em Adis-Abeba juntos, visitando o mercado e flertando levemente. À noite nós fomos a uma danceteria e bebemos *tej* — um vinho de mel, doce e potente. Nigel era interessante e inteligente. Crescera numa fazenda encravada em um fim de mundo, perto de Goondiwindi, na Austrália, e sabia fazer coisas como construir estábulos e matar ovelhas. Usava a palavra *piss*[4] com mais frequência e com mais naturalidade do que qualquer pessoa que já conhecera — em frases como: *I'm just pissin' in yer pocket* ou: *I took the piss out of him, didn't I?,* ou: *Let's hit the piss,* ou: *What a piece of piss that was.* Garantiu-me que os membros da sua família que ainda viviam na Austrália falavam do mesmo jeito. Londres, de acordo com ele, acabara abrandando seus hábitos mais rústicos.

Voltando ao hotel, fomos ao quarto dele. Parecia que estávamos prestes a nos aproximar para o nosso primeiro beijo. Eu estava preparada para isso e feliz por estar acontecendo, mas, em vez disso, Nigel soltou a notícia: tinha uma namorada em Londres.

---

[4] Quando utilizada de forma literal, a palavra *piss* refere-se à urina ou ao ato de urinar. Entretanto, quando usada coloquialmente, pode ter significados diversos, e nem todos os usos são considerados ofensivos. (N. T.)

Afastei-me. Não beijava os namorados de outras mulheres. Fazia muito tempo desde a última vez que beijara alguém.

De repente, nós dois estávamos gaguejando.

— Eu não percebi — eu disse. — Não sabia.

— Não — disse ele. — Desculpe. Foi culpa minha. É uma situação um pouco confusa — emendou.

Sentamos na cama e passamos um longo momento olhando para o chão.

Nigel começou a falar. Sua namorada se chamava Jane. Também era australiana, disse ele. Estavam juntos havia um bom tempo, cerca de dez anos, e se conheceram quando ainda eram muito jovens. Estavam no meio de uma separação lenta e dolorosa, disse ele. Fora por causa do trabalho de Jane que os dois se mudaram para Londres. O fato de estarem longe de casa e vivendo juntos fazia com que fosse difícil darem um fim ao relacionamento. Era triste, disse ele, mas estava terminado. A viagem à África era o ponto final naquela sentença.

Deixei minhas reservas de lado naquele momento. Queria ser o início de uma nova sentença. Estava encantada. Ele era diferente dos outros garotos mochileiros que eu conhecera na estrada, um pouco atrevido, mas, ao mesmo tempo, sério. Achei que foi nobre da parte dele me contar a verdade sobre a sua namorada, que logo se tornaria ex. Eu sabia que muitos homens não agiriam assim. Acreditava no destino, e algo me dizia que, apesar dos planos individuais e de morarmos em dois continentes diferentes, Nigel e eu estávamos destinados a ficar juntos.

Naquela noite, nos beijamos muito. Na manhã seguinte, ele pegou o primeiro ônibus rumo a Harar. Combinamos que nos encontraríamos novamente assim que fosse possível.

Durante as próximas seis semanas, as coisas aconteceram assim: Nigel viajava e tirava fotos para o grupo de ajuda humanitária enquanto eu explorava o lugar por conta própria, como planejara. Usávamos o e-mail para combinar encontros, reunindo-nos para alguns dias alegres em uma ou outra cidade no meio do caminho antes de continuar resolutamente com nossas viagens. Fiz uma viagem de dois dias sob um calor agonizante ao Sudão, passando uma semana em um acampamento para mochileiros no Blue Nile Sailing Club, na região central de Cartum. Fiz amizade com um empresário sudanês chamado

Ayad, que vinha ao clube no fim da tarde e levava muitos turistas estrangeiros para dar voltas em sua lancha, mostrando-nos onde o Nilo Azul desaguava no majestoso Rio Nilo, com as águas que fluíam para o norte, na direção do Egito. Embora o consumo de álcool fosse proibido na região norte do Sudão, ele oferecia cervejas geladas que ficavam guardadas em uma caixa térmica na popa do barco. Quando perguntei como ele conseguia as cervejas, Ayad, usando óculos de sol de grife e pilotando a todo vapor, gritou:

— Qualquer coisa que você queira pode ser encontrada no Nilo!

Em dado momento, cheguei até mesmo à fronteira entre a Etiópia e a Somalilândia, um estado separatista no norte da Somália que conseguia se manter afastado da guerra civil horrível e arrasadora no sul do país. Esperava poder passar alguns dias na cidade de Hargeisa, pois ouvira dizer que o lugar era bonito e receptivo. Tinha outro motivo para ir até lá, também: como muitos mochileiros, eu contava os países por onde passava. Todos nós queríamos aumentar nossos números. Listar o número de países que visitamos era uma maneira de medir o nosso sucesso. A maioria dos viajantes que contavam os países não apregoava seus números até passar dos trinta. Depois de quatro anos e várias viagens, eu já havia chegado a quarenta e seis. Uma viagem até o outro lado da fronteira me levaria a quarenta e sete.

Os guardas uniformizados que controlavam a fronteira — cada um deles com a correia de um rifle Kalashnikov pendurada mansamente sobre o ombro — deram uma olhada em mim e começaram a balançar a cabeça negativamente.

— Agora não. Perigoso demais — diziam.

Eu tinha certeza de que o "agora não" significava "não enquanto os muçulmanos do mundo estivessem se sentindo inquietos e provocados". Alguns meses antes, um jornal da Dinamarca encomendara e publicara alguns cartuns satíricos com a imagem do profeta Maomé, causando uma onda de protestos entre os muçulmanos conservadores. Houvera revoltas e manifestações por toda parte, da Nigéria ao Líbano, e a controvérsia parecia continuar.

Não sei se alguma autoridade emitira um decreto em relação a estrangeiros nas áreas muçulmanas da Somalilândia ou se os guardas da fronteira que ocupavam aquela cabana baixa de concreto em meio aos redemoinhos de poeira da parte oriental da Etiópia decidiram que eu não era bem-vinda ali.

Mas, sem muitas explicações, mandaram que eu desse meia-volta e retornasse por onde viera, com a minha contagem de países ainda em quarenta e seis. Imaginei que não havia vantagens em deixar alguém como eu entrar no país.

★

Nigel, enquanto isso, estava se sentindo cada vez mais vivo na Etiópia. Quando conversávamos ao telefone durante o tempo em que ficávamos separados ou quando eu lia os seus e-mails em alguma cafeteria com acesso à internet, eu sentia que ele estava aproveitando seus dias com um entusiasmo cada vez maior. Eu reconhecia aquela sensação. Ele estava exuberante, livre, até mesmo quando reclamava que se sentia preso pelas longas viagens de ônibus, as moscas que entravam pelas suas narinas e as ondas incessantes de crianças que vinham pedir esmolas e comida. Quando nos encontrávamos, saíamos para nos empanturrar com refeições à base de couve fatiada e conchadas de grão-de-bico espalhadas sobre pães *injera* achatados, finos como panquecas. Jogávamos as nossas mochilas nos cantos dos quartos de hospedarias encardidas e caíamos na cama. Ele era forte e talentoso, e eu adorava os pelos dourados que cobriam seus braços.

Esforçava-me para não me preocupar com a namorada chamada Jane. Quando Nigel falava sobre ela, ficava incomodado. Às vezes, quando me contava alguma história sobre o seu passado, eu percebia que ele a removia do relato. Mas, geralmente, ele não falava sobre Jane. Falava sobre mim.

Nigel deveria voltar a Londres em breve. Antes disso, fizemos uma longa excursão juntos, conhecendo os desertos pardacentos do noroeste da Etiópia, atravessando uma faixa de terra lendária chamada de Depressão de Danakil. Eu lera a respeito daquele lugar quando juntara obsessivamente informações antes da viagem, em um artigo publicado na *National Geographic* intitulado “O Local Mais Cruel da Terra”. O Danakil ficava longe de tudo e sofria com um calor inclemente. Meu guia *Lonely Planet* fazia uma breve menção sobre a área, mas não dava quaisquer instruções ou estímulos para ir até lá. De algum modo, isso tornava o lugar perfeito.

Viajamos em vários ônibus até chegar a uma vila construída ao redor de um mercado à beira do deserto. A cidade era povoada por uma tribo chamada Afar — nômades muçulmanos que ganhavam a vida minerando o sal das planícies salinas em uma borda distante do Danakil. Eles carregavam seus camelos com o sal de rocha e depois viajavam sob um dos climas mais quentes do mundo para vender o produto a mercadores. As mulheres afares usavam lenços folgados ao redor da cabeça e muitas tinham tatuagens de hena no rosto — três linhas finas ou uma série de desenhos em forma de gota sobre as bochechas. Os homens afares, aparentemente, eram famosos por castrarem seus inimigos.

Queríamos ver as minas de sal. Nigel achava que talvez conseguisse vender algumas fotografias dos mineiros para alguma revista. Achei que poderia escrever um artigo sobre a experiência, possivelmente para algum *website* especializado em viagens ou para o jornal da minha cidade natal. Depois de conversar com algumas pessoas e fazer perguntas, Nigel e eu encontramos um guia — um homem afar baixo e rotundo com o rosto enrugado como a casca de uma noz e uma longa barba grisalha na qual ele esfregara um pouco de tintura de hena, deixando-a da cor de ferrugem. Identificado daqui por diante como Barba Ruiva, ele não falava inglês, mas, após um acordo intermediado por um homem das redondezas que conhecia o idioma, Barba Ruiva disse que nos levaria até as planícies salinas e nos traria de volta, uma jornada de cerca de dez dias. Um homem mais novo e solene se juntou a nós, e nós o apelidamos de Mestre dos Camelos. Ele não dizia nada em nenhuma linguagem, mas tinha belas maçãs do rosto esculpidas em forma de lâminas e um sorriso tímido. Caminhava com bastante devoção ao lado dos quatro camelos em nossa caravana: um para cada estrangeiro, um para Barba Ruiva e um para as bagagens. Cada animal também levava dois galões de plástico amarelo cheios de água.

Montados nos camelos, nós seguimos Barba Ruiva por uma trilha que nos levou primeiramente até colinas baixas de areia compactada, cobertas por arbustos, e, após algum tempo, à vastidão cinzenta e castigada das planícies de sódio. Do alto de nossos camelos, Nigel e eu cantávamos músicas, brincávamos de "vinte perguntas" e, gritando por cima de nossos ombros, trocávamos histórias bobas sobre o que fazíamos na infância. Ele passara essa época da sua vida em um colégio interno para crianças da zona rural, onde detestava todas as regras. Sentira raiva de seus pais por vários anos, dizia, porque eles o obrigaram a estudar lá. Ensinou-me tudo a respeito da cultura australiana

— por que eles adoravam uma pasta de leveduras chamada Vegemite e como gritar: *Why the fuck not, mate?*, ou: *Por que não, porra?*, como uma espécie de grito de batalha pela vida.

Bebíamos a água de nossas garrafas em longos goles, deixávamos o sol torrar nossos ombros e nos comportávamos como alunos do Ensino Médio que saíam para namorar pela primeira vez, com bastante estardalhaço. A diferença é que esse nosso encontro estava ocorrendo no meio de um deserto etíope, com Barba Ruiva e o Mestre dos Camelos com sua cara de bebê observando cada movimento nosso, de maneira discreta e inescrutável. Presumiam que eu e Nigel éramos casados. E era por isso que não havia problemas quando eu lhe tocava o rosto com a mão ou quando ele me dava um tapa no traseiro ao me ajudar a subir na sela do meu camelo após uma parada para o almoço.

Eu estava começando a entender algumas coisas sobre Nigel. Ele não era realmente um fotógrafo em Londres — pelo menos, não como eu imaginara no início. Na verdade, era algo mais próximo de um amador com bastante esperança, no início da sua carreira, mesmo que já estivesse com trinta e cinco anos. Falava sobre querer fazer mais com a fotografia e que a ideia de ser um correspondente de guerra o agradava. Conversávamos sobre o Afeganistão, o Sudão, o Iraque, a Somália e todos os países assolados pela guerra no mundo, todos os lugares onde um fotojornalista gostaria de estar. Eu lhe falei sobre a semana que passara em Cabul, hospedada com a família de Amanuddin. Apesar de ter sido assaltada lá, eu achava que o lugar era intrigante e bonito, um lugar para onde queria retornar. Nigel me emprestou sua câmera — uma Canon preta, pesada como um tijolo — e deixou que eu brincasse com ela, mexendo nos ajustes e fazendo experiências para saber o que acontecia quando eu trocava uma lente comprida por outra. Ele me mostrou como enquadrar a fotografia de paisagem e como filtrar o excesso de luz do sol do meio-dia, que deixava tudo esbranquiçado.

Em nossa segunda noite, ficamos em um vilarejo afar, um ponto de parada para os condutores de camelos que transportavam o sal. Barba Ruiva veio arrastando um colchonete largo e fino que trouxe de alguma casa feita de gravetos e colocou-o ao ar livre para nós. Havia zilhões de estrelas piscando infinitamente sobre o deserto azul e, volta e meia, algum meteorito que rasgava os céus, cada um deles se transformando em uma faísca veloz em forma de lágrima antes de se desintegrar em chamas. Era impossível desviar o olhar; observamos o céu pelo que pareceram ser horas. Eu estava começando a pegar no sono quando Nigel tomou minha mão e apertou-a delicadamente.

— Sabe de uma coisa? — disse ele. — Neste exato momento, não consigo pensar em qualquer outro lugar do mundo onde gostaria de estar. — Ele se deteve por um segundo e acrescentou: —Ou qualquer outra pessoa com quem eu gostaria de estar.

Eu sabia o que ele estava tentando dizer e fiquei feliz com aquilo.

★

A Depressão de Danakil é uma bacia surreal e profunda, com dezenas de quilômetros de extensão e largura, e cerca de cem metros abaixo do nível do mar em algumas partes. É como uma ferida aberta na superfície da Terra, com as entranhas do planeta se esvaindo pelas rachaduras no chão. Conforme avançávamos pela depressão, vimos fissuras que soltavam vapores e poças borbulhantes de enxofre azul e amarelo, que deixavam o ar mais espesso com aquele fedor. Nigel e eu olhávamos para tudo. Tiramos fotografias que sabíamos ser maravilhosas e inesquecíveis. Qualquer coisa para documentar tudo aquilo como real.

Em algum momento do quarto dia eu parei de suar. Minhas coxas doíam depois de tantos dias sobre o lombo do camelo. Minha língua parecia estar pesada. Meus lábios estavam rachados e doloridos. Até mesmo os homens afares, acostumados ao deserto, pareciam estar fritando. Durante uma pausa ao meio-dia no decorrer da nossa jornada cambaleante, eu enchi a minha garrafa de água, um pouco desorientada. Nigel e o Mestre dos Camelos se afastaram por alguns metros para urinar. Barba Ruiva estapeou dois dos camelos até que eles ficassem de joelhos. Tirou as selas pesadas das costas dos animais e colocou-as sobre o chão, prendendo um pedaço de tecido grosso entre elas. Seus esforços acabaram por criar uma tenda improvisada que proporcionou uma pequena área de sombra, e nós quatro nos arrastamos para baixo dela apressadamente, ficando a poucos centímetros uns dos outros. E, como se não tivéssemos qualquer escolha naquela situação, adormecemos.

Quando a noite caiu, eu estava tremendo de frio e desorientada, sentindo-me como se a minha espinha estivesse coberta de gelo, desidratada e delirante.

Depois de mais algumas horas sobre o lombo dos camelos, havíamos nos deitado para passar a noite na planície salina, sentindo os cristais através dos colchonetes de palha como se fossem pequenas lâminas. Nigel derramou a água de uma garrafa sobre a minha boca. Eu disse algo a ele e o vi franzir a testa; balbuciava palavras sem sentido e estava perdendo a noção de onde me encontrava. O céu parecia girar acima de mim. Algum tempo depois, Nigel me disse que teve a certeza de que eu morreria naquela noite, de que eles teriam que amarrar meu corpo a um camelo para me tirar dali e que ele seria o culpado por toda aquela confusão.

Mas não foi assim. No começo da manhã seguinte, eu abri os olhos e consegui me sentar. Sentia-me melhor, apenas com uma leve dor de cabeça. Sacudi Nigel para que acordasse. Os olhos dele se arregalaram.

— Oh, graças a Deus! — disse ele, acariciando meus cabelos. — Porra, você nos deu um baita susto.

Seu alívio parecia imenso. Aquilo me emocionou.

Convenci Nigel de que não havia motivo para voltar, que deveríamos continuar. Prometi beber mais água e me cobrir totalmente para afastar o sol. Ele aceitou, relutantemente.

— Você é mandona — disse ele, entregando-me a minha mochila por cima do Mestre dos Camelos, que dormia, para que eu pudesse amarrá-la ao animal de carga. — Mandona, mandona, mandona!

Naquele dia nós seguimos Barba Ruiva pelos últimos quilômetros da rota, até chegarmos à mina de sal — um lugar sujo e tristonho nos rincões extremos de uma região que já era bastante extrema, onde uns duzentos homens afares incrivelmente magros, vestindo calções e camisetas, usavam longos bastões para arrancar enormes blocos de sal cinzento, da mesma cor de restos de concreto. Em seguida, eles os cortavam em blocos quadrados que podiam ser embrulhados e carregados nas costas de camelos que estavam à espera. Ao chegarmos, Nigel e eu apeamos dos nossos animais, aliviados e sorrindo, esticando as costas e balançando nossas pernas doloridas como se houvéssemos chegado ao fim de uma peregrinação — ou como se estivéssemos em um albergue no fim de uma estrada longa, prestes a tomar um longo banho e desfrutar de um banquete. Porque é exatamente isso que acontece quando você chega a um lugar que exigiu tanto esforço: o tempo chega a parar e, nesse momento, há uma sensação de realização completa, quando todas as expectativas se realizaram e o mundo é perfeito.

Não estávamos pensando na longa jornada de volta, ou no relacionamento que Nigel ainda tinha com Jane, ou mesmo no fato de que os mineradores nos olhavam com uma hostilidade explícita. Não, esse era o momento que havia *antes* que a realidade voltasse a existir. E isso aconteceu sem demora, quando um dos mineradores afar viu a câmera nas minhas mãos e, identificando-me como a alienígena invasora que eu era, apanhou um enorme pedaço de sal do chão e atirou-o contra mim.

10

Uma Câmera e um Plano

Da Etiópia, fui ao Cairo, seguindo meu plano original. Nigel viajou de volta para Londres, onde disse que se separaria definitivamente de Jane. Depois, voltaria a viver na Austrália. Eu conseguiria um visto de trabalho e me encontraria com ele lá. Comprei um telefone celular para que ele pudesse me telefonar enquanto eu continuava viajando, e ele o fazia quase todos os dias. Nossos telefonemas eram rápidos — estávamos com o orçamento apertado —, mas bastante carinhosos. Quanto mais tempo passávamos longe um do outro, mas perfeita a situação ficava. Nunca, em toda a minha vida, imaginara que iria até a Austrália atrás de algum cara, mas parecia ser precisamente o que devia acontecer.

Até que, certa tarde, ele me ligou e logo começou a chorar. A verdade surgiu rapidamente, impulsionada por uma torrente descontrolada de culpa. Descobri que Nigel não tinha uma namorada chamada Jane em Londres. A mulher chamada Jane, em Londres, era sua esposa.

Eles estavam juntos havia cerca de dez anos, pelo que ele me dissera na Etiópia. A parte que ele deixara de mencionar fora o fato de terem passado o último ano daqueles dez como marido e mulher, realmente casados. Ainda eram casados, embora o relacionamento estivesse abalado. Ele havia se envolvido — com ela, comigo — em um dos piores dilemas, e estava confessando tudo. Ao telefone, eu ouvia sua respiração ficar entrecortada enquanto ele falava, o tom de voz como se estivesse implorando. Dizia que o casamento fora um erro e mentir para mim a respeito daquilo fora outro erro. Por alguns minutos, nós dois apenas choramos, até que, sem dizer qualquer palavra, eu desliguei o telefone. Olhei para os prédios amarelados que via pela janela do meu hotel no Cairo enquanto o meu coração e os meus planos pareciam se queimar e eu pensava: *Isso realmente aconteceu?*. E foi então que veio o pensamento secundário, conforme as imprudências dos últimos cinco meses surgiam na minha cabeça. Desta vez, pensando nele como "homem casado" em vez de "amante que mora em Londres". Seria possível eu ser mais idiota?

Senti-me à deriva, traída, sozinha. Durante os meses seguintes, viajei num estado de torpor — pelo Egito, depois pela Jordânia, Líbano, Israel e Síria. Damasco tinha um labiríntico mercado coberto ao ar livre, onde homens vendiam coisas que brilhavam – contas de vidro, chinelos adornados com pedras preciosas, rolos de seda bordada com fios de ouro. Na cidade velha, havia ruas calçadas de pedras arredondadas, portas abobadadas de madeira e edifícios cobertos com plantas trepadeiras, construídos pelos otomanos uns quinhentos anos antes. Havia lojas que vendiam pedaços flocados de baclava embebidos em mel e xícaras diminutas de café turco. Havia filas de velhos homens de pele escura sentados em bancos à sombra. Conheci pessoas e vi coisas. Meu telefone celular vibrava com as ligações de Nigel, mas eu as ignorava. Nos meus momentos de fraqueza, eu observava as minhas fotos da Etiópia, estudando-lhe o rosto, procurando por sinais de culpa e falsidade. Quando estive em uma cafeteria com acesso à internet, certo dia, coloquei o nome de Jane no Google, imaginando o que ela estaria fazendo em relação àquela situação, tentando adivinhar que tipo de pessoa ela seria. Coloquei apelidos em todos nós — ela, eu, Nigel — boa, má, perverso; inocente, idiota, culpado. Ou, talvez, vítima, vítima, vítima. Eu não tinha certeza.

★

Superei minha desilusão amorosa da única maneira que sabia — fazendo mais e maiores planos. Comprei uma nova câmera fotográfica, um modelo profissional e elegante, uma versão mais moderna daquela que Nigel levava consigo na Etiópia. De certa forma, dadas as minhas condições financeiras, era uma aquisição absurda, mas eu encarava a câmera como um investimento no meu futuro. Vira que Nigel usava suas fotos para custear vários meses na estrada. Não me parecia ilógico pensar que eu seria capaz de ensinar a mim mesma a fazer algo similar; afinal de contas, eu era uma viajante, e o mundo estava cheio de revistas de viagens. Quem disse que eu não poderia tentar vender algumas fotos dos lugares por onde passava? Eu não estava realmente pensando em fazer carreira, mas talvez pudesse conseguir um pouco de dinheiro aqui e ali. O objetivo era poder continuar em movimento.

A câmera se tornou um bálsamo, um novo repositório para a minha esperança. Voltei ao Canadá e passei o resto de 2006 trabalhando como garçonete para recarregar minha conta bancária.

Nesse ínterim, Nigel nunca parou de me telefonar. Havia voltado à Austrália e estava se divorciando. Disse que sua família e todos os seus amigos estavam bravos com ele. Embora tudo aquilo fosse desconfortável e estranho, eu comecei a atender o telefone quando ele me ligava, sentindo-me em algum lugar entre a raiva e a solidão total.

Eu tinha vinte e cinco anos e estava totalmente acostumada ao ciclo de ganhar dinheiro rapidamente em algum bar canadense e depois gastá-lo lentamente em algum lugar bem distante. Era capaz de gastar quinze dólares por dia sem sentir fome ou desconforto. Ainda sentia uma lufada de ânimo renovado sempre que chegava a algum novo lugar. Estava ficando mais velha, também, lentamente superando o caráter efêmero das pessoas à minha volta — tanto as garçonetes que havia na minha cidade de origem quanto os viajantes que eu conhecia na estrada. Não queria trabalhar enfurnada em algum escritório, mas queria ser mais do que apenas uma garçonete. Voltei para Calgary e fiz um curso de fotografia em meio aos turnos do meu expediente. Comecei a gostar da ideia de ter algum objetivo maior, pensando que algo de bom poderia surgir se eu dissesse que era fotógrafa.

Durante todo esse tempo, continuei a conversar com Nigel, rindo um pouco mais, imaginando se realmente estávamos destinados a ficar juntos. Talvez o seu outro relacionamento estivesse destinado ao fracasso e o nosso fosse o que realmente tinha valor. Ele morava em uma casa que construíra com as próprias mãos. Tinha um emprego de que gostava, trabalhando como fotógrafo em um jornal em uma pequena cidade chamada Bundaberg. Tudo aquilo parecia ser bastante estável e adulto. Mais ou menos dez meses depois de me dizer a verdade sobre Jane, enquanto eu planejava outra viagem pela Ásia no inverno de 2007, Nigel finalmente me convenceu a estendê-la até a Austrália.

★

A reconstrução do nosso romance não foi instantânea, mas também não foi tão lenta. Cheguei a Sydney em uma manhã de fevereiro e, após superar um ataque de pânico no banheiro do aeroporto, entrei no saguão de desembarque, onde observei Nigel se virar e olhar na minha direção com um sorriso que se abriu lentamente e se estendeu por todo o rosto. A barba que ele usava na Etiópia não existia mais. Parecia uma versão mais pálida e mais bem cuidada da pessoa que eu conhecia, vestindo jeans novos e uma camisa bem passada. Quando colocou os braços ao redor de mim, o gesto foi firme, como se estivesse me trazendo para o seu mundo com um abraço prolongado.

Isso foi o início de uma turnê em ritmo de lua de mel pela região leste da Austrália. Tínhamos duas semanas antes que eu continuasse rumo a Bangkok e depois a Délhi, onde tinha planos de encontrar Kelly Barker, minha companheira de viagem favorita. Kelly havia deixado a vida de garçonete e agora trabalhava como comissária de bordo, o que tinha vantagens para nós duas: ela me dera um cupom de desconto para comprar uma passagem para a Ásia e viajava praticamente sem custos.

Nesse meio-tempo, Nigel e eu subimos a Ponte da Baía de Sydney, fizemos piquenique em um parque verdejante e bastante arborizado e embarcamos em uma balsa que ia até Manly Beach para brincar nas ondas. Tomamos um avião que contornava o litoral do país e fizemos reservas em um pequeno barco turístico que ia até a Grande Barreira de Coral, onde mergulhamos em meio a corais de cores psicodélicas como azul, verde, laranja e amarelo, nadando silenciosamente por entre arraias enormes e tartarugas que cortavam as águas. À noite, bebíamos muito. Tirávamos as cascas de camarões rosados e caranguejos, mergulhando a carne saborosa em manteiga derretida. Ficávamos acordados até tarde, conversando sob o ar morno e observando um panteão surreal de estrelas antes de irmos alegremente para a cama.

Ainda assim, eu tinha lampejos de paranoia. O homem que conhecera nas minhas viagens, com quem eu estava viajando novamente — será que ele era uma versão mais autêntica do cara que até bem pouco tempo tivera uma esposa, um apartamento em Londres e um futuro inteiramente diferente? Será que eu mudara esse futuro ou fora apenas uma desculpa para a mudança? Eu tentava afastar as dúvidas, mas estávamos operando sob pressão: o desastre do casamento de Nigel ficava menos horrível quando era repaginado como um relato de amor verdadeiro, um caso tão predestinado a se tornar real que não poderia ser evitado — algo que, na verdade, *não poderia acontecer de qualquer outra maneira*. Se acontecesse, nós não poderíamos narrar tudo para os nossos nove netos algum dia, sentados em nossas cadeiras de balanço na varanda, depois de termos feito uma correção dolorosa em nossas vidas para termos uma existência plena e feliz.

Toda aquela premissa funcionaria se conseguíssemos ficar juntos, se eu o amasse e ele me amasse. Dissemos essas palavras um ao outro, mas, desta vez, não fiz qualquer promessa sobre vir morar na Austrália. Tentei ser ousada para não me sentir tão fraca. Quando deixei Nigel, fiz isso sob meus próprios termos. Disse a ele que eu terminaria esta viagem pela Ásia com uma estadia mais longa no Afeganistão, após ter juntado uma quantia extra de dinheiro durante minha última temporada servindo mesas no Canadá. Quando chegasse lá, imaginava que tentaria encontrar um trabalho como fotógrafa. Se ele quisesse ficar comigo, poderia economizar seu dinheiro e me encontrar lá. O próximo passo devia ser dado por ele. Nossas vidas, eu disse, poderiam ser fantásticas.

11

Passe de Imprensa

Na primavera daquele ano eu fui até o Afeganistão, como planejara, instalando-me no Mustafa Hotel no centro de Cabul, negociando um preço mensal com o gerente por um quarto pequeno com carpete escuro e uma cama de casal coberta com um cobertor cor-de-rosa macio. A janela tinha vista para uma praça movimentada.

O Mustafa era famoso — era o local onde todos os jornalistas haviam se aquartelado no início da invasão americana no Afeganistão, quando a primeira onda de correspondentes estrangeiros tomara conta da cidade. Fora um dos primeiros lugares da era pós-Talibã em Cabul que começaram a servir bebidas alcoólicas. A época em que o lugar ficava cheio de jornalistas, entretanto, já havia terminado. Conforme a guerra no Afeganistão se arrastava, alguns membros da imprensa se mudaram para complexos fortificados ou hospedarias que foram convertidas em agências de notícias. Outros conglomerados de mídia não se incomodavam em manter um correspondente regular nesse país, preferindo investir seus recursos na outra guerra, a do Iraque, que também se arrastava. O resultado, pelo que me disseram, era o fato de que o Afeganistão se transformara no paraíso dos *freelancers* — rico em conflitos, mas não dominado pela mídia. As barreiras para as pessoas que estavam começando suas carreiras eram muito menores do que eram no meu país.

Cabul, em maio de 2007, lembrava um jardim de pedras dilapidado, com quarteirões inteiros de prédios em estilo soviético semidestruídos, ladeados por quarteirões de um comércio que florescia. A poeira daquele planalto cobria o rosto dos garotos esfarrapados que vendiam chicletes e velhos mapas nas esquinas como se fosse uma segunda pele, e o ar fresco naquela altitude era pontilhado pelo ruído e pelo fedor de centenas de geradores a diesel que tentavam compensar a falta de infraestrutura.

Eu trazia cartões de visita com os dizeres "Amanda Lindhout, Fotógrafa Freelancer", com meu endereço de e-mail e o meu novo número de telefone celular afegão. As mesmas palavras estavam escritas em Dari, a linguagem falada mais comumente no país, no verso. Eu os entregava a todas as pessoas que conhecia. No Mustafa, conheci um amigável fotojornalista da Inglaterra chamado Jason Howe, que conseguira atravessar as guerrilhas da Colômbia, a guerra entre Israel e o Hezbollah no Líbano em 2006 e uma temporada no Iraque. Agora, estava a caminho da província de Helmand para se juntar às tropas britânicas.

Ele me explicou os princípios do trabalho *freelance*. Você faz seus próprios planos, paga suas próprias despesas e assume seus próprios riscos. Procura seus próprios caminhos, passa um longo tempo sem um plano de saúde ou qualquer tipo de plano de longo prazo e acostuma-se a viver sempre sem dinheiro. Quando precisa de trabalho, você cria suas próprias oportunidades, colocando-se nos locais mais oportunos.

Nada disso me intimidava. Na verdade, não parecia tão diferente dos princípios de viajar com uma mochila nas costas e pouco dinheiro.

Eu tirava fotos de tudo o que podia, embora achasse difícil fotografar os afegãos. Até mesmo as mulheres totalmente cobertas por suas burcas se esquivavam da minha lente. Homens me olhavam com irritação pelo obturador da câmera. Renovei a amizade com Amanuddin, o vendedor de tapetes que conhecera alguns anos antes. Ele saíra de Peshawar e mudara-se permanentemente para Cabul, onde abrira outra loja. Pensando que ele poderia me ajudar, perguntei se poderia me levar para ver os *kuchis*, o povo nômade que vivia em acampamentos improvisados nas colinas estéreis atrás da casa da sua família, na parte sul da periferia de Cabul, onde eu ficara hospedada durante a minha primeira visita.

Havia *kuchis* espalhados por todo o Afeganistão. A maioria era da etnia *pashtun*; alguns eram mais nômades que outros, vagando pelas terras altas no decorrer das estações. Era possível ver os *kuchis* caminhando ao longo de estradas remotas com suas ovelhas, as mulheres usando vestidos de lã em cores vivas, com mangas largas e corpetes enfeitados com miçangas, os homens envoltos em lenços e usando chapéus *pakol* em forma de cogumelo. As poucas centenas que viviam nos vales escarpados além da casa de Amanuddin dormiam sob tendas feitas com retalhos de lã. Os residentes locais — afegãos que tinham terras e casas — os toleravam, mas, de maneira geral, a contragosto. Os *kuchis* me faziam lembrar das pessoas de origem indígena do Canadá — independentes, não integrados à sociedade e, de maneira geral, em uma situação desfavorável por causa disso.

Depois de embalar o meu equipamento fotográfico e todas as minhas ambições como nova fotógrafa, embora ainda não fosse realmente uma profissional, propus a Amanuddin a ideia de passar a noite no acampamento dos *kuchis*. A resposta dele foi imediata:

— Por que você precisa fazer isso? — Para Amanuddin, a ideia de uma noite agradável envolvia escutar músicas típicas de Bollywood ou fazer um piquenique com espetinhos de carneiro assados e embrulhados em jornal às margens do Lago Qargha. Ficou claro que havia limites nas coisas que ele estava disposto a fazer como guia turístico.

Ele concordou em me acompanhar até onde os *kuchis* estavam ficando e me apresentar a eles. O sol estava começando a se pôr atrás das colinas quando chegamos, deixando os tons mais suaves, numa cor de ameixa empoeirada. As pessoas estavam levando seus rebanhos de ovelhas e cabras em direção ao acampamento para passar a noite. A cena parecia ser bonita e pastoril à distância, mas, de perto, eu conseguia sentir o fedor dos excrementos das centenas de animais conforme se aproximavam. Um homem que usava um turbante e vestia-se com roupas brancas e folgadas sob um colete marrom saiu de uma das tendas e veio em nossa direção. Era o líder do grupo, e se apresentou como Matin.

Depois de conversar um pouco em *pashto* com Amanuddin, Matin me levou até a tenda que pertencia à sua irmã, dizendo que eu poderia dormir ali. Amanuddin continuou a insistir que não seria uma boa ideia ficar — não era seguro, dizia ele —, mas eu estava decidida. Dando-me um abraço com uma mensagem implícita de "eu lhe avisei", ele disse que voltaria para me buscar pela manhã. Depois, desceu pela encosta das colinas enquanto a escuridão se aproximava.

A irmã do líder já passava dos quarenta anos, com o rosto marcado pelo sol e o cabelo preso em duas tranças. Usava um vestido vermelho remendado com pedaços de lã verde. Matin pronunciou o nome dela para que eu aprendesse. *Maryam*. Depois, pronunciou o meu nome para ela. *Almond-a*.

À guisa de boa-noite, Matin levou a mão até o coração. Levei a mão até o coração em retribuição.

Maryam ergueu a aba de tecido que cobria a entrada da sua tenda e convidou-me a entrar. Uma pequena fogueira ardia ali dentro. Seus dois filhos rolavam engalfinhados sobre um tapete colocado sobre os cascalhos do chão. Seus objetos estavam empilhados ordenadamente em sacos de tecido contra a parede oposta da tenda. Maryam se ocupou com a preparação do nosso jantar, feito com arroz, iogurte grosso *naan*, um pão chato, que comemos diretamente das panelas. Para beber, um chá morno e doce.

Depois da refeição, ela varreu o chão poeirento e trouxe vários cobertores de lã grossa que estavam guardados no fundo da tenda. Levou-me para fora para que pudéssemos urinar, lado a lado, na encosta da colina. Depois, nós duas nos deitamos, acordadas e iluminadas pelas brasas alaranjadas da fogueira usada para cozinhar, cada uma de nós apoiada sobre um cotovelo, falando em nossas respectivas linguagens, com a ajuda de gestos, aparentemente sem nunca nos cansarmos daquilo. Discutimos nossas famílias e a guerra, convertendo uma quantidade mínima de compreensão mútua que, naquele momento, parecia realmente importante. Quando não conseguia se expressar claramente, Maryam ria e segurava na minha mão, como se quisesse dizer: *Deixe para lá. Estamos nos divertindo aqui*. De tempos em tempos, ela se aproximava e puxava os cobertores para cobrir os meus ombros.

Pela manhã, ao sair do escuro da tenda e ficar sob o sol escaldante, recebi a minha recompensa por ter passado a noite ali. Maryam e suas cunhadas *kuchis* — mulheres mais velhas que indicavam aprovar a minha presença ali — afagaram meus cabelos e colocaram amuletos feitos com contas e miçangas na minha blusa. Mostraram-me seus próprios adornos — colares de pedras grandes da Arábia Saudita, braceletes incrustados com lápis-lazúli, brincos de prata com o formato de luas crescentes.

Esperei um pouco para pegar minha câmera e, quando o fiz, não foi um acontecimento que chamou tanto a atenção. Na primeira vez que ergui o visor até o meu olho e o apontei para as mulheres, ninguém se esquivou. Ninguém virou o rosto, escondeu seus filhos ou me dirigiu um olhar hostil. Qualquer avaliação que houvessem feito a meu respeito já estava sacramentada, talvez no instante em que saí da tenda ao lado de Maryam e seus filhos, todos nós intactos e com a aparência descansada. Os homens bebiam chá sob a sombra de uma tenda. As mulheres alinhavam cabras para a ordenha. Uma mulher envelhecida, com o ar e a autoridade de uma avó, estava agachada ao lado de uma das tendas e olhava diretamente para mim, com algo que parecia ser a sabedoria dos séculos exposta em seus olhos. Naquela fração de segundo, eu apertei o botão da câmera.

Aquela foto — um retrato em *close* das rugas que cobriam seu rosto como teias de aranha e de seus belos olhos claros — foi a primeira das minhas imagens a ser publicada. A editora de uma revista local para expatriados chamada *Afghan Scene* aceitou-a algumas semanas depois para ser a foto da capa. Gostou tanto da imagem que pediu permissão para revelar uma cópia para que pudesse pendurar na sala da sua casa. Depois, contratou-me para voltar até o acampamento e fazer um artigo inteiro sobre os *kuchis*. Uma história de três páginas e oito fotografias, escrita e retratada por mim.

Pelos padrões dos jornalistas famosos, aquilo não era nada — dois contratos com uma revista de baixo orçamento, uma publicação mensal em inglês de algumas poucas páginas que continha análises sobre restaurantes e artigos sobre a cultura em meio a anúncios para praticamente tudo, como cartões de crédito Visa, cães para adoção e blindagem de carros —, mas, para mim, foi uma vitória. Era um contrato verdadeiro, um pouco de dinheiro — uma recompensa por ir até lá e uma justificativa para permanecer.

★

Sentindo-me encorajada, eu estudei os *websites* de jornais e revistas de notícias. Prestei atenção nas coisas que as pessoas fotografavam, em como os artigos eram redigidos. Forcei-me a ficar mais extrovertida e me apresentei a praticamente todas as pessoas que passavam pelo Mustafa, perguntando onde estiveram e o que viram. Mandei e-mails para editores em Toronto e Nova York, anexando fotografias que tirava quando fazia algumas viagens a diferentes províncias, viajando com organizações de ajuda humanitária ou outros *freelancers* do Mustafa. Às vezes, eu recebia respostas e pedidos para manter contato, embora nunca houvesse qualquer acerto para publicar o que eu enviava. A maioria parecia querer somente fotografias da guerra.

Uma tática entre *freelancers* mais empreendedores é tentar conseguir cartas de intenção de editores jornalísticos ou fotográficos — algumas linhas escritas em um papel timbrado ou um e-mail que venha de um endereço que pareça importante, dizendo que eles têm interesse em analisar, por exemplo, seu artigo sobre plantadores de ópio que passaram a cultivar pistaches ou imagens da sua viagem até a fronteira com o Tadjiquistão. As cartas são vagas, sem qualquer garantia de publicação, mas, quando são entregues a autoridades responsáveis pela imprensa ou detentores de outros cargos oficiais, funcionam como se fossem ouro.

A única carta escrita dessa forma que consegui veio por intermédio de um dos vários frequentadores esquisitos do bar do Mustafa, um inglês de pele pálida com uma gagueira forte chamado Anthony Malone, que, assim como vários homens com o cabelo cortado rente e calçando botas para o deserto que ocupavam o saguão no andar térreo, referia-se discretamente a si mesmo como um "prestador de serviços de segurança privada". Morava em uma área elegante de Cabul, em uma mansão com vários empregados. Conhecia pessoas. Oferecia festas. Falava ao telefone celular em voz baixa.

Certa noite, enquanto tomávamos uma cerveja no bar, ele disse que, se eu quisesse acompanhar oficialmente um grupo militar, ele poderia me ajudar. Dentro de alguns dias ele trouxe uma carta de um de seus amigos, o editor de uma revista chamada *Combat and Survival*, dizendo que gostaria de ver quaisquer fotos que eu pudesse tirar das tropas canadenses em campo. A carta funcionou como se fosse mágica. Em pouco menos de uma semana eu estava a caminho de Kandahar.

Combat and Survival é uma publicação voltada para soldados — soldados na ativa, soldados aposentados e pessoas obcecadas, qualquer que seja a razão, pela guerra e pela vida no exército. Suas páginas, quando eu as examinei, traziam análises sobre veículos de patrulha que pareciam monstros sobre rodas, e relatos em linguagem bastante máscula sobre as linhas de batalha em lugares como a Sérvia e a África Central, alguns dos locais mais perigosos do mundo. Eu não tinha nenhum motivo ou inclinação para escrever artigos para essa revista, mas, na verdade, já não estava mais preocupada com meu lugar no mundo. Depois de oito semanas no Afeganistão, convenci a mim mesma de que tudo que eu precisava fazer era me colocar em um lugar onde alguma notícia digna de ser publicada estivesse acontecendo.

Cheguei em Kandahar numa tarde do fim de junho em que o calor chegava a 46ºC, trazendo meu equipamento de fotografia e um colete à prova de balas azul-escuro, enorme para o meu tamanho, que Abdullah, o gerente amistoso do Mustafa, desenterrara do seu armário de achados e perdidos. Quando cheguei à tenda de imprensa no aeródromo de Kandahar, senti meus nervos estremecerem. Havia uma equipe da Global News Television, da CanWest Media e um outro homem que representava a CTV. Repórteres sérios, fazendo um trabalho sério, com seus estojos Pelican cheios de equipamentos, telefones com conexão via satélite, óculos escuros à prova de balas e capacetes de combate. Logo depois da minha chegada, uma mulher de cabelos escuros que vestia uma longa camisa branca entrou na tenda atrás de mim, parecendo haver acabado de sair do banho e sentindo-se bem confortável naquele ambiente. Eu a reconheci instantaneamente — Mellissa Fung, uma repórter nacional da Canadian Broadcast Corporation. Eu já a vira muitas vezes na TV, mas, agora, ela estava apenas a alguns metros de mim — pequena e autoconfiante, e não chegava nem perto de suar tanto quanto o resto de nós. Conversava atentamente com o seu operador de câmera por cima de um monitor montado em um tripé.

Senti-me como se fosse uma criança sozinha no refeitório da escola. Enquanto eu preenchia a papelada militar obrigatória, incluindo uma folha de contato com os nomes dos meus familiares cheia de termos sobre morte e ferimentos, um dos repórteres da Global News se aproximou para se apresentar. Seu nome era Francis Silvaggio. Fiz o que pude para dar a impressão de que era experiente. Disse-lhe que era uma fotógrafa vivendo em Cabul. Viera até Kandahar para fazer algumas fotos para a *Combat and Survival*. Enquanto eu falava, vi que o seu olhar estava fixo na minha jaqueta blindada tamanho XXG, azul como o traje do Superman, que estava no chão, ao lado da minha mochila, como se fosse uma placa de sinalização.

— O que é isso? — disse ele.

Um pouco constrangida, expliquei que aquilo era um traje blindado, velho e grande demais, que pegara emprestado do meu hotel em Cabul. Ele ergueu as sobrancelhas.

— Sou *freelancer* — eu disse, como se aquilo não fosse óbvio. Esperava que Francis fizesse algum comentário jocoso ou que desse alguma desculpa para encerrar a conversa, mas não foi isso que aconteceu.

— Sabe, acho que provavelmente temos um colete extra que vai lhe servir melhor — disse ele.

Em pouco tempo, e com os cumprimentos da Global News, eu recebi um colete de Kevlar justo e comparativamente mais elegante, da cor de folhas secas. Com ele, não me sentia tão fracassada. Depois de receber um capacete do oficial responsável pelas relações públicas, eu já estava me encaixando melhor no grupo. Algumas das pessoas de mídia como nós se dirigiriam a uma base avançada de operações em um lugar chamado Masum Ghar, em uma das áreas que eram descritas nas notícias como "uma das fortalezas do Talibã". Faríamos um percurso de cerca de uma hora e meia em veículos leves blindados até chegarmos lá.

Recebemos de um comandante instruções sobre os procedimentos antes de continuar. Ele enfatizou a ameaça representada por bombas ao lado da estrada com comentários curtos e gritou:

— Se formos atingidos por algum tipo de explosivo improvisado e não houver danos, continuaremos avançando. Se formos atingidos por um explosivo e um veículo for danificado, vamos isolar a área e entrar em combate para conseguirmos nos afastar do local, se for preciso.

Aproveitando aquela que poderia ser a última área onde havia uma boa recepção de telefonia celular, os outros repórteres entraram em contato com seus editores, discutindo possíveis focos para seus artigos e combinando prazos de entrega. Saí da tenda e liguei para Nigel, na Austrália. Estava sentindo medo.

Na verdade, já estávamos nos distanciando. Nosso relacionamento retomado parecia estar se desmanchando rapidamente. Um telefonema entre nós era exuberante e apaixonado — cheio de exclamações do tipo *oh, que lindo!* e ideias sobre o futuro —, enquanto o seguinte era breve e distante. O divórcio de Nigel fora oficializado, mas, em vez de sentir que tinha uma nova vida e a oportunidade de recomeçar, ele parecia estar deprimido. Embora eu compreendesse a situação, não queria realmente compreendê-la.

Era o fim da tarde na Austrália. — Vou a campo com o exército — eu disse a Nigel, começando a descrever o meu dia até aquele momento, explicando sobre o meu capacete e o colete à prova de balas, sobre a fortaleza do Talibã e os explosivos improvisados.

Talvez eu estivesse me vangloriando. Talvez soubesse disso. Tivéramos uma briga por telefone no começo daquela semana. Ele andara dizendo que viria a Cabul para se encontrar comigo, mas não fizera nenhuma reserva em nenhum voo. Acusava-me de ser mandona. Eu o acusava de ser passivo demais.

— Você não vai ouvir notícias minhas durante os próximos dez dias, provavelmente — eu dizia a ele agora. — Mas não se preocupe, tá?

Houve uma pausa. Imaginei Nigel trabalhando atrás de uma escrivaninha, com uma camisa limpa, editando as fotos que tirara dos acontecimentos do dia em Bundaberg.

— Tudo bem, então — disse ele, friamente. — Cuidado para não ser morta.

Desligamos sem nenhuma frase de despedida.

★

Passei os oito dias seguintes em campo com os soldados canadenses. Em sua maioria eram homens da minha idade, vindos de áreas rurais do Canadá. Bastava passar um tempo curto no *front* para entenderem que a guerra não era somente perigosa, mas também um transtorno. O sol sobre a região sul do Afeganistão torrava todas as coisas — o sabonete líquido nas latrinas, os assentos dos vasos sanitários — a ponto de deixá-las escaldantes. O equipamento era pesado e a poeira cobria literalmente tudo. Conheci um pianista clássico que estava preocupado com a possibilidade de machucar suas mãos. Conheci um jovem pai que pendurava fotos plastificadas dos seus filhos em uma corrente ao lado das plaquetas de identificação que levava ao redor do pescoço. Conheci dois rapazes que passavam seus horários de patrulha trocando relatos fantasiosos sobre a cantora Nelly Furtado.

No meu segundo dia em Masum Ghar, recebemos a notícia de que três soldados canadenses foram mortos por uma bomba colocada à beira da estrada durante uma patrulha na região sudoeste de Kandahar. Os repórteres que estavam ali rapidamente colocaram seus equipamentos para funcionar, esperando o período regulamentar de silêncio enquanto as famílias eram contactadas antes de mandar a notícia para o resto do mundo.

Os soldados viviam dentro da cerca de alambrado — dentro dos limites protegidos do acampamento militar —, mas, conforme a necessidade e as ordens, eram mandados para fora daquela área. Dentro da cerca havia uma biblioteca, televisão via satélite e ovos cozidos no café da manhã. Fora da cerca, as ameaças se multiplicavam infinitamente. O Talibã se entocava nas sombras e nos buracos, entre as fendas pardas das montanhas escarpadas, e dentro dos muros grossos que cercavam vilarejos, sem qualquer uniforme que pudesse distingui-los dos civis inocentes. Atacavam com foguetes e armando explosivos improvisados ao longo das estradas.

A ameaça quase sempre era invisível. Poderia ser qualquer coisa. Definia tudo o que existia, perseguia todos, fazia as glândulas adrenais pulsarem e borbulharem. A ameaça eram aranhas solífugas sibilantes, grandes como um prato de sobremesa. Eram os projéteis luminosos que riscavam o céu à noite, os e-mails com más notícias que chegavam do país natal, a calmaria inquietante em uma estrada. Era qualquer coisa que, dentro ou fora da cerca de alambrado, pudessea se transformar em um desastre.

Para mim, sair dos limites do alambrado era como ser lançada ao espaço. Em uma manhã eu segui um pelotão de infantaria enquanto eles avançavam lentamente por campos de trepadeiras emaranhadas, empunhando armas e detectores de metal para investigar um cabo suspeito que fora identificado a distância por uma patrulha anterior. Tirei fotografias e tentei acompanhar o grupo enquanto os soldados, com suas roupas e equipamentos de combate, pulavam por cima das muretas baixas de barro que dividiam os campos, mantendo um silêncio enervante enquanto se aproximavam do local suspeito. Sentia-me assustada, inútil e encantada. Meus nervos pulsavam. Alguns garotos afegães nos observavam atentamente, entrincheirados no leito seco de um rio, conforme nos movíamos delicadamente, cuidando para não tropeçar em qualquer espécie de explosivo enterrado, imaginando o que os garotos sabiam ou não sabiam — seriam inocentes ou não? —, até, finalmente, chegarmos à fonte da inquietação, a ameaça identificada mais cedo, que agora estava em foco: um resto de corda castigado pelo sol que fora esquecido em uma valeta.

12

A Zona Vermelha

É óbvio que você nunca vai conseguir olhar para o seu próprio futuro com clareza, ou para o futuro de qualquer outra pessoa. É impossível saber o que vai acontecer, até que a coisa aconteça. Ou talvez você perceba naquela fração de segundo que antecede o fato, quando consegue vislumbrar o seu próprio destino. Eu penso no dia em que cheguei a Kandahar com a minha câmera e o duvidoso passe de imprensa da *Combat and Survival*. Havia três soldados canadenses que não sabiam que uma bomba esperava por eles ao lado da estrada e que morreriam em breve. No Canadá, havia três casais de pais ou esposas que não estavam preparadas para o telefonema. Mellissa Fung, a correspondente da CBC que parecera tão confiante e resoluta no dia em que eu a vira, não teria como saber que quinze meses depois, quando estivesse retornando ao Afeganistão, seria sequestrada nos arredores de Cabul e passaria vinte e oito dias como refém, trancafiada e forçada a passar fome em um quarto subterrâneo nas montanhas. Anthony Malone, o inglês que trabalhava com segurança privada que conseguira a carta de recomendação da revista para mim, seria jogado em uma das prisões mais infames do Afeganistão, acusado de fraude e de não pagar suas dívidas, e ficaria ali por dois anos. Jason Howe, o *freelancer* que eu conhecera no Mustafa, alcançaria o sucesso, vendendo suas fotos para todos os maiores jornais do mundo — o francês *Le Figaro*, o *The Times* de Londres e o *The New York Times*.

Eu também estava levando meu destino comigo. Todas as coisas que eu não tinha como saber estavam guardadas, costuradas em algum lugar dentro de mim — talvez não tão fixas a ponto de serem inevitáveis, mas, mesmo assim, esperando para poderem explodir.

Saí do Afeganistão quando meu dinheiro acabou. Talvez devesse me sentir desanimada pela minha falta de sucesso como fotógrafa; depois de cerca de sete meses, além daquele artigo e algumas fotos na *Afghan Scene*, eu não havia publicado mais nada. Mas não foi isso que senti. Estava esperançosa, empolgada pelo desafio de aprender uma profissão. Voltei para Calgary para rechear a minha conta bancária, desenvolver minhas habilidades de fotógrafa e fazer novos planos. Meus planos não incluíam mais Nigel. Ele e eu havíamos perdido contato completamente.

Consegui um emprego no saguão de um novo restaurante chamado Seven, um lugar sofisticado que se encaixaria melhor na cidade de Miami, com sofás de couro branco e paredes brancas. As gorjetas eram extremamente generosas. O trabalho não era muito difícil. Vestindo saltos altos e equilibrando bandejas com coquetéis mais uma vez, eu mantinha as experiências que tivera em Cabul guardadas em um canto da minha mente. Consegui alugar um quarto no apartamento de uma garota da minha idade que trabalhava em um escritório no centro da cidade e enchi o lugar com coisas que trouxera do Oriente Médio, pendurando fotos do Paquistão e da Índia nas paredes. Durante algumas horas, toda semana, em honra aos lugares onde estivera e àqueles onde queria estar, tomava aulas com um fotógrafo local, que estava me ensinando a trabalhar com imagens em preto e branco e como usar o Photoshop.

★

Na época do Natal, sem qualquer motivo aparente, recebi uma oferta de emprego para trabalhar com jornalismo televisivo em Bagdá. Um emprego de verdade. Um emprego em Bagdá, com salário mensal de quatro mil dólares e todas as despesas pagas. Parecia impossível, mas era verdade. Um rapaz que eu conhecera alguns meses antes no Mustafa — um iraniano chamado Ehsan, que passara rapidamente por Cabul, tentando encontrar um emprego com alguma organização não governamental — me enviou um e-mail dizendo que uma rede de televisão em seu país estava procurando uma correspondente que falasse inglês. Quando pesquisei no Google, um site de notícias de aparência séria apareceu na minha tela. A Press TV era um canal criado recentemente, uma rede internacional em língua inglesa com programação durante as 24 horas do dia financiada pelo governo iraniano, projetada para ser similar — pelo menos na aparência — às redes Al Jazeera e CNN International. Assim como a Al Jazeera fizera, a Press

TV estava contratando profissionais ocidentais para trabalhar em frente às câmeras. Já havia correspondentes atuando em lugares como Nova York, Londres, Beirute e Moscou.

Troquei e-mails com uma produtora durante algumas semanas e falei várias vezes com ela ao telefone. Montei uma fita que serviria como teste. No trabalho, eu servia bebidas, permitindo-me imaginar como seria viajar para Bagdá. Não tinha certeza do que deveria pensar sobre quem estava me contratando. Eu sabia que o Irã tinha um governo islâmico e um histórico ruim em relação aos direitos humanos. Mas eu também havia conversado algum tempo com Ehsan, que era jovem, intelectual e tinha esperança de que houvesse mudanças no seu país. Morava com sua noiva em Teerã e contava histórias sobre o lugar, que me davam a impressão de que a cidade era cheia de pessoas sofisticadas e cosmopolitas que escreviam poesia, frequentavam danceterias clandestinas e pensavam bastante sobre o mundo além das fronteiras do seu país. Em um determinado momento, perguntei à produtora se a emissora representava algum ponto de vista específico do país e se eu deveria me preocupar com algum tipo de censura. Ela respondeu que não, que a Press TV não tinha nenhum viés ideológico e todas as reportagens eram tratadas com justiça. No momento, aquilo foi o bastante para mim. A ideia de ter um salário, de ser uma repórter na televisão, e de viver em um lugar como o Iraque era bastante empolgante para sobrepujar quaisquer dúvidas.

Minha mãe me ajudou a fazer as malas e me levou ao aeroporto. Já havia desistido de verbalizar suas preocupações em relação a mim fazia um bom tempo.

★

Cheguei a Bagdá em janeiro de 2008. A Press TV reservara um quarto para mim no imenso Palestine Hotel, junto com uma suíte adjacente que serviria como escritório. O hotel fora luxuoso na década de 1980, mas agora estava antiquado e desgastado. A suíte utilizada como escritório tinha alguns sofás velhos no canto, uma geladeira, uma mesa e algumas escrivaninhas com monitores de vídeo e gravadores para edição — equipamentos velhos e imensos, mas que, mesmo assim, serviam para o trabalho para o qual eram destinados. Conheci Enas, uma iraquiana com olhos castanhos bastante espaçados, um corpo gorducho e cabelos tingidos de vermelho que lhe caíam por sobre os ombros. Ela seria a minha produtora de campo. Por telefone, fui apresentada ao Sr. Nadjafi, o diretor de notícias em Teerã que seria o meu superior imediato.

Bagdá não era dramaticamente bela como Cabul, com suas montanhas lunares e marrons. Tinha os mesmos táxis e trânsito pesado de outras cidades grandes que eu visitara, a mesma fumaça sufocante no ar. Tinha a mesma luz dourada e as palmeiras frondosas que vira em Damasco, Beirute e Amã. Mas, com seus postos militares de vigilância, barreiras de concreto nas ruas e muralhas de quatro metros de altura à prova de explosivos por toda parte, com seus prédios quadrados e sem personalidade e o horizonte coberto por nuvens de areia, qualquer beleza interna que a cidade já tivera, qualquer fama mítica de haver sido uma terra de leite e mel no passado não podia ser visualizada facilmente. Bagdá parecia mais sisuda e mais castigada pela guerra do que qualquer outro lugar onde eu estivera. Meu quarto no Palestine tinha vista para uma rotatória e uma mesquita pintada num tom fantasmagórico de branco, com sua cúpula em forma de bolha. Aquela era a Praça do Paraíso, onde, cerca de cinco anos antes, um tanque americano derrubara uma estátua de Saddam Hussein. A um quarteirão dali passava o Rio Tigre, de águas barrentas e vagarosas, sem qualquer barco em sua superfície.

Não havia muitos ocidentais hospedados no Palestine. Na verdade, não havia muitas pessoas de qualquer tipo hospedadas no Palestine. Uma emissora de TV financiada pelos Estados Unidos chamada Alhurra, que transmitia informações sobre as ações americanas em árabe, estava instalada no hotel, e seus funcionários eram predominantemente iraquianos que iam e vinham durante o horário comercial. Com exceção deles, o lugar parecia estar quase vazio — em parte porque, com seus dezoito andares, era um dos prédios mais altos da cidade, o que o tornava um alvo fácil para os insurgentes. Passei minha primeira noite em Bagdá acordada, ouvindo o *rat-tat-tat-tat* de tiroteios e o grito das sirenes do lado de fora da janela, sentindo medo e entendendo que, oficialmente, eu havia passado dos limites.

Eu tinha muito a aprender. Em algum ponto durante a mudança apressada de Calgary para Bagdá, eu baixara um manual sobre jornalismo no meu *notebook*, um tipo de "Manual de Reportagens Televisivas para Leigos", o qual lera e relera diversas vezes. Em Damasco, onde passara mais de uma semana esperando que o meu visto fosse processado pela embaixada iraquiana, aproveitara o intervalo para ler as mais de mil e cem páginas sombrias do livro *A Grande Guerra pela Civilização: A Conquista do Oriente Médio* de Robert Fisk, percebendo que eu sabia muito pouco a respeito da situação. Durante a noite, sozinha em meu quarto, eu me esforçava para adaptar o tom de voz e passar do soprano de uma mulher jovem para o tom sério e tranquilo de uma âncora de TV.

Enas, a produtora de campo e tradutora da Press TV, tornou-se minha amiga. Tinha cerca de trinta e cinco anos e um sorriso enorme. Sempre levava consigo uma bolsa cheia de doces embalados em plástico e era capaz de conversar facilmente com praticamente qualquer pessoa. Quando não estávamos trabalhando, nós duas saíamos para comprar lenços para a cabeça e visitávamos as casas de sucos no Mercado de Karada. Mais tarde, durante o inverno, saíamos para caminhar ao longo da Abu Nawas, uma estrada castigada que corre para o leste ao longo do Rio Tigre. A rota fora recentemente reaberta, após passar vários anos fechada para os civis. De acordo com Enas, a Abu Nawas, antigamente, era cheia de galerias boêmias de arte, casais que vinham fazer passeios e restaurantes especializados em peixe que serviam cerveja gelada. Agora, muitos dos restaurantes estavam fechados, com as paredes crivadas por buracos de bala. O parque à margem do rio estava descuidado e coberto por ervas daninhas, mas, no início da noite, crianças iraquianas vinham brincar nos *playgrounds* montados recentemente, doados por agências europeias de ajuda humanitária.

Enas era muçulmana, mas só cobria a cabeça com o seu véu quando sentia vontade, e não orava cinco vezes por dia. Nenhum dos iraquianos que eu conheci — as pessoas que trabalhavam na TV Alhurra, o operador de câmera *freelancer* com quem eu trabalhava — rezava dessa maneira. Eram muçulmanos da mesma maneira que muitos dos meus amigos canadenses eram cristãos: observavam os feriados mais importantes, iam à mesquita às sextas-feiras e haviam feito suas próprias combinações particulares com Deus. Encontravam forças no Alcorão, mas não eram governados por ideias que achassem ultrapassadas ou restritivas demais. Tinham tanto medo do islã radical quanto o restante de nós. A maioria parecia concordar que a guerra era complicada pelas lutas religiosas — os sunitas, os xiitas e os subgrupos das duas correntes religiosas que viviam em conflito — e pelo interesse estrangeiro no petróleo do Iraque.

Se trabalhar para os iranianos fazia Enas sentir algum desconforto, ela não deixava transparecer. Murmurava alguma canção enquanto preparava um chá preto forte e repassava a agenda do dia com um bloco de papel sobre o colo. O Iraque invadira o Irã em 1980, quando Enas era criança, e os dois países passaram oito anos em guerra. Meio milhão de pessoas morreu no conflito. Nenhum país saíra vencedor, mas o ressentimento ainda estava ativo. Os iraquianos encaravam o Irã com uma desconfiança generalizada. Algumas pessoas que eu tentava entrevistar recusavam-se educadamente a conversar quando eu dizia que a emissora era iraniana.

— Lamento — disse-me um homem com quem conversei em um mercado, ao recusar o meu pedido. — Não quero causar problemas para você com os seus chefes. Mas o Irã causou muitos problemas por aqui.

Eu era parte da máquina de propaganda ideológica. Percebi isso imediatamente. Quando Enas e eu atravessávamos a cidade junto com um cinegrafista, fazendo reportagens sobre crianças de rua, civis feridos e acordos de cessar-fogo que não cessavam nada, o Sr. Nadjafi recebia os vídeos que eu lhe enviava e os editava de modo que retratassem as tropas americanas e a conduta dos americanos da pior maneira possível. Reescrevia meus roteiros fazendo com que qualquer menção à guerra fosse descrita como "a invasão liderada pelos americanos" ou "a ocupação liderada pelos americanos". O Alcorão era sempre "o Sagrado Alcorão". Nossas pautas frequentemente nos levavam à Sadr City, um distrito xiita dilapidado e violento onde o Exército Mahdi frequentemente entrava em luta contra as tropas dos Estados Unidos. O Sr. Nadjafi recusava meus pedidos por mais dinheiro para que Enas e eu pudéssemos contratar um agente de segurança. Comecei a me sentir cada vez mais insegura e tinha a sensação de que a emissora estava se aproveitando de mim.

Durante as noites, em meu quarto, eu conversava com minha mãe pelo Skype, apegando-me ao som da sua voz sempre que me sentia em dúvida. Preocupada com a inexistência de uma verba para segurança, ela insistia que eu devia procurar outro emprego. Na esperança de aperfeiçoar minhas habilidades, eu vasculhei a internet, estudando o trabalho de alguns dos correspondentes e fotógrafos mais famosos que viviam em Bagdá, tentando descobrir que tipo de histórias eles cobriam e como cobriam. Mandei e-mails para editores de jornais canadenses e consegui convencer um editor do jornal da minha cidade natal, o *The Red Deer Advocate*, a deixar que eu escrevesse artigos e tirasse algumas fotos para uma coluna semanal. Eu receberia trinta e cinco dólares canadenses por artigo e vinte e cinco para cada fotografia publicada.

Impulsionada pela solidão, transferi meu quarto e o pequeno escritório da Press TV para o Hamra Hotel, em uma área residencial a alguns quilômetros do Palestine e mais popular entre os ocidentais — uma mistura de jornalistas e prestadores de serviço estrangeiros. Alguns estavam apenas passando temporadas curtas em Bagdá, enquanto outros pareciam estar lá indefinidamente. O Hamra fora construído ao redor de um pátio interno com sacadas com vista para uma piscina central e reluzente, cercada por espreguiçadeiras de plástico branco. Havia um pequeno bar que servia cerveja Heineken e vinhos libaneses, além de um restaurante especializado em comida iraquiana. Muros de proteção contra explosões foram erguidos ao redor de todo o complexo, que incluía também algumas casas. Uma delas servia como a redação do *Washington Post*. O *Los Angeles Times* tinha uma equipe de jornalistas que morava no Hamra, assim como a NBC News, o *USA Today* e alguns outros.

À noite, as pessoas saíam de seus quartos e iam para a área da piscina, trazendo consigo garrafas de gim de Bombaim compradas na loja do exército americano. Os funcionários do hotel colocavam mesas e traziam copos e gelo para as bebidas. Serviam cerveja, vinho e a comida do restaurante. Em uma das minhas primeiras noites no Hamra, vesti-me com algumas roupas mais elegantes e fui para a piscina, pedindo uma cerveja a um garçom e tentando dar a impressão de que fazia parte daquele ambiente. Por toda parte eu conseguia ouvir jornalistas conversando sobre o seu dia de trabalho, descrevendo suas reuniões ou reclamando dos atrasos nas transmissões. Senti uma onda de animação. Finalmente havia encontrado pessoas com quem podia conversar, que poderiam me ensinar alguma coisa.

Aproximei-me de alguns rapazes que estavam ao redor de uma mesa.

— Oi! Meu nome é Amanda! — eu disse.

Nós sorrimos e trocamos apertos de mão como se fôssemos colegas, camaradas. Os três pareciam ter seus trinta e poucos anos. Por um segundo, senti-me exultante. E, logo em seguida, um deles perguntou para qual emissora eu trabalhava.

— Press TV.

— Quem?

Apanhei-me explicando sobre os iranianos, sem esquecer de mencionar que planejava pedir demissão assim que conseguisse um emprego diferente.

O silêncio que se seguiu foi longo e desdenhoso. As luzes que se refletiam na superfície da piscina tingiam todos de verde.

— E vocês, rapazes? — eu disse, tentando mudar o foco da conversa. — Para quem trabalham?

Eles citaram seus conglomerados de mídia — todos americanos, todos sérios. Empresas legítimas. Conversamos por mais alguns minutos antes que cada um deles pedisse licença e se mesclasse às sombras. Fiquei sozinha outra vez.

Durante aquelas primeiras semanas no Hamra, parecia que eu não tinha nenhuma boa resposta para as perguntas que me faziam. Não precisavam de muito esforço para terem uma noção exata de quem eu era.

De onde eu viera? De uma pequena cidade em Alberta, no Canadá. Onde eu fizera minha pós-graduação? Bom... não chegara a cursar a faculdade, muito menos uma pós-graduação. Para qual empresa eu trabalhava antes de vir para cá? Bem... para nenhuma.

Eles tinham uma linguagem própria que eu não era capaz de falar; era um mundo completamente estranho. Eu nunca estivera em Washington, D.C. Não conhecia Nova York. Embora acompanhasse as notícias dos maiores canais pela internet, eu sabia pouco sobre o mundo da mídia americana. Viera a Bagdá por meio de todos os outros lugares onde estivera — Beirute, Alepo, Cartum, Cabul — mas não havia frequentado universidades famosas como Yale ou Colúmbia. Estava tentando educar a mim mesma. Trabalhava várias horas por dia e aproveitava cada oportunidade para fazer perguntas aos jornalistas já estabelecidos na profissão, mas eu quase sempre me sentia desajeitada e deslocada.

Nem todos eram esnobes. Certa noite eu conversei com Richard Engel, repórter da NBC. Era bonito, estava em forma e era mais baixo do que eu, com um sorriso bastante luminoso e um corte de cabelo bem curto, similar ao usado pelos fuzileiros navais. Quando chegamos ao inevitável momento em que confessei que a Press TV estava custeando a minha estadia no Iraque, ele foi solidário, dizendo que entendia as dificuldades que eu estava passando. Ele viera ao Iraque pela primeira vez em 2003, atravessando a fronteira como um jornalista *freelancer* sem credenciais, trazendo consigo uma câmera de vídeo portátil. Agora, cinco anos depois, era um dos repórteres mais conceituados da NBC News. Mais adiante, semanas depois de nos conhecermos, ele seria promovido ao cargo de correspondente estrangeiro-chefe para a emissora.

— Todo mundo tem que começar em algum lugar — ele me disse. — Use a oportunidade como um trampolim. Mas é melhor se preparar para buscar outra coisa, e logo.

★

Depois de mais ou menos um mês eu consegui pedir demissão do emprego na Press TV, sustentando-me com pautas *freelances* da France 24, uma emissora de televisão em língua inglesa sediada em Paris. Fiz uma reportagem na área de cultura sobre a Orquestra Sinfônica Nacional do Iraque. Vendi um artigo sobre refugiados iraquianos que retornavam ao país e um sobre a penúria dos palestinos que viviam em Bagdá. Assim como acontecia quando eu fazia reportagens para a Press TV, sempre me emocionava com os iraquianos com quem conversava — um médico sobrecarregado pelo trabalho em um hospital local, uma professora em Sadr City varrendo cacos de vidro depois que uma explosão estraçalhara as janelas da sua sala de aula, dois irmãos órfãos que vendiam lenços de papel nas ruas. Era impossível não ficar perplexa e entristecida por causa da guerra. Testemunhar tudo aquilo, mesmo de um modo tão ínfimo e particular, parecia ser um privilégio.

Eu estava conseguindo dinheiro suficiente para me sustentar, sem grandes gastos. Para cada minuto de trabalho que fosse ao ar, a France 24 depositava mil e quinhentos euros na minha conta bancária — embora a maior parte desse dinheiro fosse usada para despesas como a contratação de um motorista, um tradutor, um operador de câmera e um editor, além dos três mil dólares que eu estava pagando mensalmente para morar no Hamra. Continuava a escrever minha coluna para o jornal da minha cidade natal. E consegui encontrar um verdadeiro amigo, um *freelancer* tímido chamado Daniel, que era americano e, assim como eu, fora afastado do grupo dos profissionais de mídia dos conglomerados mais famosos. Às vezes, eu e Daniel ficávamos na sacada do Hamra e observávamos o vaivém dos jornalistas — os Chiques, como costumávamos chamá-los —, rindo, bebendo, nadando e dançando mais abaixo.

Eu tinha outra amiga, uma americana de voz gentil chamada Julie, da mesma idade que eu e trabalhava para uma enorme agência de notícias. Julie fazia parte do grupo dos Chiques, mas acabamos estabelecendo algum tipo de ligação.

Certa noite, ela veio até o meu quarto. Servi-lhe uma taça de vinho.

— Você sabe que todos estão irritados com você, né?

— O quê? — eu disse. Acabara de retornar ao Iraque depois de passar algumas semanas de férias em Portugal, novamente viajando com Kelly, quando ela me conseguira outra passagem de cortesia. Olhei para Julie, sem acreditar. Por que as pessoas estariam bravas comigo? O que eu poderia ter feito?

Na minha ausência, pelo que fiquei sabendo, alguns dos meus vizinhos no Hamra andaram assistindo aos vídeos do YouTube. Sem que eu soubesse, o âncora da Press TV disponibilizara uma transmissão ao vivo que eu fizera com ele alguns meses antes, quando ainda morava no Palestine Hotel, antes de ter qualquer contato real com repórteres estrangeiros.

Eu não sabia que transmissões ao vivo estavam disponíveis na internet. Enquanto assistia àquilo no meu *notebook*, depois que Julie voltou para o seu quarto, senti um aperto monumental e pavoroso no peito. Na tela, eu estava usando um véu cor-de-rosa ao redor da cabeça e brincos de argola. O âncora iraniano me perguntava, com uma boa dose de incredulidade na voz, como a mídia ocidental era capaz de apoiar o aumento do número de soldados americanos decretado pelo presidente George Bush quando o número de mortes entre as tropas americanas já havia chegado a quatro mil[5].

Em pé sob o calor do dia no teto do Palestine Hotel, que estava praticamente vazio, com fileiras plácidas de palmeiras por trás de mim, após passar várias semanas indo a vários lugares de Bagdá na companhia de Enas e sem guardas de segurança, eu respondi aquilo que pensava ser a verdade. Até aquele momento, eu só vira repórteres estrangeiros na Zona Verde, uma área

---

[5] O vídeo da reportagem citada pode ser acessado em: *http://www.youtube.com/watch?v=To0D7s-BmGdw (N.T.)*

altamente fortificada pelo exército, recebendo os resumos diários das notícias que eram fornecidos pelos assessores de imprensa da Autoridade Provisional da Coalizão. Os iraquianos que trabalhavam para a Alhurra me diziam que, para limitar seus riscos, e frequentemente de acordo com as instruções das apólices de seguro dos conglomerados de mídia, os jornalistas ocidentais às vezes enviavam repórteres iraquianos — tradutores e guias, pessoas que conheciam e tinham acesso a vários locais reservados — para fazer entrevistas, de modo que pudessem compor suas reportagens, redigindo seus artigos em meio à relativa segurança dos seus escritórios.

Apoiada em uma almofada no meu quarto no Hamra, eu me preparei para o que viria a seguir. Já me sentia mais velha do que a versão que via de mim mesma na tela. Desejei que ela nunca houvesse aberto a boca. Imaginava todos os Chiques reunidos ao redor do computador de alguém e zombando de cada palavra.

— O problema com as reportagens feitas em Bagdá por muitas empresas jornalísticas — eu dizia para o âncora na voz de repórter que me esforçara muito para desenvolver — é que elas não conseguem realmente ver o que está acontecendo. Estão vivendo em fortalezas. Estão enfurnadas dentro da Zona Verde. E, na verdade, seus contratos de trabalho não lhes permitem ir até a Zona Vermelha, onde vocês me veem...

Enquanto eu me ouvia na tela, comecei a ficar enjoada. Desde que me mudara para o Hamra, eu lamentava o fato de que ninguém queria me incluir em suas conversas. Mas eu havia cometido aquele erro muito antes de conhecer qualquer um dos jornalistas que trabalhavam ali. Depois de passar pouco mais de dois meses em Bagdá, eu havia assumido a presunção da sabedoria e da experiência — e tudo isso durante uma transmissão ao vivo, o que não facilitava as coisas. Pior ainda, estava imortalizada no YouTube. E eu estava errada. Havia muitos jornalistas vivendo e trabalhando na Zona Vermelha. Mas eu não estava totalmente mal-informada. Era difícil para qualquer pessoa ter a noção exata do que estava acontecendo em Bagdá. Era difícil para mim, também. Simplesmente, era perigoso demais.

Eu não tinha escolha, a não ser aprender a viver com o que dissera. Eu falava sem pensar e era ingênua, e agora, minha reputação estava bastante arranhada. Desisti de fazer amigos ou contatos profissionais em Bagdá.

Meu constrangimento pesava como se fosse um pedaço de ferro ao redor do pescoço. Estudei o meu saldo bancário e procurei por passagens aéreas baratas na internet, pensando que seria melhor encontrar outro lugar de onde pudesse trabalhar, pelo menos temporariamente — talvez a África. No passado, eu me acalmara com exercícios de respiração ou técnicas de meditação como fizera nos albergues para mochileiros na Índia, mas, neste contexto, não parecia estar funcionando. Senti-me imobilizada, sozinha e totalmente deprimida.

Foi então que recebi um e-mail inesperado de Nigel, dizendo o que parecia ser um simples olá. Tinha uma nova namorada e havia se mudado para a Escócia com ela. Estava vivendo em uma propriedade perto de Glasgow, trabalhando como zelador. Queria saber como eu estava e desejar felicidades. Fechou a mensagem com "cuide-se, querida, e fique em segurança aí". Apesar da notícia sobre a nova namorada, foi uma lufada de carinho bem no momento em que eu precisava.

Alguns dias e alguns e-mails depois, nós combinamos conversar por telefone. O som da voz dele fez com que meus olhos se enchessem de lágrimas. Senti falta do relacionamento que tivéramos. Nigel contava piadas sobre o seu novo emprego e sobre o clima na Escócia. Desde que conversáramos pela última vez, ele conseguira se estabilizar em uma nova vida, embora não parecesse estar muito animado. Eu não entendia o que o levara a largar seu emprego no jornal de Bundaberg para podar cercas-vivas na Escócia. Não sabia nada sobre o que lhe acontecera durante aquele ano em que ficáramos sem conversar. Sabia apenas que ele não estava mais fotografando.

Contei-lhe algumas histórias sobre Bagdá, dando-lhe a impressão de que eu tinha uma vida movimentada e fascinante, mas sem falar sobre como todo mundo me odiava. Depois de cerca de dez minutos, a conversa acabou arrefecendo. A empolgação passou.

Ouvi minha própria voz verbalizar uma pergunta que eu provavelmente deveria ter guardado para mim:

— Você não está mais fotografando? O que aconteceu? Você tinha tantos planos para isso.

Era uma espécie de provocação, mas uma parte de mim estava genuinamente curiosa a respeito — a região menos inteligente da minha mente estava tentando entender por quê, quando fora eu quem conseguira realizar uma versão do sonho de vida que imagináramos para nós mesmos vários anos antes, na Etiópia, era eu quem estava me sentindo infeliz.

— Não sei ao certo — disse Nigel. Parecia estar desconcertado, perdido em pensamentos, talvez até mesmo um pouco mal-humorado.

Continuei falando. Disse que estava pensando em comprar uma passagem para Nairóbi e que, a partir de lá, pensava em ir para a Somália em algum momento do mês seguinte. Eu já pesquisara algumas ideias de matérias sobre a Somália para sugerir ao diretor da France 24. Estivera pensando em todas essas coisas, mas, agora, estava expondo meus planos em voz alta. E, ao fazer aquilo, alguma coisa mais antiga e cheia de esperança surgiu.

— Sabe de uma coisa? Você poderia ir também — eu disse a ele. — Há muitas coisas acontecendo naquele lugar. Você poderia tirar algumas fotos para uma revista, e eu posso fazer alguma reportagem para a TV.

— Talvez eu possa — disse ele.

Desliguei o telefone, certa de que ele não estava falando sério. Afinal, ele não viera me encontrar em Cabul quando ainda estávamos envolvidos, e agora, quase um ano depois, tinha uma nova namorada e, sem dúvida, estava mais estabelecido do que nunca no conforto e na segurança de uma vida doméstica.

Não importava. No decorrer daquela conversa, eu calmamente tomei minha decisão. Estava pronta para sair definitivamente de Bagdá.

★

Há uma história famosa e antiga no mundo do jornalismo sobre o âncora Dan Rather. Ele era um repórter televisivo jovem e inexperiente que trabalhava para uma pequena emissora em Houston, no Texas, no início da década de 1960, quando um furacão monstruoso avançou pelo Golfo do México, rumo à cidade de Galveston. Dizem que todos os outros repórteres saíram correndo em busca de abrigo e segurança nas redações instaladas no interior do estado. Mas Dan Rather atravessou a ponte e esperou a tempestade chegar. Quando ela atingiu Galveston, arrancando árvores, derrubando casas e castigando o litoral com ondas fortes, ele fizera transmissões ao vivo dos pontos mais perigosos e com os ventos mais fortes.

Ele poderia ter fracassado naquele dia. Poderia ter se ferido ou até mesmo morrido — e, nesse caso, acabaria por se tornar apenas uma nota de rodapé na história do jornalismo, passando a ser conhecido como o repórter que se enfiou no meio de um furacão e morreu, arruinado por sua própria ambição. Em vez disso, a aposta acabou lhe rendendo ótimos dividendos. Ele sobreviveu à tempestade. Por estar ali, por haver assumido os riscos, ele conseguiu contar a história de uma maneira vívida e significativa. Assegurou o sucesso em sua própria carreira. Recebeu os créditos por convencer milhares de telespectadores que viviam na rota do furacão a abandonar suas casas e foi imediatamente contratado por um conglomerado de mídia de alcance nacional.

Depois de quase sete meses em Bagdá, eu agora estava olhando para a Somália com esperança. As razões para aquilo eram simples. A Somália estava imersa na mais completa desordem. Havia histórias lá — uma guerra que parecia não ter fim, o risco da fome e de uma crise de abastecimento, extremistas religiosos e uma cultura que, em sua maior parte, parecia ter sido escondida das vistas do mundo. Eu entendia que aquele era um lugar hostil e perigoso, e poucos repórteres se atreviam a ir até lá. A verdade era que eu estava feliz por não ter que enfrentar a concorrência. Imaginei que poderia fazer uma visita curta e enviar relatos enquanto estivesse perto das zonas de desastre. Faria reportagens que teriam impacto, que emocionariam as pessoas — reportagens que seriam vendidas às grandes redes. Depois, passaria a fazer coisas ainda maiores.

Pensei que a Somália poderia ser o meu furacão.

13

De Portas Abertas

A ideia era passar quatro semanas na África. Apenas isso. Chegar e depois ir embora.

Um fotógrafo que eu conhecera em Bagdá — um francês gentil chamado Jerome — me deu as informações para entrar em contato com um *fixer* que trabalhava em Mogadíscio, a capital somaliana. *Fixers* são contratados para servir como assistentes e planejadores de campo para jornalistas em viagem, organizando entrevistas, lidando com a logística e, frequentemente, atuando como tradutores. O contato de Jerome, chamado Ajoos Sanura, era considerado um dos melhores *fixers* da Somália e tinha uma boa reputação entre os repórteres ocidentais. Jerome já havia visitado a Somália duas vezes. Recentemente, fora incumbido novamente com uma nova viagem, mas recusara a oportunidade; em parte, porque o país havia ficado muito perigoso. Com quase quarenta anos, casado com outra jornalista e com um filho adolescente, Jerome já passara por várias zonas de guerra e correra risco de morte algumas vezes.

Ele me avisou de que a sorte de todas as pessoas pode acabar, mais cedo ou mais tarde. Não havia vantagem nenhuma em trabalhar nas zonas de guerra do mundo.

— Você ainda é jovem — ele me disse. — Deveria fazer algo diferente com a sua vida. — Mesmo assim, eu não conseguia me imaginar fazendo outra coisa. Tinha vinte e sete anos, e os meus maiores sucessos até o momento — por mais modestos que fossem — aconteceram em zonas de guerra.

A rota mais barata de Bagdá a Nairóbi passava por Adis-Abeba, a cidade etíope onde eu conhecera Nigel dois anos antes. Fui até lá primeiro, registrando-me no Baro Hotel pela nostalgia que tomou conta de mim. O lugar continuava bem maltratado e ainda era o quartel-general dos mochileiros entusiasmados e bronzeados pelo sol que usavam o lugar para exalar seus feromônios de viajantes, agrupando-se, formando casais e procurando coisas novas. Lembrei-me da sensação, da atração que sentia por aquela vida, mas não conseguia mais encontrar aquele espírito dentro de mim. Era como se eles estivessem dançando ao som de uma música que eu não conseguia ouvir.

Viajei de Adis-Abeba para Nairóbi em 10 de agosto de 2008. Encontrei um hotel no centro da cidade — com duas estrelas, em vez dos lugares de uma estrela onde eu costumava me hospedar, devido ao meu *notebook*, à quantidade de dinheiro que eu trouxera comigo e à necessidade de mantê-los em segurança. Não planejava ficar ali por muito tempo. Já vinha trocando alguns e-mails com Ajoos e sentia-me estimulada pelas respostas prestativas que ele me enviava. Por cento e oitenta dólares por dia, ele cuidaria da logística, incluindo um tradutor e a segurança. Reservaria um quarto em um lugar chamado Shamo Hotel, o único estabelecimento recomendado para os estrangeiros, por mais cem dólares por noite. Enviei-lhe uma lista com as coisas que tinha interesse em fazer na Somália: queria visitar um campo de refugiados, entrevistar uma médica somaliana reconhecida pelo seu trabalho humanitário e filmar a chegada de um navio canadense que estava escoltando um carregamento de alimentos do Programa Alimentar Mundial, uma iniciativa da ONU, até o litoral da Somália. Ajoos tinha a impressão de que tudo aquilo seria possível.

A realidade, no entanto, era que eu estava começando a precisar que Nigel, ou outra pessoa, viesse comigo para dividir as despesas. Dez dias na Somália fariam um belo rombo nas minhas economias se eu viajasse sozinha. Nigel e eu havíamos trocado alguns e-mails. Ele parecia estar em conflito consigo mesmo sobre o que deveria fazer, se concordaria em me acompanhar ou não. Sentia falta de fotografar e da emoção das viagens. Uma parte vaidosa dentro de mim esperava que ele sentisse a minha falta, também.

No meu segundo dia no Quênia, fui até a embaixada da Somália e paguei cinquenta dólares por um visto de jornalista válido por três meses, que foi concedido no dia seguinte. A Somália era considerada o país mais perigoso do mundo, mas estava de portas escancaradas para quem quisesse ir até lá.

Nigel me enviou outro e-mail. Decidira vir me encontrar. Pegaria um avião em Londres e chegaria a Nairóbi dentro de alguns dias. Já havia comprado a passagem, colocado sua câmera na bagagem e estava a caminho.

Fiquei surpresa com aquela decisão e um pouco confusa em relação ao seu significado. Havia muitas coisas entre nós que não estavam bem resolvidas. A última vez em que nos víramos fora na Austrália, dezesseis meses atrás, quando nos abraçáramos no aeroporto, certos de que nosso relacionamento teria um final feliz. Entre o Afeganistão e o Iraque, minha vida havia se reorganizado, e a de Nigel também. Desistíramos de ficar juntos sem qualquer discussão verdadeira. Se eu fosse honesta comigo mesma, entenderia que fizera o convite para viajar à Somália precisamente para que ele o recusasse. Para atormentá-lo apenas mais um pouco sobre seus sonhos perdidos. Para dar a mim mesma a chance de colocar o seu "não" ao lado do meu "sim".

Mas Nigel pagara para ver o meu blefe. Estava dizendo sim. A possibilidade de revê-lo, de tê-lo fisicamente ao meu lado, me deixava nervosa. Por que ele decidira vir? O que faríamos? Quaisquer que fossem as afeições antigas que ainda tivéssemos ou os ressentimentos que não foram expressos, eu não tinha certeza de que estava preparada para sentir tudo aquilo novamente — especialmente num lugar como a Somália.

★

A Somália é um país que tem o formato do número sete. Fica encaixada na Etiópia, com um de seus litorais apontando para o norte, rumo ao Iêmen, e o outro, mais extenso e virado para o leste, de frente para imenso oceano que se estende até o sul da Índia. Devido à sua localização — encravada entre o Oriente Médio e o resto da África, com um acesso relativamente fácil até a Ásia pelo mar —, a Somália sempre fora um lugar importante, especialmente para os comerciantes. O porto de Mogadíscio, antigamente, ficava cheio de navios que traziam carregamentos de especiarias da Índia e partiam abarrotados de mercadorias somalianas como ouro, marfim e cera de abelha. Muito tempo depois, após ser colonizada pelos italianos e britânicos, a Somália se tornara um destino glamouroso para europeus elegantes que iam até lá para tomar banho de sol nas areias brancas da Praia do Lido, em Mogadíscio, nas décadas de 1940 e 1950, e para beber e brindar nas suas danceterias e cafeterias.

Entretanto, não era essa a Somália que surgia nas minhas pesquisas na internet. Mogadíscio, cerca de mil quilômetros a nordeste de Nairóbi, era descrita como um lugar infernal — uma cidade caótica, anárquica e incrivelmente violenta, a capital arrasada de um país que havia expulsado os colonialistas e que resistira à democracia durante os últimos cinquenta anos. O poder estava irremediavelmente e incessantemente disseminado entre uma rede de pequenos impérios governados por clãs ancestrais, líderes militares e gangues de criminosos. Um ditador socialista chamado Siad Barre governara o país com dificuldades por pouco mais de vinte anos, mas fora derrubado por grupos rebeldes em 1991. Dezessete anos depois, esses grupos — depois de se dividirem, reformarem e mudarem de alianças repetidamente, unindo forças com fundamentalistas islâmicos ocasionalmente — ainda estavam lutando uns contra os outros pelo controle do país. Houvera treze tentativas diferentes de estabelecer um governo central na Somália, e todas fracassaram. O décimo quarto governo estava no poder, aquartelado em um dos bairros de Mogadíscio, embora, de acordo com todos os relatos, fosse totalmente inócuo. Quando os diplomatas falavam sobre a Somália, referiam-se a ela como um "estado fracassado" — como se quisessem sugerir que não havia nenhuma possibilidade de resolver os problemas do país, como se o lugar estivesse profunda e permanentemente arruinado.

Além disso, o verão daquele ano fora particularmente cruel. A estação de chuvas não trouxera chuva nenhuma. As lavouras não produziram alimentos. O preço da comida era alto; as pessoas estavam começando a morrer de fome. Milícias rebeldes, percebendo que ter comida era ter poder, estavam sequestrando caminhões de ajuda humanitária das Nações Unidas que traziam alimentos, e, às vezes, atiravam nos motoristas. Pelo menos vinte trabalhadores das agências humanitárias foram mortos naquele ano; alguns outros foram sequestrados e eram mantidos em cativeiro até que seu resgate fosse pago. Uma boa quantidade de organizações internacionais se retirara definitivamente da Somália, dizendo que trabalhar ali era perigoso demais.

Gostaria de dizer que hesitei antes de me dirigir à Somália, mas não foi o caso. Na verdade, minhas experiências haviam me ensinado que, embora o terror e os conflitos dominassem as manchetes internacionais, sempre havia — sim, sempre — um pouco de esperança e humanidade por baixo de tudo aquilo. O que você imagina sobre um lugar é sempre diferente do que você encontra quando chega lá: em cada país, em cada cidade, em cada quarteirão, é possível encontrar pais que amam seus filhos, vizinhos que cuidam uns dos outros e crianças prontas para brincar. Pensei que certamente encontraria histórias que valeria a pena contar. Com certeza, haveria algum mérito em tentar relatá-las. Eu sabia que coisas ruins aconteciam. Não era totalmente ingênua. Já vira uma boa quantidade de armas e miséria até então. Mas, de maneira geral, eu sempre estivera à parte de tudo aquilo, desfrutando das coisas boas e deixando os perigos passarem por mim como se eu não estivesse realmente lá.

14

Atravessando

Nigel passou pela alfândega do Aeroporto Internacional de Nairóbi na tarde do dia 16 de agosto, trazendo consigo a mesma mochila vermelha que levara à Etiópia dois anos antes. Não havia mudado tanto. Os mesmos olhos brilhantes e as mesmas covinhas nas bochechas quando sorria.

— Truta, traga esse rabo até aqui — disse ele, abrindo os braços. Truta, ou *trout*, era um apelido que eu tivera na época do Ensino Médio, para rimar com o meu sobrenome. Nigel reavivara o apelido na Etiópia.

Trocamos um abraço. Eu disse:

— É muito bom ver você. — Estava sendo sincera. Sentira-me muito sozinha naquele ano, desconfiada de praticamente todas as pessoas com quem conversava. Antes de deixar o Iraque, tivera um breve romance com um dos jornalistas americanos, um chefe de reportagem que morava no mesmo andar que eu no Hamra e que, apesar de ser arrogante, também parecera, por um breve intervalo, um amigo ou, pelo menos, alguém com quem pudesse passar o tempo. Mesmo assim, até aquilo fizera com que eu me sentisse deslocada.

A familiaridade que senti com Nigel foi instantaneamente reconfortante. Ele colocou um braço sobre os meus ombros, afetuosamente, enquanto saíamos do aeroporto para o ar quente do Quênia. Deixei-me lisonjear pela presença dele, pelo fato de que ele embarcara num avião e viera até a África — para trabalhar, é verdade, mas também para me ver. Tomamos um táxi para o hotel para que ele pudesse deixar suas malas no quarto, que ficava no mesmo corredor que o meu, e depois saímos para fazer a única coisa que nos ajudaria a superar rapidamente a sensação estranha que aquela reunião provocava: encher a cara.

Fomos até uma lanchonete para tomar uma cerveja e depois a um restaurante, para jantar e tomar um vinho. Enquanto andávamos pela rua, vimos um bar no mezanino de um prédio, com o balcão apinhado de quenianos vestindo ternos, e subimos até lá para tomar algumas doses de tequila e mais cervejas. Estávamos falando mais facilmente, olhando um para o outro com franqueza, mas evitando quaisquer assuntos que pudessem ser qualificados como desconfortáveis ou emocionais. Concordávamos que queríamos mais das nossas vidas, mas paramos por ali.

Quando chegamos a um karaokê esfumaçado, após a meia-noite, e depois de tomarmos mais uma bebida e subir ao palco para gritar uma música de George Michael a plenos pulmões em frente a um grupo de pessoas locais que se levantaram e dançaram enquanto cantávamos, senti como se quase não precisássemos discutir o nosso relacionamento. Tinha algo entre 90 e 95 por cento de certeza de que não nos amávamos mais, de que poderíamos ser amigos. Cantei uma última vez ao microfone — uma versão embriagada de uma música dos New Kids on the Block para a plateia queniana —, prometendo a mim mesma que acordaria no dia seguinte e voltaria a pensar no meu trabalho.

Depois de corrermos de volta para o nosso hotel, Nigel me agarrou para trocarmos um beijo, quase como se aquilo fosse obrigatório. Senti imediatamente que aquilo era algo tão estranho e errado que soube, com toda a certeza, que o nosso romance havia definitivamente chegado ao fim.

★

Alguns dias depois, nós dois atravessamos a pista do aeroporto de Nairóbi com destino a um avião de aparência decrépita da Daallo Airlines. Ambos estávamos tensos, carregando algumas bagagens de mão, alguns milhares de dólares americanos — a moeda corrente na Somália — e nossas câmeras. Cada um de nós entregou uma mala no momento do *check-in*. Não pretendíamos passar muito tempo lá. Na noite anterior, saíramos para jantar em um restaurante italiano chamado Trattoria, aproveitando para nos refestelarmos pela última vez antes de viajarmos rumo a condições que julgávamos ser bem mais austeras em Mogadíscio. Como a população da Somália era formada por quase 100 por cento de muçulmanos, e como os muçulmanos, de maneira geral, não bebem álcool, aquela também seria a última vez em que beberíamos algo mais forte. Naquela mesma noite, Nigel tentara me beijar outra vez, mas, desta vez, eu fizera questão de afastá-lo.

— Você tem namorada — eu dissera a ele, ríspida. Tinha certeza de que sua namorada não estava nada contente com o que ele estava fazendo naqueles dias, por várias razões.

O avião estava lotado com cerca de cem homens e mulheres somalianos, além de algumas crianças que escalavam com dificuldade os assentos esfarrapados. A caminhada pelo asfalto quente e um mau pressentimento que eu não conseguia afastar haviam me deixado um pouco zonza e enjoada. Percebi que muitas das mulheres vestiam uma forma ultraconservadora do *hijab*, vestidos pesados com longos véus. Uma boa quantidade delas também estava trajada com *niqabs*, com o rosto totalmente coberto, com exceção dos olhos. Algumas haviam até mesmo enfiado os pés em sacos plásticos brancos antes de calçar suas sandálias, numa tentativa de cobrir até o último milímetro de pele que estaria exposta ao público.

Todos pareciam estar conversando sobre amenidades em voz alta enquanto guardavam uma quantidade aparentemente insana de bagagens de mão — sacolas plásticas de várias cores, cheias de roupas, livros e comida, com as alças amarradas em um nó para permanecerem fechadas. As paredes do avião estavam manchadas com sujeira. As dobradiças da porta do banheiro pareciam estar frouxas ou quebradas. Na área de espera, eu trocara algumas palavras com aquele que parecia ser o único outro não africano no voo, um italiano mais velho que falava inglês. Ele disse que trabalhava para uma ONG cristã e que estava a caminho da cidade de Hargeisa, no norte do país, a capital da província independente da Somalilândia, que seria a próxima parada do avião após a escala em Mogadíscio. Ao saber que desembarcaríamos no sul, ele erguera as sobrancelhas e franziu os lábios de forma dramática, bufando, sem acreditar.

— Tenha muito cuidado em Mogadíscio — dissera. — Sua cabeça — disse ele, tocando a própria cabeça. — Ela vale meio milhão de dólares lá. E esse é o valor apenas da cabeça.

Eu sabia o que ele estava dizendo. Ocidentais eram uma mercadoria útil na Somália, mesmo que estivessem mortos. Um corpo era um troféu; reféns vivos podiam ser vendidos de volta aos seus países de origem. Houvera um incidente notório em 1993, a Derrubada do Black Hawk, no qual um ataque fracassado feito por fuzileiros americanos contra um líder paramilitar de

Mogadíscio possibilitara que milicianos da Somália arrastassem orgulhosamente os corpos de dois soldados pelas ruas. Mais recentemente, na região do Golfo de Áden, ao norte, piratas somalianos estavam enriquecendo sequestrando navios estrangeiros até que resgates milionários fossem pagos. Eu sabia exatamente o que o italiano daquela ONG estava tentando me dizer, mas não gostei de ouvir aquilo.

Nigel e eu nos sentamos no fundo do avião. Ao nosso redor, as pessoas conversavam em seus telefones celulares, parecendo estar agitadas, levantando-se para gritar o que eu imaginava serem notícias para as pessoas que estavam nas outras fileiras. Uma somaliana que fora criada nos Estados Unidos e que agora trabalhava em Hargeisa traduziu para nós:

— Estão dizendo que a guerra chegou até o aeroporto de Mogadíscio. Há combates na estrada. Talvez esteja fechado. Talvez não possamos decolar.

Eu não sabia exatamente o que aquilo significava — *a guerra chegou* —, especialmente num contexto em que a guerra já acontecia havia quase duas décadas, mas, no avião, entre os somalianos, aquilo parecia estar causando uma inquietação. Esperamos por algum tipo de anúncio. O sangue parecia pulsar cada vez mais forte nas minhas veias. Por um segundo, senti um breve alívio ao perceber que poderíamos receber instruções para desembarcar do avião e voltar ao aeroporto de Nairóbi, deixando que o problema fosse totalmente tirado de nossas mãos.

Mas, após alguns minutos, as turbinas do avião começaram a funcionar. Uma comissária de bordo fechou a porta da aeronave, trancando-nos a vácuo numa cabine isolada do calor que fazia em Nairóbi naquela manhã antes de acionar os alto-falantes e mandar que as pessoas desligassem seus telefones celulares. Pro diabo com a guerra no aeroporto, estávamos prestes a decolar.

Sentado ao meu lado, Nigel estava bem pálido. — Tenho um pressentimento ruim sobre isso — disse ele. — Não consigo evitar. Sinto como se algo ruim fosse acontecer.

Toquei o seu braço e o apertei com carinho. Na minha mente, repassei as razões pelas quais deveríamos estar nos sentindo bem, e não mal. Conseguira contratar uma pessoa para nos encontrar no aeroporto. Ajoos me dissera que uma equipe de segurança armada nos acompanharia até o hotel. Mencionara também que havia outros jornalistas estrangeiros lá. Será que a situação estava tão ruim assim? Se os combates nas proximidades do aeroporto fossem um problema, eu imaginei que o piloto continuaria rumo a Hargeisa conosco a bordo. Tudo estava mais ou menos resolvido. Ficaríamos bem.

Olhei para Nigel. — Essa é a sensação de estar a caminho de uma zona de guerra — eu disse, parecendo bem mais confiante do que me sentia. — É totalmente normal. Você vai se sentir melhor quando chegarmos lá.

Como se estivesse aproveitando a minha deixa, o avião começou a se mover, avançando pela pista como um velho calhambeque, até ganhar velocidade, inclinar-se e decolar. Senti meu estômago apertar-se contra a minha coluna. Nairóbi se afastou de nós, uma área de favelas reluzentes e planícies pardacentas. Fiquei sentada, olhando entorpecida pelas janelas enquanto subíamos em direção às nuvens.

O italiano estava sentado do outro lado do corredor. Tirara uma Bíblia e um par de óculos de armação preta da sua maleta e lia tranquilamente.

Liguei meu *notebook*, conectei meus fones de ouvido e coloquei para tocar uma faixa de áudio para meditação que tinha no meu disco rígido. Era algo que eu costumava ouvir durante a noite em Bagdá, no meu quarto do Hamra, enquanto tentava adormecer. Fora gravada por uma mulher que conhecera no Canadá, que administrava um grupo de meditação que Jamie e eu frequentamos quando começamos a morar juntos. Nela, com uma voz maternal e carinhosa sobre o fundo musical de um piano, dava instruções sobre como respirar, de maneira longa e lenta, várias e várias vezes, acrescentando palavras para alimentar a mente como se fosse um mantra: "Através desta respiração, eu escolho a liberdade. Através desta respiração, eu escolho a paz".

Fiquei sentada com os olhos fechados e respirei, sentindo as palavras ressoarem pela minha mente, com mais ritmo do que um verdadeiro significado. *Liberdade, paz, liberdade, paz.* Fiz isso por mais ou menos meia hora, acalmando meus nervos. Quando abri os olhos novamente, estava me sentindo melhor, mais equilibrada. Guardei meu *notebook* e percebi que o italiano havia fechado sua Bíblia e estava olhando para mim.

— Estava rezando? — perguntou ele.

— Mais ou menos — respondi. Depois emendei com um "sim". O homem sorriu e não disse nada. — Estava tentando me acalmar — expliquei. Imaginei se ele seria um missionário ou um padre.

O homem assentiu. Era velho, talvez com a mesma idade do meu avô, com sobrancelhas grossas e os olhos um pouco lacrimejantes. Inclinou-se na minha direção.

— É bom que você esteja indo para Mogadíscio — disse ele. — Respeito isso. Espero que tenha cuidado.

Provavelmente isso era um pedido de desculpas por haver me assustado antes, por conjurar a imagem da minha cabeça sobre o prato de algum líder paramilitar. De qualquer forma, era o mais próximo de uma bênção que eu receberia para aquilo que estávamos prestes a fazer.

Noventa minutos depois de sair de Nairóbi, começamos a descer. Pela janela eu tive o meu primeiro vislumbre do litoral da Somália — agrupamentos espessos de vegetação verde-escura contornados por uma faixa de areias brancas, pressionadas contra um mar espumante cor de hortelã. Provavelmente era um dos lugares mais bonitos do planeta. Não havia sinais de estradas ou hotéis à beira da praia, nenhum sinal da presença da humanidade. Havia apenas terras — selvas densas e abundantes que se espalhavam por toda parte, como um paraíso tropical visto através da luneta de um explorador à moda antiga. A cidade de Mogadíscio, quando ficou visível, também era estonteante — uma colmeia de casas em estilo colonial caiadas de branco, construídas ao redor de um porto com o formato de lua crescente.

Todas as pessoas no avião se viraram para olhá-la. À minha frente, a somaliana que crescera nos Estados Unidos pressionava o rosto contra a janela.

— Essa é a única coisa bonita em Mogadíscio — disse ela, falando diretamente para Nigel e para mim.

Nigel, por sua vez, não parecia estar pronto para olhar. Estava rígido em seu assento, com o corpo duro feito uma fortaleza de tijolos. Em algum lugar ali dentro vivia o rapaz alegre que, certa vez, me ensinara a cantar músicas de bar típicas da Austrália sobre o lombo de um camelo. Senti uma pontada de culpa. Pedira algo além do que ele realmente estava disposto a fazer. A Somália não era uma zona de guerra para principiantes.

★

Ao sair do avião, o ar estava úmido e cheirava a peixe. A pista de pouso fora construída paralelamente a uma praia ampla com ondas azul-safira que arrebentavam contra a areia. O terminal no Aeroporto Internacional Aden Abdulle de Mogadíscio era um prédio pintado em um tom desbotado de verde-água. Nigel e eu esperamos na fila para que nossos passaportes fossem carimbados. Quando pousáramos, ele voltara à vida, pelo menos um pouco, jogando a mochila vermelha por cima dos ombros com um sorriso discreto. O aeroporto era mal-iluminado e estava cheio de pessoas.

Um somaliano jovem e magro que estava perto da cabine dos passaportes saltou em nossa direção. Tinha em suas mãos uma placa com os dizeres AMANDA, SHAMO HOTEL.

Senti uma onda de alívio tomar conta de mim. Estávamos sendo recepcionados. Apertei a mão do homem animadamente. — Você é Ajoos?

Ele não era Ajoos. Era o operador de câmera que Ajoos contratara para trabalhar comigo durante a minha estadia. Abdifatah Elmi era o seu nome. Tinha um rosto bonito e atraente, com os contornos fortes da face equilibrados por um cavanhaque fino. Disse que podíamos chamá-lo de Abdi. Ajoos nos encontraria no hotel. Houvera combates algumas horas atrás, mas tivéramos sorte: a estrada que levava ao centro da cidade, aparentemente, fora reaberta.

— Venham, venham comigo — ele disse.

Seguimos Abdi por entre a multidão no saguão de desembarque. Eu estava vestindo uma calça jeans e uma camisa longa. Abdi trouxera um lenço grosso, verde e roxo, para que eu cobrisse a cabeça e os ombros, o que fez pouco para esconder minhas feições estrangeiras. Nigel e eu fomos empurrados e jogados de um lado para o outro. Ninguém sorria. A multidão no aeroporto parecia nos ver com um desdém cansado. Abrimos caminho por entre um grupo ensandecido de pessoas que gritavam, taxistas e carregadores de bagagens, aparentemente coordenados por um grupo de soldados da União Africana — etíopes e ugandenses — vestidos com uniformes camuflados em tons de verde e empunhando rifles Kalashnikov. Já pousara em lugares caóticos antes, mas este aqui era diferente: em Mogadíscio, o caos parecia ser agressivo, perigoso, como se não fôssemos capazes de nos manter longe dele e estivéssemos trazendo aquela atmosfera para dentro de nós, como se já estivesse entranhado nos pulmões de cada uma das pessoas naquele aeroporto, como o vapor de cianureto que acompanhava uma guerra terrível.

Talvez fosse apenas a minha imaginação. Obriguei-me a afastar o pânico.

Um grupo de aspirantes a carregadores estava cercando uma pilha de bagagens que foram descarregadas do nosso avião. Muitos estavam sem camisa e eram bastante magros, com a pele brilhando pelo suor. Entreguei o meu tíquete de bagagem para o primeiro que se aproximou de mim, um rapaz alto como um poste.

Alguma coisa sibilou no ar por trás da minha cabeça, movendo-se com uma velocidade espantosa. Virei-me e vi um soldado etíope forte que segurava uma chibata feita com o galho fino de uma árvore. Quando o olhar dele cruzou com o meu, ele sorriu e balançou-o na minha direção, com um ar zombeteiro no rosto. Com um movimento do pulso, ele preparou a chibata e golpeou outra vez sobre a pilha de bagagens e os carregadores ansiosos que se amontoavam uns por cima dos outros. Se estava tentando separar os carregadores legítimos dos ladrões em potencial, eu não conseguia perceber como. *Whiiii-tah.* O soldado afastou um homem corcunda. *Whiiii-tah.* Golpeou o rapaz alto que segurava o meu tíquete, acertando-lhe o ombro nu bem no momento em que, com um olhar de triunfo, ele ergueu a minha mochila preta e suja sobre a cabeça.

Em Mogadíscio, a ideia que prevalecia de maneira geral era nunca ficar parado no mesmo lugar. A segurança estava em andar rapidamente, como se cada segundo que alguém passasse imóvel no mesmo lugar aumentasse os riscos. Abdi nos levou rapidamente até um SUV Mitsubishi que estava esperando, estacionado em uma área cercada por mais soldados da União Africana. Ignorando o encontro com o chicote, o carregador alto rapidamente colocou a minha bagagem e a de Nigel no porta-malas. Eu rapidamente lhe dei uma nota de cinco dólares, uma pequena fortuna em um país onde um adulto ganhava, em média, vinte dólares americanos por mês. Nunca vira um ser humano chicotear outro. Já me sentia desconcertada pela Somália. Saímos do aeroporto enquanto eu me perguntava se deveria ter dado uma nota de vinte ao rapaz.

Junto com Abdi, três homens entraram no carro conosco — um motorista e dois homens de aparência mal-humorada vestindo uniforme, viajando ao lado da porta traseira, cada um deles carregando uma arma. Eram soldados do Governo Federal de Transição da Somália, ou GFT, como era conhecido, e que nos acompanhariam toda vez que saíssemos do hotel. Pelo que eu entendia, os soldados do governo — somalianos, todos eles — estavam oficialmente incumbidos de proteger os visitantes, mas também precisavam receber um pagamento extra para garantir a sua lealdade, de modo que não nos vendessem a alguma quadrilha criminosa faminta por dinheiro. Tudo isso estava coberto pela taxa diária de segurança cobrada por Ajoos.

Quando vi Mogadíscio do chão, eu percebi que não era tão bucólica quanto parecera ser do ar. Ou que poderia ser bucólica apenas se você apertasse os olhos para borrar os seus contornos, para perceber os botões das primaveras debruçadas sobre velhos muros caiados de branco, acrescentando-lhes fortes tons de rosa, e deixar de ver os prédios bombardeados ou o fato de que muitas das casas pareciam estar vazias, com as janelas fechadas. Havia buracos de bala em quase todas as estruturas, paredes que foram reduzidas a escombros, tetos que desabaram como se algum apocalipse tivesse vindo e ido embora. O motorista dirigia em alta velocidade, parando apenas por frações de segundo em um ou dois postos de fiscalização do GFT. Passamos por uma caminhonete que levava quatro adolescentes magros na caçamba, com os braços envolvendo uma metralhadora instalada ali, apontando para trás como se fosse um arpão.

Inclinei-me em meu assento e perguntei a Abdi o que ele sabia sobre a violência que ocorrera nas redondezas do aeroporto naquele mesmo dia, a notícia que deixara os somalianos em nosso voo tão assustados.

Abdi balançou a cabeça com a paciência e a experiência de um somaliano que conhecia intimamente aquele lugar, e não como as pessoas do avião, que estavam voltando para uma visita, acostumada com a relativa segurança de Nairóbi.

— Foram só alguns combates — disse ele, acrescentando que as milícias sempre trocavam tiros com os soldados que guardavam a estrada para o aeroporto.

— Alguém morreu?

Ele ergueu os ombros e deixou-os cair. — Todo dia morre gente na Somália — disse ele, com a voz impassível. — Talvez cinco ou seis foram mortos.

★

Algumas horas depois, Nigel e eu estávamos sobre o teto do Shamo Hotel, respirando o ar úmido que vinha do mar. Enquanto o sol se punha, a vista da cidade era incrivelmente vasta. Mogadíscio jazia à nossa frente como uma cidade praiana exótica, banhada pela luz do fim do dia. Havia inúmeras ruelas estreitas ladeadas por prédios baixos pintados em tons pastel de azul e rosa, que quase chegavam a brilhar sob o crepúsculo. Árvores enormes cresciam entre as casas, fazendo com que a paisagem fosse verdejante e frondosa. Ao longe, víamos o oceano azul e suas ondas. A cidade era bonita, apesar de tudo o que acontecia ali.

Quando chegamos do aeroporto, preenchemos o registro no hotel e conversamos rapidamente com o seu proprietário — o Sr. Shamo, um homem com uma barriga arredondada que vinha do que parecia ser uma família rica. Tinha casas na Tanzânia e em Dubai, onde ele e seus irmãos também eram donos de algum tipo de fábrica. A sorte do Sr. Shamo no ramo hoteleiro mudara em 1992, quando Dan Rather, da CBS — o mesmo herói do furacão — aparecera em Mogadíscio, junto com dezenas de colegas, para fazer uma reportagem sobre a chegada iminente das tropas americanas na Somália. Alguém ligara para o Sr. Shamo e perguntara se ele teria espaço para acomodá-los em sua pequena hospedaria, mesmo que algumas pessoas tivessem que dormir no chão. Os lucros obtidos com a equipe da CBS ajudaram o Sr. Shamo a converter a sua residência em um hotel de cinco andares com muros altos e fortificados, além de guardas armados vigiando os seus portões.

Embora o Shamo já houvesse faturado uma pequena fortuna para os padrões da Somália, agora que Mogadíscio estava destroçada pela guerra, era pouco atraente para empresas internacionais e explicitamente hostil para jornalistas e funcionários de agências de ajuda humanitária, começando a mostrar sinais de que seus melhores dias já haviam passado. O Sr. Shamo disse que não passava o tempo todo na Somália. Dois de seus filhos moravam nos Estados Unidos, um em Atlanta e outro na Carolina do Norte. Ele era amistoso e estava acostumado a receber estrangeiros.

Entregou-nos as chaves para um quarto com uma cama *king-size*, um guarda-roupa gigante e uma banheira. Nigel e eu decidíramos ficar no mesmo quarto para economizar dinheiro, mas Ajoos dissera que precisávamos fingir que éramos casados.

— Se não for assim, os funcionários do hotel vão ficar constrangidos — ele me explicara ao telefone. — No islã, esse tipo de coisa é considerado *haram*.

Haram era a palavra árabe usada para descrever qualquer coisa que fosse proibida. Eu aprendera isso durante as minhas viagens, mas, em Mogadíscio, onde insurgentes muçulmanos tomaram o controle de vários bairros e estavam impondo uma forma bastante severa de leis baseadas na *sharia* — criminalizando a música, a televisão e os esportes, entre outras coisas —, o conceito de *haram* era aplicado de maneira mais ampla e severa. Já havia lido que, sob as regras da Al-Shabaab, um dos grupos extremistas dominantes, os homens eram obrigados a deixar a barba crescer e as mulheres eram proibidas de sair às ruas sozinhas. Do teto, Nigel e eu observamos a escuridão cobrir lentamente a cidade, perdidos em nossos próprios pensamentos. Mais ao longe, eu vi luzes se acendendo. Isso me surpreendeu. Algumas partes de Mogadíscio tinham eletricidade, o que parecia sugerir que o lugar era mais estável do que Bagdá. À noite, Bagdá ficava quase totalmente às escuras.

— Consegue acreditar que estamos aqui? — eu perguntei para Nigel.

— Está difícil — disse ele.

Observei quando ele acendeu um cigarro e depois guardou o maço no bolso de trás do seu jeans. O ar úmido fazia seu cabelo ficar um pouco mais armado na cabeça. Parecia estar cansado pela jornada, mas não estava mais assustado. Eu me sentia quase tranquilizada pela fadiga.

— Isso é muito diferente de Bagdá — eu disse.

Em Bagdá, quase todas as noites, era possível ouvir bombas, tiros e sirenes em intervalos irregulares — alto o bastante para causar medo e perto o bastante para fazer com que eu me sentisse ameaçada. Quando pensava naquilo, percebi que não dormia bem havia vários meses. Em contraste, Mogadíscio estava imersa em um silêncio enervante. Não conseguíamos ouvir um único veículo nas ruas. Não havia sinais de atividade humana. Eu podia ouvir os galhos das árvores balançando ao sabor da brisa marinha, tendo apenas o silêncio e a tranquilidade ao redor.

Mogadíscio não era Bagdá. Era diferente. Parecia pacífica, em vez do lugar descrito com tanta frequência nos jornais estrangeiros como "o inferno na terra". Fiquei feliz por termos vindo até aqui para ver com nossos próprios olhos. O que eu não percebi era que estava encarando a tranquilidade como algo que, na realidade, não era.

15

Meu Furacão

Em todos os meus anos estudando a *National Geographic*, em todas as fantasias que eu criara sobre estabelecer uma carreira no jornalismo, nunca conseguira imaginar ou mesmo conhecer alguém que realmente trabalhasse para a revista. Aqui estavam eles, em Mogadíscio — uma equipe composta por um redator e um fotógrafo, dois homens, um americano e um francês — e, exceto por Nigel e por mim, eram as únicas pessoas hospedadas no Shamo Hotel, em meio aos seus quarenta e oito quartos. Robert Draper era um repórter já estabelecido e morava em Washington, D.C. Tinha uma cabeleira loira exuberante, um leve sotaque do Texas e uma autoconfiança típica das pessoas que já viram de tudo. Pascal Maître era um fotojornalista veterano de modos gentis que morava em Paris com sua esposa e filhos, mas passava uma boa parte do seu tempo na estrada. Já cobrira histórias por toda a África e estivera na Somália várias vezes. Os dois chegaram a Mogadíscio três dias antes de nós e também contrataram Ajoos como seu *fixer*.

Ao encontrá-los no salão de jantar do Shamo, eu senti uma mistura de fascinação e um pouco de irritação. Ficou claro que Ajoos focaria seu trabalho na equipe da *Geographic* e passaria seus dias acompanhando os dois enquanto eles faziam sua reportagem, deixando Nigel e eu com Abdi, com seus bons modos e sua pouca experiência. Descobrimos também que Ajoos contratara outro homem para trabalhar com Abdi e agir como tradutor entre nós, mas, poucas horas antes da nossa chegada, o homem desistira do projeto, dizendo que era perigoso demais trabalhar com gente branca em Mogadíscio. Abdi acabou acumulando as funções de operador de câmera, tradutor e aspirante a *fixer*.

Quando pedi a Pascal, o fotógrafo, que nos desse uma versão resumida do que os dois fizeram durante o tempo que passaram na Somália, achando que aquilo poderia nos dar algumas ideias, ele se recusou a responder. Foi gentil, mas firme.

— Lamento — disse ele, com um forte sotaque francês. — Se eu lhe disser os lugares aonde fomos e se vocês forem até lá, estarão correndo um risco enorme. Na Somália, você não pode fazer a mesma coisa duas vezes. Eles pegam você.

Ao dizer "vocês", ele se referia aos estrangeiros. Ao dizer "eles", estava indicando tanto os membros da Al-Shabaab quanto as milícias móveis e menos organizadas, e todos eles quereriam nos capturar.

Gostei de Pascal porque falava sem rodeios. Estava guardando suas próprias histórias, mas parecia sincero em sua preocupação pela nossa segurança também. Ele e Robert me pareceram ser jornalistas esforçados, focados em executar seu trabalho e não perder tempo. Passariam dez dias na Somália. Comparada a eles, eu tinha certeza de que parecia inexperiente, mal financiada e relativamente sem uma direção clara a seguir. Mesmo assim, se aquela fosse a opinião deles, gentilmente guardaram-na para si.

— Mantenha a cabeça no lugar — disse Pascal antes de subir para o seu quarto naquela primeira noite. — E preste atenção no que Ajoos lhe disser.

★

Ajoos Sanura tinha pele escura, usava óculos retangulares e portava-se com bastante seriedade. Falava constantemente ao telefone, aparentemente com amigos espalhados por toda a cidade, pessoas a quem ele recorria continuamente em busca de notícias. Ele explicou que os somalianos adoravam conversar, trocar rumores e fofocas. Em uma cidade sem infraestrutura, onde combates surgiam de surpresa e aconteciam praticamente todos os dias nas ruas, onde as lealdades estavam sempre mudando de um lado para outro, o telefone celular, para os habitantes, parecia-se muito com um equipamento de segurança. As notícias se espalhavam de maneira rápida e informal, propagando-se por vastas redes familiares, de um primo para outro primo e depois ainda para outro. "Não chegue perto do Mercado Bakaara hoje", diriam. Ou: "Ouvi tiros perto da rotatória K-4 agora há pouco. Duas mulheres morreram e um soldado foi ferido".

Ajoos fazia questão de acessar tantas redes informais quanto fosse possível. Mantinha os bolsos cheios de dinheiro vivo, distribuindo gorjetas, subornos e favores livremente, cultivando contatos entre milícias rivais, dentro das estruturas governamentais e fora dos limites da cidade. Tinha amigos em todas as facções. Amigos na Al-Shabaab. Amigos nas divisões militares etíopes. Amigos no governo de transição e em vários clãs. A ideia era que, quando houvesse jornalistas na cidade, ele poderia organizar entrevistas, rastrear notícias ou conseguir o direito de passar em segurança por estradas patrulhadas por milícias violentas. No pulso esquerdo, usava um pesado relógio de ouro.

Ajoos, com cerca de quarenta anos, tinha uma esposa e dez filhos. Vivia com sua família em uma casa que ficava em uma área diferente da cidade, mas, quando trabalhava com estrangeiros, ficava hospedado em um quarto no Shamo Hotel. Ao se encontrar comigo e com Nigel na manhã seguinte para tomar o café da manhã, ele respondeu às questões que nos preocupavam, falando um inglês fluente e assegurando-nos de que cuidaria de nós, mesmo de longe. Disse que ficaria constantemente em contato com Abdi enquanto estivesse trabalhando com a dupla da *Geographic*. Durante toda a conversa o seu telefone tocava, sua legião de informantes invisíveis surgindo, um após o outro, com seus relatórios matinais.

Trabalhar com pessoas brancas na Somália era uma empreitada arriscada, mas lucrativa. Ninguém brincava em serviço. Ajoos começara sua carreira em 1993, quando fora contratado para ajudar um operador de câmera da BBC em visita ao país a carregar seu tripé pela cidade. Antes disso, ele ganhara a vida trabalhando como garçom no restaurante do Shamo. Desde então, vinha tendo sucesso financeiro ao trabalhar como *fixer*, embora a sua profissão, assim como o hotel, viesse perdendo fôlego drasticamente devido ao perigo cada vez maior. Dois jornalistas com quem ele trabalhara foram mortos — ambas as vezes, disse Ajoos, porque não seguiram seus conselhos. Uma produtora que trabalhava na BBC fora metralhada em 2005 enquanto esperava na calçada — algo muito imprudente, disse Ajoos — até que seu carro estacionasse em frente ao Hotel Sahafi. A segunda morte acontecera em 2006, quando um operador de câmera sueco ignorara os avisos de Ajoos, entrara no meio de uma multidão durante um protesto político e fora prontamente alvejado pelas costas por um adolescente. Aquelas perdas pareciam doer muito em Ajoos.

Fiel à sua palavra, ele deu ordem explícitas sobre aonde podíamos e não podíamos ir em Mogadíscio, de acordo com os telefonemas que recebia. Na nossa segunda manhã, quando planejávamos visitar um acampamento para refugiados domésticos que ficava a oeste da cidade, suas fontes lhe disseram que não era um bom momento para viajar por aquela estrada. Ele não nos deu mais detalhes, mas entendemos que seu conselho não deveria ser questionado. A cidade e suas estradas, afinal de contas, eram uma colcha de retalhos de pequenos feudos que lutavam e competiam entre si.

Circulando pela cidade com Abdi e nossos dois guardas armados do governo, eu sentia uma inquietação constante. Os hóspedes do Shamo eram transportados nos reluzentes Mitsubishi Pajeros da frota do hotel — veículos grandes e com vidros escuros que andavam velozmente pelas ruas da cidade, escondendo nosso rosto, mas anunciando nossa presença não somente a todas as pessoas por quem passávamos na rua, mas também a cada um de seus primos e aos primos desses primos, que não tardariam a receber um telefonema: *Há estrangeiros hospedados no Shamo.*

No segundo dia, visitamos dois centros de alimentação administrados pelo Programa Alimentar Mundial em Mogadíscio. Nigel e eu tiramos fotografias. Abdi trouxe uma câmera de vídeo alugada e filmou minhas entrevistas com os somalianos que abandonaram suas casas devido aos combates, à escassez de comida ou, frequentemente, à combinação de ambos os fatores. Essa foi a primeira vez que eu vi o verdadeiro desespero — pessoas que não estavam apenas famintas, mas realmente morrendo de fome. Dentro dos portões do centro de alimentação, os funcionários do Programa Alimentar Mundial mexiam enormes caldeirões cheios de algo que parecia ser sopa de lentilhas e um creme ralo de milho, enquanto cerca de mil pessoas esperavam em filas desordenadas do lado de fora — homens em uma fila, mulheres em outra. Cada pessoa trazia nas mãos uma lata vazia ou uma vasilha plástica. Vi crianças apáticas e com joelhos salientes sentadas aos pés de várias mulheres, as cabeças raspadas parecendo grandes demais para os corpos franzino. Algumas crianças estavam reunidas à sombra da carcaça enferrujada de um carro que parecia estar encalhado na areia havia vários anos. Por causa dos combates, por causa dos piratas no oceano e dos bandidos nas estradas, os carregamentos de comida chegavam esporadicamente. Havia dias em que as pessoas apareciam e eram simplesmente mandadas de volta para suas casas.

Quando os portões se abriram, aquelas que estavam esperando correram para a frente. O ruído ficou mais alto. Soldados do governo usavam cassetetes e chibatas feitos com galhos de árvores para conter a multidão. Crianças choravam. Os homens tentavam abrir caminho à força, enquanto as mulheres continuavam postadas em fila indiana.

Quando chegavam aos caldeirões de comida, os homens recebiam três conchadas de comida, as mulheres recebiam duas, e as crianças, uma. Com suas vasilhas cheias, a maioria caía de joelhos por ali mesmo e começava a enfiar a comida na boca, abastecendo-se para a caminhada até suas casas. A maioria daquelas pessoas não voltaria aos seus bairros de origem, conforme me explicou o funcionário do Programa Alimentar que nos recebeu; em vez disso, iriam para assentamentos compostos por barracos e casas precárias que surgiam ao longo das rodovias onde os combates eram menos intensos e onde seu acesso à comida era melhor.

Eu diria que a experiência era similar a assistir a um filme no cinema ou ficar ao lado de algo que se movia de maneira tão rápida e incompreensível que não parecia ser real. Mas não era exatamente assim. Era como mergulhar um dedo do pé na miséria e no infortúnio de outras pessoas. Era perturbador, confuso. Eu estava à parte daquilo, mas também estava lá. Fazia anotações, escrevendo um roteiro em minha cabeça enquanto Abdi filmava tudo, pensando — acreditando — que eu poderia ajudar a fazer algo por aquelas pessoas.

★

De volta ao nosso quarto no Shamo, redigi a minha coluna semanal para o *Red Deer Advocate*. Não era a *National Geographic*, nem mesmo a France 24. Era um jornal com uma circulação de cerca de treze mil exemplares, lido por pessoas que moravam nas distantes planícies canadenses. Não sei se a minha coluna tinha algum significado para alguém além de meu pai e Perry, que me enviavam e-mails depois que cada uma era publicada no jornal de sábado, mas, para mim, significava alguma coisa. Eu enviara setecentas novas palavras e um punhado de fotos inéditas toda sexta-feira, de março a agosto, como se fosse um relógio. Enviara colunas quando estivera em Bagdá, em Adis-Abeba e Nairóbi. Adorava a disciplina imposta pelos prazos regulares. Adorava aprender como se escreve uma matéria. Estava ficando cada vez melhor na arte de traduzir o que eu via em palavras. Repassando minhas anotações e o arquivo de pesquisas no meu *notebook*, construí uma história que descrevia a beleza e a desolação de Mogadíscio. Escrevi como uma combinação de guerra, falta de chuvas e inflação tornava a comida cara e difícil de adquirir. Descrevi a multidão enfileirada do lado de fora do centro de alimentação e o perigo que as famílias enfrentavam simplesmente ao andar pelas ruas. Descrevi uma mulher que entrevistei, chamada Haliimo, que viera andando da região central da Somália até Mogadíscio depois que um de seus filhos morrera de fome.

Escrevi o artigo em um ritmo alucinado, acrescentando estatísticas oficiais que anotara durante as minhas entrevistas com os funcionários do Programa Alimentar Mundial. O significado e a magnitude dos números eram difíceis de assimilar, mesmo depois de ver a comprovação viva daquilo. Mais de três milhões de somalianos passavam fome. Uma em cada seis crianças era subnutrida. Sentada na cama, apoiada contra os meus travesseiros, eu terminei o texto para a coluna, revisei-o algumas vezes e depois escolhi algumas fotos do centro de alimentação para enviá-las junto com o artigo.

A conexão Wi-Fi do Shamo era lenta e inconstante. Depois de cerca de dez minutos tentando enviar o arquivo, o sinal caiu e eu recebi uma mensagem de erro. Tentei novamente, e depois mais uma vez, e uma terceira — a cada vez, observava a barra de *upload* crescer lentamente na tela até abruptamente parar. Suspirei profundamente. Estávamos na noite de sexta-feira. No Canadá, o jornal logo iria para a gráfica.

Nigel e eu jantamos um verdadeiro banquete naquela noite. No restaurante do hotel, um garçom jovem e bonito nos trouxe vasilhas de uma sopa cremosa de peixe, seguida por uma bandeja que continha um peixe inteiro grelhado para que dividíssemos, seguido por uma lagosta assada e coberta com limão. Comemos tanto e por tanto tempo quanto pudemos, bebendo grandes copos de suco de manga. O garçom trouxe espaguete. Depois, trouxe uma bandeja com carne de cabrito, um cacho de bananas e uma cesta de pães. Quando finalmente dissemos que era o suficiente, ele trouxe uma última tigela com mamões fatiados e ofereceu-se para nos servir chá. Depois, enquanto Nigel se espreguiçava na sala de televisão do hotel e assistia à transmissão das Olimpíadas de Pequim com alguns dos funcionários do hotel, eu voltei ao nosso quarto e tentei enviar meu e-mail e seus anexos mais uma vez. Outra mensagem de erro surgiu na tela. Apertei o botão de enviar várias vezes. Mais tarde, naquela mesma noite, sabendo que o prazo estava estourado, fiz uma última tentativa. Desta vez, a conexão se manteve estável. Observei a barra de *upload* na tela do computador crescer lentamente até que, depois de cerca de quinze minutos, mostrou que a transmissão fora completada — minha coluna e fotografias enviadas para o mundo.

A história seria publicada alguns dias depois, na edição de segunda-feira do *Advocate*, sob a manchete NENHUM LUGAR É SEGURO NA SOMÁLIA. Quando esse momento chegasse, eu já seria a prova viva daquela frase. Na segunda-feira, ninguém saberia o meu paradeiro.

16

Capturados

Mais tarde, eles diriam que estavam observando o hotel. Sabiam que estávamos ali. Não sabiam exatamente quem pegariam, mas sabiam que havia estrangeiros no hotel. O que aconteceu fora planejado, pelo menos até o ponto em que algo assim pode ser planejado. Armas foram entregues, homens foram contratados, e conseguiram também um lugar que serviria como cativeiro. Sabendo que estávamos vindo, eles prepararam a armadilha. Talvez tenham recebido a informação do primo de algum primo. Talvez tenha sido a aparição do Mitsubishi Pajero recém-lavado, atravessando rapidamente as ruas da cidade, que fez com que as pessoas comentassem a respeito e imaginassem se poderíamos torná-las ricas. Mas, com certeza, alguém prometeu dinheiro a outro alguém — um motorista, um funcionário do hotel, um guarda — em troca de informações sobre o destino dos estrangeiros naquele dia. Alguém — não sabemos quem — nos vendeu.

Nigel acordou naquela manhã — sábado, vinte e três de agosto — e vestiu uma camisa estampada cor-de-rosa e uma calça jeans de grife. Estávamos dormindo nas beiradas da nossa cama *king-size* no Shamo. Estávamos tensos. Ele estava enviando e-mails para a sua namorada na Escócia. Eu recebera um telefonema do chefe de reportagem do estúdio americano, o mesmo com quem tivera um romance curto. Embora Nigel e eu definitivamente não formássemos um casal, ainda não havíamos descoberto como ser amigos.

Como colegas de trabalho, estávamos nos esforçando, pelo menos. Durante nossos primeiros dois dias e meio na Somália, víramos somente um pouco do que esperávamos ver, prejudicados por uma série de questões de segurança, esperando até que a Marinha Canadense chegasse com o carregamento de alimentos. Visitamos a Cidade Velha, uma das poucas partes relativamente seguras de Mogadíscio, onde vilas coloniais italianas apodreciam em meio ao calor, abandonadas, com suas piscinas vazias sugerindo que o passado fora melhor. Fomos a um hospital cujos quartos estavam cheios de vítimas de tiroteios e de amputados. A cada passo que dávamos, a cada momento que desembarcávamos do carro, nossos guardas contratados nos seguiam de perto, com as alças dos Kalashnikovs sobre os ombros. Não pareciam estar totalmente desinteressados pelo que acontecia ao nosso redor, mas também não estavam exatamente vigilantes.

Com o sol forte castigando o quarto através da janela e galos cantando do lado de fora, observei enquanto Nigel colocava um lenço roxo ao redor do pescoço e depois buscava seus óculos metalizados com armação em estilo aviador e lentes azuis. Estava prestes a sair para conversar com uma unidade ugandense especializada na remoção de minas terrestres com Abdi. Eu decidira ficar no hotel. Com frequência, ouvíamos o sibilar e a explosão de um morteiro que vinha de algum lugar nas proximidades.

— Você está de brincadeira, né? — eu disse.

— Qual é o problema?

— Você não pode sair vestido assim, Nigel. Não com soldados africanos. Simplesmente não pode fazer isso.

Antigamente eu apreciava o gosto de Nigel por roupas de cores berrantes e jeans de grife, mas o que ele usava agora era uma marca explícita da sua inexperiência. Olhando-me com uma expressão de desânimo, ele tirou o lenço e os óculos de sol, mas deixou o resto do seu traje do mesmo jeito.

No térreo, Ajoos desligou seu telefone celular e nos disse que os morteiros estavam atingindo as proximidades da base de Uganda, perto do aeroporto. Ele disse que acompanhar a unidade de minas terrestres com os soldados ugandenses "não seria uma boa ideia" para Nigel naquela manhã, mas prometeu fazer outras ligações para ver se poderíamos ir ao acampamento dos refugiados domésticos ao norte de Mogadíscio, que esperávamos poder visitar no dia anterior. O acampamento era administrado por uma médica somaliana famosa chamada Hawa Abdi, uma ginecologista já com seus sessenta anos que abrira uma pequena clínica especializada na saúde da mulher nas terras da sua família na década de 1980. Quando a guerra civil começara, em 1991, ela passara a permitir que as pessoas deslocadas pelos conflitos e combates ficassem em suas terras e agora havia cerca de noventa mil somalianos vivendo ao redor da sua casa. A Dra. Hawa era uma heroína. Apesar da pressão e das ameaças da Al-Shabaab, ela expandira sua clínica até que o lugar se transformara em um hospital com trezentos leitos. Também coordenava programas educacionais para mulheres. Suas duas filhas deixaram a Somália para estudar medicina e voltaram para ajudá-la em seu trabalho. A chance de poder entrevistá-las me deixava bastante empolgada.

— Vou saber em trinta minutos se é seguro partir — disse-nos Ajoos, voltando a se concentrar em seu telefone. — Por favor, esperem.

O território da Dra. Hawa ficava vinte quilômetros a oeste de onde estávamos hospedados, logo depois do perímetro urbano, ao longo do que era chamado de Rodovia Afgoye. Os primeiros treze quilômetros dessa rodovia ficavam dentro dos limites de Mogadíscio e eram protegidos, tanto quanto qualquer coisa poderia ser protegida, por tropas do governo. Nem o Governo Federal de Transição nem as tropas de paz da União Africana tinham qualquer influência ou reforços além dos limites da cidade. Ao sair de Mogadíscio, estaríamos entrando nas terras somalianas controladas pelas milícias. Os dois soldados do Governo de Transição que desempenhavam o papel de guarda-costas nos últimos dias, pelo que Ajoos nos explicou, estavam dispostos a nos acompanhar até os limites da cidade, até a beirada do seu território, mas não iriam além disso. Após aquele ponto, precisaríamos contratar novos guardas que não estavam afiliados ao governo. Isso nos custaria outros 150 dólares.

Depois de mais alguns telefonemas, Ajoos estava com tudo preparado. Arranjou para que três guardas substitutos nos encontrassem na estrada, alguns quilômetros depois do último posto de verificação do Governo de Transição. Além de Abdi e do nosso motorista, teríamos um guarda-costas extra naquele dia — o chefe de segurança do campo da Dra. Hawa, que estava a caminho do Shamo para nos encontrar.

A logística não parecia apresentar problemas. Além disso, com o que poderíamos comparar aquela situação? Não era como se eu pudesse dizer: *Bom, da última vez que atravessei o limite onde as milícias islâmicas lutavam contra os soldados do governo, foi assim que fizemos...*

Preparei minha mochila para a saída. Minha câmera. Uma lente grande-angular. Um cartão de memória extra. Meu iPod. Um pequeno caderno de anotações. Duas canetas. Um protetor labial. Uma escova de cabelos. Duas garrafas de água. Vesti uma calça jeans, uma camiseta regata verde e sandálias de couro que comprara no Quênia. Por cima de tudo eu coloquei o pesado *abaya* somaliano que Ajoos pegara emprestado da sua cunhada — preto e feito de poliéster, como um traje longo do membro de algum coral de igreja — junto com um lenço preto de aparência sombria para cobrir meus cabelos, que eu usava todos os dias ao sair do hotel.

Deixando o saguão cerca de vinte minutos antes de nós, Robert e Pascal, da *National Geographic*, entraram em um Pajero diferente, com seus próprios soldados contratados do governo. Como sempre, Ajoos viajaria com eles. Também estavam indo para o oeste pela Rodovia Afgoye, prestes a trilhar um percurso mais perigoso que o nosso — cruzando a mesma estrada, mas continuando por ela, atravessando um território dominado por milícias para visitar a cidade costeira de Merka. Haviam tomado precauções extras, contratando um segundo veículo de segurança com mais guardas.

Eu não estava prestando atenção quando passamos pelos portões do Shamo. Senti aquela manhã quase como se estivesse em transe. Aprendi uma coisa sobre o trabalho jornalístico: você podia estar ligado ou desligado. Passara muitas horas em claro e de mau humor, navegando por todas as pequenas coisas, buscando por perspectivas vantajosas, fazendo perguntas, fazendo anotações, tentando sempre pensar à frente. Em contraste, considerava que o tempo que eu passava sentada em carros era o equivalente a algumas horas de folga.

Nosso veículo nos levou por entre ruas que eram mais familiares e menos assustadoras do que eram havia dois dias. O homem que veio do campo da Dra. Hawa para nos escoltar — um senhor mais velho, de camisa branca e sarongue em estilo somaliano, que não falava inglês — insistiu em dirigir. Nosso motorista habitual estava sentado no meio do banco dianteiro enquanto Abdi ocupava o banco do passageiro. Nigel e eu tínhamos o banco traseiro para nós, enquanto os soldados do governo ocupavam o compartimento de carga.

A estrada que saía de Mogadíscio era ampla e pavimentada. Passamos por cima de buracos no asfalto e em frente a prédios cinzentos crivados de balas. Passamos por mulheres que vendiam bananas e mangas e homens puxando carroças cheias de óleo de cozinha e lenha. Contornamos uma rotatória e passamos por dois postos de verificação do governo. O trânsito diminuiu. O céu passava rapidamente acima de nós. Minha mente se afastou do lugar onde eu estava. Pensei na minha mãe, que se mudara para a província da Colúmbia Britânica e conseguira um emprego em uma confeitaria. Parecera estar feliz em nossa última conversa ao telefone. Era verão no Canadá. As pessoas estavam assando hambúrgueres em suas churrasqueiras e nadando em lagos de águas frias. Era agradável pensar na minha terra natal. Para poder voltar, eu teria que vender algumas reportagens. Puxei minha câmera da mochila, liguei-a e comecei a rever algumas das imagens dos dias anteriores. Havia algumas boas fotos do cenário, incluindo as de uma catedral católica de pedra construída pelos italianos na década de 1920, e que recentemente fora desfigurada por ataques a bomba. Havia tirado uma série de fotos do interior de um dos tanques da União Africana, mostrando os soldados etíopes e a vista que eles tinham das ruas abaixo.

Chegando agora aos limites da cidade, estávamos passando por refugiados que se amontoavam à beira da estrada — famílias carregando seus pertences e indo para oeste, longe dos tiroteios das ruas urbanas. Pude ver vastos acampamentos, habitações feitas com lonas estendidas sobre ramos de árvores que se curvaram sob o peso, parecendo uma esquadra de barcos precários e esfarrapados. Micro-ônibus que corriam entre Afgoye e Mogadíscio trafegavam pelos dois lados da rodovia. Uma névoa seca de poeira amarelada permanecia suspensa no ar. Paramos o carro no último posto de verificação do governo, onde várias dúzias de soldados uniformizados estavam sentados sob a sombra de uma enorme tenda. Alguém abriu a porta do compartimento de carga do nosso carro. Os guardas do governo que nos acompanhavam desembarcaram sem dizer qualquer palavra. Nosso motorista abriu o vidro da janela e disse algo na língua somaliana para os soldados que se afastavam, e, depois de alguns segundos, estávamos rodando novamente, indo em direção a uma terra de ninguém, uma faixa estreita que separava a área governamental da área das milícias.

A estrada fazia uma curva após o posto de verificação. No banco dianteiro, Abdi conversava ao telefone celular. Eu estava olhando para mais fotos — uma série que eu tirara de Nigel, chutando alegremente uma bola com algumas crianças da Cidade Velha que se aventuraram a sair na rua — quando senti o carro diminuir a velocidade. Presumi que estávamos parando para receber nossos novos guardas. Não me incomodei em erguer a cabeça. Sentado ao meu lado, Nigel se ocupava com sua própria câmera. Mas a energia dentro do carro mudou; o ar pareceu estar subitamente carregado de eletricidade. Os três somalianos no banco da frente estavam murmurando. Ergui os olhos e vi uma perua Suzuki azul-escura estacionada do outro lado da estrada. Em seguida, vi alguém na frente do nosso carro — um homem com uma arma, com a cabeça, o nariz e a boca cobertos por um tecido vermelho quadriculado, do tipo que era comumente usado pelos soldados mujahedins ao redor do mundo. Seus olhos escuros estavam esbugalhados. A arma estava apontada diretamente para o nosso para-brisa.

Abdi passou a falar em inglês:

— Isso pode ser um problema — disse ele.

Outros bandidos apareceram, vindo de trás do Suzuki azul, cercando nosso carro, armas em punho — cerca de doze, ao todo.

Imediatamente comecei a esperar que aquilo fosse um assalto. Algo rápido, em que eles pegariam tudo o que tínhamos e depois desapareceriam.

Alguém puxou a porta do carro para abri-la, e o calor invadiu o ar-condicionado da cabine. As pessoas estavam gritando no idioma somali, vozes masculinas. Abdi e os dois outros homens foram arrancados do carro e empurrados para uma valeta ao lado da estrada. Observei Nigel desembarcar. Um homem encapuzado gritou diante do meu rosto. Eu podia ver as gotas de suor escorrendo pela sua testa e pelo nariz. Parecia ser jovem. Ergui os braços — como vira centenas de vezes nos filmes — e desci do carro, sob o sol abrasador.

O que estava acontecendo era real? Como podia ser real?

Foi naquele momento que percebi alguém que passava por perto, uma mulher, flutuando como uma aparição enquanto passava por nós, em direção a um cruzamento na estrada. Estava olhando, mas não realmente olhando; tentava fingir que não nos vira, o lenço que usava ao redor da cabeça esvoaçando ao vento enquanto caminhava. Continuou a andar sem olhar para trás. Comecei a entender o que estava acontecendo; era real. Por trás, alguém me empurrou em direção à valeta. Ajoelhei-me e depois deixei o corpo cair na areia, ao lado do lugar onde Nigel já estava deitado com o rosto contra o chão ao lado de Abdi e dos outros dois. Abri os braços e as pernas, como todos estavam fazendo.

Silêncio. Alguém parecia estar revistando o nosso carro. Pelo canto do olho, consegui ver o cano de uma arma apontado para a minha cabeça, a menos de trinta centímetros de distância. Minha mente e meu corpo ficaram assustadoramente tranquilos. Tive a certeza de que seríamos mortos a tiros.

Os bandidos estavam gritando conosco outra vez. Fomos colocados em pé. Abdi, Nigel e eu fomos mandados de volta para o carro. Fiquei aliviada ao ver que um dos homens armados estava revirando a mochila de Nigel. Imaginei que fosse um assalto, afinal de contas. Eles levariam nossas coisas e depois nos mandariam embora.

Três dos bandidos agora estavam sentados no banco dianteiro. Nós quatro — Nigel, Abdi, eu e outro homem armado — estávamos no meio. Ouvi vários outros embarcarem no compartimento de carga pela traseira. Não tinha certeza do que acontecera com os outros dois caras — nosso motorista e o especialista em segurança que viera do campo dos refugiados —, mas todos nós ficamos bem apertados uns contra os outros, aspirando aquilo que parecia ser os últimos restos de oxigênio, cheirando a suor e medo. Minha própria mochila estava aos meus pés, com a câmera cara dentro. Quando eles a pegariam? Por que não estavam exigindo nossas carteiras? O homem que estava no banco do motorista virou a chave. O motor do carro ganhou vida. Aceleramos, logo atrás do Suzuki, que fez uma rápida curva de 180 graus e agora indicava o caminho a seguir. Por cerca de um minuto, mais ou menos, rodamos em disparada sobre a estrada pavimentada e, em seguida, fizemos uma curva abrupta à direita em uma estrada de areia sem sinalização.

Merda. O pânico estava crescendo dentro de mim. Estávamos nos afastando das áreas conhecidas. O carro atravessou um terreno cheio de colinas avermelhadas cobertas por arbustos e outras plantas baixas. Batíamos os ombros uns contra os outros e nossa cabeça balançava com os solavancos enquanto o carro desviava de árvores espinhosas e corria por cima de moitas, sem seguir qualquer espécie de trilha. A cada minuto que passava, eu sabia, estávamos nos afastando cada vez mais de qualquer lugar onde alguém pudesse pensar em nos procurar. Por baixo do meu *abaya* eu suava profusamente. Sentia meu jeans encharcado contra a pele.

— Abdi — eu disse. — O que está acontecendo? — Minha voz saiu aguda e trêmula.

— NADA DE CONVERSA! — gritou um dos homens no banco da frente. Percebi que ele falava inglês.

Desesperada para sentir um pouco de segurança, tentei outra vez. Minha voz ficava cada vez mais estridente:

— O que está acontecendo, Abdi? Vai ficar tudo bem? Você tem que me contar. Está tudo bem?

— Fique quieta — disse Abdi em voz baixa, com seriedade. Não havia nada que pudesse me tranquilizar naquelas palavras. Ele não estava menos aterrorizado do que eu.

Pensei no celular que havia na minha mochila. Eu tinha o número do telefone de Ajoos anotado em uma página no meu caderno, que também estava na mochila. Mas como eu poderia pegá-lo? E o que eu diria? Olhando por cima do ombro, vi o cano de uma arma apontado para a minha cabeça e, por trás da arma, um garoto que a empunhava. O lenço que ele usava como capuz estava frouxo. Tinha as bochechas arredondadas típicas de uma criança, e seus olhos ficaram iluminados pelo terror quando ele percebeu o meu olhar. Ele segurava a arma desajeitadamente, como se nunca houvesse feito isso antes. Não poderia ter mais do que quatorze anos, pelo que imaginei.

Enquanto éramos jogados de um lado para o outro dentro do carro na travessia pelo deserto, uma ordem foi dada no banco da frente. O homem que estava sentado no nosso banco resmungou algo em somali e estendeu a palma da mão. Abdi traduziu: queria nossos telefones. É claro que queria. Senti meu coração afundar como uma pedra. Entreguei meu telefone, e Abdi fez o mesmo. Imaginei que o aparelho de Nigel estivesse em sua bolsa, que já fora recolhida. Observei quando o homem os desligou.

Paramos o carro em uma área plana e vazia, estacionando ao lado do Suzuki. Um homem em roupas civis desembarcou pela porta do motorista, veio até nós e abriu a minha porta. Tinha um lenço branco e preto colocado elegantemente sobre os ombros, mas seu rosto estava descoberto. Estava bem barbeado e devia ter cerca de vinte e cinco anos, com cílios grossos, uma expressão alerta e os dentes da frente ligeiramente protuberantes. Quando inclinou a cabeça para nos observar, seus olhos pousaram em mim, com uma expressão bem atenta.

— Olá — disse ele em um inglês relaxado, com um tom tranquilizador, como se estivesse me dando as boas-vindas ao chegar a um restaurante. Não demonstrou qualquer interesse em Nigel. — Meu nome é Ahmed. — Ele pronunciou-o como *Ock-med*. — Por favor, venha comigo.

Ahmed fez um sinal para que eu descesse do carro — apenas eu. Estava nos separando. Não me virei para olhar para Nigel, com medo de trair meu pânico. Naquele momento, eu era a única mulher no meio de dezesseis homens. Agora, estavam me levando para longe daquele que era o meu único aliado verdadeiro. Tive que fingir que aquilo não importava. Discretamente, segui Ahmed enquanto ele me levava até o Suzuki estacionado e me dizia para sentar no banco traseiro. Um homem mascarado sentou-se ao meu lado. Outros dois, armados, sentaram-se atrás de mim. Nenhum dos corpos estava tocando o meu, mas eu podia sentir a proximidade úmida deles. O carro acelerou novamente, deslizando por cima da areia.

Onde foi que aprendemos o clichê de que conversar pode nos manter vivos? Como pode ser necessário lembrar aos vilões que você é um ser humano? Eu tive uma ideia sobre o que deveria fazer. Concentrei-me em Ahmed, que estava no banco da frente, ao lado do motorista. Estava com um braço pousado sobre o assento e o pescoço virado para poder olhar na minha direção. Estava sorrindo, como um pescador que houvesse capturado um peixe grande.

Com o máximo de calma que consegui reunir dentro de mim, comecei a falar. Disse meu nome a Ahmed. Disse-lhe que eu vinha do Canadá, um lugar onde muitos somalianos iam viver. Disse que era jornalista. Que estávamos indo para um campo de refugiados domésticos para ajudar a contar a história da Somália. Disse que eu já amava a Somália, que sua beleza era estonteante. Tentei fazer com que minhas palavras soassem empolgadas, até mesmo um pouco infantis. Tentei até mesmo colocar um viés político na conversa. Pela primeira vez na vida, senti-me grata por ter passado todos aqueles meses trabalhando para os iranianos, já que o velho Sr. Nadjafi em Teerã me ensinara uma coisa ou duas sobre como manipular minhas palavras para soar menos ocidental e mais islâmica.

— Estou entristecida pela ocupação do seu país — eu disse a Ahmed. Referia-me aos etíopes e ugandenses, os cristãos, os forasteiros. Acrescentei que havia trabalhado para uma emissora islâmica em Bagdá.

Ao meu lado, no banco traseiro, estava sentado um homem que, como vim a saber mais tarde, chamava-se Ali. Seu rosto estava envolto em um lenço roxo, e os olhos eram visíveis através de uma fenda estreita. Se Ahmed parecia ser amistoso, quase um camarada, este homem — pelo pouco que conseguia ver dele — parecia embrutecido e cruel. Ele me observava cuidadosamente.

— Você é cristã? — perguntou, num inglês arrastado.

Aquela era uma pergunta capciosa. Após as minhas viagens, eu já sabia que, aos olhos de muçulmanos devotos, geralmente era melhor ser membro de um dos "povos das escrituras" — cristão ou judeu — do que não ter qualquer religião.

— Sim — eu disse a ele. — Mas tenho um respeito profundo pelo islã. — Fiz uma pausa para ver como aquilo se desenrolaria.

Ahmed se virou para me observar. Sorriu novamente, de uma maneira que me deu um pouco de esperança.

— Não se preocupe, irmã — disse ele. — Nada vai lhe acontecer. Não há problemas aqui. *Inshallah*. — Isso significava "se Deus quiser". — Somos soldados do exército islâmico. Nosso comandante gostaria de lhes fazer algumas perguntas. Estamos levando vocês para a nossa base. Achamos que vocês podem ser espiões.

Eu conseguia sentir um esporão de medo na garganta. Jornalistas eram frequentemente acusados de serem espiões do Ocidente. Eu tagarelava sem parar naquele momento, enumerando cada país islâmico que visitara, como se isso pudesse fazer com que eu parecesse menos forasteira. Havia um tapete de pele nas cores dourada e marrom por cima do console que dividia os dois assentos dianteiros.

— Que tipo de pele é esta? — perguntei, numa tentativa ridícula de parecer casual. — De qual animal isso vem?

Ahmed ignorou a pergunta. Digitou um número em seu celular e disse algumas palavras. Alguns minutos depois, o carro parou de novo. A porta traseira se abriu; o guarda que estava à minha direita desembarcou, e Nigel, parecendo bastante pálido, entrou no carro, após sair da *minivan* que vinha atrás de nós. Estava respirando rapidamente, quase hiperventilando. O guarda sentou-se ao lado dele, ensanduichando nós dois naquele espaço reduzido.

— Nigel! — eu disse alegremente, indicando o banco da frente com um gesto quando o carro começou a rodar. — Este é nosso irmão Ahmed. Estes homens são soldados. Ahmed prometeu que nada de ruim vai nos acontecer.

Eu sabia que parecia uma professora infantil maluca. Pronunciava minhas palavras de maneira deliberada, com um sorriso forçado no rosto. Nigel me encarava com um olhar agressivo e curioso ao mesmo tempo. Devolvi o olhar a ele, sem saber ao certo que tipo de comunicação estávamos trocando, mas aliviada ao perceber que, pelo menos, estávamos juntos.

Dentro da minha cabeça havia uma batalha feroz entre o racional e o irracional. Uma parte de mim acreditava que isso era apenas um mal-entendido, que não éramos bem-vindos neste território, com nosso carro de luxo cedido pelo hotel e nossa pele branca, e que receberíamos algum tipo de reprimenda dos milicianos sobre andar fora dos limites estabelecidos antes de sermos mandados de volta para a estrada. Mesmo assim, depois das temporadas que passara no Iraque e no Afeganistão e após acompanhar o noticiário daqueles lugares, eu sabia que extremistas furiosos gostavam de decapitar seus inimigos. Não conseguia saber qual desses pensamentos era o menos razoável.

A cada vez que o carro dava um solavanco, o cano de uma arma acertava a minha cabeça por trás. Tinha certeza de que a arma dispararia a qualquer momento com os trancos.

— Irmão Ahmed — eu disse. — Por favor, você pode pedir ao soldado que afaste a arma da minha cabeça? Não estou armada. Não represento perigo para vocês e estou ficando assustada.

Ahmed disse algo em somali para o soldado que estava atrás de mim. A arma foi reposicionada, mas não se afastou tanto. Percebi que Ahmed usava um relógio de ouro. Percebi um toque de colônia adocicada que emanava do seu braço estendido.

Tentei pensar estrategicamente, imaginando uma espécie de diálogo que teríamos com o comandante islâmico que nos aguardava, imaginando o que eu poderia dizer para convencê-lo de que não éramos espiões — que deveriam simplesmente ficar com nossos pertences e nos devolver a Mogadíscio. Naquele momento, Mogadíscio dava a impressão de ser a minha casa, um lugar do qual valia a pena sentir saudades. Imaginei o comandante revistando nossas bolsas, inspecionando nossas coisas. Pensei nas nossas câmeras, das dezenas de fotos que fizéramos das tropas da União Africana e dos guardas do Governo Federal de Transição patrulhando a cidade. Sua existência poderia criar a impressão de que éramos aliados dos infiéis, que estávamos no lado errado daquela guerra santa. Tudo que eles precisavam fazer era ligar as câmeras e começar a apertar os botões.

— Com licença — eu disse ao homem que estava sentado ao meu lado. — Meus lábios estão ressecados. Importa-se se eu abrir a minha bolsa para pegar um pouco de creme?

O homem me olhou com uma expressão ligeiramente confusa e, com um gesto vago, permitiu que eu prosseguisse.

Abaixei-me e comecei a revirar a minha mochila com as duas mãos, fingindo estar procurando pelo meu protetor labial. Senti meu rosto enrubescer com a mentira quando meus dedos encontraram a câmera e localizaram a ranhura que abrigava o cartão de memória. Agindo rapidamente, apertei a alavanca minúscula que liberava o cartão e, em seguida, segurando-o firmemente entre dois dedos, tirei-o da câmera e o escondi em outro compartimento da mochila. Agora, pelo menos, eles teriam que fazer algum esforço para ver minhas fotos. Peguei o tubo de protetor labial e o ergui com um floreio. Ali desviou os olhos enquanto eu o esfregava nos lábios, mas percebi que ele continuava a me observar.

— Irmã, por que não está com medo?

— O quê?

Ali fizera a pergunta sem olhar diretamente para mim. Parecia sentir-se provocado pela minha autoconfiança, por mais que fosse fajuta — irritado, talvez, por eu não estar chorando ou implorando pela minha vida.

Pensei rapidamente e respondi em voz alta:

— Não estou com medo porque meu irmão Ahmed prometeu que nada de ruim vai acontecer.

No banco da frente, Ahmed estava novamente falando ao telefone. Esperava que ele ouvisse o que eu dizia. Consegui ouvir Nigel, sentado do outro lado de Ali, fazendo um esforço para refrear sua respiração. Imaginei o que poderia ter acontecido com sua câmera.

Naquele momento, passamos rapidamente por outro veículo que vinha no sentido oposto — um caminhão com a caçamba cheia de rapazes armados. Virei o pescoço para vê-los passarem. Após vinte minutos rodando, não havíamos visto nenhum ser humano, animal ou estrutura. Senti uma pancada forte no meu braço, um cutucão de Ali.

— *Por que você está olhando?* — gritou ele. Pegou a ponta solta do lenço que eu usava para cobrir os cabelos, puxando-o para cobrir o meu rosto. Havia um terror estranho em sua voz.

Continuamos a rodar por algum tempo em silêncio, antes que eu tentasse conversar novamente com Ahmed.

— Meu irmão — eu disse, inclinando-me um pouco para a frente, tentando soar amigável e dirigindo as minhas palavras para a parte de trás da cabeça dele. — Vocês estão fazendo isso por dinheiro?

Ele se virou para mim, seu rosto se abrindo em um grande sorriso, como se houvéssemos chegado àquela conclusão juntos e fôssemos parte da mesma equipe.

— Ah, sim — disse ele. — Talvez seja. Talvez seja por isso.

17

Atum e Chá

Depois de rodar por cerca de quarenta e cinco minutos, após seguirmos brevemente por uma rodovia pavimentada antes de voltar a avançar pelo deserto de novo, chegamos a um vilarejo que parecia um labirinto, onde ruas estreitas de areia serpenteavam por entre um amontoado de propriedades cercadas por muros. O carro virou algumas esquinas e estacionou do lado de fora de um grande portão azul de metal enferrujado. Ahmed desceu, pegou um molho de chaves e o destrancou. O portão se abriu e eu vi mais soldados mascarados esperando ali dentro, ao redor de um grupo de casas cercado por muros altos. O veículo do Shamo Hotel não estava mais conosco. Abdi e os outros dois somalianos que nos acompanharam já haviam desaparecido.

Desci do carro segurando a minha mochila, imaginando que não demoraria muito até que a revistassem. Contei nove ou dez homens mascarados, todos olhando fixamente para nós, com as correias dos rifles apoiadas sobre os ombros. Além dos lenços que usavam para cobrir o rosto, vestiam-se também com jeans e camisas sociais. Seus corpos pareciam ser jovens e esguios, apesar do lenço ao redor da cabeça, que tinha o formato de cotonetes. E estavam tensos, também; não era difícil perceber isso. Pareciam ter recebido ordens de não conversar quando estivéssemos por perto. Um dos soldados passou por nós e fechou o portão.

Se isso era alguma espécie de base militar, era pequena e improvisada. Havia uma casa longa e de teto baixo, com telhado de folha de zinco, no formato de uma caixa de sapatos, e três portas espaçadas igualmente na parede externa. Consegui ver o que parecia ser uma área para cozinhar sob uma cabana improvisada, feita com restos de madeira unidos com pregos e uma acácia de tronco grosso, cujos galhos se erguiam e se curvavam pesadamente por cima do quintal. Na frente da casa, ao lado do portão, havia uma estrutura pequena, que imaginei ser uma latrina. Olhei para Ahmed.

— Posso usar o banheiro, por favor? — eu disse.

Ele apontou de maneira solícita para a latrina:

— É claro, minha irmã.

Um dos soldados me escoltou até lá. Levei minha bolsa comigo, esperando que ninguém percebesse. O banheiro tinha paredes altas de concreto e não tinha telhado. Dentro, havia um buraco raso cortado no meio do piso de concreto, e cheirava mal. Não parecia ter sido usado recentemente. Ficando em pé ao lado do buraco, peguei minha câmera e a liguei, rangendo os dentes quando ela soltou um *bip* eletrônico, esperando que ninguém conseguisse me ver pelas frestas que havia dos dois lados da porta de madeira. Tirando o cartão de memória de dentro da mochila, eu o reinseri e rapidamente acionei a função que apagaria todas as fotos salvas, destruindo a evidência do que fizéramos até o momento em Mogadíscio. Para não levantar suspeitas, fiquei de cócoras e urinei no buraco antes de sair.

Do lado de fora, o soldado chamado Ali — o mesmo que batera no meu braço no carro — gritou uma ordem para um dos soldados mais novos. Ele se aproximou de mim com um balde de plástico cheio de água para que eu pudesse lavar as mãos. Em seguida, Ali me levou até a casa baixa, entrando em um quarto escuro no lado esquerdo, onde encontrei Nigel sentado em um colchonete de espuma que parecia estar imundo, com os ombros apoiados contra uma parede suja. O ar cheirava a bolor. Na parede oposta havia uma pequena janela com venezianas de metal fechadas. Havia muito tempo, aquele cômodo fora pintado com um tom de rosa-pálido. O chão estava coberto com restos de fios elétricos. Nigel acendera um cigarro e tinha uma expressão desolada no rosto.

Ali permaneceu incerto debaixo do vão da porta por alguns momentos. Apontou para outro colchonete encostado na parede oposta, indicando que eu deveria me sentar. Depois, desapareceu.

Nigel olhou para mim. Não tivéramos um único momento a sós desde que fôramos capturados.

— O que vamos fazer? — disse ele.

— Não sei.

— Fomos sequestrados, certo? — perguntou ele. — Ou isso é algo diferente?

Eu estava pensando sobre a diferença entre ser detida e sequestrada. Fora detida uma vez com Enas e um operador de câmera iraquiano enquanto fazia uma reportagem na região de Sadr City, em Bagdá. Um grupo de homens armados cercara o nosso carro e depois nos levara para a base do Partido Sadr, onde fôramos questionados sobre nossas afiliações políticas, se éramos leais aos sunitas. Eu conseguira fazer uma ligação a um contato xiita que pressionara os membros do Partido Sadr e fôramos liberados depois de mais ou menos uma hora. Fora bastante incômodo e assustador, mas acabara rapidamente, sem mais perguntas. Eu desejava muito que a situação presente fosse como aquela.

Antes que eu pudesse dizer qualquer coisa a Nigel, Ali entrou pela porta. Desta vez, trazia uma página de jornal. Com um floreio, como se quisesse ter certeza de que estávamos prestando atenção, ele dobrou a página ao meio, depois a enrolou até formar um cone, dobrando a ponta com maestria, os dedos longos trabalhando do outro lado, formando uma borda fina. Ele se abaixou e deixou sua criação ao lado de Nigel. Um origami em forma de cinzeiro. Nigel e eu olhamos para o objeto sem dizer nada.

— Já viram isso antes? — disse Ali. Seu inglês tinha um sotaque forte, mas era compreensível. Resultado de algum tipo de instrução escolar, eu imaginei.

Nós dois balançamos a cabeça negativamente. Ali ainda estava com a cabeça coberta pelo lenço de guerreiro, mas parecia que, por baixo do tecido, ele poderia estar sorrindo. Agachou-se perto de onde Nigel estava, como se estivesse se acomodando.

— Eu fumava, antes da *jihad* — disse ele. Olhou para Nigel e depois para mim. — Mas faz dois anos. Sem fumo.

Imaginei que aquilo significava que iamos conversar. Tentei não me sentir aterrorizada por ele, apesar do olhar agressivo, da arma que ele tinha nas mãos e do fato bizarro de estarmos sentados, nós três, em um quarto imundo em um vilarejo perdido no meio da Somália, esperando para ver o que aconteceria a seguir. Lembrei a mim mesma que a melhor ideia seria estabelecer algum tipo de empatia com Ali.

Ele, pelo que percebemos, tinha muito a dizer sobre a política e a *jihad* na Somália. Sua *jihad* concentrava-se em expulsar os soldados etíopes do país, essencialmente a mesma *jihad* na qual lutavam os grupos de adolescentes armados que víramos circulando por Mogadíscio em caminhonetes. A Somália era um país muçulmano e precisava de um governo islâmico, que fizesse cumprir as regras do islã, disse ele. Estava batalhando contra os invasores havia dois anos — desde 2006, quando o governo etíope mandara suas tropas cruzarem a fronteira e ele se alistara nos mujahedins. Pela sua perspectiva, era simplesmente um caso de cristãos que estavam se intrometendo nos assuntos dos muçulmanos. Ele odiava os etíopes. Odiava tudo o que se referia a eles.

— Faz dois anos que a minha vida é só a *jihad* — disse ele, por baixo do seu lenço. Estava com as costas apoiadas contra a parede agora, os joelhos apontando para a frente e a arma colocada ao seu lado.

Ser um guerreiro sagrado na Somália parecia exigir que o combatente abdicasse dos prazeres da sua vida anterior para dedicar-se totalmente à causa. Significava adotar e seguir as interpretações mais rígidas da lei islâmica. Nada de televisão, música, tabaco e — o que mais parecia doer em Ali — nada de esportes. O futebol, disse ele, sem se preocupar em esconder sua nostalgia, era o seu esporte preferido. Jogara, assistira aos jogos na televisão e considerara-se torcedor fiel de alguns dos times da Copa Africana.

Fizemos o que foi possível para tentar criar amizade com Ali. Simpatizamos com sua luta. Dissemos "é claro" a cada vez que ele mencionava o quanto era difícil guerrear contra infiéis o tempo inteiro. Nigel soltou os nomes de vários astros do futebol e rivalidades entre times, o que pareceu deixá-lo mais animado. Mas, sempre que sentíamos uma breve conexão se formando, acabávamos dando de cara contra uma muralha.

— O seu país — disse ele, apontando um dedo contra nós dois, esquecendo-se da conversa amistosa, e a voz subitamente coalhada pela raiva. — Foi o seu país que mandou os etíopes contra nós.

Não fazia diferença para ele o fato de que Nigel era australiano e eu era canadense. As diferenças eram insignificantes. Um estrangeiro infiel branco era um estrangeiro infiel branco. O mundo ocidental era incompreensível, obsceno e governado por Satanás, ou *Shaitan*, em árabe. Quando repetimos para Ali que viéramos à Somália como jornalistas, tentando vender nossas reportagens sobre como os habitantes do país estavam sofrendo, ele não pareceu se impressionar — na verdade, parecia até mesmo estar desconfiado.

Eu sabia que as preocupações sobre espiões não eram completamente infundadas. Já havia lido que os Estados Unidos enviaram secretamente algumas unidades das suas Forças Especiais à Somália para ajudar os etíopes e o governo de transição, que não conseguia agir com eficiência. Ouvira dizer, também, que ocasionalmente alguns aviões não tripulados cruzavam o céu sobre Mogadíscio, zunindo sobre a cidade como libélulas de aço cinzento.

Quando Ali saiu da sala, fechando a porta atrás de si, Nigel e eu ficamos sentados silenciosamente nas sombras. O que eles queriam de nós? Era difícil saber. Tentamos encontrar uma resposta repassando as circunstâncias. Ahmed parecia ter certeza de que tudo ficaria bem. Ali parecia ferver com uma fúria interior, mas não fizera nada para nos machucar. Ninguém pedira que lhes entregássemos nosso dinheiro, também.

A luz entrava no quarto pelas frestas da janela fechada. Sobre o peitoral havia uma pilha de livros de capa dura — sete ou oito exemplares do Alcorão, aparentemente. No canto mais distante havia um cabide de ferro para casacos, com algumas roupas de homem penduradas. O sol se irradiava pelo teto de zinco acima de nós, aquecendo o quarto como se fosse um forno. Do lado de fora, homens murmuravam. Nigel e eu repassamos várias e várias vezes o problema no qual estávamos metidos.

— Isso é um sequestro — dizia um.

— Não, não é. Só um mal-entendido, alguma coisa relacionada à política.

Alguma coisa naquele debate fazia com que nos sentíssemos melhor.

Depois de algum tempo, Ahmed colocou a cabeça pela porta.

— Vou partir — disse ele, como se fôssemos amigos que estavam se despedindo. — Tenham muito cuidado com estes homens. Vão matá-los se não fizerem as coisas do jeito que eles mandarem.

Para onde ele ia? Eu não queria que ele fosse embora. Desejava desesperadamente que ele ficasse. O fato do inglês de Ahmed ser tão honroso e de manter seu rosto descoberto parecia ser algo importante, até mesmo consolador. Era o único homem por ali que não empunhava uma arma. Eu repetia mentalmente, sem parar, as palavras que ele dissera no carro — *Não se preocupe, nada vai lhe acontecer.*

— Espere! — eu disse. — Você não falou alguma coisa sobre o comandante? Achei que ele quisesse conversar conosco.

— Ah — disse Ahmed, quase como se houvesse esquecido daquilo. — *Inshallah*. Amanhã.

Imediatamente, comecei a imaginar se ele havia mentido para nós. Será que realmente haveria algum comandante? Seria possível que não houvesse ninguém para ouvir a nossa história? Eu coloquei todas as minhas esperanças naquela única possibilidade.

Tentei arrancar qualquer coisa que pudesse de Ahmed. Parecia ser a última oportunidade.

— Meu irmão, preciso lhe perguntar uma coisa — eu disse. — Podemos, por favor, telefonar para nossas famílias? Porque, se não voltarmos ao hotel, eles vão saber que alguma coisa nos aconteceu. Podemos dizer a eles que estamos bem, pelo menos?

Ahmed assentiu, como se aquilo fosse uma excelente sugestão.

— Talvez — respondeu ele, um pouco evasivo. — Talvez esse seja o próximo passo no programa.

Eu disse a ele que, se pudéssemos ao menos dar um telefonema para Ajoos no Shamo Hotel, ele poderia ajudar todos a conseguir aquilo que queriam.

Isso, volveu Ahmed, com um sorriso de despedida, poderia ser outro passo no programa. Ele fechou a porta calmamente, deixando-nos mais uma vez na escuridão. Ouvimos o ranger das dobradiças do portão e o ruído do seu carro indo embora.

★

Depois que Ahmed se foi, Ali parecia estar no comando daquele grupo, e tudo indicava que estava adorando o seu novo cargo. Estava empolgado. Qualquer desejo de falar sobre sua vida ou a *jihad* desapareceu. Sua fúria, agora, parecia estar focada, especificamente direcionada a nós.

Ele exigiu o nosso dinheiro.

— Onde está? — gritou ele. Revirei minha bolsa e tirei os 211 dólares americanos que trouxera do hotel naquela manhã, após deixar o restante no cofre do Shamo. Minha mão tremia quando entreguei as notas. Nigel estava levando algumas moedas e uma nota de cem dólares dobrada no bolso da frente. Ali contou nosso dinheiro, sem disfarçar seu ceticismo. — Só isso?

— Sim — eu disse.

— Não acredito — disse ele. A raiva estava crescendo em sua voz. — Não acredito. Como pode ser?

Nigel e eu não dissemos nada.

— Onde está o seu dinheiro? — disse Ali.

— Está no hotel. Deixamos lá. — De algum modo, eu fiquei responsável por conduzir todos os diálogos.

— Seus passaportes. Deem para mim.

— Estão no hotel, também.

Ali estreitou os olhos, encarando-me, como se estivesse me julgando, silenciosamente decidindo a respeito de alguma coisa. Desviei o olhar, sem saber se era melhor demonstrar humildade ou rebeldia em resposta. Ele riu quando virei o rosto, uma gargalhada cruel. Saiu pela porta. Pude ouvi-lo conversando com os soldados que estavam no jardim. Em menos de um minuto, ele estava de volta.

Desta vez, Ali pegou minha mochila e virou-a, esvaziando-a dos pertences. Sob a luz que entrava pela porta, ele inspecionou tudo cuidadosamente, desdenhosamente. Minha câmera, meu caderno, minha garrafa de água. Tirou a tampa do meu protetor labial. Examinou os dois lados da minha escova de cabelos. Manipulava cada objeto delicadamente, como se pudessem explodir. Balançou a cabeça negativamente, aparentemente enojado pelas coisas que eu decidira trazer comigo naquele dia.

A cada vez que saía do quarto, Ali parecia renovar sua fúria, como se estivesse bebendo longas doses de um tanque cheio de ódio no quintal. Depois de revirar minha mochila, ele saiu do quarto e, em seguida, voltou quase imediatamente. Apontou para mim, com os olhos arregalados.

— Levante-se! — disse. Tocou a correia do seu rifle como se quisesse me lembrar que ele ainda o levava consigo. Ali era corpulento e massudo — não exatamente gordo, mas bem alimentado; sólido de uma maneira que poucos somalianos pareciam ser. Olhei para Nigel e depois me pus em pé, com os joelhos e as costas um pouco doloridos depois de passar tanto tempo sentada. Ali indicou a porta com um gesto.

A luz do sol fora da casa era ofuscante. Demos alguns passos sobre o pátio cimentado. Duas escadas levavam até outra porta fechada. Ali apontou para essa porta, indicando que eu deveria entrar ali. Por uma fração de segundo, hesitei e senti-o bater com força nas minhas costas.

— Quer que eu mate você? — disse ele. Empurrou-me para a frente e eu tropecei nos degraus da escada.

A sala em que entramos era pequena e escura, com uma cama de metal encostada na parede. O ar inerte era um envelope de calor. Ali fechou a porta.

— Por favor — eu disse, tentando manter a voz firme. — Não faça isso. — Tentei olhar nos olhos dele em meio à escuridão e continuei falando: — Por favor, você é islâmico. Os muçulmanos são as melhores pessoas do mundo. Eu sei que isso não é o que o islã prega. Por favor...

Estivera pensando naquilo durante a viagem de carro pelo deserto, no meio de todos aqueles homens, imaginando as coisas ruins que ainda poderiam acontecer depois de tudo o que já estava acontecendo.

Se me ouviu falando, Ali não deu nenhuma indicação. Puxou o lenço que cobria a minha cabeça e jogou-o no chão. Depois, estendeu a mão e agarrou a gola do meu *abaya*, puxando-o com força para baixo de modo que as alças arrebentassem e suas duas partes caíssem ao chão. Quando ergui as mãos para me cobrir, ele me golpeou na cabeça. Soltei um grito, surpresa.

— Quer que eu mate você? — disse pela segunda vez, e empurrou-me contra a parede. Eu consegui ver, do outro lado da sala, em uma estante sob a janela, uma pilha de livros que pareciam ser pesados — mais exemplares do Alcorão.

Senti as mãos de Ali entrarem por baixo do tecido da minha camiseta e dentro do bojo do meu sutiã. Ele estava tateando, apertando. Sua respiração saía em arfadas pesadas. Fechei os olhos para não ter que ver seu rosto. Com a mão direita, ele encontrou o botão do meu jeans e o zíper. Um dedo grosso me revistou entre as pernas e depois foi removido rapidamente. Senti a repulsa, o horror e a náusea subirem pelas minhas costelas. *Não se preocupe, nada vai lhe acontecer.* Não fora isso que Ahmed dissera? Eu estava chorando, com soluços entrecortados, sentindo como se tivesse um bloco de madeira entalado na garganta.

— Isso é errado! — eu dizia, com a voz chorosa. — Você não é um bom muçulmano!

Ele me empurrou outra vez, jogando-me ao chão.

— Você acha que eu preciso disso? — disse ele, quase cuspindo as palavras. — Tenho duas esposas. Você é feia, é uma mulher má.

Ele recolheu sua arma do chão e fez um gesto, indicando que eu deveria me vestir. Agia como se eu o houvesse insultado, como se fora eu quem houvesse ofendido sua honra, e não o oposto.

— Eu estava procurando dinheiro. Só dinheiro.

— Tudo bem — eu respondi, em voz baixa. Com as mãos trêmulas, prendi novamente o *abaya* ao redor do meu corpo, subitamente grata pelo fato de que o traje me cobria tão completamente. Atei o véu ao redor da cabeça. — Sem problema, sem problema.

Detestei aquelas palavras, mas elas saíram da minha boca.

Ele mandou que eu não chorasse. Escoltou-me de volta ao outro quarto. Ao ver Nigel no colchonete de espuma naquela escuridão deprimente, exatamente como eu o havia deixado, senti as lágrimas começarem a correr outra vez. Estrangulei um soluço. Podia ver a devastação no rosto de Nigel, uma reação clara ao que ele estava lendo nas minhas feições.

Antes de nos deixar, Ali apontou um dedo ameaçador na minha direção.

— Você é um problema — disse ele.

★

Nigel e eu tínhamos certeza de que havia uma escola logo atrás do nosso cativeiro. Podíamos ouvir vozes de crianças flutuando no ar, várias delas. Parecia que estavam brincando em algum terreno, rindo. Os exemplares do Alcorão empilhados nas prateleiras faziam com que nos perguntássemos se aquelas casas fariam parte de uma madraça, uma escola religiosa islâmica. Entretanto, o fato de que o piso de todos os cômodos onde ficamos estivessem cheios de fusíveis, baterias velhas e pedaços de fios nos dava outra ideia — este era um lugar onde os guerreiros mujahedins construíam suas bombas.

Na verdade, não tínhamos a menor ideia de onde estávamos. Em algum lugar a oeste de Mogadíscio, aparentemente. Rodáramos por um longo tempo em alta velocidade. Passamos por enormes áreas vazias, salvo por um ou outro criador de camelos e aquele caminhão cheio de soldados. No começo do percurso, eu percebera rápidos vislumbres das lonas em cores vivas que compunham os campos de refugiados domésticos para onde nos dirigíamos originalmente, mas não tardara até tomarmos outro rumo, saindo da estrada. Não ouvíramos nenhum som de carros passando por perto ou aviões cruzando o céu; apenas os estalidos e cliques do teto de zinco da casa, expandindo-se ruidosamente sob o sol implacável. Parecia que estávamos em uma caixa dentro de outra caixa, lacrada e isolada de tudo o que conhecíamos.

Ali nos trouxe o almoço — uma garrafa de chá escuro e doce, um pouco de água mineral e dois sacos plásticos azuis finos, cada um contendo uma conchada de espaguete frio. Também nos deu uma lata de atum em conserva. Não consegui comer muito daquilo. O medo daquele dia havia se acumulado em uma mistura ácida que tomava conta do meu estômago. Por algum tempo, no fim da tarde, permitiram que saíssemos do quarto. Sob os galhos secos da acácia, eu e Nigel jogamos algumas rodadas desanimadas do jogo da velha, desenhando cruzes e círculos na areia, observando os garotos-soldados pelo canto dos olhos. Estavam deitados sobre a poeira com suas armas, aparentemente tomados pelo tédio. Grandes nuvens brancas atravessavam lentamente o céu azul.

Eu estava procurando por alguma coisa que pudesse me distrair.

— Quando era criança, você brincava de dizer quais eram as figuras que as nuvens formavam? — eu perguntei a Nigel.

Ele olhou para mim como se eu estivesse louca.

De volta ao nosso quarto, ele começou a chorar. Eu estava assustada demais para colocar meus braços ao redor dele ou mesmo para sair de cima do colchonete de espuma onde estava sentada. Anteriormente, Ahmed perguntara se éramos casados, e, após pensar por uma fração de segundos enquanto fazia minha escolha, dissera a ele que não éramos. Era uma jogada estratégica, pois eu acabara de sugerir a ele que utilizasse o Google para procurar informações sobre nós e comprovar que éramos jornalistas, não espiões. Não queria ser apanhada em meio a qualquer espécie de mentira. Agora, entretanto, eu não podia reconfortar Nigel, por medo de acender a ira de Ali. Já estava preocupada com a possibilidade de ele nos separar definitivamente. Na tradição islâmica, uma mulher solteira não pode ficar a sós com um homem solteiro e não pode tocá-lo em hipótese alguma. Não estava disposta a assumir riscos.

Em vez disso, falei suavemente com Nigel, à distância, dizendo todas as coisas que eu mesma queria ouvir. Tudo ficaria bem, eu disse a ele. Sairíamos desse lugar. Tínhamos um ao outro. Em um determinado momento, vimos Abdi e os outros dois somalianos sendo conduzidos pelo pátio, com armas apontadas para eles. Nigel e eu nos perguntávamos se ele sabiam do sequestro — se fora algum deles ou todos que nos entregaram —, mas parecia que eles estavam sendo instalados em um dos outros dois quartos daquela casa. Reféns como nós.

Tentei fazer com que Nigel meditasse comigo, entoando as frases sobre liberdade e paz que ouvira alguns dias antes, depois que tomáramos o avião em Nairóbi, embora, desta vez, as dissesse em voz alta. Ele sussurrou as palavras junto comigo.

Em algum momento, nós dois acabamos adormecendo sob aquele calor. Dormi profundamente — não sei por quanto tempo. Ao acordar, tive um pequeno momento de desorientação antes que os meus arredores voltassem a se apresentar. As paredes sujas. O colchonete esfarrapado. Nigel olhando para o teto, deitado em seu próprio colchonete, a três metros de distância. O som de homens falando uma língua estrangeira do lado de fora da porta. Quando minha mente absorveu aquele cenário, senti que algo dentro de mim começava a desabar. E agora?

Nossa porta se abriu subitamente. Ahmed estava de volta, vestido do mesmo jeito que o víramos anteriormente, acompanhado por Ali e dois outros homens. Um deles era alto, usava óculos bifocais com lentes redondas e uma camisa polo estampada com listras alaranjadas. Trazia um bloco de notas e uma caneta. Parecia ter cerca de vinte e cinco anos, era magro e de rosto sereno, mas incapaz de disfarçar o quanto estava satisfeito ao nos ver — dois animais valiosos em uma jaula. Apresentou-se como Adam.

— Sou o comandante — disse ele. Cumprimentou Nigel com um aperto de mão, mas não fez qualquer menção de se aproximar de mim. Quando falava, tinha apenas um leve sotaque. — Qual é o seu país de origem? — Quando Nigel respondeu "Austrália", Adam fez uma anotação em seu bloco. — De qual vilarejo você vem? — disse ele a seguir.

O outro homem foi apresentado como Yahya. Era mais velho que os outros, com uma barba branca curta, e parecia ser rabugento, totalmente indiferente. Alguma coisa na postura dos seus ombros me fez pensar que ele tinha experiência militar. Eu o reconheci como o homem que assumira o volante do nosso carro quando fôramos capturados. Olhava com desprezo para a camisa rosa estampada de Nigel.

Adam anotou nossos nomes, profissões e endereços. Dei-lhe o telefone do meu pai em Sylvan Lake, desejando ter o número da casa da minha mãe na Colúmbia Britânica. Eu sabia que ela conseguiria manter a cabeça no lugar numa situação de crise como essa. Nigel passou o número da sua irmã, Nicky. Adam sorriu e fechou seu caderno.

— *Inshallah*, isso logo estará terminado — disse ele. — Vocês são meu irmão e minha irmã.

Algum tempo depois, voltou ao quarto, trazendo algumas boas notícias.

— Não temos mais motivos para acreditar que vocês sejam espiões — disse ele. Antes que alguém pudesse comemorar, fez outro anúncio: — Alá incutiu no meu coração a tarefa de pedir um resgate.

Imaginei os telefonemas acontecendo, a voz de Adam no aparelho do meu pai. Não conseguia, por mais que tentasse, imaginar o que ele diria. Quais palavras seriam usadas? Como chegariam a um acordo? Meu pai tinha problemas crônicos de saúde e vivia com uma pensão que o governo lhe pagava devido à sua deficiência. Minha mãe ganhou muito pouco dinheiro trabalhando na confeitaria. Minha conta no banco estava praticamente vazia. A maioria das minhas amigas em Calgary era formada por garçonetes, e nenhuma delas era rica. Não tinha certeza se alguém que eu conhecia no Canadá seria capaz de encontrar a Somália num mapa. No Iraque, sequestros eram uma preocupação tão constante que chegavam a ser o tópico de conversas no Hamra Hotel. Os conglomerados de mídia faziam seguros com cláusulas que incluíam a possibilidade de sequestro para seus jornalistas mais renomados. Geralmente, uma empresa responsável pelo gerenciamento de crises receberia um pagamento para ajudar a libertar um refém. *Freelancers*, de maneira geral, não tinham nada disso. E todos sabiam que era impossível contar com o governo do seu país natal para ajudá-lo numa situação dessas. Como regra geral, governos não pagam sequestradores. É caro demais, e também tem seus riscos. Nenhum governo quer ser descoberto entregando dinheiro a terroristas.

Já era noite quando Nigel e eu recebemos permissão para sair do quarto outra vez, para usar o banheiro e respirar ar fresco. Ali nos levou até um monte de palha que estava encostado contra o muro daquele complexo. Entregou-nos mais duas latas de atum e mais uma garrafa de chá. Ficou claro que passaríamos a noite ali. Calmamente, eu afastei a ideia de que aquela situação duraria apenas um dia. Era como colocar uma pedra no chão e pegar outra. Ficaríamos ali por dois dias, eu disse a mim mesma. Poderia viver com isso. Conforme a escuridão caiu, o ar ficou um pouco mais fresco. O céu se tornou uma tela cravejada com estrelas. Sob o firmamento, eu me senti pequena e perdida.

Mais adiante, ao lado da cabana improvisada, vi os garotos-soldados descansando. Alguns estavam sentados no chão; outros haviam se deitado na terra. Estavam ouvindo um aparelho de som a pilha com um toca-fitas, sintonizado na subsidiária da BBC na Somália. A voz de um radialista soava pelos alto-falantes, e, pelo que imaginei, trazia notícias sobre a guerra. Em seguida, com uma clareza bizarra, eu o ouvi dizer as palavras "Shamo Hotel".

Na área da cabana, aquelas palavras causaram uma certa agitação. Os soldados estavam se sentando e começando a conversar. Ali se levantou e começou a acenar em nossa direção, animadamente, apontando para o rádio. O repórter disse "canadeeeean" e depois "australeeeean". Meu olhar cruzou com o de Nigel. A reportagem era sobre nós, com certeza. A sensação era arrasadora. Era uma confirmação de que nossos problemas eram, ao mesmo tempo, reais e sérios.

18

Resgate

Hoje eu sei que sequestros em troca de resgate acontecem com mais frequência do que a maioria de nós imagina.

Acontecem no México, Nigéria e Iraque. Acontecem na Índia, Paquistão, China, Colômbia e em muitos outros lugares. Às vezes, as motivações são políticas ou pessoais, mas, não raro, isso é feito por dinheiro, pura e simplesmente. Capturar reféns é um negócio, um mercado especulativo, alimentado por pessoas como eu — o alvo que perambula pelas ruas, o peixe fora d'água, a pessoa que comparativamente é rica contra um pano de fundo manchado pela pobreza. Trabalhadores da indústria petrolífera em países distantes, empresários em viagens, jornalistas e turistas são arrancados de seus carros, ou de reuniões, ou então são acompanhados para fora de um restaurante com uma arma apontada para suas costas. De volta ao seu país natal, você não teria noção da frequência com que isso acontece se não prestasse atenção. As notícias surgem e, em seguida, desaparecem. Um viajante americano é capturado no Benin. Um consultor holandês é abduzido em Johannesburgo e seus captores pedem um resgate. Um turista britânico é arrancado de um ônibus na Turquia.

Famílias recebem telefonemas; governos são contactados. Uma espécie de aparelho começa a funcionar. Ninguém nunca diria que essas situações são comuns, mas acontecem com frequência suficiente para que haja certos procedimentos a seguir, uma maneira de fazer as coisas, pelo menos na pátria da vítima.

No meu caso, não foram os sequestradores que alertaram a minha família, mas um produtor de rádio em Vancouver, que percebeu uma breve notícia vinda da Somália e veiculada pelas agências internacionais menos de doze horas depois de sermos levados. Dizia que dois jornalistas, uma canadense e um australiano, desapareceram nos arredores de Mogadíscio. Apenas nossos primeiros nomes foram citados, mas eu já havia feito alguns trabalhos para aquele produtor no início do ano, enviando notícias ao vivo do Iraque, e dissera a ele que iria à Somália. Ao procurar por informações de contato na internet, o produtor ligou para o meu tio em Red Deer, que, por sua vez, telefonou para o meu pai. Ele e Perry, até aquele momento, estavam sentados sob o sol na varanda dos fundos da sua casa.

Meu pai ligou para a minha mãe. Minha mãe ligou para os meus irmãos. Ninguém sabia o que fazer. O produtor de rádio em Vancouver passou o número do serviço do governo para Relações Exteriores em Ottawa. Quando meu pai entrou em contato, uma funcionária explicou que, embora o governo já soubesse da notícia, nada havia sido confirmado. Ela deu um número diferente para que a minha família pudesse ligar caso soubesse de mais alguma coisa. E disse ao meu pai para aguardar notícias.

Um jornalista acabou passando a notícia para outro. O telefone do meu pai começou a tocar sem parar com ligações de repórteres, dezenas deles. Dois furgões de emissoras de TV estacionaram na frente da sua casa. Vizinhos se reuniram na calçada. O telefone tocou, mas meu pai, sentindo-se sufocado pela pressão, parou de atender. Perry abria a porta somente para os amigos mais próximos e parentes. Em todos os outros casos, eles simplesmente ficavam trancados em casa, esperando alguma coisa acontecer.

O primeiro telefonema vindo da Somália surgiu na manhã seguinte, uma voz arrastada no correio de voz do meu pai. Era o homem que se chamava Adam, dizendo:

— Alô. Estamos com a sua filha. — Ele disse que ligaria outra vez para falar sobre o dinheiro e depois desligou. Aquela ligação fazia com que tudo se tornasse oficial. Eu não havia me perdido ou fugido. Havia sido sequestrada. Tinha captores, e os captores tinham suas próprias exigências.

Hoje eu penso na minha mãe saindo da pequena casa que alugara na Colúmbia Britânica. Abalada demais para dirigir, ela pediu a ajuda de uma amiga para ajudá-la cobrir as dez horas do percurso através das Montanhas Rochosas até chegar à casa do meu pai, em Alberta. Imagino o carro subindo a estrada sinuosa, cercado por florestas de pinheiros, e o corpo enrijecido da minha mãe, sentada no banco do passageiro. Era agosto. As flores estariam desabrochando ao longo do acostamento da estrada. As montanhas teriam apenas alguns parcos veios brancos de neve. Provavelmente haveria gaviões no céu. Minha mãe, eu imaginava, não perceberia nada daquilo.

Ao cair da noite, três agentes da RCMP[6], a Polícia Montada Canadense, chegaram a Sylvan Lake e estavam sentados ao redor da mesa de jantar na casa em que Perry e meu pai moravam, junto com a minha mãe. Os agentes fizeram perguntas e anotaram as respostas. Escutaram várias vezes a mensagem deixada por Adam. Pediram permissão para grampear os telefones dos meus pais. Ofereceram informações sobre o que dizer quando Adam voltasse a ligar. A ideia era fazer com que Adam me colocasse para falar ao telefone — para provar que eu estava viva, ter uma noção de como eu estava sendo tratada, tentar detectar pistas. Quando tocassem no assunto do dinheiro, deveriam dizer a verdade: não tinham nenhuma reserva, e o governo também não pagaria o resgate.

Meus pertences — meu diário de viagem, minha escova de dentes, todos os objetos de uso pessoal deixados no quarto de hotel de Mogadíscio — seriam enviados em breve para a embaixada canadense em Nairóbi. Meus pais receberiam uma lista datilografada de todos os objetos com os quais eu viajara: um xale verde, uma camiseta marrom, um traje de banho, um *notebook* Apple MacBook, dois pares de calças pretas, um véu para a cabeça, um frasco de protetor solar Nivea, canetas e cadernos diversos, itinerários de empresas aéreas e registros eletrônicos de passagens compradas, dinheiro da Tailândia, Índia e Paquistão. Minha mãe me diria, mais tarde, que ela esquadrinhou cuidadosamente a lista, examinando o que restava de mim, como se aquilo pudesse explicar alguma coisa sobre por que tudo aconteceu.

Em relação aos repórteres que se amontoavam no gramado da casa, meus pais foram instruídos a não falar muito — não somente à mídia, mas também aos seus amigos e vizinhos. A esperança era que, sem novidades sobre o caso, a notícia sobre o meu sequestro acabaria perdendo força. Os agentes explicaram que, para um refém, era melhor que o caso não tivesse tanta repercussão. Sequestradores, em geral, são muito espertos. Sabem como usar o Google. Leem as notícias. Eles também estariam procurando por pistas durante aqueles primeiros dias, tentando avaliar corretamente o valor das suas presas. Será que a minha família tinha dinheiro? Será que eu trabalhava para alguma empresa grande, rica e poderosa? Será que eu era importante

---

[6] *Royal Canadian Mounted Police*, divisão de polícia federal do Canadá. (N. T.)

para o meu governo? Um simples comentário emocionado da minha mãe nos noticiários indicando seu desespero e desejo de que eu voltasse logo para casa faria o valor do resgate aumentar imediatamente.

A mensagem que os investigadores passaram aos meus pais era de que não estavam sozinhos. Equipes de negociadores treinados estariam a postos nas proximidades de Sylvan Lake, dormindo em colchões colocados no chão, monitorando os telefones e orientando os meus pais, vinte e quatro horas por dia, sete dias por semana, até tudo estar resolvido. Juntos, eles trabalhariam para debater, adular, pressionar e oferecer garantias vagas aos nossos captores — e tentar acionar quaisquer alavancas possíveis para conseguir me tirar da Somália.

Sequestros aconteciam, disseram os agentes aos meus pais; mas também chegavam ao fim.

Disseram isso para reconfortá-los. Os agentes também fizeram questão de usar mais um argumento, algo que dificilmente serviria de conforto nos meses que se seguiriam: Nigel e eu, agora, éramos mercadorias. Os sequestradores haviam gastado dinheiro para nos capturar e manter presos. Fizeram um investimento, o que significava que tinham interesse em nos manter vivos. Se nos matassem, também teriam muito a perder.

★

Na casa com o telhado de metal na Somália, é claro, não sabíamos de nada disso. Passei o primeiro dia e a noite no cativeiro vacilando entre o pânico e algo que parecia ser fé, uma certeza de que nosso martírio terminaria rapidamente se conseguíssemos encontrar a estratégia correta para conversar com os homens que nos mantinham presos.

No início da segunda manhã, Adam veio até o nosso quarto, acompanhado por Ali, Yahya e Ahmed, e anunciou que haviam traçado um plano. Ele telefonaria para as nossas famílias dentro de pouco tempo para exigir o dinheiro do resgate. Receberiam o prazo de um dia para pagar. Se o dinheiro não surgisse, seríamos mortos.

Imediatamente eu comecei a argumentar:

— Nossas famílias não têm dinheiro! Não têm condições de pagar um resgate. Além disso, hoje é domingo, então, mesmo que pudessem pagar, todos os bancos estão fechados.

Adam continuou inabalável. Quando Nigel perguntou por que estavam nos mantendo presos, ele sorriu e disse algo sobre os nossos governos estarem em guerra com o islã.

— Vocês têm governos malignos — disse, como se estivesse sugerindo que não devíamos levar aquela crítica para o lado pessoal. Acrescentou também que não queriam o dinheiro das nossas famílias. — Se nós formos matá-los em vinte e quatro horas, seus governos encontrarão uma maneira de pagar — disse ele. Percebi que lhe faltava um dos dentes da frente, na arcada superior.

— Quanto vocês vão pedir? — eu perguntei.

— Ah! — disse Adam, como se eu houvesse tocado num assunto que ele se esquecera de mencionar. — Ainda não temos certeza. — Ele nos observou, tentando avaliar o quanto valíamos. — Talvez um milhão de dólares — disse ele, dando de ombros com indiferença. — Talvez dois.

Nigel e eu ficamos sentados em silêncio, atordoados, enquanto os quatro homens saíram pela porta. Alguns minutos depois, ouvimos o barulho de um carro que saía da propriedade.

Estávamos começando a compreender, de alguma maneira, a estrutura de poder do grupo que nos mantinha em cativeiro. Adam e Ahmed pareciam ser os líderes, com Yahya, o homem de aparência militar mais velho, e Ali servindo como seus subalternos diretos, supervisionando os soldados rasos, o grupo de mais ou menos dez rapazes de pernas longas — os garotos, como começamos a chamá-los — que andavam pelo pátio com seus rifles. Os líderes iam e vinham no Suzuki; parecia que sua base ficava em um local diferente, provavelmente em Mogadíscio. Yahya parecia estar encarregado diretamente dos garotos, dando-lhes ordens em somali, mandando um ou outro buscar garrafas térmicas de chá doce ou sacos de espaguete cozido de algum mercado que não conseguíamos ver, do outro lado dos muros.

Ali parecia estar encarregado de cuidar de nós. Quando seus comandantes não estavam por perto, ele assumia o posto com uma empolgação sem precedentes, entrando e saindo do quarto com uma espécie de ferocidade paranoica.

— Se os seus governos não pagarem, vocês morrerão — disse ele em um determinado momento, olhando para nós pela porta. Correu o dedo dramaticamente pelo pescoço, traçando uma linha, para indicar que seríamos decapitados. Claramente apreciando o momento, ele se aproximou. Sua voz era aguda para um homem. — Qual é a sensação de saber que vocês vão morrer logo?

A manhã passava, minuto após minuto. De tempos em tempos, nós ouvíamos um muezim chamar os fiéis em uma mesquita e depois os murmúrios e ruídos de pessoas orando do lado de fora da nossa porta. Nigel estava deitado em seu colchão, chorando baixinho, com um braço dobrado por cima do rosto, como se não conseguisse suportar olhar ao seu redor. No dia anterior, Ali entregara a cada um de nós um pedaço novo de tecido, um quadrado grande de algodão leve. O de Nigel era vermelho, e ele o usava no lugar do seu jeans, amarrado como uma saia ao redor da cintura para arejar o corpo, assim como alguns dos nossos captores se vestiam. Eu estava fervendo, ainda com o lenço ao redor da cabeça e o *abaya*, e com o meu jeans e a camiseta regata por baixo, sabendo que eu não tinha escolha senão permanecer totalmente coberta. Peguei o meu corte de tecido, que estava coberto com flores delicadas azuis e brancas, e o estendi para colocar uma camada entre o meu corpo e o colchonete embolorado no chão.

Fiz cálculos. O fuso horário da Somália estava nove horas à frente do horário das Montanhas Rochosas, no Canadá. Imaginei se minha família estaria dormindo àquela hora. Será que os sequestradores telefonariam para eles no meio da noite? Lutei para não chorar. Por trás dos muros altos, com pelo menos oito pessoas armadas à nossa volta e sem qualquer noção sobre onde estávamos no mapa, nosso sentimento de impotência parecia ser total.

Ali enfiou a cabeça pela porta outra vez.

— Qual é a sensação de saber que vocês têm somente vinte horas de vida? — Ele fez o movimento que indicava decapitação com o dedo, e, desta vez, acrescentou um efeito sonoro, um sibilar rápido por entre os lábios. Em seguida, saiu novamente.

Tentei, sem sucesso, construir uma barreira contra aquelas palavras, afastar da minha mente o que eu já sabia: nossos captores eram fundamentalistas. E os fundamentalistas realmente cortavam as cabeças das pessoas. No Iraque, certa vez, eu saíra para fazer uma reportagem para a TV e visitara um campo nos arredores de Sadr City. O local havia se transformado em uma área de despejo para corpos de pessoas mortas nas lutas entre as milícias dos xiitas e dos sunitas. O corpo de um homem em decomposição, jazendo no chão entre pilhas de lixo, atraiu minha atenção. Seus cabelos estavam sujos e seus olhos, abertos, castanhos e sem expressão. Demorei alguns segundos para encaixar as peças daquela imagem, para perceber o que eu estava vendo. A cabeça do homem fora parcialmente cortada do corpo, e as vértebras superiores da sua coluna reluziam, brancas, como a ossada de uma baleia ao sol.

Era uma lição que o mundo já havia me ensinado e continuava a me ensinar. Você não sabe o que pode acontecer até realmente ver aquilo na sua frente.

★

Com o tempo se esgotando, Nigel e eu éramos dois artigos de luxo. Com uma coragem do tipo "agora ou nunca", dois dos garotos-soldados entraram em nosso quarto com o almoço e ficaram por ali, desajeitadamente, sob o batente da porta. Estavam ansiosos para poder praticar o seu inglês.

Cheguei a simpatizar com um deles. Chamava-se Jamal. Falava apenas um pouco de inglês, mas compensava aquilo com uma vontade enorme de fazer amizade. Sentou-se no chão com as pernas cruzadas, vestindo uma camisa azul-marinho e calças cáqui, com as barras que subiam até um ponto bem acima dos seus tornozelos magricelas e escuros. E sorriu para nós de uma maneira genuína. Era um adolescente — dezoito anos, disse ele — e claramente uma obra que ainda estava em progresso, com pernas longas e esguias e ombros estreitos que se curvavam para a frente, como se estivesse tentando esconder uma parte da sua altura considerável. Tinha olhos brilhantes e cabelos encaracolados escuros, cortados bem rente ao crânio. No queixo, alguns pelos solitários, o início de uma barba. Senti o cheiro da colônia que ele usava, frutada e barata. Lembrei de ter visto Jamal no dia anterior. Fora o primeiro soldado que aparecera na minha janela. Era impossível esquecer aqueles olhos grandes e assustados que comunicavam toda a sua inexperiência. Embora seu rosto estivesse envolto pela máscara, o tecido acabara por se soltar um pouco, e eu vira o bastante para ser capaz de reconhecê-lo agora.

Ele veio ao nosso quarto com outro garoto, Abdullah, que tinha uma compleição física mais poderosa e parecia mais sombrio. Abdullah trouxe nossa refeição — mais dois sacos do espaguete gorduroso — e largou-a rapidamente em nossas mãos, usando apenas a parte exterior da ponta dos dedos, como se pudéssemos mordê-lo.

Jamal, por sua vez, estava bastante curioso, embora fosse um pouco tímido, desviando os olhos quando nos fazia perguntas, sorrindo para o chão enquanto ouvia nossas respostas. Onde morávamos? Éramos casados? O que pensávamos sobre a Somália? Tínhamos carros? Abdullah também se sentou, mas sua presença me incomodava. Em uma voz sem qualquer expressão, ele disse que também tinha dezoito anos e que estava lutando a *jihad*.

— Soldado — disse ele, tocando o peito com um orgulho evidente. Senti que olhava para mim ao dizer aquilo, mesmo que eu evitasse olhar em seus olhos.

Nigel e eu não tocamos na nossa comida. Comer na frente deles parecia ser uma admissão explícita da nossa fraqueza.

Jamal, ficamos sabendo, acabara de ficar noivo. Perguntei:

— Ela é uma garota bonita?

Ele baixou a cabeça timidamente, incapaz de conter o sorriso.

— Sim, bonita.

— Quando vocês vão se casar?

— Depois de agora — Jamal respondeu.

— Quer dizer que vai ser logo?

— Sim — disse ele. — *Inshallah.* — Procurando pelas palavras, acrescentou: — A festa do casamento é... — e esfregou dois dedos, um no outro.

— Cara? Um casamento é caro?

— Sim. — Ele pareceu ficar aliviado ao perceber que conseguira se fazer entender.

Percebi que, quando Jamal dissera "depois de agora", referira-se a quando o sequestro terminasse. Ocorreu-me que, para Jamal, o que ele estava fazendo não tinha muito a ver com a *jihad*. Estava esperando pelo seu pagamento para que pudesse ir para casa, preparar sua festa de casamento e casar-se com sua garota.

★

— Vocês têm dezessete horas até morrerem — disse Ali depois que fizemos uma última viagem até a latrina e voltamos a nos acomodar em nossos colchonetes. Nigel estava deitado de lado, com o rosto virado para a parede. Apanhei-me esperando que Ali fosse embora e Jamal retornasse, trazendo sua alegria consigo. Nigel havia se fechado. Não conseguira dizer qualquer coisa que expressasse esperança ou encorajamento durante todo o dia.

Ali disse, parecendo irritado:

— Você me ouviu?

— Ouvi.

— Vocês vão morrer logo.

Meus quadris estavam doloridos pela pressão do concreto debaixo do meu colchonete fino. Sentia-me exausta pelo calor. Estava farta daquela crueldade.

— Bom, se essa for a vontade de Alá... — eu disse, sabendo que estava sendo petulante.

A raiva de Ali foi instantânea. Ele avançou alguns passos na minha direção, como se fosse me agredir.

— Você! — disse ele, bufando. — Você acha que isso é uma piada? Se estiver pronta para morrer, então diga. Vou matá-la agora.

Recuei.

— Não, não, não. Desculpe-me — eu disse, mudando o tom de voz para refletir o que sentia. O medo, mantido por um número enorme de horas, dá a sensação de ser algo no qual você pode se afogar. Eu passara todo aquele dia nadando nele.

Nigel virara-se sobre o seu colchonete e estava escutando. Eu disse:

— Não acho que isso seja uma piada, meu irmão. Não quero morrer. — Fiz uma mesura com a cabeça. — Mas, se a minha hora chegou, então não há nada que eu possa fazer a respeito. Isso é tudo que eu estava tentando dizer.

Quando ergui os olhos, Ali estava me encarando cuidadosamente. Sua fúria parecia ter diminuído um pouco de intensidade. Arrependi-me de falar aquilo. Zombar da crença dos muçulmanos na predestinação — a ideia de que Alá planejara nosso destino cuidadosamente e de que não podíamos fazer muito para evitá-lo — era um sacrilégio. Quase como apertar o botão que ativa uma bomba.

Tive uma ideia, vislumbrando uma possibilidade. Dirigi-me a Ali com o máximo de calma que consegui reunir:

— Se eu tiver que morrer, gostaria de falar com um imã antes.

Eu o vi inclinar a cabeça, surpreso. — Não — disse ele, após pensar por um momento. — Isso é algo reservado só para os muçulmanos.

Havia muitas coisas exclusivas para os muçulmanos na Somália. Porque todos ali, em maior ou menor grau, eram muçulmanos.

— Bom — eu disse, pensando que aquilo talvez nos desse mais tempo além daquelas vinte e quatro horas —, talvez eu queira me tornar muçulmana antes de morrer.

★

Naquela noite eles nos colocaram novamente no Suzuki de Ahmed. Numa repetição do que acontecera no sequestro inicial, Nigel e eu fomos empurrados para dentro, junto com vários outros homens mascarados. Reconheci alguns deles. Fui capaz de identificar Ahmed, Adam, Ali e Yahya. Suas armas faziam ruídos quando batiam contra as cartucheiras cheias de balas que traziam a tiracolo. Adam estava ao volante. Abdullah, o amigo de Jamal que sempre parecia estar mal-humorado, entrou no compartimento de carga, com seu AK-47 apontado para a nossa cabeça. Ahmed, que viera nos buscar no quarto uma hora antes, abrira seu largo sorriso habitual e falara com uma polidez impecável, digna de um recepcionista de um hotel cinco estrelas.

— Está tudo bem? — eu perguntei.

— Ah, sim, tudo bem — respondeu ele.

— E quanto às vinte e quatro horas?

Ele quase pareceu surpreso.

— Ah. Daremos mais algum tempo a vocês. Sem problema! Vamos levá-los a uma casa melhor. Lamento por essas camas ruins onde vocês tiveram que dormir.

Era impossível saber se poderíamos acreditar nele. O carro avançou pelo vilarejo, levantando uma nuvem de areia atrás de si. Nigel e eu estávamos de mãos dadas, segurando firme. Pela janela, não pude ver nenhum indício que identificasse o lugar onde estávamos — apenas muros e arbustos baixos. Adam, com seus óculos bifocais de lentes redondas, girava o volante de um lado para o outro, pisando com força no acelerador para conseguir melhor tração.

Perguntei a Adam:

— Você conversou com nossas famílias?

— Ah, sim, conversei — respondeu. Indicou Nigel com um movimento de cabeça. — Falei com a sua irmã. — Seu rosto se abriu num sorriso, exibindo o dente que lhe faltava. — Ela está em... qual é mesmo a palavra? Em pânico.

Pensar naquilo fez a minha garganta se apertar.

— E os meus pais? — eu disse.

— Sua mãe é uma pessoa boa, muito boa — respondeu Adam, sem demonstrar muito interesse. E encerrou o assunto por ali.

19

Casa Elétrica

Nossa nova casa ficava perto da antiga. Após um percurso de cerca de dez minutos, desembarcamos em frente de outra propriedade de muros altos e fomos escoltados através de um pequeno portão de metal, enfileirados como uma família de patos, os garotos recolhendo seus AK-47s para passar pela entrada. Do outro lado havia uma área coberta com areia e, mais adiante, uma casa de um único pavimento com um amplo pátio. Alguém instalara alguns varais frouxos na varanda. Dentro, a casa não era muito melhor do que o lugar de onde viéramos, embora este local tivesse eletricidade e um pequeno banheiro interno com um vaso sanitário cuja descarga era feita com um balde d'água. Dois dos rapazes, que agarravam suas armas sem dizer qualquer palavra, nos conduziram por um corredor até um quarto que cheirava a umidade, com dois colchões manchados no chão.

Uma gigantesca mancha de mofo preto e cristalizado cobria a parede do fundo, estendendo-se por toda a largura do quarto. Deixados sozinhos, Nigel e eu levamos os colchões para o mais longe possível daquilo.

Adam trouxe várias sacolas plásticas para o quarto, colocando-as perto de nós com o que eu imaginei ser uma expressão de orgulho no rosto e indicando que deveríamos abri-las. Nigel recebeu alguns conjuntos novos de camisas e calças, cuidadosamente dobrados. Eu recebi uma calça jeans masculina e duas camisas sociais masculinas, junto com uma saia marrom de lantejoulas que parecia pequena o bastante para servir numa criança. Todas as peças eram novas, recém-compradas. Adam me trouxe um caderno e uma caneta, um pote com uma mistura de xampu e condicionador da Head & Shoulders, um pouco de perfume, um sabonete, uma escova de dentes e um tubo enorme de pasta de dente. Parecia contente por estar tão bem preparado. Quando olhei para Nigel, vi que ele tinha um tubo igualmente enorme de pasta de dente.

Parecia que eles não estavam planejando nos matar imediatamente. Senti uma onda de alívio tomar conta de mim, seguida por uma exaustão instantânea. *Meu Deus*, pensei, segurando a minha pasta de dente. *Por quanto tempo eles estão pensando em nos manter aqui?* Para Adam, eu disse:

— Uau. É muita coisa.

Ele pareceu estar lisonjeado.

— Bom... — disse, erguendo as mãos. — Vocês são nosso irmão e nossa irmã. E podem ver que essa é a original, a pasta de dente da marca Crest...

Respeitosamente, eu e Nigel demonstramos o quanto gostamos daquelas compras. Presumi que não era fácil encontrar a pasta de dente americana na Somália e que também não era barata. Por outro lado, de acordo com os cálculos de Adam, ele logo receberia o resgate, um valor que chegava aos sete dígitos e que tornaria todas aquelas despesas irrelevantes.

Ele sorriu e nos desejou boa noite.

★

As noites seguintes não foram nem um pouco relaxantes. Ouvíamos as orações da noite, e, em seguida, a casa ficaria imersa no silêncio. O fornecimento de eletricidade era inconstante. As luzes se apagavam e acendiam subitamente, sem qualquer espécie de regularidade. Nigel e eu sussurrávamos até que ele adormecesse, falando sobre todo tipo de assunto banal e agradável em que pudéssemos pensar — nossos animais de estimação, nossa época de estudantes, nossas viagens anteriores. No escuro, eu conseguia identificar somente os contornos do seu rosto. O sono, para ele, tornara-se uma forma de escape. Durante o dia, sua ansiedade era tão forte e tão insidiosa que ele quase não parecia ser o mesmo Nigel que eu conhecia. Quando estávamos naquele outro lugar, a Casa dos Construtores de Bombas, ele revirara o quarto em busca de coisas que pudesse usar para se matar — os fios cortados, o cabide de ferro para casacos —, achando que seria melhor ficar um passo à frente de Ali e de seu desejo de nos decapitar.

Deitada sobre o meu lençol florido, eu ouvia a respiração de Nigel, sentindo uma pontada de inveja. Baratas caminhavam pelos cantos do quarto. Juntei as duas pontas do lençol por cima de mim e rolei sobre o colchão para prendê-lo firmemente ao redor do meu corpo, como se fosse um casulo, enquanto me deitava de lado. No banheiro da nova casa — que eu passei a chamar de Casa Elétrica —, os nossos captores nos traziam água em um balde marrom, retirada de uma bomba d'água do lado de fora, que usávamos para nos lavar e para despejar no vaso sanitário à guisa de descarga. Antes de ir para a cama, antes que as luzes se apagassem, eu jogava o máximo de água que conseguia sobre o meu corpo, receosa demais para remover qualquer peça de roupa, expondo apenas algumas partes da minha pele, desamarrando o *abaya* somente para deslizar a mão por cima da minha clavícula, arregaçando as mangas largas para lavar os braços, deixando as calças arriadas o máximo de tempo possível após usar o banheiro para me lavar rapidamente entre as pernas. A água me trazia uma sensação de alívio, embora eu não pudesse dizer que conseguia me limpar completamente. Mas aquilo era relativo. Tudo era relativo. As preocupações de um dia eram maiores ou menores do que as preocupações do dia anterior.

O que eu sentia à noite era o medo de ser estuprada. Eu era a única mulher em uma casa que incluía, pela minha contagem, doze homens além de Ahmed e Adam, que continuavam dormindo em outro lugar. Quatro daqueles homens eram prisioneiros. Nigel e eu ficamos aliviados ao saber que Abdi, nosso motorista e os guardas de segurança — cujos nomes eram Mahad e Marwali — foram levados para um quarto ao lado do nosso, mesmo que isso significasse apenas que eles não foram mortos. Podíamos ver seus sapatos empilhados no chão do corredor, do lado de fora da porta do seu quarto.

A casa vibrava com algo que só consigo descrever como sendo a energia masculina, uma mistura forte de repressão e força juvenil. Eu sentia aquilo quando os garotos vinham nos trazer comida, quando seus olhos pousavam em mim e eles rapidamente viravam o rosto, como se olhar para mim, ou pensar o que quer que pensassem em seguida, fosse constrangedor. Sentia a mesma coisa durante as tardes em que Ali sentava-se no chão do nosso quarto e passava um longo tempo reclamando e censurando os países ocidentais e os cristãos, dizendo que eram os responsáveis pela guerra na Somália. Parecia me encarar com uma mistura de intriga e repulsa, assim como percebia o mundo que havia além das fronteiras da Somália.

— As suas *mulheres*... — ele disse para Nigel certa vez, erguendo as mãos na frente do tórax como se fossem seios expostos. Em seguida, deixou a frase morrer no ar, sem encontrar as palavras, os lábios retorcidos pelo nojo. Fez questão de não olhar na minha direção.

Entretanto, os momentos em que eu mais sentia aquele medo eram as horas passadas no escuro, tendo o meu lençol e o *abaya* de poliéster como uma frágil barreira entre eu e eles, nos momentos em que ouvia um farfalhar ou um resmungo vindo de algum lugar da casa. Eu era uma aberração, uma inimiga da moral daquelas pessoas e, além de tudo, totalmente indefesa. O fato de eu estar ali os deixava sem saber ao certo como agir.

— Entenda — disse Ahmed para mim, certa vez, sugerindo que o plano original envolvia sequestrar os repórteres da *National Geographic* naquela estrada. — Disseram que pegaríamos dois homens.

★

No meio da primeira semana, Ahmed veio até a casa e me entregou seu telefone celular.

— Fale com a sua mãe — disse ele.

Peguei o aparelho e levei-o até a orelha.

— Mãe? — eu disse.

E ali estava a voz dela, a voz da minha mãe, dizendo o meu nome. A ligação chiava, entrecortada, e, por um segundo, aquilo pareceu irreal. Ahmed ativou a função de viva-voz no telefone. Fez um gesto, indicando que eu deveria segurar o aparelho longe da cabeça para que ele pudesse ouvir. Houve uma fração de segundo entre o que minha mãe dizia e o momento em que eu ouvia, fazendo com que nossas vozes se atropelassem inutilmente.

— Você está bem? — eu perguntei.

— Bom, não, não muito... Você... você está bem?

— Sim, estamos bem — eu disse.

A voz dela cortou a minha:

— Tudo bem.

— Estamos bem.

Parecia que nós duas estávamos nadando por entre ondas enormes no oceano, surgindo e desaparecendo das nossas respectivas linhas de visão, gritando em meio às paredes de água à nossa volta. Ela disse que me amava, que nossos familiares e amigos estavam rezando por nós. Perguntou se Nigel estava comigo. Disse que estavam tentando arranjar algum dinheiro. Foram essas as palavras que ela usou: "arranjar algum dinheiro". Não fazia ideia do que aquilo poderia significar.

Perguntei quanto dinheiro eles queriam como resgate. Minha mãe hesitou e depois respondeu:

— Um milhão e meio — disse. Nós duas ficamos em silêncio por alguns segundos. Sabíamos que era impossível reunir todo aquele dinheiro. Minha mãe gaguejava. — Amanda, será... será que... desculpe... será que você tem, tipo, alguma ideia sobre... tem alguma ideia sobre tudo isso?

Eu não tinha certeza do que ela queria saber. Mais tarde, saberia que ela estava sendo orientada por um investigador da RCMP, uma dentre as várias pessoas que monitoravam aquele telefonema. Minha mãe agora estava vivendo em uma casa alugada pelo governo em Sylvan Lake, que também funcionava como centro de operações da RCMP. Ela e o investigador tentavam descobrir o quanto as exigências dos sequestradores eram firmes, se estávamos seguros e quem havia nos abduzido. Enquanto isso, eu estava sentada em nosso quarto na Casa Elétrica, cercada pelos meus captores — Ahmed e vários outros — enquanto a voz da minha mãe entrava no quarto, no mundo deles, soando fraca e distante.

— Não... — eu disse, sentindo as lágrimas começando a encher meus olhos. Tentei pensar em alguma coisa, qualquer coisa que pudesse dizer a ela. Mas, antes que eu pudesse dizer mais, a ligação caiu e ela desapareceu.

*

Comecei a ficar obcecada com a ideia de que Nigel e eu precisávamos permanecer juntos — que tínhamos que fazer tudo que fosse possível para impedir que nos separassem. Mesmo que confundisse nossos captores chorando abertamente na frente deles, ainda assim Nigel era mais familiar para eles. Pelo fato de ser homem, era tratado com mais respeito. Como estávamos juntos, éramos tratados mais ou menos da mesma forma. Eu me apeguei a essa ideia, sabendo que a proximidade dele reforçava a minha segurança.

Quando os líderes vinham até a casa, a cada dois dias, mais ou menos, eu me esforçava para parecer recomposta e cordial, repetindo a mesma mensagem sem parar: nossas famílias não tinham dinheiro. Nossos governos não pagariam. Às vezes, Nigel se juntava a mim para reforçar a mensagem. Outras vezes, ele simplesmente vertia lágrimas silenciosamente, seguindo as minhas instruções para não dizer nada que soasse desesperado ou emocional demais. Após descartar a possibilidade de que algum tipo de negociação seria possível, minha nova esperança era que, após algumas semanas ou um mês, nossos captores acabariam se cansando e desistiriam de nos manter em cativeiro. Todo dia eu me esforçava para tornar mais difícil para eles me matarem — nos matarem —, agindo de forma amigável e permanecendo neutra em relação a assuntos como política e religião. Se pudéssemos entediá-los sem frustrá-los, pelo que eu imaginava, talvez eles nos levassem de volta ao Shamo, como duas caixas que tivessem passado um mês inutilmente juntando poeira em algum depósito.

— Como está a sua situação? — dizia Ahmed a cada vez que nos cumprimentava, entrando no quarto escuro, sempre com a aparência de um nobre visitando a casa dos seus servos, com uma camisa limpa e calças cáqui vincadas.

Havia duas respostas. Uma era a que eu queria gritar — o fato de que a nossa situação estava *uma merda*, obrigada — e aquela que sustentava o *status quo*, que mantinha o acordo básico em vigor e, já que estávamos juntos, recebíamos duas refeições básicas por dia e tínhamos um estoque de pasta de dente que poderia durar por uma eternidade, parecia ser a melhor opção.

— Nossa situação está indo bem — eu dizia a Ahmed. — Mas queremos voltar para nossas casas.

— Ah, sim — dizia ele. — Estamos trabalhando nisso.

Quando os líderes não estavam por perto, os garotos vinham até nosso quarto para passar o tempo e, em sua maioria, concentravam-se em Nigel. Olhavam-no nos olhos quando conversavam. Em um inglês trôpego, falavam sobre esportes e carros, e isso parecia tirá-lo da sua depressão por alguns intervalos curtos. Lentamente, estávamos aprendendo os nomes dos garotos. Havia Ismael, de quatorze anos, e um garoto cujo nome era Yahya, o mesmo nome do capitão mais velho. Havia também um Yusuf, dois Mohammeds e um outro soldado que parecia ser meigo, assim como Jamal, e cujo nome era Hassam. Cada um deles portava um telefone celular, um rifle AK-47 e uma pequena edição do Alcorão, mais ou menos do tamanho de um baralho, enfiada no bolso da camisa.

Quando eu estava por perto, os garotos eram mais cautelosos. A maioria, pelo que eu imaginava, nunca passara muito tempo perto de uma mulher que não fosse membro das suas famílias. Eu me esforçava constantemente para me desmistificar. Percebi que havia um certo benefício em dizer várias e várias vezes que eu morara no Afeganistão e no Iraque e que viajara a lugares como Paquistão, Sudão e Síria. Eles compartilhavam uma certa simpatia por esses países, especialmente o Afeganistão e o Iraque, onde soldados islâmicos combatiam, de acordo com a perspectiva deles, invasores infiéis. Sempre que eu mostrava familiaridade com a tradição ou a cultura islâmica, mesmo que de maneira vaga, reconhecendo que o Ramadã estava prestes a começar, recordando a beleza da mesquita de Al-Aqsa em Jerusalém ou a ocasião em que viajara pela região de Tora Bora, eles pareciam ficar menos desconfiados em relação a mim e mais ansiosos para conversar.

Ficou claro que Jamal nascera feliz demais para as circunstâncias da sua vida. A miséria não se encaixava com ele. Entrava e saía do nosso quarto, trazendo-nos copos de chá ou pequenos cachos de bananas verdes. Quase sempre tinha um sorriso efervescente no rosto. Havia momentos em que explodia em risos, quando entendia uma das piadas ou trocadilhos desanimados de Nigel, para em seguida cobrir a boca com a mão, como se quisesse enfiar sua alegria de volta pela goela. Depois de uma de suas viagens até o mercado, ele conseguiu trazer alguns maços de cigarro às escondidas e os entregou para Nigel, parecendo contente com sua própria esperteza.

Quando Jamal vinha nos visitar, Abdullah frequentemente o acompanhava, o Mr. Hyde ao seu Dr. Jekyll. Não se esforçava para rir ou agir de maneira casual, mas ouvia tudo o que dizíamos com bastante interesse. Embora a maioria dos outros garotos não cobrisse mais o rosto com seus lenços quando estavam conosco, Abdullah mantinha a face cuidadosamente oculta. Sentava-se perto de mim, os olhos faiscando com uma emoção que eu não conseguia decifrar, o nariz e a boca enterrados por baixo das dobras do tecido quadriculado. Fazia perguntas sobre os guerreiros mujahedins no Afeganistão — que tipo de armas utilizavam, como se vestiam, se tinham carros.

Lentamente, começamos a extrair informações. A maioria dos garotos fora até uma espécie de campo de treinamento para aprenderem a ser soldados. Ismael, o garoto de quatorze anos, fora treinado em táticas de guerrilha em algum lugar do deserto, assim como o mais jovem dos dois Mohammeds. Jamal se unira aos mujahedins devido aos sentimentos de luto e dever. Seu pai fora morto alguns anos antes pelas tropas etíopes, pelo que nos disse. Sua mãe ainda estava viva. A lembrança da perda do pai ainda era bem recente e fazia seus olhos lacrimejarem.

— Para mim, esse foi o começo da *jihad* — disse ele.

Soubemos que, antes da *jihad*, Ahmed e Adam trabalharam como professores. O Yahya mais velho fora fazendeiro. Antes da *jihad*, alguns dos garotos mais novos frequentaram a escola. Agora eles recebiam dinheiro para lutar, embora não fosse muito. Pelas minhas pesquisas, eu sabia que o financiamento para a insurgência na Somália vinha de outros países, angariado por meio de redes radicais islâmicas. Uma parcela, pelo que se sabia, vinha dos enormes resgates pagos por navios que eram sequestrados por piratas no Golfo de Áden. Pelo que consegui perceber, o grupo que nos mantinha em cativeiro parecia ter uma hierarquia bem definida. Os líderes — Ahmed, Adam e um terceiro homem alto que chamávamos de Romeu — pareciam ser razoavelmente endinheirados, com carros e roupas de aparência cara. O capitão Yahya e Ali pareciam ser os gerentes intermediários, enquanto os garotos recebiam pouco mais do que uma arma, alojamento e comida, além da convicção de que Alá estava com eles.

Jihad, em árabe, significa "a luta". Há dois tipos de *jihad* no islã, a maior e a menor. Ambas são consideradas nobres. A *jihad* maior é interna, a busca incessante de qualquer muçulmano para ser uma pessoa melhor, para afastar a tentação e os desejos terrenos, para manter a fé. A *jihad* menor é externa, comunal e violenta, quando necessário — a luta para defender e afirmar essa fé. Para os nossos captores, essa *jihad* envolvia combater os etíopes, embora o nosso sequestro estivesse incluído naquela causa. Não somente nós vínhamos de países "maus", como Ali dizia, mas qualquer dinheiro que recebessem pelo nosso resgate seria redirecionado para financiar a luta.

Parecia que os rapazes eram organizados em células, sendo chamados para combater nas ruas de Mogadíscio ou em outros lugares conforme a necessidade. Pelo que conseguimos aprender, a maioria dos garotos estivera morando em suas casas até o dia em que foram levados a Afgoye, uma tarefa para a qual sua célula fora ativada — por quem, não conseguimos saber.

Enquanto Jamal parecia transbordar com planos para a sua vida depois que o sequestro estivesse concluído — ele se casaria e depois estudaria tecnologia da informação na Índia, pois ouvira dizer que havia muitas universidades por lá —, Abdullah parecia estar focado na guerra. Certo dia, perguntei o que ele faria na vida, mais tarde. Ele me lançou um olhar feroz. Gesticulou como se estivesse vestindo um casaco e imitou o som de uma explosão com a boca.

Levei um segundo para entender aquilo.

— Homem-bomba?

Abdullah assentiu. Mártir — era assim que ele via as coisas. Nos portões do paraíso, os soldados do exército de Deus tinham o direito de entrar por um portal especial.

Jamal balançou a cabeça negativamente. Acenou com a mão para a frente e para trás, como se quisesse dizer "não, não, não". Assim como eu, ele imaginava que a vida poderia voltar a ser normal e que tudo isso poderia ser deixado para trás.

— Não quero que ele morra — explicou. — Ele é meu amigo.

20

Amina

— Por que vocês não são muçulmanos? — foi o que Ali quis saber, em uma certa manhã, quando entrou em nosso quarto, parecendo estar um pouco entediado. — Por que vocês não oram?

Ele já expressara aquela confusão antes, perplexo pela ideia de que nossos dias não eram governados pelos horários rígidos das orações, enquanto os seus eram bem divididos em cinco partes, as horas entre seus compromissos com Alá, desde o primeiro, no início da manhã, até o último, ao cair da noite. Devido à nossa indolência espiritual, Ali tinha certeza de que iríamos para o inferno. Ele nos dissera isso outras vezes, também, ao condenar furiosamente quem éramos, mas hoje parecia estar menos agressivo. O dia já estava quente, mais quente do que o habitual. O ar em nosso quarto tinha o cheiro de um pântano.

Ali sentou-se, apoiando as costas contra a parede. Suspirou.

— É melhor orar — disse ele.

Percebi que, se estivéssemos em uma situação oposta, se Ali fosse aprisionado e levado para longe de o tudo que conhecia, ele conseguiria manter suas orações, viver de acordo com a ordem imposta pela sua fé. Assim como meus próprios dias pareciam, cada vez mais, uma longa espera por algo que eu não sabia quando ocorreria, percebi que provavelmente havia algum tipo de força naquilo. Durante aqueles momentos, podíamos ouvir Abdi e os dois outros somalianos prisioneiros recitarem suas orações em árabe no quarto ao lado.

Falar sobre religião com Ali era algo que fazíamos com bastante cautela e apenas durante seus momentos mais tranquilos, quando não estava destilando sua fúria sobre uma coisa ou outra. Nigel, em certo momento, chegara a dizer que nutria um certo apreço pelo budismo, mas Ali não demonstrara interesse.

— Sabemos orar, irmão — eu disse, deliberadamente evitando olhar para Nigel, que não fora criado com uma religião formal e poderia se opor àquele argumento. — Só temos que aprender mais sobre o caminho muçulmano. — Perguntei a Ali se ele tinha algum exemplar em inglês do Alcorão que pudesse nos emprestar, para que pudéssemos apenas dar uma olhada.

Isso pareceu deixá-lo feliz.

— Vou procurar no Mercado de Bakaara — disse ele, olhando para mim e depois para Nigel. — *Inshallah*, haverá um.

O Mercado de Bakaara era uma área famosa na região central de Mogadíscio, um lugar onde as pessoas vendiam comida, suprimentos e armas. Antes de sermos sequestrados, eu perguntara a Ajoos se poderíamos visitar o lugar, e ele simplesmente rira.

— Impossível — dissera. — O Mercado de Bakaara é uma base para a Al-Shabaab. Muito, muito perigoso para pessoas brancas.

— *Inshallah* — eu respondi para Ali.

Eu estava flutuando em um balão de boa vontade. Devido ao tempo que passara no Iraque, eu sabia que, para alguns muçulmanos, o salto do cristianismo para o islã não era considerado tão grande. As duas religiões adoravam o mesmo deus sob nomes diferentes. A fé dos muçulmanos reconhecia Moisés e Jesus — *Musa* e *Isa*, como eram chamados. Reconheciam também o Torá, os Salmos e os Evangelhos como revelações de Deus. Para se converter, era necessário declarar que Maomé era o profeta das escrituras, aquele cujo caminho você estava pronto para seguir.

Disse a Ali que eu havia lido a Bíblia várias vezes. Disse a ele que passara a minha infância de joelhos e que meus avós eram muito religiosos.

Ele entendeu imediatamente o que eu estava dizendo.

— Então você já é cinquenta por cento muçulmana — disse. Fez um gesto grandioso com uma das mãos. — Precisa apenas dizer o *shahadah* — a declaração islâmica de fé — e irá para o paraíso.

Nigel me encarou com um olhar feroz. Ele sabia o que eu estava fazendo e parecia não gostar nada disso. Havíamos conversado uma ou duas vezes sobre fingir que aceitávamos o islã, pedindo para nos converter. Nigel era totalmente contrário à ideia, achando que seria um risco muito grande. Se fôssemos apanhados fingindo seguir a religião deles, a coisa que levavam mais a sério do que qualquer outra, disse ele, nós certamente seríamos mortos.

Tentei rebater aquele argumento: nossos captores teriam que nos tratar bem se nos convertêssemos. Não teriam escolha a não ser nos respeitar por termos a mesma fé. Teriam que ser mais caridosos. Para mim, seria uma maneira de me distanciar da minha imagem de mulher ocidental. Minha liberdade — minhas viagens e meu trabalho, minha maneira de vestir e falar, minha vida desatrelada de um marido ou uma família — era uma provocação. Quanto mais cedo eu conseguisse me reinventar, melhor seria a minha situação.

Ali se levantou, bateu nas calças para remover a poeira que cobria o piso quando se sentara e saiu do quarto.

Nigel olhou para mim, irritado.

— De jeito nenhum, porra — disse ele. — Não faça isso!

Ele foi até o lado mais distante do quarto, cuidadosamente mantendo-se longe da parede coberta de mofo, mas também de mim.

Como se aquilo fosse uma deixa, um alto-falante nas proximidades começou a funcionar, com as palavras um pouco embaralhadas. O muezim — diferentemente do que ouvíramos no horário anterior, desta vez, parecia ser um homem mais velho — limpou a garganta em frente ao microfone algumas vezes e começou o seu cântico de chamada para as orações.

Nigel exalou profundamente e balançou a cabeça negativamente.

— Escute, você pode virar muçulmana, se quiser — disse ele. — Mas eu não vou fazer isso.

Não podíamos sequer cogitar a hipótese de nos separar. Eu sabia disso. Suspirei também.

— O plano não vai funcionar assim, Nigel — eu disse. — Se eu fizer isso e você não fizer, eles vão me tirar daqui, com certeza. É impossível que uma mulher muçulmana viva com um homem não muçulmano.

— Certo — disse ele.

E isso foi tudo. Estávamos em um impasse. A conversão, como nós dois sabíamos, era algo muito sério. Tudo ou nada. Deixei o assunto morrer por ali.

★

A janela do nosso quarto ficava aberta para arejar o ambiente, mas estava coberta por várias barras de ferro. Tinha vista para outra casa. De vez em quando, nós ouvíamos os sons da família que morava lá — crianças brincando, pais conversando, risos. Consegui enxergar rapidamente as costas de uma mulher, mas fiquei nervosa demais para chamá-la, preocupada com a possibilidade de que ela começasse a gritar. Nossa única interação na janela era com um gato, uma criatura magricela e alaranjada, que, numa tarde, pulou do beco para o peitoral da nossa janela.

Tínhamos permissão para ir e voltar livremente ao banheiro que ficava ao lado do quarto. Lá, no alto da parede que ficava de frente para o pátio, do outro lado da privada, havia uma pequena janela — uma fresta de trinta por sessenta centímetros cortada no próprio concreto para deixar que o ar fresco entrasse no banheiro. Nigel e eu logo descobrimos que, se esticássemos nosso pescoço enquanto estávamos na ponta dos pés, poderíamos espiar por ela e enxergar uma pequena parte do terreiro onde nossos captores passavam a maior parte do seu tempo.

A janela do banheiro se tornou o nosso portal, nosso aparelho de televisão, nosso canal de notícias. Era algo que precisávamos monitorar.

Alternamos nossas visitas ao banheiro durante uma manhã, quando um novo homem surgiu no pátio, trazendo uma sacola plástica amarela. Era gordo, de meia-idade e estava bem-vestido. Caminhava com o corpo encurvado, como se sua barriga fosse pesada demais para ele — como se, durante toda a sua vida, fora magro e não houvesse se acostumado a carregar tanto peso. Cumprimentou Ali e o Velho Yahya do jeito costumeiro entre os homens somalianos — abraçando-os de um lado e depois do outro. Parou por um momento para inspecionar o terreiro e depois tirou da sua bolsa um maço enorme de xelins somalianos, a moeda local. Entregou o dinheiro ao capitão. Conversaram por alguns minutos antes que ele fosse embora.

Foi assim que descobrimos que havia uma pessoa encarregada do dinheiro — alguém que financiava a operação ou que entregava o dinheiro em nome de quem quer que estivesse financiando aquilo. Daquele ponto em diante, o homem viria até ali pelo menos uma vez por semana, trazendo dinheiro e algumas mercadorias para os nossos captores. Uma ou duas vezes, nós o vimos trazendo uma panela enorme de comida caseira e deixando-a ali para os garotos. Passamos a apelidá-lo de Donald Trump.

Pelo nosso buraco espião, observávamos os garotos praticando rotinas militares e exercitando o corpo para passar o tempo. Seguindo o exemplo do rapaz pesado e de pele escura chamado Yusuf, eles faziam marchas, flexões de braço e de pernas e flexionavam seus bíceps como se estivessem segurando pesos invisíveis. Às vezes, o Capitão Yahya arbitrava disputas de luta livre, interrompendo a ação ocasionalmente para demonstrar algum tipo de chave ou imobilização. Após algum tempo nós passamos a chamá-lo de Skids. Os garotos ocasionalmente reclamavam para nós, em particular, que ele era exigente demais, que os impedia de fazer várias coisas e que sempre lhes dizia não.

Aquela janela me deu coisas para observar, mas não me trouxe esperança. Eu ficava na ponta dos pés até minhas panturrilhas começarem a latejar, tentando visualizar algo que indicasse uma possibilidade de sair dali. A ideia de fugir parecia inútil. Havia muitas pessoas reunidas em um espaço muito pequeno para que alguma coisa assim pudesse acontecer sem ser notada, e havia somente um único ponto de saída — a portinhola no pesado portão de metal no canto do terreiro. Os muros da propriedade eram encimados por arame farpado. Em algum ponto além dali, o muezim com a voz encarquilhada chamava mais uma vez os fiéis, assinalando para todos que era hora de se levantarem e virarem-se na mesma direção.

★

Em uma manhã, alguns dias depois de havermos discutido a respeito, Ali entrou no quarto trazendo dois livros grossos encapados em couro azul-marinho, as capas adornadas com arabescos dourados intrincados e, escritas em inglês, as palavras "O Sagrado Alcorão". Ele entregou os exemplares para nós com um orgulho visível, um para mim e outro para Nigel. Os livros eram novos. As páginas no interior eram finas como seda, e os versos estavam impressos em letras pequenas — o original em árabe de um lado e uma tradução em inglês no outro.

A verdade é que eu teria devorado qualquer livro que me entregassem — qualquer coisa para ocupar a minha mente ansiosa —, mas o Alcorão, naquele momento específico, parecia ser um presente dos céus. Era como receber a cifra de um código complicado.

Recebi permissão para conversar com a minha mãe duas outras vezes nos primeiros sete dias em que ficamos presos. As duas ligações duraram menos de um minuto. Nenhuma delas serviu para passar qualquer informação além do fato de que eu estava viva. Nigel recebeu o benefício de uma única ligação para sua irmã, Nicky, com o mesmo objetivo. Concordamos que aparentemente não receberíamos ajuda nem seríamos soltos dentro de pouco tempo.

Eu li o livro com a esperança de poder usar a religião deles para convencê-los a me libertar.

Nigel e eu lemos durante horas, por vários dias, sem parar. Trocamos poucas palavras durante aquele tempo, manipulando os livros cuidadosamente e colocando-os na estante sob a janela quando comíamos ou íamos ao banheiro.

Ao perceber que estávamos estudando o livro sagrado com tanto afinco, Ali permitiu que saíssemos ao terreiro mais algumas vezes, indicando com um gesto que deveríamos nos sentar sobre uma mureta que cercava um mamoeiro raquítico. O lugar estava seco e quente. Os garotos relaxavam por toda parte com suas armas, ignorando nossa presença.

Li o Alcorão, página por página, tentando ignorar o medo que borbulhava dentro de mim. Procurava por linhas de raciocínio lógico, perspectivas sobre a mente dos meus captores. Cruzava um fragmento de informação com outro. O Alcorão era denso, poético em alguns pontos, ditatorial em outros, e suas mensagens frequentemente eram misturadas. Havia muitos versos sobre a *jihad* e inimigos, junto de outros sobre gentileza e misericórdia. O paraíso era oferecido como um fruto suntuoso. As mulheres, de maneira geral, eram descritas como esposas. A frase em árabe para prisioneiros ou escravos era "aqueles que tua mão direita possui". O livro era explícito sobre o significado dessa possessão: basicamente, você se torna propriedade dos seus captores. Havia versos dizendo que os prisioneiros devem ser tratados com gentileza e ter sua liberdade garantida, se demonstrassem bom comportamento. Outros versos deixavam claro que uma mulher cativa poderia ser livremente usada e explorada sexualmente. Em alguns versos nos quais o Alcorão proibia os homens de fazer sexo fora do casamento, havia uma ressalva pequena, mas muito preocupante: "exceto com aqueles que a tua mão direita possui".

Teríamos que nos concentrar em demonstrar bom comportamento e apelar ao senso de misericórdia deles. O livro nos dava um pouco de poder. Dava-nos uma linguagem para usar, linhas de raciocínio para aplicar. Era como conseguir examinar o sistema operacional que controlava a vida dos nossos captores.

Encontrei duas noções que pareciam capazes de fazer a diferença:

Um crente não deve matar outro crente.

E também: *Um escravo crente recebe mais leniência do que um escravo não crente.*

— Nigel, eles não podem nos matar se nos convertermos — eu disse.

Ele também havia encontrado os mesmos versos, mas continuava preocupado com os riscos. Eles perceberiam que a conversão era uma farsa, disse ele. Poderia insultá-los. Era perigoso demais.

Eu estava me lembrando do som que indicava uma lâmina sendo passada contra a garganta que Ali fizera enquanto deslizava o dedo pelo pescoço, explicando como seríamos mortos. Eu estava disposta a ser falsa se aquilo pudesse nos dar alguma vantagem.

★

Acordei na décima primeira manhã do nosso cativeiro sabendo que era hora de agir. Nada havia mudado. Tínhamos a sensação de que devíamos fazer alguma coisa, forçar algum tipo de mudança na energia do lugar. Nigel parecia estar perigosamente deprimido. Estava sentado em seu colchão, emburrado, lendo o Alcorão, quando Ali entrou no quarto.

Quando Ali começou a falar sobre Alá e o islã, como habitualmente fazia, eu aproveitei o momento, dizendo as palavras antes que pudesse pensar duas vezes nelas:

— Acho que estamos prontos para dizer o *shahadah* — eu disse a Ali, baixando a cabeça para demonstrar modéstia e também para evitar olhar para Nigel.

Ali pareceu ficar tomado pelo júbilo, tratando aquilo como uma vitória pessoal. Ele se ajoelhou e encostou a testa no chão.

— *Allahu Akbar* — exclamou, repetindo a expressão três vezes. *Deus é grande. Deus é grande. Deus é grande.* Pela primeira vez em onze dias, eu senti que tinha alguma influência.

Levantando-se outra vez, Ali me observou cuidadosamente. Eu estava suando, evitando abertamente olhar na direção de Nigel. Ali pareceu perceber a desconexão entre nós. Sua voz ficou severa, e as palavras foram direcionadas a mim:

— Isso não é uma brincadeira, como você sabe — disse ele. — É algo muito sério.

Eu assenti, tentando parecer humilde e capaz de demonstrar uma piedade imensa.

— Sim, é claro, meu irmão — respondi. — Nós entendemos.

— Está decidido então, *inshahallah* — disse Ali. — Vocês podem se preparar. Às onze horas, vocês se tornarão muçulmanos. — Ele enfatizou as palavras com seu sotaque forte. Em seguida, saiu do quarto.

Nigel ficou furioso por eu ter feito aquilo. Fechou seu Alcorão com força. Olhava para mim sem acreditar.

— Que diabos foi isso? — disse ele. — Não vamos conversar a respeito?

Nós *já havíamos* discutido, tive vontade de dizer.

— Nigel, temos que fazer isso. É loucura, eu sei, mas é uma maneira de continuarmos vivos.

Conhecíamos os riscos. No meu Alcorão, eu li a palavra que se aplicaria a nós — e que seria a nossa sentença de morte — se descobrissem que estávamos nos convertendo sem acreditar realmente. Hipócritas. Inimigos em meio ao grupo. Esses inimigos eram considerados muito mais malignos e perigosos do que aqueles encontrados no campo de batalha. O Alcorão dava instruções específicas para que todos os falsos convertidos fossem mortos. *Eles são o inimigo, então acautela-te quando estiveres perto deles*, dizia um verso. *Que Alá os destrua.*

Voltando ao quarto, Ali nos disse para escolher peças dentre a nossa coleção esparsa de roupas e acompanhá-lo até o lado de fora da casa para que pudéssemos lavá-las no quintal. Apenas isso já trazia uma nova sensação de liberdade — nossa boa vontade foi recompensada com sabonete. A obsessão dos muçulmanos com a limpeza do corpo serviria para melhorar a nossa situação, eu pensava.

Nigel recolheu suas roupas e seguiu-me enquanto eu acompanhava Ali pelo corredor estreito, passando pelo quarto onde Abdi e os outros estavam aprisionados, atravessando uma pequena cozinha que não era utilizada e indo até a varanda de concreto em frente ao terreiro. Quando me virei para olhar para Nigel, ele abriu um sorriso rápido e surpreendente:

— No que você está nos metendo, Lindhout? — disse, disfarçadamente.

A pergunta, ao mesmo tempo, demonstrava carinho e amargura. Recordei rapidamente que a nossa história — o que começara a acontecer naquela primeira noite em que Nigel e eu nos víramos no terraço em Adis-Abeba — sempre fora uma loucura, desde o início. Amor louco, confusão louca, e agora, talvez, uma tragédia louca. O que aconteceria se eu não houvesse me apresentado? E se eu simplesmente houvesse passado por ele com a minha mochila, deixando-o onde estava?

Tenho certeza de que, na mente de Nigel, ele mesmo já havia reescrito a história e seu final várias e várias vezes.

Lentamente nós esfregamos nossas roupas em um balde plástico sob o sol quente, enchendo-o e reenchendo-o em uma torneira instalada embaixo de uma árvore alta e pendurando as peças para secar. Meus nervos formigavam. Apesar do calor, minhas mãos e pés estavam gelados. Ao lado de Nigel, eu demonstrara bastante audácia em relação a me converter, lembrando-o constantemente do quanto já conhecia sobre as culturas islâmicas. Entretanto, percebia agora que sabia muito pouco. Em relação ao islã, eu não era nada além de uma turista curiosa. Sentia-me silenciosamente aterrorizada pela decisão que tomara.

De volta ao quarto, cada um de nós recebeu uma lata de atum para o almoço. Alternamo-nos no chuveiro do banheiro. Penteamos nossos cabelos e vestimos nossas roupas limpas, que já estavam secas. Usei meu *abaya* por cima da minha velha camiseta regata e um dos jeans masculinos que eles me deram. Tudo aquilo cheirava abençoadamente a sabão em pó.

Estávamos juntos naquilo, Nigel e eu. Era como se estivéssemos nos preparando para alguma espécie bizarra de casamento, aprontando-nos para cruzar um limite, para selar nossos destinos. Olhei para ele, mais limpo do que já estivera em quase duas semanas, os cabelos úmidos e cuidadosamente divididos em um dos lados da cabeça, com os olhos arregalados e uma expressão um pouco sombria, e senti uma chama antiga se reacender. Nigel estava com o início de uma barba, os pelos que lhe cobriam o queixo fazendo com que ele parecesse mais velho, mais adequado ao purgatório monótono e empoeirado da casa e do terreiro murado.

Quando fôramos um casal, eu imaginara inúmeras possibilidades para nós dois, inúmeras maneiras como nossas vidas poderiam se desenrolar, juntas ou separadas. O que estava acontecendo era algo muito distante de qualquer coisa que eu pudesse haver imaginado.

Dobrei o *hijab* sob meu queixo, de modo que estivesse firmemente ao redor do meu rosto, com os cabelos cuidadosamente escondidos por baixo do tecido. Nigel vestiu uma camisa preta de algodão que lhe fora dada por nossos captores. Ali retornou ao quarto após renovar sua colônia e trocar de camisa.

Para se tornar muçulmano, basta fazer uma declaração honesta sobre a sua fé. Não precisa acontecer em uma mesquita ou ser supervisionada por um imã. Não envolve uma cerimônia muito elaborada. A conversão é uma apenas uma questão de dizer duas frases simples em árabe, embora o mais importante seja sentir a convicção daquelas palavras em seu coração. O que importa é a sinceridade.

Nigel e eu ficamos em pé solenemente no quarto com Ali enquanto ele recitava as palavras do *shahadah* em árabe e nós repetíamos as frases em um uníssono levemente dissonante.

Fizemos votos de aceitar Alá como nosso único Deus e Maomé como seu mensageiro.

O que eu senti naquele momento não foi uma sensação de rendição. Também não era rebeldia. Era simplesmente um movimento num jogo de xadrez, como um enxadrista em dúvida, que move um cavalo dois espaços para a frente e um lateralmente. Não era uma traição da minha fé, nem da fé de Nigel, nem da fé deles. Era uma maneira de nos sentirmos menos deslocados e, assim, ter menos medo. Estávamos fazendo o necessário para sobreviver.

Quando tudo terminou, Ali deixou o quarto, e todos os garotos se colocaram em uma fila e, em júbilo, apertaram a mão de Nigel.

— *Mubarak* — disse Ali para nós dois. *Parabéns*. Outro garoto me cumprimentou com um movimento de cabeça e me chamou de "irmã". O Jovem Yahya disse alguma coisa em somali, e Abdullah traduziu:

— *Jannah, jannah*. Ele disse que vocês irão para o paraíso.

Uma porta, talvez, acabara de se abrir. Em nossas novas vidas como muçulmanos, como Ali nos disse, não seríamos mais Nigel e Amanda. Deram-nos novos nomes. Nigel passou a ser chamado de Mohammed e eu deveria ser chamada de Marium. Dentro de alguns dias, receberíamos novos nomes outra vez; desta vez, atendendo a um pedido nosso, nossos sequestradores escolheram nomes mais próximos dos nossos nomes de batismo. Nigel seria chamado de Noah. Meu nome seria Amina. Eu viveria com aquilo por um longo tempo. Muito tempo depois, eu procuraria o significado daquele nome em árabe: Amina era uma garota que, acima de tudo, deveria ser fiel e digna de confiança.

21

Paraíso

Agora nós precisávamos aprender a orar. Daquele momento em diante, deveríamos orar sempre que nossos captores o fizessem. Era a primeira coisa que faríamos ao acordar e a última que faríamos antes de dormir.

A conversão ao islã nos dava a sensação de ser como uma travessia. Era como se, por onze dias, Nigel e eu tivéssemos flutuado em um navio ancorado em um porto e agora estivéssemos desembarcando, enquanto nossos captores permaneciam alinhados no atracadouro. Eu me sentia hesitante, desorientada. Os garotos eram bem mais receptivos, tratando-nos com uma cortesia renovada. Em vez de entrar e sair do nosso quarto sem qualquer aviso, eles permaneciam no corredor e esperavam que nós lhes déssemos permissão para entrar. Abdullah, aparentemente, assumiu o posto de professor para mim, enquanto Jamal ficou encarregado de Nigel. Passavam-nos tarefas e indicavam trechos do Alcorão para que memorizássemos. Fizeram com que anotássemos os movimentos das orações — polegares diante das orelhas, braço direito flexionado sobre o esquerdo — e as palavras que deveríamos recitar no decorrer da oração. Tive a sensação de que aqueles ensinamentos eram uma forma de aliviar o próprio tédio que sentiam. Durante nossas lições, os outros garotos, às vezes, nos observavam pelo vão da porta, escutando conforme tropeçávamos nas sílabas do árabe, incapazes de esconder o quanto aquilo os divertia.

As orações muçulmanas são feitas em ciclos chamados de *raka'ah*. Durante o dia, dependendo do horário, você passa pelo ciclo duas, três ou quatro vezes — não muito diferente de fazer as saudações ao sol na ioga. Cada oração inclui movimentos. Você fica em pé, ajoelha-se, encosta a testa no chão e senta-se sobre os calcanhares em contemplação antes de começar tudo outra vez. Você recita os versos corânicos que memorizou. Cada ciclo começa com os mesmos sete versos do primeiro capítulo, mas eles se expandem e incluem outros capítulos. Um capítulo se chama *surah*. Os muçulmanos mais devotos podem citar versos de toda a extensão do Alcorão, pois memorizaram cada um dos 144 capítulos do livro — mais de 6.200 versos no total.

Eu orava de maneira desajeitada. Colocava os polegares diante das orelhas no ângulo errado ou me esquecia de manter os dedos dos pés sob meu corpo quando encostava a testa no chão. As palavras em árabe se misturavam na minha cabeça, já que eu não sabia o seu significado. Havia algumas poucas frases que eu aprendera quando morara no Iraque, mas, em sua maioria, estávamos aprendendo sílabas em vez de sentenças, juntando-as como contas em um colar, uma ou duas palavras de cada vez. *Bismillahil rahman ar-raheem. Al hamdu lillahi rabb el alameen.*

Eu reconhecia a gentileza que aquelas palavras podiam carregar em si, a elevação e queda das palavras, como os versos poderiam fluir como se fossem ondas. Até que um deles ficou preso na minha cabeça e recusou-se a sair. *Ar rah... Arahim?*

Abdulla percebeu a interrogação no tom da minha voz. Ele se inclinou para a frente por uma fração de segundo.

— Não! — esbravejou. — Errado.

Não era um professor paciente.

Em relação à pronúncia do árabe, minha cópia do Alcorão não ajudava em nada, pois o árabe era apresentado em caracteres indecifráveis, sem que nada fosse descrito foneticamente. Assim, Abdullah entoava as orações sem perder o fôlego, e eu rabiscava anotações em meu caderno para que pudesse praticar tudo aquilo depois. Do outro lado do quarto, Jamal estava sentado ao lado de Nigel, com os joelhos erguidos em frente ao corpo esguio, guiando-o pelos novos versos com bastante cuidado e atenção.

Olhei para Abdullah.

— Pode dizer essa última parte novamente, por favor? Mais devagar?

Ele negou com um movimento de cabeça e levantou-se, aparentemente indicando que nossa lição estava terminada.

— Você é má, Amina — disse ele, com a expressão grave, indicando Nigel-Noah com o queixo, como se ele fosse o aluno-modelo, o preferido. Em seguida, repetiu o verso em uma última torrente implacável de palavras em árabe: — *Ar-rahman ar-raheem. Malikee yawm ul deen. Iyyk naabudu wa iyyka nastaeen. Ihdina assirat al moostaqeem* — e, logo depois, contente por seu próprio talento na pronúncia do inglês, disse de maneira clara e lenta: — Você é uma mulher muito estúpida.

★

Uma das características do islã é que o paraíso sempre atrai os fiéis. A vida é orientada em relação à pós-vida. Quaisquer prazeres que você recuse neste mundo, quaisquer confortos, riquezas ou belezas que estejam ausentes dos seus dias e anos, você os encontrará ao entrar no paraíso, onde a dor, a penúria e a guerra desaparecem totalmente. O paraíso é um jardim vasto e perfeito. É um lugar onde todos vestem lindos mantos, onde há imensos banquetes e sofás confortáveis decorados com joias. Há árvores, montanhas almiscaradas e vales frescos cortados por rios. O paraíso é tão perfeito que, ali, as frutas nunca apodrecem, e uma pessoa terá trinta e três anos para sempre. É a linha de chegada para toda a miséria terrena, o portão de entrada para a felicidade perpétua. De acordo com o Alcorão, anjos aguardam em cada um dos seus oito portões, saudando os recém-chegados.

— Que a paz esteja contigo, pois perseveraste com paciência — dizem eles. — Agora, quão excelente é a residência final!

Quanto mais eu lia sobre o paraíso, mais compreendia que era exatamente aquilo que os garotos esperavam, o objetivo que desejavam alcançar pelas suas orações, como se tivessem um enorme e distante plano para realizar seus sonhos, ao qual deviam se dedicar diariamente com devoção até que chegasse a hora de se encontrar com os anjos.

Por sorte, meu Alcorão vinha com anotações. Passagens diferentes eram acompanhadas por longas notas de rodapé em inglês, citando o *hadith* islâmico, textos antigos que registravam o que o profeta Maomé fizera, dissera e ensinara durante sua vida. O *hadith* acrescentava contexto e detalhes à palavra de Deus, conforme estava escrita no Alcorão. Para mim, lendo em nosso quarto de concreto na Casa Elétrica, as notas de rodapé ajudavam a responder algumas das minhas perguntas. Contavam pequenas histórias bastante instrutivas e, junto com o Alcorão, deixavam claro que aquilo que uma pessoa faz nesta vida tem uma importância enorme na próxima. O paraíso, dizia-se, tinha sete níveis, e cada nível era subdividido em cem graus, onde os lugares mais altos estavam reservados para as pessoas mais justas. Os garotos em nossa casa, sem nada para distraí-los e sem qualquer responsabilidade além de vigiar Nigel e a mim, estavam tentando conseguir um bom lugar no pós-vida. Tinham muito tempo para desenvolver sua fé, para investir em suas virtudes enquanto esperavam pelo Dia do Juízo.

Se Abdullah tinha qualquer desconfiança em relação à minha sinceridade como muçulmana, não a demonstrava. Em vez disso, passava horas sentado à minha frente, escutando-me falar árabe com uma concentração intensa e implacável, os olhos fixos no meu rosto enquanto eu progredia a passos de bebê com minhas recitações. Se eu conseguisse recitar por alguns minutos sem gaguejar ou fazer uma pausa, ele me elogiava.

— Você é muito inteligente — dizia. — Isso é bom.

Mas era apenas uma questão de minutos, geralmente, até eu fazer alguma coisa errada. O humor de Abdullah mudava instantaneamente. Ficava furioso com meus erros, fervendo com uma raiva renovada. Quando eu olhava para ele, tentando compreender o que fizera de errado, ele gritava: — Baixe os olhos! — E frequentemente erguia a mão, ameaçando me bater. Suas mãos, eu percebi, eram anormalmente grandes.

Quando ele saía, Nigel e eu comentávamos sobre a possibilidade de ele ter algum problema mental ou de apenas sentir prazer por estar em uma posição dominante. De qualquer maneira, ele parecia acreditar que era o meu dono.

Quando a terceira semana do nosso cativeiro começou, senti-me grata pelo desafio de aprender uma nova linguagem e uma nova religião. Ajudava a preencher os dias. Quando ficávamos a sós, Nigel e eu comparávamos nossas anotações sobre o que estávamos descobrindo no Alcorão. Ele estava focado na ideia de que Alá tinha muitas regras em relação a promessas e juramentos. Se você jurasse alguma coisa em nome de Alá, era obrigado a cumprir a promessa. Seu objetivo era fazer com que um dos líderes do grupo jurasse, em nome de Alá, que nos libertaria.

Mesmo nas horas mais altas da madrugada, eu podia ouvir o grupo de garotos continuando a recitar versos do Alcorão enquanto estavam sentados no terreiro, com suas vozes se entrelaçando em um longo murmúrio. Perguntava a mim mesma: como eles conseguiam se concentrar tanto? Será que suas crenças realmente eram tão arraigadas?

Eu esperava que um dos guardas mais velhos — o capitão ou Ali — conduzisse as orações, mas aquela função recaía sobre o pequeno e sereno Hassam, que, aos dezesseis anos, era um dos membros mais jovens do grupo. O pai de Hassam, conforme Jamal nos explicou, era um imã em uma mesquita. Assim, Hassam conhecia mais sobre o Alcorão do que qualquer outra pessoa na casa e era encarregado de conduzir as orações, ficando na frente do grupo, voltado para Meca e guiando os recitais, enquanto os outros se agrupavam em filas atrás dele. Pelo vitrô do banheiro que usávamos para espiar o exterior da casa, eu o vi assumir o papel de um homem idoso. Entoava as orações em uma voz alta e clara, exagerando os movimentos das mãos para que todos pudessem fazer o mesmo.

Esperava-se que Nigel e eu orássemos em nosso quarto, com Nigel à minha frente pelo fato de ser homem e, portanto, o líder entre nós. Com certa frequência, Jamal vinha ao quarto e convidava Nigel para se juntar aos outros no terreiro. Nigel compreendia que não podia negar e também que era uma chance de respirar ar fresco. Ele olhava para mim com um ar de culpa, sabendo que, por ser mulher, eu provavelmente nunca seria convidada para orar fora da casa. Em seguida, saía.

Deixada sozinha no quarto, eu ignorava completamente as minhas orações. Sabendo que meus captores estavam ocupados e não me importunariam, ficava feliz simplesmente olhando para uma parede.

★

— Isso não é nada bom — disse Donald Trump em uma noite em que entrou em nosso quarto, vendo os nossos colchões sujos e esfarrapados e o mofo preto que cobria a parede do fundo. — Vocês não podem manter seres humanos nessas condições! — disse ele. Com uma leve expressão de desgosto, vestia uma camisa social cor-de-rosa de mangas longas e calças largas, com a barra feita de acordo com as proporções indicadas pelo *hadith* — um palmo acima dos seus calcanhares, para que o tecido não tocasse o chão. Ele pisou em uma barata que atravessava o piso.

Apesar daquela desaprovação fingida, Donald era um dos líderes do grupo que nos mantinha presos. Tínhamos certeza daquilo. Ele vinha até a casa a cada cinco ou seis dias para trazer mantimentos comprados na cidade. Ali, por razões que nunca viríamos a saber, desaparecera em algum ponto da terceira semana.

O verdadeiro nome de Donald era Mohammed, mas já tínhamos um Mohammed na casa e, além disso, era ele quem lidava com o dinheiro na propriedade e era mais ocidentalizado que os outros. Seu inglês não era perfeito, mas sabia conversar bastante sobre o mundo. Alinhava-se comigo e com Nigel, compartilhando histórias sobre longas viagens que fizera pela Europa, aparentemente. Disse-nos que vivera na Alemanha por algum tempo. Rememorava com saudades o azeite de oliva na Itália, como o seu sabor era melhor do que o azeite de oliva em qualquer outro lugar do mundo. Vira muitas coisas. Conhecia as coisas. Queria que soubéssemos que ele sabia das coisas. Parecia pensar que aquilo o colocava num patamar diferente dos outros homens. Naquela noite, ele surgiu com duas latas de Coca-Cola à temperatura ambiente e as entregou para nós.

Ele se agachou para conversar, com o rosto iluminado pela lâmpada que estava no teto.

— Estas pessoas, vocês sabem... elas não têm qualquer instrução — disse ele. — Só querem dinheiro.

— Não temos dinheiro para dar a elas — eu respondi. — Não existe dinheiro.

Bebia a minha Coca-Cola lentamente, como se fosse um coquetel. Donald ergueu os ombros e depois deixou-os cair.

— Se dependesse de mim, vocês seriam soltos em uma semana — disse ele, sorrindo e inclinando a cabeça. — Não. Seriam soltos em uma hora.

Eu não acreditava nele, de maneira alguma.

Já avançávamos pelo meio de setembro, aproximando-nos do aniversário de um mês do nosso sequestro. Também era o Ramadã, o mês sagrado. O Ramadã tinha a função de reforçar a pureza e a paciência. Havia mais orações. Todos jejuavam enquanto o sol estivesse no céu, uma condição que não fazia muita diferença para Nigel ou para mim, já que estávamos comendo apenas duas vezes por dia. A cada manhã, antes do nascer do sol, recebíamos algumas coisas de Hassam ou Jamal. Geralmente eram latas de atum e um saco plástico que continha algo que parecia ser pão de cachorro-quente, embora, em um país muçulmano, o Alcorão proibisse o consumo de carne de porco. Aqueles pães, com certeza, receberiam algum outro tipo de recheio.

Comíamos sem qualquer entusiasmo e não voltávamos a comer até a noite cair, quando uma refeição similar chegava. Meu corpo não demonstrava nenhum interesse na comida que me era oferecida; meus músculos estavam ficando flácidos após passar várias semanas sentada. Bebíamos água e esperávamos ansiosamente pelo chá, energizante em sua doçura, que acompanhava as nossas refeições.

O meu desejo mais forte era por um simples tablete de chocolate. Às vezes, enquanto Nigel tirava uma soneca em seu colchão, eu lhe contava longas histórias que inventava, contos de fada pessoais, que sempre culminavam com a ocasião em que eu encontrava um lago enorme feito de chocolate meio amargo ou uma enorme pilha de M&M's, e eu comia tudo aquilo sozinha. Outras vezes eu fazia perguntas:

— Você prefere comer uma fatia de bolo de chocolate ou um *sundae* coberto com calda de chocolate quente? Um *sundae* coberto com calda de chocolate quente ou um saco de bombons Hershey? — Nigel não respondia, e eu não me importava. Abanava o ar para tentar me refrescar.

Na minha versão do paraíso, o ar era sempre frio e os rios eram feitos de doces e confeitos.

Enquanto isso, o suor se acumulava dentro das taças do meu sutiã, esquentando meus seios até que a pele ficasse irritada e em carne viva. Nigel não usava calças havia várias semanas, tendo adotado o saiote para homens dos somalianos para se manter fresco. Recentemente, eu havia parado de usar jeans e o *abaya* preto. Em vez disso, cobria-me com um vestido longo e disforme feito de poliéster grosso que Donald me trouxera durante uma de suas visitas. Não conseguia remover o meu sutiã. Dava-me uma sensação de proteção.

Antes de sair do nosso quarto quando vinha visitar a casa, Donald sempre nos perguntava do que precisávamos do mercado. Prevendo a pergunta, eu fiz uma lista em meu caderno para entregar a ele na próxima vez que aparecesse, acrescentando alguns objetos fantasiosos para me divertir um pouco com a situação: sabonete, aspirina, barras de chocolate, bicicleta ergométrica, cotonetes para limpar os ouvidos e uma televisão.

Ele estudou a página quando eu a entreguei, parecendo estar confuso. Apontei para cada um dos itens e pronunciei as palavras vagarosamente:

— Bi-ci-cle-ta er-go-mé-tri-ca.

— Ah, sim, sim — disse ele, sem querer demonstrar sua falta de conhecimento se admitisse que não compreendia aquilo.

— Acha que consegue encontrar uma dessas no mercado, Mohammed?

— Sim, acho que sim. Acho que sim.

Alguns dias depois, ele nos trouxe o sabonete e alguns comprimidos de paracetamol — tão grandes que pareciam ser feitos para cavalos —, mais um pacote de cotonetes e uma pequena tesoura para que Nigel pudesse aparar sua barba. Pedi um novo sutiã a Donald e alguns livros em inglês para que pudéssemos ler. Na verdade, Nigel e eu imploramos pelos livros. Mais do que os nossos corpos, nossas mentes estavam começando a definhar.

Havia outra coisa que eu precisava discutir com Donald. Sentia arrepios só de pensar naquilo, mas estava se tornando necessário encarar a situação. Minha menstruação estava atrasada havia duas semanas. Lembrava-me do caso que tivera com o chefe de reportagem de coração instável antes de sair de Bagdá — um fragmento de distração para o corpo, a única concessão à minha carência em uma zona de guerra — e agora, naquela que era provavelmente a pior situação imaginável, parecia que eu precisaria encarar as consequências. Nunca engravidara, então, não fazia a menor ideia de qual seria a sensação. Será que a dor nos meus quadris poderia ser algum tipo de sintoma? Será que o mal-estar que eu sentia, suando durante aquelas tardes quentes, não tinha nada a ver com o lugar onde eu estava e tudo a ver com o princípio de uma vida, outro pequeno refém, dentro de mim? Eu não sabia o que aquilo significava ou como me sentir a respeito. Sabia apenas que era um segredo que eu não podia — ou não devia — tentar esconder.

Demonstrando sensibilidade, Nigel pediu permissão para deixar o quarto para que eu pudesse conversar a sós com Donald. Discutimos como eu deveria apresentar a questão, pensando que seria melhor que Nigel não estivesse presente. Imaginei que, como Donald já vivera na Alemanha, seria o menos propenso a receber a notícia sem invocar qualquer tipo de desgosto ou repúdio moralista. Ainda assim, eu me preocupava com o que ele poderia fazer. Em sua testa, Donald tinha uma marca de oração — uma calosidade escura e de aparência rugosa causada pela frequência e pelo vigor com que ele encostava a cabeça no chão. Alguns muçulmanos devotos cultivavam essas marcas como uma fonte de orgulho, um sinal de sua devoção.

— Mohammed — eu disse, com um certo vacilo na voz. — Tenho algo para lhe contar.

Observei que o rosto dele ficou sério, percebendo a preocupação na minha voz. Não havia como voltar atrás.

— Antes que eu me tornasse uma boa mulher, uma mulher muçulmana, eu... eu tive relações sexuais fora do casamento, com uma pessoa em Bagdá. — Baixei os olhos para o chão antes de continuar. Expliquei a situação como se alguém que eu mal conhecia — a infiel que eu era, antigamente — houvesse tomado meu corpo e o levado para uma noitada cheia de irresponsabilidades.

— Só preciso saber se haverá um bebê — eu disse. Acrescentei um *Inshallah* para tentar melhorar a situação, sem saber qual seria o resultado mais desejável. Será que eu estava dizendo: "Pela vontade de Deus, espero estar grávida" ou: "Por favor, preciso apenas saber se a resposta é sim ou não". Eu tinha vinte e sete anos. Não queria ter um bebê, especialmente uma criança cujo pai fosse um homem com o qual eu fora para a cama única e exclusivamente pelo fato de me sentir profundamente, pateticamente solitária. Acima de tudo, não queria estar grávida na Somália. Mesmo assim, a partir do momento em que fôramos emboscados na Rodovia Afgoye, todas as regras foram reescritas e todas as prioridades foram reorganizadas. Imaginei que talvez uma gravidez ajudasse a nos libertar. Talvez essa condição me transformasse em uma bomba-relógio em contagem regressiva. Minha mente já girava em círculos. Imaginei que, pelo menos, eles teriam que me levar a um médico, e eu poderia implorar ao médico que entrasse em contato com as autoridades. Quando comecei a pensar naquilo mais profundamente, não sabia se haveria qualquer autoridade na Somália capaz de nos tirar dali.

Donald recebeu a notícia sobre o meu dilema com tranquilidade.

— Certo, certo, certo — disse ele, parecendo estar incomodado, mas não exatamente irritado. Sentia-me como se fosse uma adolescente confessando-se para o seu pai. — Bebês são uma bênção de Alá — acrescentou.

Alguns dias depois, ele retornou com um saco de papel. Dentro do saco havia um pote plástico com uma tampa que podia ser rosqueada para selá-lo completamente.

— Para o seu *pipi*.

Nigel e eu rimos às escondidas da palavra "pipi" quando ele saiu. Onde será que aprendera aquilo? Ríamos de absolutamente tudo que podíamos — qualquer pum ou soluço que soltássemos, qualquer coisa estranha que um dos nossos captores dissesse. Se não fosse assim, não haveria nada que nos fizesse rir. Além do pote plástico, Donald também nos trouxe material de leitura em inglês, coisas que ele encontrara em alguma barraca no mercado. Havia um catálogo de cursos universitários para alunos malaios, impresso pelo Comitê Britânico de Educação em Kuala Lumpur. Fora publicado em 1994 e trazia uma lista de cursos para alunos de intercâmbio em várias universidades do Reino Unido. Recebemos também dois ou três livros manchados com histórias para crianças muçulmanas e uma apostila sobre interpretação de textos do *Times* de Londres de 1981, escurecida pelas manchas de mofo. Inexplicavelmente, ele também nos trouxe um relógio — um relógio digital preto, masculino e de aparência barata, fabricado na China. Como se saber a hora do dia pudesse melhorar a nossa vida. Rimos de tudo aquilo antes de cair novamente no silêncio moroso que governava a maior parte do nosso tempo.

Quando estava pronta, fui até o banheiro, urinei no pote, apertei a tampa para fechar o recipiente e o entreguei de volta a Donald, que entrou em seu carro com ele e foi embora.

Naquela noite, quando fiz minhas orações, não tinha certeza da verdadeira razão pela qual estava rezando.

22

Hoje é um Bom Dia

Observei as mãos de Nigel. Apesar do calor e da sujeira do lugar, elas estavam limpas — as unhas cuidadosamente aparadas e a poeira da Somália removida das reentrâncias na pele que cobria as articulações dos seus dedos. Ele era asseado. Sempre fora. Quando o visitara na Austrália, observara que ele lavava o rosto todas as manhãs, usava o fio dental e desdobrava cuidadosamente as suas roupas. Quando fôramos acampar em uma ilha perto do litoral de Queensland, fora ele quem batera a areia dos nossos sacos de dormir e organizara o interior da nossa barraca, dando ordem às pilhas de coisas que eu criava. Aqui, as mãos de Nigel eram as partes mais limpas do seu corpo. Isso se devia ao *wudu*, a limpeza ritual que acontecia antes de cada uma das cinco orações diárias. Jamal nos ensinou o *wudu* assim que nos convertemos. As mãos deviam ser lavadas três vezes; em seguida, deviam-se fazer três bochechos com água. Depois, era preciso cuspir a água pelo nariz e jogar mais água no rosto, nos braços, na cabeça, nas orelhas e, finalmente, nos pés.

Nigel e eu fazíamos nossas abluções separadamente no banheiro, usando água limpa do balde marrom, que os garotos enchiam na torneira que havia fora da casa. Os garotos que nos vigiavam se lavavam no terreiro ou em seu próprio banheiro, em uma parte diferente da casa, assim como os três prisioneiros somalianos, aparentemente, já que Nigel e eu tínhamos aquele banheiro unicamente para o nosso uso. Eu sempre ignorava a parte da lavagem das narinas, mas tomava o cuidado de fazer ruídos que imitavam o assoar do nariz para o caso de alguém estar escutando. O *wudu* era importante. Você se purificava antes de conversar com Deus. A julgar pelo resultado, Nigel encarava o seu *wudu* como um médico que se preparava para entrar na sala de cirurgia. Era uma parte do islã com a qual ele parecia se identificar. Neste aspecto, Nigel — pelo menos em relação às suas mãos — estava em boa forma.

Eu olhava para as mãos dele porque eram algo a se observar em um quarto onde não havia nada a fazer. Às vezes, nós espiávamos os insetos quando eles subiam pela grade de ferro na janela. Certa vez, olhando para fora, vimos uma cobra marrom bem grossa, com mais de dois metros de comprimento, rastejado pela areia na ruela que havia atrás da casa. Além disso, havia poucas coisas para ver. Eu me lembrava como, com a impressão de que isso acontecera muito tempo antes, as mãos de Nigel me ofereceram prazer e conforto. Eram mãos talentosas. Mãos que empunharam martelos e serraram vigas de madeira, sempre ocupadas até que uma casa inteira — o piso, as vigas e o teto — estivesse construída. No confinamento do nosso quarto, eu via as mãos de Nigel como uma extensão do nosso cérebro e do nosso corpo: desesperadas para encontrar um projeto, um propósito.

Certa tarde, durante as horas superquentes em que nossos captores aproveitavam para fazer a sesta, Nigel foi até as sacolas plásticas onde guardávamos nossas coisas. Ele revirou sua bolsa com bastante atenção, guiado por alguma ideia silenciosa.

Em menos de uma hora, estávamos disputando uma partida de gamão. Nigel usou nossos cotonetes para criar peças de jogo — um de nós usando as pontas de algodão e o outro usando pedaços das hastes plásticas, que ele cortou com sua tesoura de aparar a barba. Em uma folha do seu caderno, ele desenhou um gabarito de corte com duas fileiras de triângulos. Em seguida, usando dois comprimidos de paracetamol e a tesoura, entalhou um conjunto funcional de dados, pequenos cubos brancos com números minúsculos escritos em suas faces com uma caneta.

Jogamos por horas. E depois, jogamos por dias. Ele ganhava. Eu ganhava. Jogávamos partidas rápidas e incansáveis, sem muitas conversas ou comentários, como dois macacos em algum experimento psiquiátrico. Se ouvíssemos passos no corredor, rapidamente escondíamos tudo embaixo do meu colchão. Jogos, assim como tantas outras coisas que pudessem nos distrair, eram considerados *haram*. Tínhamos certeza de que seríamos castigados se eles descobrissem.

Donald apareceu um dia e me entregou uma folha de papel com o nome de uma farmácia no topo. Vi minha idade descrita ao lado do nome de uma mulher somaliana, um codinome que ele utilizara para encomendar meu exame de urina.

— Não há nenhum bebê — disse ele.

— *Allahu Akbar* — respondi instantaneamente. Mesmo assim, logo percebi pela expressão no rosto de Donald que dizer aquilo era errado. Não se agradecia a Deus por não lhe dar um bebê, porque um bebê era uma bênção, e bênçãos são coisas que devem ser acolhidas e aceitas, não importa a razão.

Ainda assim, eu não estava grávida. Fora um alarme falso, embora minha menstruação ainda não houvesse descido. Parecia que eu estava apenas estressada, e o estresse se espalhara até os meus hormônios.

A notícia me trouxe um alívio enorme, embora fosse um alívio com uma decepção anexa. Não consegui evitar me sentir um pouco mais sozinha. Logo depois da decepção, como uma motocicleta barulhenta que viesse em perseguição, estava a memória distante e adocicada do sexo — a delícia de uma sensação que parecia quase irreal.

O Ramadã terminou no início de outubro. Nossos captores celebraram o fim do jejum — o feriado do Eid — com uma refeição composta por um cozido de carne de cabra. Nigel e eu recebemos um pequeno prato para compartilhar, juntamente com alguns doces cobertos com calda, um prato de biscoitos com um glacê grosso e açucarado e até mesmo alguns *toffees*. Havia uma colher para nós dois. A carne de cabra era deliciosa — cozida, macia e servida sobre uma porção de arroz oleoso. Mais tarde, ela causou cólica em nosso estômago e latejou selvagemente pelos nossos intestinos. Tivemos que ir várias vezes ao banheiro e sentimos que estávamos ficando fracos e desidratados. Apesar do enjoo, comemos os *toffees* em vez de guardá-los para quando estivéssemos nos sentindo melhor. Transformavam-se em poças de doçura em nossa boca.

Tentamos ignorar o fato de que o nosso mundo havia encolhido até ficar tão pequeno quanto nossos dados feitos com os comprimidos.

★

Cinco semanas depois de sermos capturados, eu me esforçava para ficar alegre, e isso deixava Nigel profundamente irritado.

— Hoje vai ser um bom dia — eu dizia quando éramos acordados pelo primeiro chamado do muezim. Quase sempre, ele fingia que não me ouvia.

Não havia nada de bom em nossos dias. Nós dois sabíamos disso, mas, para mim, era necessário ter esperança, como socar a parede caso alguém pudesse escutar.

— Olhe — eu disse a ele, certo dia. — Não consigo aguentar o silêncio.

Estávamos deitados em nossos colchões. Ele estava de frente para a parede. Não disse nada.

Senti a emoção crescer dentro de mim.

— Nigel, nós precisamos um do outro. Precisamos conversar. Quando você não diz nada... isso me deixa louca.

Aquilo fez com que ele se virasse na minha direção. Parecia estar ofendido.

— Você acha que, se eu conversar, isso vai ficar mais fácil para você? — Um segundo se passou. Ele prosseguiu: — Acha que eu realmente me importo em fazer com que as coisas sejam mais fáceis para *você*?

Estávamos agindo como um casal, um casal bastante idoso. O desejo que sentíamos um pelo outro se extinguira havia tempos, e nossa afeição se desgastara após passarmos tanto tempo juntos. Vivíamos como vizinhos que moravam havia várias décadas no mesmo quarteirão, respirando uma familiaridade pontilhada por ressentimentos. Também não ajudava o fato de que, apesar do nosso infortúnio, tínhamos muito receio em nos tocar. Nunca nos abraçamos, ficamos de mãos dadas ou demos um ao outro um tapinha nas costas para indicar que as coisas ficariam bem. Quando Nigel era levado para fora para rezar com os rapazes, aquilo não parecia mais constrangê-lo. Não era trazido rapidamente de volta ao quarto quando as orações se encerravam. Houve um dia em que eu o ouvi rindo na varanda. Eu conseguia ouvir todos eles rindo, todos juntos, como se todos fizessem parte do mesmo grupo.

Quando ele voltou, perguntei o que era tão engraçado.

— Ah, não foi nada — respondeu, voltando a se deitar em seu colchão, já cansado de mim. Observei-o quando ele fechou os olhos.

Nigel vinha ajudando Jamal com seu inglês todos os dias, ensinando-lhe palavras novas para aumentar seu vocabulário. Pareciam ser quase velhos amigos, enquanto Abdullah — o meu tutor — ficava cada vez mais assustador. Durante as lições, ele começara a roçar levemente a mão contra o meu joelho ou ombro, toda vez que fazia menção de virar uma página ou apontar para algum trecho do meu Alcorão.

Certo dia, Jamal entrou trazendo uma surpresa: um prato de peixe frito, cortesia de Donald, que estava comendo no terreiro, junto com os outros garotos. Quando deixou o prato para nós, Jamal tentou fazer uma piada. Ele olhou para mim, sorriu e inflou suas bochechas de maneira cômica, como se indicasse que, se eu continuasse a comer, acabaria engordando.

Nigel instantaneamente explodiu em uma gargalhada.

— Amina é *gorda* — disse ele, enfatizando a palavra com o mesmo tom exagerado que usava quando praticava o vocabulário com Jamal. — Sim, gorda.

Jamal começou a rir. Nigel gargalhou mais alto.

A crueldade daquele ato me abalou. Fui ao banheiro e tranquei a porta. Não me importava com o que Nigel pensava sobre o meu corpo nesse momento, mesmo que o comentário fosse uma brincadeira. O que eu não gostava era daquela aliança, a possibilidade de que ele poderia passar para o lado dos sequestradores, que eu não conseguia fazê-lo rir, embora aqueles garotos fossem capazes disso.

Retornando ao meu colchão, enumerei todas as ocasiões em que Nigel me decepcionara. Fiz uma lista das suas fraquezas. Em seguida, fiz uma segunda lista, na qual eu me defendia contra qualquer coisa de que ele estivesse me acusando em seu colchão, todas as coisas que faziam de mim uma pessoa detestável e cheia de falhas de caráter. Na minha mente, tivemos uma discussão horrível, aos gritos. Gritamos *foda-se* e socamos um ao outro até a nossa raiva se extinguir. Depois, choramos em um abraço apertado e prometemos nos comportar melhor. Tudo isso aconteceu sem uma palavra, sem que ninguém se levantasse do seu colchão, sem que uma lágrima fosse realmente derramada. Mas, de alguma forma, acabou ajudando.

★

No decorrer do segundo mês, eles nos deslocaram várias vezes — tirando-nos e levando-nos de volta à Casa Elétrica, deixando-nos em uma casa maior em um lugar não muito longe daquele por uma ou duas semanas. Depois, voltamos à Casa Elétrica e, por razões que não conhecíamos, mais uma vez à casa nova. Eles nos transportavam durante a noite, apinhados no Suzuki de Ahmed, os garotos com o rosto novamente coberto por seus lenços, com cartuchos de munição extras pendurados sobre os ombros e os canos das armas enchendo o ar ao redor da nossa cabeça. Fizeram uma segunda viagem para trazer Abdi e os outros dois somalianos a cada um dos locais. Indo ou voltando, nunca vimos nenhuma outra alma na estrada.

Vislumbrei rapidamente Abdi e os outros no corredor da Casa Elétrica. Conseguia ouvi-los murmurando orações e, às vezes, via um deles retornando do banheiro. Pareciam estar sujos, esfarrapados, doentes e encurvados pela depressão. Pelo que percebi, o quarto onde eles eram deixados ficava completamente às escuras. Na nova casa, Abdi ocasionalmente se sentava em frente ao batente da porta, lendo seu Alcorão com a luz que vinha do corredor. Algumas vezes eu espiava o lado de fora e fazia um sinal com a mão que significava "tudo bem", como se perguntasse a ele: "Está tudo bem?". A cada vez ele balançava a cabeça negativamente, como se estivesse desamparado. Tocava a barriga para indicar que sentia fome, que ele e os outros não estavam sendo bem alimentados.

Antes de sairmos definitivamente da Casa Elétrica, dois garotos escoltaram Nigel e a mim até o terreiro, onde Ahmed, Romeu, Donald e Adam estavam ao lado de uma câmera de vídeo montada sobre um tripé. Os garotos estavam cobertos com seus lenços. Empunhando suas armas, eles nos cercaram enquanto Nigel e eu nos ajoelhávamos em um colchonete. Com a câmera rodando, eles nos orientaram a fazer comentários positivos sobre o islã e pedir aos nossos governos que pagassem o resgate. Não nos mandaram dizer a quantia que estavam exigindo com todas as letras, mas aquilo era tudo em que eu conseguia pensar. Ouvira meus captores mencionarem os valores várias vezes: 1,5 milhão por um refém, 3 milhões por dois. No meu tempo de garçonete, era exatamente assim que eu anunciava as bebidas e as promoções aos clientes.

Filmaram a cena em múltiplas tomadas, obrigando-nos a repetir as palavras várias vezes. Eu sabia que o vídeo seria enviado às emissoras de TV. Tentei imaginar minha família assistindo àquilo. O que eles veriam? Eu e Nigel em um semicírculo, cercados por soldados ameaçadores que empunhavam armas. Eu estava pálida, mas não doente. Meus olhos lacrimejavam constantemente devido ao fato de usar lentes de contato e, sem o produto adequado para lavá-las, ter que utilizar a água do balde, totalmente não esterilizada. Imaginei meus pais olhando para a tela, estudando o que viam.

Mantive os ombros retos mesmo quando Ahmed me dizia para olhar para o chão. Quando recitei as minhas frases, tentei colocar um pouco de intensidade na minha voz — uma mensagem para os meus pais, para mostrar a eles que não desistiria da luta.

— Bom, muito bom — disse Ahmed, finalmente. Ele desligou a câmera e deixou-nos relaxar sob o sol por algum tempo. Muito tempo depois, eu vim a saber que a fita chegou até a Al-Jazeera e que a emissora divulgou apenas uma parte do vídeo para a mídia internacional — e, pelo menos no Canadá, sem áudio. Um trecho foi exibido nos noticiários do meu país várias semanas depois de ser filmado. Meus pais viram cerca de nove segundos de mim, com os lábios se movendo, olhos baixos, totalmente coberta com os trajes de uma mulher muçulmana modesta, minha voz perdida sob a voz do âncora de jornalismo.

Quando saímos da Casa Elétrica pela última vez, uma coisa boa aconteceu: Nigel estendeu o braço no espaço escuro que havia entre nós e, sem que ninguém percebesse, passou cinco minutos segurando a minha mão.

★

A nova casa foi a que chamamos de Casa da Fuga, mas só recebeu esse nome algum tempo depois.

O lugar que ocupamos ali era imenso, do tamanho de uma sala de estar em vez de um quarto. Havia dois colchões de espuma novos, com alguns centímetros de altura, ainda embalados em plástico, e também algumas redes contra mosquitos, penduradas em pregos dos dois lados do quarto, acima de cada um dos colchões. O quarto tinha paredes cobertas com azulejos brancos e duas janelas, ambas com venezianas de metal, e os espaços vazios estavam cobertos por grades metálicas decorativas. Uma das janelas ficava de frente para o quintal de outra casa, que tinha um pequeno compartimento para guardar ferramentas feito de metal corrugado e trancado por um cadeado. A segunda janela ficava de frente para uma ruela estreita, com um muro alto e caiado de branco diretamente em frente.

Todas as noites, um dos garotos vinha e fechava as venezianas das nossas janelas. Pela manhã, alguém vinha abri-las outra vez. Quando não havia ninguém por perto, Nigel e eu tentamos balançar as grades para ver se elas se soltariam, mas estavam chumbadas no concreto pelos quatro lados, totalmente sólidas. De tempos em tempos, eu enfiava um dedo pela armação de metal para sentir o ar que havia lá fora, para dar a uma parte de mim um gosto de liberdade.

Na verdade, poderíamos ter gritado por socorro através daquelas janelas. E poderíamos ter sido ouvidos. Mas Ahmed e Romeu nos avisaram de que estávamos em um bairro cheio de simpatizantes da Al-Shabaab. Em outras palavras, estávamos cercados por pessoas que eram piores do que os nossos sequestradores. Aparentemente, nossos captores eram um grupo renegado, não afiliado aos extremistas dominantes. Romeu sugeriu que a Al-Shabaab ficaria feliz em assumir o nosso cativeiro, levando-nos para suas garras se chamássemos sua atenção.

Aquilo foi o bastante para que eu ficasse em silêncio. Minha desconfiança estava envolta em uma desconfiança ainda maior. Em pé contra o lado esquerdo da janela que dava para a ruela, conseguia enxergar por cima de uma cerca e ver o quintal de outra casa, onde, um dia, vi uma mulher pendurando roupas em um varal. Ela usava um vestido simples, largo e com estampas em cores vivas, e seu cabelo estava envolto por um véu que deixava seu pescoço exposto. De costas para mim, ela se movia lentamente, como se estivesse deixando o tempo passar, feliz em sua solidão. Pendurou uma camisa branca e depois outra camisa branca. Pendurou peças íntimas típicas de uma senhora idosa, um vestido amarelo-pálido feito para uma criança, dois *hijabs* floridos em cores vivas, algumas calças masculinas e algo que parecia ser uma camisola de algodão. Quando terminou, eu podia ver toda a família daquela mulher pendurada no varal.

Fazia seis semanas desde que pudera conversar com a minha mãe pela última vez. Mesmo assim, eu sentia que ela podia ouvir os meus pensamentos quando eu os direcionava a ela. Eu lhe enviava pensamentos todos os dias. Dizia a ela para se manter forte e ouvia-a dizendo o mesmo para mim. Podia imaginar o que estava acontecendo no Canadá. Meus pais tinham muito poucas opções. Eu sabia que eles estariam considerando seu único bem de valor — a casa em que meu pai e Perry moravam em Sylvan Lake, cercada pelos canteiros de flores que meu pai passara anos cultivando laboriosamente — e pensando que poderiam vendê-la para conseguir o dinheiro do resgate.

Pensar naquilo me causava um sentimento de culpa tão forte que chegava até mesmo a me dar náuseas. Eu repetia a mesma coisa para os meus captores, desde o primeiro dia: nossas famílias não tinham dinheiro. Se esse sequestro fosse político, como eles diziam que era, então estavam punindo as pessoas erradas. Ahmed respondeu várias vezes a mesma coisa:

— Não se preocupe, não se preocupe. Estamos interessados somente no dinheiro do seu governo. Não desejamos causar mal às suas famílias.

Eu acreditava naquilo porque queria acreditar, mesmo quando Nigel dizia que eu era louca. A família dele tinha mais recursos do que a minha. Quando se aposentaram, os pais dele venderam a fazenda da família com um bom lucro. Nigel achava que eles, pelo menos, teriam algum dinheiro para negociar. O que não foi dito era que o dinheiro poderia bancar a libertação dele, mas não a minha.

Naquele último telefonema para minha mãe, eu tentara enfatizar a ideia de que meus pais deveriam manter a calma e não arriscar o pouco que tinham.

— Não sei o que vocês estão tentando fazer para juntar dinheiro, mas parem de fazer isso — eu disse. — Não vendam nada.

Eu não estava me apegando à ideia de que nossos governos entregariam o dinheiro. Estava apostando na minha esperança mais séria, a ideia de que poderíamos fazer com que nossos sequestradores desistissem do plano quando percebessem que não receberiam nenhum dinheiro. Ainda acreditava que esperar até que o pior passasse era a nossa melhor estratégia.

★

Hamdi era o nome da garota que Jamal amava. Morava em algum lugar de Mogadíscio. A mãe de Jamal a escolhera para ele. Agora que estavam noivos, Jamal podia vê-la de quando em quando. Antes do Ramadã, houvera uma festa de noivado com a presença das duas famílias. Jamal desaparecera da casa por alguns dias, retornando com um novo corte de cabelo e um olhar bobo no rosto.

— Como é Hamdi? — eu perguntei.

— Ah — disse ele, tentando engolir o sorriso. — Muito bonita.

Quando o Eid[7] chegou, Jamal recebeu permissão para enviar presentes a Hamdi. Ele comprou um novo *hijab* para ela e alguns chocolates, o que

[7] Eid al-Fitr, a celebração do fim do jejum do Ramadã. (N.T.)

parecia ser um gesto bastante adulto para um adolescente que, pelo que ele mesmo admitira, nunca conversara com uma garota que não fizesse parte da sua família até dois meses atrás.

— Mulheres são *dis-pen-di-o-sas* — declarou ele. Tinha orgulho de poder pronunciar aquela palavra. Sabia que nos faria rir.

Parecia estar empolgado com as possibilidades para o seu futuro, marcando o tempo entre o agora e o depois. Explicou que, quando acontecesse, a "festa do matrimônio", esta seria pequena, pois a reunião de muitas pessoas em Mogadíscio, ocasionalmente, atraía a atenção das tropas etíopes. Eu tive a sensação de que Jamal estava tão animado com o seu casamento que provavelmente convidaria a cidade inteira para a cerimônia. Mas as duas famílias não queriam correr esse risco. E Jamal aceitava aquilo. Queria simplesmente Hamdi.

Nigel e eu procurávamos por ocasiões em que pudéssemos mencionar Hamdi, mesmo que apenas para observar as emoções no rosto de Jamal. Ele estava desesperado para ouvir o nome da garota, mas sua timidez o impedia de dizê-lo. Com certa frequência, ia ao mercado para comprar comida, mas esquecia-se de comprar os pães de cachorro-quente que acompanhavam tantas das nossas refeições.

— Oh, Hamdi — nós suspirávamos, dramaticamente, quando ele surgia sem o pão. Zombávamos da paixão juvenil dele, tocando a testa com o dorso das mãos. E, toda vez que fazíamos isso, ele ria.

Às vezes, olhando por entre as grades das nossas janelas, observando o pouco que eu podia ver do mundo, tentei imaginar como Hamdi seria. Seria alta, magra ou gorda? Tranquila ou audaciosa? Tinha medo do que estava por vir ou o desejava? Eu me perguntava o quanto Jamal conhecia a respeito dela, se sua empolgação vinha do amor ou somente da possibilidade do amor. Ele nunca chegara a dizer isso, mas eu imaginava que pensar em Hamdi o ajudava a viver os longos dias em nossa casa.

Nesse meio-tempo, ele descobriu o catálogo de cursos universitários que Donald Trump deixara para nós como material de leitura, a brochura direcionada a alunos da Malásia que queriam estudar no Reino Unido. Cada página mostrava algumas imagens de alunos universitários usando roupas que, agora, já estavam fora de moda. Os alunos carregavam seus livros por entre caminhos que serpenteavam ao redor de áreas gramadas em meio a prédios em estilo gótico e feitos de pedra.

Jamal folheou as páginas durante uma manhã, estudando as fotos com fascinação. Virou o livro para mim para que eu pudesse ver uma página que atraiu seu interesse. Era uma foto que mostrava um grupo de alunos sentados ao redor de um pequeno lago, com dois cisnes flutuando na superfície.

— O Canadá é parecido? — perguntou ele.

— Bom, sim, mas esse livro é sobre escolas britânicas. — Eu estava sentada no meu colchão. Nigel estava ao lado da janela, estudando o Alcorão em silêncio.

Jamal deslizou um dedo sobre o texto em inglês como se o estivesse lendo. Franziu o cenho.

— Ouvi dizer que o Canadá é mais bonito que a "Britânica". Porque a "Britânica", Londres, é feita... — revirando sua mente em busca da palavra, ele apontou para as paredes do quarto e o teto.

— Concreto?

— Sim, concreto. Londres é de concreto.

Ele queria o mundo. Eu compreendia aquilo. Senti que era um de seus desejos.

— Londres é muito bonita, Jamal — eu disse. — Você vai gostar de lá. Os prédios são muito antigos. Há muitos muçulmanos lá.

Ele pareceu pensar naquele argumento.

— Mas não é um país muçulmano — disse, erguendo um dedo, com uma postura professoral. — É melhor morar em um país muçulmano.

Eu sabia o que deveria dizer a seguir — que, sim, é claro, ele tinha razão — mas, como era Jamal, não disse nada.

Devido à nossa exaustão, Nigel e eu engendramos uma rotina. Vivíamos como uma família de duas pessoas. Assumimos responsabilidades. Eu servia o chá e Nigel lavava nossas roupas. Lavávamos os nossos pratos alternadamente em um balde. Tínhamos dois pratos de metal e uma única colher para dividir. Com a comida que recebíamos, fazíamos cardápios, comendo nossas refeições em um quadrado de linóleo marrom do tamanho de uma mesa que os garotos haviam deixado em nosso quarto. Em alguns dias, comíamos os pães, seguidos pelo atum; outros dias era o atum seguido pelos pães. Quando recebíamos mais, eu usava a borda da colher para fatiar os mamões e as cebolas; em seguida, Nigel — fingindo ser um cozinheiro em um programa de televisão — fazia uma exibição espalhafatosa enquanto juntava todos os ingredientes, preparando sua salada de atum de fama mundial. Ocasionalmente, Jamal nos trazia algumas folhas murchas de alface, e eu usava a minha voz de garçonete para anunciar o prato especial do dia: salada de atum, *servida em um berço de alface*.

Durante as manhãs, arrumávamos as camas e conversávamos sobre os sonhos que tivéramos durante a noite. Eu estava tendo sonhos vívidos que envolviam velhos amigos, pessoas sobre as quais eu não pensava havia anos. Rhianna, minha melhor amiga do tempo do Ensino Médio, aparecia frequentemente, assim como a minha família — avós, primos, tias. Em meus sonhos, eu sempre estava livre, mas, dentro do próprio sonho, eu percebia que nada daquilo era real.

Nigel e eu conversamos de maneiras que nunca ocorreram antes entre nós. Descrevi meu choque e a raiva que sentira quando ele mentira para mim na Etiópia sobre ser casado, a devastação que eu sentira. Ele descreveu os meses que passara na Austrália, dando um fim a seu casamento e sentindo-se envergonhado. Falou sobre sua namorada na Escócia, Erica, que era australiana, mas estava trabalhando como *chef* em uma propriedade lá. Erica tinha um cachorro. Era uma boa pessoa. Nigel sentia saudades dela e estava dividido por ter feito algo tão idiota quanto voar para a África e deixá-la para trás.

Tivemos conversas honestas sobre o dinheiro, sobre o capital que nossas famílias poderiam ter. Imaginei que a minha família poderia angariar cerca de cinquenta mil dólares. Ele disse que seus pais tinham acesso a mais. Tínhamos fé no fato de que nossas famílias estavam dialogando. Todas as noites, quando nos preparávamos para dormir, eu me virava e dizia para Nigel:

— Agora, estamos um dia mais próximos da nossa liberdade.

Certa manhã, durante a terceira semana de outubro, os garotos entraram abruptamente em nosso quarto. Abdullah, Mohammed, o jovem Yahya e Hassam vieram correndo, praticamente em disparada, assustando-nos enquanto tomávamos o nosso café da manhã no chão do quarto.

— Vocês têm que se levantar — disse Hassam.

— O que está acontecendo? — perguntei.

— Levantem — disse ele outra vez, com um pouco mais de agressividade na voz.

Percebi que ele era o único que não empunhava uma arma. Senti meu corpo começar a tremer. Estávamos em pé. Abdullah e Mohammed estavam revirando furiosamente os nossos pertences, como se alguém houvesse lhes passado alguma informação. Tiraram tudo que havia em nossas bolsas, virando os colchões, procurando por alguma coisa, embora eu não conseguisse saber o que era. Lembrei a mim mesma de que não tínhamos culpa de nada. Com exceção do jogo de gamão, que estava enfiado dentro de um dos livros e que eu duvidava que eles conseguiriam reconhecer, não tínhamos nada a esconder. Mas eu não sabia. Como eu poderia saber o que havia de errado?

Os garotos não disseram nada. Hassam ficou conosco, com a cara fechada, enquanto os outros três reviravam e rasgavam o pouco que tínhamos. Jogaram tudo no chão e, em seguida, começaram a tirar coisas do quarto. Minha mochila saiu. A bolsa com a câmera de Nigel. Nossos cadernos e canetas, e também as sacolas plásticas com nossos objetos de higiene pessoal e roupas. Tudo desapareceu. Finalmente, Yahya segurou uma das pontas do colchão de Nigel e começou a arrastá-lo em direção à porta.

Finalmente eu percebi o que estava acontecendo. Abdullah tirou o mosquiteiro da parede onde o colchão de Nigel ficava encostado e saiu do quarto. Havia um quarto menor bem ao lado daquele onde estávamos ficando. Observáramos o lugar várias vezes, enquanto íamos e voltávamos do banheiro no fim do corredor. Do outro lado da parede, eu consegui ouvir alguém martelando — Abdullah, provavelmente, pendurando o mosquiteiro no quarto ao lado. E foi então que eles voltaram para buscar Nigel, apontando as armas para o seu peito e gesticulando para que ele fosse até a porta. Estavam nos separando. Não houve nenhuma explicação, nenhum diálogo. Eu observei as costas da sua camisa conforme ele se afastou de mim. Não houve nenhum adeus, nem nada. Ele simplesmente se foi.

23

Culpem a Garota

Fiquei deitada por um bom tempo no meu colchão, esperando que alguma coisa se revertesse. Esperava que um dos garotos entrasse trazendo o colchão de Nigel e que outro alguém o escoltasse de volta pela porta do quarto, talvez até mesmo com um pedido de desculpas, como se levá-lo embora não fosse parte do plano. Esperava ouvir algum tipo de ruído — um farfalhar de passos no corredor, uma ranger de tábuas — que me dissesse que a mudança estava a caminho, que logo voltaríamos a ocupar os mesmos lugares de antes, com nossos pertences e nossa rotina. Em vez disso, a casa estava quieta. O silêncio pesava em meus ouvidos. Eu estava sozinha.

Uma hora se passou, depois duas. A solidão parecia ser um novo país. Um outro planeta — onde havia apenas eu, meu colchão e o pano com flores azuis e as quatro paredes da sala, que pareciam ter se erguido como árvores altas em uma floresta escura. Sem Nigel eu não tinha nada a dizer, ninguém para olhar, ninguém que agitasse o ar. Sozinha naquele quarto enorme, eu não era nada além de minúscula.

Não conseguia imaginar por que decidiram nos separar. Talvez aquilo tivesse a ver com o fato de que já fazia oito semanas desde que fôramos capturados na estrada e ainda não havia nenhum sinal do pagamento de um resgate. A frustração parecia estar crescendo entre os nossos captores. Na tarde do dia anterior houvera um tumulto na frente da casa, e um ou mais dos líderes apareceram. Ouvíramos uma conversa intensa com o Capitão Skids no pátio. Eu me perguntava agora se os líderes o instruíram a se preparar para uma jornada longa, informando-o de que seríamos seus hóspedes por mais tempo do que previram inicialmente. Skids já parecia nos ver como um fardo. Não expressava nenhuma curiosidade a respeito de Nigel, ou de mim, ou dos lugares de onde viéramos. Não falava inglês e não demonstrava nenhum traço de compaixão. Perguntei a mim mesma se fora ele que insistira que Nigel e eu fôssemos separados, como se aquilo fosse uma demonstração do seu controle. Uma declaração do tipo "eu sou o dono da casa".

Mais tarde, naquele dia, Jamal retornou, trazendo minha mochila e as sacolas plásticas com meus objetos de higiene pessoal, roupas e os livros em inglês, largando tudo no chão com um barulho que indicava que aquilo estava terminado. Olhei para o suporte na parede onde ficava o prego que suspendia o mosquiteiro de Nigel. Se ele estivesse ali para ouvir, eu diria alguma coisa estimulante e inteligente para impedir que as emoções desabassem. Provavelmente eu diria: *Vamos lá, só precisamos suportar esta manhã.* Ou então: *Fale sobre a festa de aniversário mais alegre que você já teve.* Parecia não haver motivo. Minha garganta parecia estar fechada. *Acalme-se*, eu disse a mim mesma. *Acalme-se, acalme-se.*

Sentando-me sobre o colchão, peguei o caderno que me deram para minhas lições sobre o islã e abri numa página em branco. "Barba-de-Pão" eu escrevi, mencionando um apelido que dera a Nigel na Etiópia. "Seja forte. Não desista. Vamos conseguir sair daqui e encontrar nossas famílias de novo. Estou logo do outro lado da parede e vou enviar meu amor para você".

Li o bilhete algumas vezes. Era o tipo de mensagem que eu dizia a ele pessoalmente todos os dias. Será que ele acreditava? Eu não tinha certeza. Mesmo assim, escrevê-la fez com que eu me sentisse bem. Acrescentei mais uma linha com a mesma caligrafia ondulada: "Jogue esta mensagem pela descarga do vaso quando terminar de lê-la".

Arranquei a página do caderno e rasguei as bordas em branco até que ela se transformou somente em um pequeno pedaço com a mensagem. Amassei o que sobrou até fazer uma bola branca e compacta do tamanho de uma borracha escolar e, em seguida, antes que conseguisse me convencer a não fazer aquilo, bati na porta, pedindo permissão para ir ao banheiro.

Os garotos haviam ficado preguiçosos demais para nos escoltar ao banheiro e de volta ao quarto, como fizeram nas primeiras semanas, nas casas anteriores. Quando um de nós batia na porta de metal, o guarda que estava de plantão, em geral sentado na varanda, rapidamente se inclinava em nossa direção e estalava os dedos algumas vezes para indicar que tínhamos permissão. O corredor que atravessava a casa tinha forma de L, e o meu quarto era localizado no vértice. Um guarda que estivesse sentado na varanda poderia ver o batente da minha porta, mas não conseguiria ver o restante do corredor — a parte menor do L — que levava até o novo quarto de Nigel e, além dele, ao banheiro.

Quando ouvi o estalar de dedos, eu me levantei, segurando o papel amassado frouxamente na minha palma, e comecei a andar pelo corredor. Fosse lá qual soldado estivesse de guarda, a pessoa que estalou os dedos não estava à vista. O corredor tinha cerca de cinco metros de comprimento, com paredes azuis grossas e um piso de azulejos brancos. O quarto de Nigel ficava à direita, ao lado do meu.

Passando pela porta aberta, eu dei uma rápida olhada pelo canto do meu olho para ter certeza de que ele estava sozinho. Com um movimento rápido do pulso, enviei o bilhete voando pelo ar. Quando a bola de papel quicou pelo chão, eu consegui ver, pelo canto do olho, que Nigel estava deitado em seu colchão, com o rosto para cima, provavelmente dormindo. Continuei a caminho do banheiro, com o coração aos pulos, com uma esperança imensa de que ele conseguiria encontrar o bilhete antes que algum dos garotos o fizesse.

Ocorreu-me a possibilidade de que, devido ao posicionamento dos nossos quartos na arquitetura da casa, ele não seria capaz de responder. Não havia qualquer justificativa para que Nigel passasse pela minha porta. Apenas eu seria capaz de me comunicar com ele, e seria quase impossível conseguir uma resposta.

De volta ao meu quarto, eu me consumia pensando na nossa nova realidade. Imaginei Nigel do outro lado da parede, perdido em meio às suas próprias preocupações, embora soubesse instintivamente que, agora, eu era a pessoa mais vulnerável. A parede era verde e marcada por rachaduras no reboco. Imaginei que ela devia ter uns trinta centímetros de espessura. Fiz uma experiência e tentei bater os nós dos dedos contra ela. O som foi lento e aparentemente não avançou muito, capturado pela densidade da parede.

Um momento se passou. Fiquei sentada, paralisada pela inércia.

E então, do outro lado, ouvi duas batidas fracas. Meu ânimo se renovou. Nigel me ouvira. E eu era capaz de ouvi-lo. Quis bater naquela parede durante o dia inteiro. Provavelmente teria feito aquilo, se não fosse pelo fato de que, a cada hora, mais ou menos, um dos garotos se levantava do pátio e andava até o nosso corredor, com seu rifle na mão. Preocupei-me com a possibilidade de que, se ouvissem as nossas batidas na parede, acabariam nos afastando ainda mais. Em vez disso, respondi a Nigel com uma batida rápida. Em seguida, nós dois, com bons motivos para mantermos a cautela, ficamos em silêncio. Podíamos nos comunicar, de certa maneira, mas aquilo não significava nada.

A noite chegou. Fiquei deitada em meio à escuridão que crescia pouco a pouco, tentando afastar o pânico. Até agora, nossos captores não haviam encostado um dedo em mim. Com exceção da primeira noite, quando Ali me revistara por completo, eu fora deixada em paz. Mesmo assim, eu tinha noção de que era mulher a cada segundo de cada hora. Eu sabia o que o Alcorão dizia sobre mulheres mantidas em cativeiro, que poderiam ser tratadas como esposas, mas não sabia se aquilo poderia ser interpretado literalmente pelos homens que nos guardavam. Os prisioneiros descritos no Alcorão, em sua maioria, eram homens que foram capturados no campo de batalha durante o século VII e viúvas de guerra arrancadas à força de seus vilarejos e forçadas a fazer trabalhos domésticos. Parecia ser uma lição de história antiga, resquícios de batalhas ancestrais. Mesmo assim, era como os líderes do nosso grupo descreviam Nigel e a mim cada vez que davam de ombros e nos diziam para não levar a nossa situação para o lado pessoal: éramos apenas peões em uma guerra religiosa, uma velha história que estava sendo reencenada no mundo moderno.

Passei a noite sozinha no quarto gigante, sem conseguir dormir. Minha mente galopava. Estava desesperada para conversar com Nigel, para ter um diálogo verdadeiro. Durante as minhas abluções antes da oração noturna, eu estudava o banheiro que ele e eu dividíamos. Havia uma privada e uma prateleira de plástico de aparência frágil chumbada na parede, acima da pia de porcelana, emoldurando um quadrado de folha de alumínio refletiva no lugar de um espelho de verdade. Havia uma pequena janela no quarto, a cerca de dois metros e meio do nível do solo, coberta por barras de ferro e com um peitoral largo por baixo. Depois do café da manhã, no dia seguinte, eu escrevi para Nigel outra vez, jogando para dentro do quarto dele outra bola de papel na qual explicava a nova ideia: eu deixaria um bilhete no banheiro, escondido sob o peitoral da janela, e depois bateria na parede para indicar que ele estava lá. Quando ele o lesse durante a sua próxima ida ao banheiro e o eliminasse pela descarga, voltaria ao seu quarto e bateria na parede para dizer que o lera. E poderia fazer o mesmo comigo.

Testamos a ideia. Deixei um bilhete e depois bati na parede. Cerca de quarenta minutos depois, Nigel bateu duas vezes, em resposta. Era um triunfo pequeno, mas tinha toda a importância. Começamos a trocar cartas — mensagens e desenhos curtos e alegres — uma ou duas vezes por dia. Mudamos o esconderijo das mensagens, evitando o beiral da janela e passando a deixá-las em um soquete vazio onde deveria haver uma lâmpada elétrica sobre a prateleira, que parecia um lugar menos propenso a ser descoberto. Eu escrevia bilhetes para Nigel dizendo a ele para procurar alguma coisa bonita, mesmo que fosse pequena, em seu quarto. Fiz um pequeno desenho representando nós dois, sentados em um avião, erguendo um brinde com taças de champanhe, deixando a África para trás no conforto da primeira classe. Desenhei um balão de fala, como nas histórias em quadrinhos, sobre a cabeça de Nigel e escrevi: "Vamos tomar outra?".

Os bilhetes que Nigel me escrevia eram carinhosos e engraçados, e a maior parte deles falava sobre o futuro — o que faríamos e o que comeríamos quando saíssemos dali. Ele fez um desenho onde nós dois aparecíamos como turistas sorridentes, apontando para as girafas no parque nacional de Nairóbi. Eu memorizava o conteúdo de cada bilhete antes de rasgá-lo em pedacinhos e jogá-los no vaso sanitário manchado, mandando-os para bem longe com a água do balde.

Em nossos quartos, nós batíamos na parede, de um lado e de outro, várias vezes ao dia. *Lub-dub*, como se fosse a batida de um coração.

Você está aí? Eu estou aqui.

★

Com a nossa separação, toda a rotina foi jogada pela janela. Era como se nossos captores estivessem funcionando de uma forma totalmente diferente. Jamal não ficava mais no meu quarto esperando o tempo passar. Abdullah parou de supervisionar a minha memorização do Alcorão e foi substituído por Hassam, que vinha no início da tarde, visitando Nigel e depois a mim. Hassam era pequeno para a sua idade. Se as circunstâncias fossem diferentes, eu até o consideraria um menino bonito. Seu rosto estava castigado pela acne. Tinha um sorriso largo e perfeito e sempre parecia estar disposto a conversar. Os outros garotos gostavam de erguê-lo e jogá-lo por cima de seus ombros quando queriam se divertir.

— Certo, hoje tem lição — dizia ele para mim. — Hoje, lição de como ser uma muçulmana melhor. — Falava de Alá como o protetor e da oração como uma maneira de permanecer no verdadeiro caminho que levaria ao paraíso. Parecia quase envergonhado pelo nosso sequestro. — É por dinheiro, não pelo islã — disse ele, certa vez. Enquanto Abdullah agia de forma errática e controladora, Hassam era cuidadoso e paciente conforme eu praticava as palavras do Alcorão. Cantava os versos como se fossem música, estimulando-me a impostar a voz da mesma maneira, em tons mais agudos ou graves com cada mudança de frase.

— *Lahu ma fis-samawati wa ma fil-'ard* — dizia ele, e esperou até que eu repetisse. *Dele são todas as coisas nos céus e na terra*, dizia a frase.

Nigel e eu passáramos muito tempo discutindo quais dentre os nossos captores nós mais temíamos. Havia o jovem Mohammed, que tinha ombros musculosos e olhos próximos um do outro, como se fosse um rato. Ele falava pouco conosco. Nos primeiros dias, às vezes nos apontava um dedo censurador e fazia um som de cliques com a língua, como se quisesse dizer: *Vocês são pessoas más*. Antes de aprendermos o seu nome, Nigel e eu nos referíamos a ele como o "Filho de Satã", pelo ódio que víamos em seus olhos. No topo de nossa lista estava Abdullah, com seu olhar frio e ameaçador. Sem esquecer, é claro, suas mudanças constantes de humor e sua fantasia, frequentemente reiterada, de se tornar um homem-bomba e matar muitas pessoas.

Ver Hassam com mais frequência enquanto Abdullah se aproximava cada vez menos poderia ser um sinal de que a situação estava melhorando, algo até mesmo reconfortante, se eu não passasse o tempo todo ansiosa e preocupada depois que Nigel fora removido do quarto.

Eu detestava estar sozinha. Havia dias em que ninguém falava uma palavra sequer comigo — quando Jamal trazia a comida sem dizer nada, quando Hassam não se incomodava em vir me ver. O isolamento me deixava em uma espécie de cisterna, fria, úmida e profunda. Comecei a entender a velha mensagem dos filmes, a profecia que cumpre a si mesma quando uma pessoa perfeitamente sã é trancada e isolada em um hospício e, com o passar do tempo, começa realmente a enlouquecer. Meu próprio cérebro me torturava. Se eu gritasse, alguém responderia? Se eu morresse, isso teria alguma importância? Tudo o que eu dissera a Nigel, todos os comentários otimistas que fizera sobre como a nossa situação chegaria ao fim e nós logo estaríamos sentados à beira de uma piscina comendo sanduíches e tomando cerveja pareciam ser uma farsa agora.

Todos os tijolos de coragem que eu empilhara durante os meus anos de viagem estavam começando a desmoronar.

Com os garotos, também havia alguma coisa estranha acontecendo. Sua civilidade estava começando a mostrar sinais de desgaste. Eu tinha permissão para tomar um banho todos os dias antes da prece do meio-dia, caminhando até a área revestida de azulejos que ficava sob uma janela no final de um corredor após o banheiro, separada do resto da casa apenas por uma fina cortina de algodão estampada com hibiscos vermelhos. Havia um chuveiro e uma alavanca, que, quando era acionada, às vezes produzia um fiapo de água marrom e, outras vezes, nada. Geralmente, eu me lavava com um balde de água da torneira que havia fora da casa, trazido por um dos garotos. Eu me deliciava com o banho, o frescor da água, a sensação doce de estar com os cabelos molhados e o aroma leitoso da barra de sabonete alemão que Donald trouxera. Embora, anteriormente, eu me banhasse com cuidado, apenas um membro de cada vez, agora, movida por uma necessidade incontrolável, eu me despia completamente e aproveitava o momento. Ansiava por aqueles cinco minutos de nudez a sós e pelo escorrer da água, mesmo que estivesse suja de ferrugem, pelo meu corpo. Era minha única possibilidade de sentir algo que, mesmo remotamente, se parecesse com alegria.

A cortina, entretanto, não era totalmente opaca. Eu e os garotos parecemos descobrir isso ao mesmo tempo. Com a luz do fim da manhã brilhando pela janela, a minha silhueta ficava visível através do tecido. Eu podia ver através dela na outra direção, percebendo sombras do outro lado. Hassam foi o primeiro que consegui perceber, apoiado sobre as mãos e os joelhos, olhando pelo canto do corredor, como se estivesse tentando ver por baixo da cortina. No meu banho seguinte, ouvi uma risada estrangulada e consegui reconhecer duas figuras — Jamal e Abdullah — como dois fantasmas nos limites do chuveiro.

Nervosa demais para conseguir dormir à noite, eu acabava adormecendo em meu colchão sob o calor do fim da tarde, caindo no sono e acordando repetidamente, a cabeça latejando com a dor constante da desidratação, conforme eu suava, encharcando minhas roupas e o lençol que cobria a cama. Um dia, acordei assustada quando dois garotos armados entraram repentinamente no meu quarto, com as armas em punho: Abdullah e Mohammed, com os olhos arregalados e em estado de alerta. Fecharam a porta atrás de si.

— Mohammed, Abdullah — eu disse, sentando-me no colchão, com um leve tremor na voz. — Algum problema?

Eu usava os nomes dos meus captores sempre que tinha a oportunidade. Era intencional; uma maneira de lembrá-los de que eu os via, de mexer com seus brios, de fazer com que me enxergassem também. Tentava extrair alguma coisa, mesmo das interações mais curtas. A saudação tradicional em árabe é *Asalaamu Alikum*, que significa: “Que a paz esteja contigo”. Ouvira a expressão pela primeira vez durante a minha passagem por Bangladesh, e depois quando atravessara o Paquistão, o Afeganistão, o Egito, a Síria e o Iraque. Havia uma versão mais casual daquele cumprimento — um simples *Salaam* — e uma versão mais extensa, *Asalaamu Alikum Wa Rahmatulah Wa Barakatuh* — “Que a paz e a misericórdia de Alá estejam contigo”. Já conhecia bem o meu Alcorão para saber que Alá tinha uma regra que governava essas coisas. Encontrei-a em um dos meus *surah. Quando uma saudação amistosa te for oferecida, retribui com uma saudação ainda mais amistosa, ou, pelo menos, uma que seja tão amistosa quanto.* Experimentara aquilo com os garotos e vira que funcionava. Uma saudação longa era retribuída com uma saudação longa. Eu a usava todas as vezes. Jogava as palavras extras a qualquer pessoa que entrasse no meu quarto, apenas para forçá-la a passar mais tempo em minha presença — e dirigir-se a mim como um ser humano — durante os três ou quatro segundos necessários para enunciá-la por completo.

Hoje, entretanto, não houve saudação. Abdullah deu um passo em minha direção e apontou sua arma para o meu peito.

— Outro lado — disse ele, laconicamente, indicando que eu deveria me deitar de bruços sobre o colchão.

Minha mente entrou em queda livre, caindo por um alçapão e encontrando outro, aberto logo abaixo do primeiro. Lentamente eu me virei, pressionando a cabeça contra o tecido e mantendo as palmas perto do rosto. Os dois garotos estavam do lado do meu colchão, com as armas pairando por cima da minha cabeça. Eu podia ver o tornozelo nu de Abdullah, da cor do café torrado e sem pelos, talvez a quinze centímetros de distância. Caí, caí sem parar. Ouvia a respiração deles. Fechei os olhos, esperando pelo que viria a seguir.

— Você é mulher má — Mohammed disse.

— O problema é você — Abdullah disse.

O aço do cano da arma pressionou a minha nuca. Tentei não pensar. Os dois estavam falando acima de mim em somali, como se ainda não houvessem planejado seu próximo passo, como se estivessem debatendo até que ponto conseguiriam chegar e sair impunes depois. Houve uma pausa.

Em seguida, Mohammed me chutou nas costelas, com força. Senti a dor fustigar o lado esquerdo do meu corpo, provocando uma onda instantânea de lágrimas.

— Você é má! — disse ele outra vez. — Vamos matar você, *inshallah*!

Vi os pés deles girarem sobre os calcanhares e irem embora. A porta se abriu e depois foi fechada com um clique. O quarto ficou em silêncio. Haviam ido embora.

Eu ainda estava chorando vinte minutos depois, quando Jamal enfiou a cabeça pela porta. Ao ver as minhas lágrimas, ele pareceu ficar um pouco constrangido. Antes que ele saísse correndo, entretanto, eu lhe dei a saudação completa em árabe e esperei até que ele dissesse o mesmo para mim. Reunindo minha coragem, eu disse:

— Jamal, por favor, diga-me o que está acontecendo. Por favor.

Observei algum tipo de emoção que não consegui identificar cruzando a face do garoto. Parecia estar quase relutante. Suspirou.

— Por que você disse à sua mãe para não pagar o dinheiro? — disse ele, balançando a cabeça como se estivesse desamparado, como se eu tivesse provocado toda aquela situação. Virou-se para ir embora. — Estamos aqui faz muito tempo porque ela não paga — disse. — Os soldados estão muito bravos.

Quase consegui ouvir como essa teoria surgira. Podia imaginar a voz aveludada de Ahmed recitando suas conclusões ao Capitão Skids. Skids a repetiria aos garotos, acrescentando um pouco do seu próprio veneno. *Pela sua frustração e raiva, culpem a garota. Por dois meses de inércia, tédio e saudades de casa, culpem a garota. Por tudo que não têm, por tudo que não fizeram, podem culpar a garota. Foi ela que disse à mãe dela para não pagar.*

24

Maya

Havia uma garotinha que morava na casa do outro lado do beco que eu conseguia avistar pela minha janela, a filha da mulher que eu via pendurar as roupas recém-lavadas no varal do seu quintal. No período da tarde, durante as horas quentes e preguiçosas em que meus captores tiravam uma soneca sob a sombra da varanda, eu escutava a garota brincando enquanto sua mãe lavava panelas ou pendurava mais roupas para secar. Ela soltava gritinhos e se comportava mal, ocasionalmente com um ataque de mau humor, berrando *maya*, a palavra em somali que significa "não". Eu poderia passar uma tarde inteira ouvindo aquela voz miúda. Às vezes, eu procurava um ângulo onde pudesse olhar para elas por entre a grade, buscando vislumbres da cabeça ou das roupas da mãe, um pedaço de amarelo ou de índigo por cima da cerca. Donald me dera um espelho compacto e redondo, pequeno o bastante para que eu conseguisse encaixá-lo entre as barras da janela. Quando eu o segurava nessa posição, conseguia uma vista mais ampla do quintal da casa vizinha, embora eu não fizesse aquilo sempre. Temia que o espelho pudesse emitir algum reflexo e alguém acabasse enxergando a minha mão branca por baixo dele. O mundo exterior — a ameaça de ser sequestrada novamente, levada para longe dos meus sequestradores e aprisionada por outro grupo que buscava dólares ocidentais ou ser morta numa demonstração de força — me enchia de preocupações.

A filha da vizinha era baixa demais para que eu pudesse enxergá-la. A julgar pela sua voz, imaginei que ela devia ter mais ou menos dois anos de idade. Parecia sempre estar em movimento, andando com passos de criança por toda a extensão do quintal, berrando *maya* sempre que sua mãe tentava lhe impor algum limite.

Sua mãe estava tentando ensiná-la a conversar.

— *Iska warran?* — dizia ela à garota. Jamal me disse que essa frase significava: "Como você está?".

Quando estava com melhor disposição, a menina repetia a frase:

— *Iska warran?*

— *Waa fiicanahay.* "Estou bem."

— *Waa fiicanahay* — repetia a garota.

— *Waa fiicanahay* — eu sussurrava, junto com elas.

Não conseguia entender muito do que elas diziam, mas reconhecia a entonação. Uma mãe e sua filha, uma mistura de amor e exasperação. De vez em quando, eu ouvia a voz de um homem e o que parecia ser o som de uma avó conversando no quintal. Outras vezes, conseguia ouvir um grupo de vozes femininas — amigas da mãe da garotinha, eu imaginava — conversando animadamente e rindo. Aqueles sons me enfraqueciam, me enchiam de inveja. Aquelas pessoas pareciam passar o tempo inteiro adorando a criança. Na minha mente, eu conseguia visualizar todos. Imaginava-os carinhosos e receptivos, pessoas que não me trairiam. Na minha mente, eu os seguiria pela porta dos fundos até a sua mesa de jantar, uma mulher branca como um fantasma que surgiria do nada, dizendo: "Como vocês estão?" em um somali perfeito. Tentei identificar o nome da criança, mas nunca consegui saber com certeza. Pensava nela simplesmente como a pequena Maya.

Durante as tardes, era Abdullah quem parecia ficar de guarda com mais frequência. Ele vigiava o corredor do lado de fora dos nossos quartos. Às vezes, abria minha porta sem qualquer aviso. Entrava no quarto e me encarava, sem dizer nada, com a arma em punho, os olhos fixos em mim por vários minutos, sem se mover. Ou, então, entrava no quarto e revirava as minhas sacolas como se estivesse procurando alguma coisa. Na primeira semana depois que eu fora separada de Nigel, ele fizera isso uma vez, depois outra, e finalmente uma terceira vez. Jogara minhas coisas no chão com um tipo preciso de violência. Ainda cobria o rosto quando estava na minha presença, mesmo que os outros já houvessem desistido de fazer isso e caminhassem pela casa sem seus lenços.

Eu cumprimentava Abdullah todas as vezes em que ele vinha. Observava-o andar pelo meu quarto. Era maior do que quase todos os outros garotos, com um tronco forte e braços longos. Seus olhos eram escuros e bastante espaçados em seu rosto. Tinha uma voz profunda e severa, levemente abafada pelo lenço que usava. Eu fazia tudo o que podia para iniciar uma conversa, tentando despertar seu interesse em conversar em inglês.

— Estava imaginando o que teremos para o jantar desta noite — eu dizia em voz alta, lentamente. — Estou ficando com fome. Você está com fome também, Abdullah? — De maneira geral, ele me ignorava.

Mais tarde, eu percebi que toda a bagunça que ele fazia enquanto revistava as minhas coisas era apenas um teste. Abdullah estava tentando descobrir quanto barulho ele poderia fazer enquanto os outros garotos dormiam, enquanto Nigel permanecia em silêncio do outro lado da parede. Estava calculando exatamente o que poderia fazer no decorrer daquelas horas vazias.

★

Sem mais nada para me distrair, procurava mergulhar nos materiais de leitura que Donald nos dera havia algumas semanas — as brochuras emboloradas e antiquadas que, anteriormente, nos faziam rolar de tanto rir. Havia a coletânea do *Times* de Londres feita para estudantes do início da década de 1980, cheio de artigos sobre a Câmara dos Lordes e a impressionante economia britânica, seguida por listas de questões de estudo e exercícios de redação com espaços em branco para as respostas. Havia um livro de histórias em inglês sobre dois garotos islâmicos aprendendo a ser gentis. E todo o catálogo universitário criado para atrair malaios ricos para estudar no Reino Unido, com as páginas tomadas pelo mau cheiro e grudando umas nas outras pela umidade. Ha, ha, ha. Nigel e eu folheáramos aqueles livros com desdém. Arrancáramos algumas das páginas mais limpas e as utilizáramos como pratos para o nosso atum com cebolas. Zombáramos de Donald pelo orgulho que ele havia demonstrado quando nos trouxera os livros, por haver dado dinheiro em troca daqueles livros, pensando que seriam relevantes. Zombáramos de toda a Somália por juntar o que teria sido jogado no lixo e depois vender aqueles materiais em algum mercado.

Eu me lembrava de rir com Nigel com o mesmo carinho distante que sentia quando me recordava de comer uma salada de espinafre ou um pedaço de bolo em minha casa, no Canadá.

Agora, eu estava sentada no meu colchão com aqueles livros e lia cada palavra em cada uma das páginas. Estudava um cartum editorial desbotado que mostrava Margaret Thatcher vestida com um terno elegante e um chapéu antigo na cabeça. Conforme o telhado de metal sobre a minha cabeça gemia e se dilatava sob o sol da tarde, eu respondia obedientemente às perguntas sobre a compreensão e interpretação de texto ao fim de cada um dos artigos na coletânea para estudantes. *Este artigo foi escrito sob um ponto de vista objetivo ou subjetivo? Justifique sua resposta com exemplos do texto.* Quando me ocupava com o catálogo universitário, eu agora percebia a atração que o material exercia. O livro trazia universidades em Londres, Manchester, Oxford, no País de Gales e em muitos outros lugares dos quais nunca ouvira falar. Quem imaginaria que a Inglaterra era tão grande? O texto não era tão interessante — informações curtas sobre o tamanho das salas e o conteúdo dos cursos —, mas as fotos eram coloridas. Estavam manchadas e desbotadas, mas ainda eram vívidas. Os prédios eram feitos de pedra, grandiosos em sua arquitetura. Eu olhava para a grama e as flores, para os alunos que sorriam enquanto andavam pelos passadiços com mochilas sobre os ombros, conversando sobre coisas que eu imaginava serem abstratas e interessantes.

Aqueles alunos, agora, já haviam concluído a universidade mais de dez anos atrás, eu pensava. Moravam em casas, tinham empregos, cães e bebês. Perguntava a mim mesma: por que eu não quisera aquilo para mim? Por que torrara todas as minhas economias em viagens de avião em vez de investi-las em uma faculdade? Apenas por diversão, imaginei como seria estar em uma sala de aula, no quarto de um dormitório estudantil, em um *pub* instalado no porão de algum prédio nas horas mais altas de uma noite de quinta-feira. Parecia bom. Parecia ser um plano. EU poderia me sentar em uma carteira com os cabelos escovados e um *notebook* novo.

A porta do meu quarto se abriu e fechou. Levantei os olhos do catálogo e vi que era Abdullah. Ele usava um sarongue de cor roxa e uma camiseta que estava bastante esticada sobre o seu corpo e amarelada pelo suor. Seus olhos queimavam pela abertura do seu capuz. Desta vez, ele não fingiu que revistaria o meu quarto. Em vez disso, deixou sua arma apoiada contra a parede.

— Levante-se — disse.

Quando não me movi, ele repetiu a ordem.

Não tinha importância o fato de que eu me preocupara com aquela possibilidade. De que eu tivera a sensação do que poderia acontecer. Não mudaria nada. Não havia qualquer maneira de me preparar.

Tirei o livro de cima do colo e me pus lentamente em pé, sentindo o corpo tremer e a garganta se contrair.

— Por favor — eu disse. — Por favor, não.

Abdullah respondeu fechando a mão ao redor do meu pescoço, empurrando-me para trás até que eu estivesse prensada contra a parede. Os ossos da base da sua mão estavam pressionando a minha traqueia, erguendo meu queixo. Comecei a chorar enquanto seus dedos longos subiam pelo meu rosto, cobrindo a minha boca, apertando as órbitas dos meus olhos. Sentia que estava sufocando.

— Por favor, não, por favor! — eu dizia contra a pele retesada da palma dele, lutando para conseguir respirar.

— Cale a boca, cale a boca, cale a boca! — dizia ele em resposta, apertando ainda mais a mão ao redor do meu pescoço. Já estava sem o seu sarongue agora. Por baixo, usava um calção esportivo com a cintura ajustável por um elástico e, com a mão livre, estava se tocando por dentro do *short*. Minha mente parecia ter se liquefeito e estar espirrando para fora de mim, incapaz de sustentar pensamentos. Senti-o buscar a barra do meu vestido somaliano, puxando-a para cima. Continuei a falar, com a voz abafada, os braços batendo inutilmente contra ele:

— Não faça isso! Por favor, não!

Ele bateu com o punho na lateral da minha cabeça, e eu senti meu corpo inteiro se enrijecer.

— Cale a boca, vou matar você! — disse ele. — *Caleabocavoumatarvocê!* — Em seguida, forçou-se para dentro de mim e eu tive vontade de morrer.

Em dez segundos, estava acabado. Dez segundos impossivelmente longos. Tempo suficiente para a terra tremer e se abrir, criando um penhasco entre eu e a pessoa que fora antes.

Quando ele me soltou, eu caí no chão, desabando como se fosse uma boneca de pano.

Abdullah voltou a vestir o seu sarongue e pegou o rifle. Ele abriu a porta e verificou o corredor. Eu estava com a cabeça nas mãos e não olhei. Pedi para ir ao banheiro. Estava desesperada para me lavar, para chorar, para me esconder. Ele observou o corredor outra vez.

— Vá — disse. Antes que eu pudesse sair, ele apontou sua arma para o meu peito, perto o suficiente para estar quase me tocando outra vez. — Se contar isso a alguém, eu vou matar você — disse ele. E eu tive a certeza de que ele o faria.

25

Dilema

Nada havia mudado, e, assim mesmo, tudo mudou. A tinta verde-água que cobria as paredes era a mesma, as janelas com suas venezianas e grades, a poeira que cobria o chão, o teto que encimava o quarto. A lata de atum do tamanho de um *puck* de hóquei que Jamal trazia na hora do jantar era a mesma. O chamado para as orações da mesquita perto da nossa casa era o mesmo, assim como as recitações do Alcorão que ressoavam pelo corredor quando os garotos estavam orando do lado de fora da casa eram as mesmas. O que estava diferente era eu.

Ficava deitada no colchão e quase não me movia. Mantinha os olhos fechados, com um braço cobrindo o meu rosto. Minhas costas doíam. Entre as minhas pernas, eu estava dolorida e machucada. Sentia como se houvesse sido expulsa do meu corpo, como se não coubesse mais na minha própria pele. O que havia fora de mim agora estava dentro, como se fosse uma força terrível. Eu era um fantasma vagando por entre as ruínas de uma cidade destroçada.

Deveria odiar Abdullah, mas odiava ainda mais a mim mesma. Minha mente repassava cada erro que eu cometera, cada coisa errada que havia em mim. Por que eu viera para a Somália? O que eu fizera? Passara oito semanas dizendo a mim mesma que aquilo era temporário, mas agora a realidade parecia ser cada vez mais sólida. Não ajudava em nada o fato de que cada minuto era basicamente igual ao anterior, cada hora igual à que havia acabado de passar. Sozinha comigo mesma, eu não tinha nada. Todos os medos que eu já sentira, agora, voltavam para me assombrar — a escuridão era assustadora, ruídos eram assustadores. Sentia-me como se fosse uma criança. Ondas de pânico tomavam conta de mim, gigantes e opressivas. Pensar racionalmente era um esforço. Quando tentava me acalmar, tudo o que eu queria era apressar o inevitável. Pensava no lençol com flores azuis que eu deixava sobre o meu colchão, tentando saber se era longo o bastante para se transformar em uma forca. Pensei na disposição do banheiro, imaginando se haveria algo afiado ou rombudo ou mesmo alto o bastante para que eu pudesse me jogar sobre aquilo ou saltar de uma altura maior, alguma coisa que pudesse simplesmente me mandar para fora do mundo. Ele não poderia me matar se eu fizesse isso primeiro, pensei.

Fiquei desse jeito durante dois dias, levantando-me somente para usar o banheiro, para imitar as posições das orações e beber água, sem conseguir levar a cabo a ideia de me matar. Mesmo assim, também não tinha mais qualquer interesse em continuar vivendo.

Na terceira manhã, sem saber o que mais poderia fazer, deixei um bilhete frívolo no banheiro, não dizendo nada além de um "olá" reconhecível e não muito animado. Se eu fingisse que havia alegria, talvez a alegria surgisse. Bati na parede para indicar que o bilhete estava ali. Em seguida, voltei a deitar no meu colchão. Enquanto esperava até que ele pegasse o bilhete e batesse de novo na parede em resposta, olhei ao redor do quarto, com seu chão encardido e a luz num tom amarelo-palha brilhando pelas grades da janela, e tentei forçar um simples pensamento positivo a surgir. Será que havia alguma coisa? Tinha que haver. Alguma coisa aconteceria. A expectativa surgiu. Estendeu raízes. Decidi usá-la como substituto para o pensamento positivo.

★

Mais tarde, naquela manhã, eu me levantei e comecei a caminhar. Dei uma volta ao redor do quarto, depois outra. A caminhada fez com que eu me sentisse bem. Me deu um propósito. Caminhei calmamente, com um passo firme, dando voltas ao redor do cômodo com os pés descalços, segurando a barra do meu vestido vermelho com uma das mãos para não tropeçar nele. Em movimento, eu dizia coisas a mim mesma, palavras que ressoavam pelo corpo inteiro, até chegar às minhas pernas.

Vou sair daqui. Vou ficar bem.

Havia um certo conforto naquela frase. Eu repetia as palavras como um mantra e continuava em movimento. Naquele momento, fiquei grata pelo fato de que o quarto onde eu era mantida era tão grande. Agora que eu estava caminhando, não conseguia pensar em nenhuma razão para parar. Hassam veio me espiar em um determinado momento, como se esperasse poder me orientar no aprendizado de um novo *surah*. Eu deixara meu Alcorão sobre o peitoral da janela e não fiz nenhuma menção de me aproximar dele. Hassam pareceu ficar perplexo, mas não disse nada e saiu do quarto. Eu tinha certeza de que nenhum deles sabia do que Abdullah fizera comigo.

Quando a tarde chegou — as horas quentes e silenciosas que eu agora temia —, eu ainda estava caminhando, suando como uma atleta olímpica. Jamal me trouxe chá e uma garrafa de água. Mohammed abriu a porta uma ou duas vezes, fez um ruído de desaprovação e depois desapareceu outra vez. Enquanto isso, eu estava ocupada, preparando-me para a liberdade. Espantei a incerteza dos meus planos, junto com todo o desespero e as barganhas escusas e veladas que vinham com ela. Não pensava mais: *Se eu sair daqui, serei uma pessoa mais gentil, mais paciente, mais generosa.* Em vez disso, pensava: *Quando. Quando eu sair daqui.* Quando saísse, abraçaria meu pai o tempo todo. Levaria minha mãe para a Índia, pois ela sempre quisera visitar o país. Comeria coisas mais saudáveis, tentaria entrar em uma faculdade, encontraria um homem que realmente me amasse, e faria algo que tivesse importância. Imaginava a Somália como uma história que eu poderia contar aos meus amigos. Não seria uma história feliz, com certeza, mas uma história com um final. Caminhando em círculos pelo meu quarto, eu dava a mim mesma um futuro. *Aguente firme*, eu dizia. *Aguente, aguente.*

Demorou alguns dias até que Abdullah viesse outra vez ao meu quarto, no fim da tarde, assim como da última vez, empurrando-me contra a parede, com a mão ao redor do meu pescoço, destruindo qualquer força de vontade que eu havia construído. Ele veio outra vez, vários dias depois, e de novo, em muitas tardes depois daquela. A cada vez eu sentia como se estivesse sendo assaltada, como se ele estivesse arrancando alguma coisa vital de dentro de mim. Às vezes, ele simplesmente me agredia com um soco e ia embora.

Durante seis, sete horas por dia, eu caminhava. Às vezes depressa, às vezes devagar. As solas dos meus pés engrossaram. Uma trilha empoeirada tomou forma no quarto, um circuito oval entre as paredes, uma estrada de mão única em miniatura. Parava algumas vezes para tomar água e ir ao banheiro. Parava durante os horários das orações e sentava-me sobre o colchão, sem mais vontade de repetir os movimentos. Revertia a direção do percurso várias vezes por dia para equilibrar a pressão nos dois pés. Para um observador, talvez eu parecesse um animal enjaulado e levemente enlouquecido em um zoológico. Mesmo assim, o que eu sentia, o que eu acreditava era que estava ficando mais forte. *Vou sair daqui. Vou ficar bem.* Prendi o relógio masculino que Donald nos trouxera havia algumas semanas no meu pulso. Repentinamente, o tempo começou a ter importância. Permitia que eu fizesse planos. Olhava para o relógio e pensava: *Ah, são oito horas. Vou caminhar até o meio-dia. Depois, vou bater na porta e tomar banho.* Enquanto me movia, eu me livrava do desespero. Meu corpo se transformou em cordas, cabos e nós de músculos duros. Hassam me interrompia de tempos em tempos para trabalhar nas minhas memorizações do Alcorão. Eu encontrava um refúgio no meu percurso em círculos. Sempre que a pequena Maya soltava um grito rebelde do lado de fora da minha janela, eu silenciosamente a encorajava.

★

Quando Donald veio fazer uma de suas visitas, eu implorei a ele que me deixasse passar algum tempo com Nigel. Perguntei a ele por que fôramos separados e depois observei quando ele piscou os olhos placidamente, explicando que homens e mulheres solteiros não podem ficar juntos, de acordo com o islã.

Eu sabia disso, é claro. Era um dilema familiar para mim. Agora que estava convertida, eu deveria concordar com as regras. Não importava o fato de haver muitos muçulmanos moderados no mundo que provavelmente encarariam as coisas da mesma maneira que eu. Meus captores eram fundamentalistas. Se discutisse a respeito daquelas convicções, eu me exporia como uma infiel. Ainda não sabia por que permitiram que ficássemos tanto tempo juntos antes de impor suas regras.

Donald falou com uma voz consoladora. Indicou o quarto com um gesto.

— Este é um bom lugar — disse ele. — Assim é melhor para todos.

Eu sabia que ele não acreditava naquilo. Estava claro que Donald, de maneira geral, estava abismado pelas condições em que vivíamos — não somente eu e Nigel, mas todas as pessoas na casa. Ele quase sempre comentava sobre a sujeira e a falta de mobília. Quando vinha até a propriedade, provavelmente após sair de sua casa em Mogadíscio, onde tinha uma esposa que cozinhava para ele, Donald sempre trazia pratos de peixe frito ou panelas de sopa ou cozido para os garotos. Comigo, fingia ser obsequioso. Todas as vezes eu pedia a mesma coisa — uma oportunidade de conversar com a minha mãe, uma barra de chocolate tamanho-família, mais comida de qualquer tipo. Ele sempre assentia como se estivesse prestando atenção e, em seguida, não fazia nada a respeito.

— Como você está? — dizia ele todas as vezes, depois que terminávamos com as saudações islâmicas.

— Não estou bem — eu respondia. — Preciso ir para casa.

Sua resposta, desde o início, era a mesma:

— Acho que isso acontecerá logo. *Inshallah.*

A palavra "islã" vem da linguagem árabe. Significa "entregar-se ou submeter-se a Deus". Vez por outra, eu via o que isso significava entre os nossos captores. Todos nós, sem exceção, deveríamos esperar sem reclamar e ver o que aconteceria no futuro.

Nesse dia, decidi arriscar.

— *Não* é melhor que estejamos separados — eu disse. — Um dos rapazes tem feito visitas ao meu quarto. — Eu tomei cuidado de não mencionar o nome de ninguém, convencida de que Abdullah encontraria uma maneira de me matar se eu fizesse uma acusação direta. — Ele faz coisas que são *haram.*

Donald entendeu o que eu estava dizendo. Sentado no chão, no meio do meu quarto, com um joelho erguido até o peito, ele parecia estar desconfortável, mas não escandalizado. Sentindo as lágrimas arderem nos olhos, eu olhava para ele, quase implorando. Os líderes do grupo sempre me pareceram mais sofisticados do que os soldados. Com certeza, não aprovariam o que Abdullah fazia. Eu não sabia se Donald quereria investigar ou repreender os garotos, ou se faria algum tipo de mudança para me proteger melhor, como trazer Nigel de volta ao meu quarto.

— Sou sua irmã muçulmana — eu continuei. — Você precisa me ajudar. Alá diz que os muçulmanos têm que ajudar uns aos outros. Você não deixaria que isso acontecesse com sua filha ou sua esposa, não é? Por favor, faça isso parar. Eu preciso voltar para casa e viver com a minha família. É perigoso demais ficar aqui com esses soldados.

Ele limpou a garganta algumas vezes. Em seguida, ergueu um dedo e apontou para o meu Alcorão, que estava aberto sobre o colchão, indicando com um gesto que eu deveria passá-lo para ele. Entreguei o livro e observei que ele mudou de posição, cruzando as pernas e apoiando o exemplar sobre elas cuidadosamente. Folheou as páginas, lendo rapidamente as passagens em árabe.

— Ah — disse ele, após um momento ou dois. Em seguida, procurou pelo versículo correspondente em inglês. — Aqui.

Virou o livro para que eu pudesse ver o lugar para onde seu dedo apontava. Capítulo 23, versos 1 a 6. Eu conhecia a passagem. Era dolorosamente familiar, um dos vários lugares no Alcorão onde as mulheres prisioneiras — aquelas que eram possuídas pela "mão direita" — pareciam estar excluídas dos rigores das práticas de bom comportamento e autocontrole. Eu sentia a ansiedade crescer dentro de mim sempre que lia aqueles trechos, e agora as palavras me atingiam como um porrete:

É certo que prosperarão os fiéis,
Que são humildes em suas orações,
Que desdenham a vaidade,
Que são generosos para com os pobres,
E que observam a castidade,
Exceto perante suas esposas ou aqueles a quem suas mãos direitas possuem,
Pois certamente, nisso, não serão reprovados.

— Entenda, o que está acontecendo não é obrigatório, mas é permissível — disse Donald, juntando as mãos como se fosse um homem sábio. Como se houvesse acabado de me ensinar algo interessante. — Não é proibido.

Eu entendia que os garotos na casa seguiam as instruções do Alcorão literalmente, mas imaginei que os líderes — especialmente Donald, por haver morado na Europa — teriam um pouco mais de liberdade para interpretá-lo, observando-o através das lentes dos séculos que haviam passado, assim como meus zelosos avós cristãos observavam o Novo Testamento, que tinha seus próprios trechos provocativos sobre a escravidão e o tratamento das mulheres, selecionando as boas passagens e desconsiderando as ruins. Donald não aceitou aquele tipo de argumento, definitivamente. Seu veredicto: não era reprovável.

— Mas eu estou sendo ferida! — eu disse, tentando outra vez. — O que está acontecendo é um problema.

Ele me passou o Alcorão e levantou-se para ir embora. Em seguida, disse o que eu vinha dizendo a mim mesma — embora, vindo dele, tenha sido como levar um tapa:

— *Inshallah*, Irmã Amina, você ficará bem. Não há problema.

★

Novembro chegou. Eu mantinha um registro dos dias obsessivamente, listando os aniversários dos meus amigos que eu estava perdendo, imaginando a passagem das estações em Alberta. Sabia que o Natal estava chegando. Em minha mente, imaginava que chegaria em casa em segurança antes do Natal. Toda sexta-feira, os garotos da casa lavavam suas roupas e alternavam-se no percurso até uma mesquita — outro modo de marcar a passagem de uma semana. Eu continuava caminhando dia após dia, até o ponto da exaustão, esperando por algum tipo de mudança. Repetia a última conversa — se aquilo pudesse ser chamado de conversa — que tivera com minha mãe no início de setembro, dizendo-lhe para não vender nada, para não pagar o resgate.

Minha mãe. Eu era capaz de construí-la na minha imaginação, da cabeça aos pés, desde o brilho dos seus cabelos escuros até as botas desgastadas de *cowboy* que ela gostava de usar. Era praticamente capaz de colocá-la no quarto comigo. A última vez em que a vira fora durante as festas, havia quase um ano, pouco antes de eu embarcar para o Iraque. Passáramos a véspera do Ano-Novo juntas em seu apartamento em Canmore, assistindo a filmes, ela no sofá e eu deitada no chão. Nós duas não tínhamos mais nenhum interesse nas festas cheias de gente e nas contagens regressivas embriagadas. Minha mãe havia completado cinquenta anos recentemente. Eu tinha mais ou menos a idade que ela tivera quando ficara grávida de mim. Ela agora tinha a idade que minha avó tivera naquela época. Éramos como marcas em um mostrador. Jovem, meia-idade, velha.

De vez em quando, um dos líderes vinha até a casa e me fazia alguma pergunta, uma frase jogada de um continente para outro, evocando algo que era ao mesmo tempo íntimo e concreto, enviado diretamente da minha casa.

Qual prêmio meu pai conquistara recentemente? *Comunidades Floridas, por sua habilidade em jardinagem.*

Onde sua avó guarda seus doces? *Em um pote com o formato de uma abóbora.*

Minhas respostas eram uma prova de que eu ainda estava viva, de que ainda valia a pena negociar pela minha liberdade. Eu também tinha a sensação de que aquelas perguntas eram presentes — um convite para visualizar a casa arrumada da minha avó em Red Deer ou as dálias delicadas no quintal do meu pai. Eram uma lembrança de que eu tinha uma vida fora do cativeiro.

Em minha mente, eu conversava sem parar com a minha mãe. Imaginava pensamentos pendurados entre nós, fios de teia de aranha flutuando sobre o oceano. Ela estava me enviando seu amor, eu sabia disso. Respondia às mensagens. *Amo você. Amo você. E lamento muito, lamento por tudo isso.* E também uma inversão do meu último pedido, um pensamento que eu precisava que ela ouvisse mais do que qualquer coisa: *Por favor, tire-me daqui. Encontre uma maneira de pagar. Faça tudo o que for possível, venda tudo.*

Sentia dor só de pensar naquilo, mas ali estava. A cada vez que Abdullah entrava no quarto, eu tinha que me convencer a não querer morrer.

Quando não estava caminhando ou descansando no meu colchão, eu frequentemente ficava na janela no lado direito do quarto, ao lado da parede, onde a luz batia contra o peitoral da janela, facilitando a leitura do Alcorão ou de algum dos livros idiotas de Donald. Às vezes, especialmente no período da manhã, ouvia o som de morteiros rasgando o ar e atingindo prédios não muito longe de onde estávamos. Imaginava que estávamos aprisionados em algum vilarejo-satélite nos arredores de Mogadíscio. Era impossível saber quem estava combatendo quem — a Al-Shabaab contra os etíopes, uma milícia contra outra? Tudo o que eu conhecia era o som. Os combates eclodiam e, em seguida, paravam tão rápido quanto começaram. Logo depois, o bairro ficava imerso num silêncio sinistro por várias horas, enquanto as pessoas se escondiam em suas casas, esperando até terem certeza de que as coisas estavam tranquilas. Eu me lembrava de Ajoos, nosso *fixer* no Shamo, e de seu telefone que tocava o tempo todo — amigos e parentes com notícias minuto a minuto sobre onde os combates estavam ocorrendo, quais ruas eram seguras e quais eram perigosas, quem morrera naquela manhã e quem conseguira escapar.

Alguns dias eu ficava na janela, com uma esperança perversa de que um morteiro pudesse cair em nossa casa, destruindo o telhado, enchendo o lugar com fumaça e deixando todos em choque. Eu não me importava com quem a bomba matasse. Todos mereciam, cada um deles. Pensei que, se eu sobrevivesse, talvez tivesse uma chance de fugir correndo.

★

Um dia, olhando pela janela lateral, consegui ver rapidamente um homem que pensei ser um vizinho. Parecia ter a minha idade. Estava andando pelo quintal malcuidado da casa ao lado e indo em direção a um pequeno armário de ferramentas, conversando com outro homem cujo rosto eu não conseguia ver. Parecia ser uma boa pessoa. Identifiquei isso em seu andar animado, o jeito como ele mantinha a mão amistosamente sobre o ombro do amigo.

Minha solidão parecia estar enviando mensagens pelo ar, porque, quase como se eu houvesse chamado seu nome, o homem se virou abruptamente e olhou para onde eu estava, parcialmente escondida pela grade na janela. Nossos olhares se cruzaram, e nós dois nos assustamos. Instantaneamente eu me agachei para sair da linha de visão dele, com o coração batendo apressadamente. Preocupava-me com a possibilidade de que, se meus captores percebessem que eu podia ser vista pelos vizinhos, passariam a deixar as janelas fechadas e trancadas. Mesmo assim, o olhar do homem havia abalado a minha invisibilidade. Imaginei se ele falaria a meu respeito para alguém e se aquilo traria alguma mudança.

Nada disso aconteceu. Mais semanas se passaram sem qualquer mudança. Parei completamente de olhar pela janela lateral.

Em pé contra a outra janela, a que dava vista para a ruela ao lado da casa, eu conseguia ler o Alcorão e sentir o ar de fora entrando pelas frestas da grade. Mesmo a mudança mais leve na pressão do ar era o bastante para me alegrar, nos momentos em que a umidade aumentava até quase explodir, quando eu conseguia sentir os indícios de que um vento ganhava força. Eu imaginava que conseguia ver a curvatura da Terra, a divisa crescente entre a minha velha vida e quem eu era agora. Em algum lugar muito distante, uma lufada de ar fresco poderia se formar sobre o oceano e começar a se mover na minha direção, agitando as folhas das palmeiras e atravessando o deserto.

Mudanças no clima não aconteciam sempre, mas, nas raras ocasiões em que surgiam, pareciam ser simbólicas, uma coisa que corria de lá para cá.

Certa tarde, uma chuva leve começou a bater contra o muro de concreto do outro lado da ruela. Eu estava em pé diante da janela, ouvindo os pingos tamborilarem no telhado, com os cotovelos apoiados contra o beiral. O céu escureceu até ficar cinzento. O vento soprou com força por entre árvores que eu não conseguia ver, fazendo com que a chuva batesse em rajadas contra a parede.

— Meu Deus, que coisa linda! — disse uma voz, clara como o dia, articulando com exatidão o meu pensamento, exatamente no momento em que a ideia surgiu na minha cabeça.

A voz não era minha. Mas era uma voz que eu conhecia.

— Nigel?

A voz respondeu:

— Truta?

Por um segundo, chocados, nós dois ficamos em silêncio. Ele estava a cerca de três metros de distância de mim, na janela do seu quarto, apoiado no beiral. Como aquela via era estreita, e devido ao fato de que o telhado de metal da nossa casa avançava um pouco sobre o telhado da casa de trás, a acústica era perfeita. Nossas palavras soavam altas e claras, protegidas pelos telhados, batendo contra o muro alto do lado oposto. Quando eu ficava na minha janela e ele ficava na dele, eu podia ouvi-lo e Nigel podia me ouvir. Um pequeno milagre da física. Passáramos várias semanas sem ter ideia disso, mas agora sabíamos.

26

Um Banquete é um Banquete

O que eu pensava sobre o futuro era o seguinte: Nigel e eu sempre estaríamos próximos. Nosso relacionamento romântico estava encerrado, mas fora trocado por algo diferente. Éramos amigos, verdadeiros amigos, melhores amigos, permanentemente presentes na vida um do outro. De que outra forma poderia ser? Nenhuma outra alma que encontrássemos na Terra, enquanto vivêssemos, saberia o que era escutar os garotos entoando preces em árabe naquele pátio, ou ter nossas vidas reguladas pelos estalares de dedos desinteressados deles. Achei que precisávamos lembrar e discutir essas coisas quando saíssemos dali. Construiríamos duas existências lado a lado e teríamos um amor de amigos, todos os dias. Sentaríamos juntos em nossas varandas por vários anos.

Em nossas respectivas janelas, conseguíamos conversar por várias horas, indo e vindo dos nossos respectivos beirais, mantendo as vozes baixas e os nossos exemplares do Alcorão abertos, caso alguém entrasse. Eu ficava aterrorizada com a possibilidade de ser apanhada, mas estávamos familiarizados com a rotina dos nossos captores — especialmente a preguiça acachapante que eles tinham quando precisavam se levantar da varanda. Havia longos intervalos de tempo, todos os dias, quando tínhamos a certeza de que ninguém viria até a parte da casa onde estávamos.

Minha janela ficava mais ou menos na altura do ombro a partir do nível do chão, e, para poder ouvir e ser ouvida por Nigel, eu tinha que me inclinar para a frente, ficando na ponta dos pés com o pescoço esticado em direção à grade que cobria a janela. Eu ficava ali até que meus pés doessem. Quando precisava descansar um pouco, eu dizia algo como: "Certo, conversamos mais tarde", ou: "Vou comer alguma coisa agora", como se fosse uma funcionária em algum escritório que estivesse prestes a voltar para a sua mesa. Com frequência, ao final da conversa, eu dizia:

— Amo você, Nigel.

— Mantenha a cabeça erguida, Truta — ele respondia. Outras vezes, dizia: — Também amo você.

Se, antes da nossa separação, Nigel e eu estávamos fartos um do outro, se estávamos irritadiços e arredios, agora sabíamos que devíamos estar agradecidos por termos um ao outro. Eu me agarrava ao som da voz dele como se fosse uma corda.

Repassávamos velhas histórias, acrescentando novos detalhes o tempo todo. Fazíamos jogos de palavras e contávamos cada piada repetida que conseguíamos recordar. Discutíamos os sonhos que tínhamos durante as noites, nossas interações com os garotos e os nossos movimentos intestinais. Nigel gostava de pensar em mulheres bonitas para passar o tempo. Cate Blanchett era a sua preferida. Tentávamos adivinhar como as negociações do resgate estavam progredindo. Comentávamos em voz alta que nossas famílias talvez conseguissem juntar cerca de meio milhão de dólares para entregar aos nossos captores — uma quantia que eles certamente teriam que aceitar. Falávamos sobre o futuro como se ele estivesse prestes a chegar a qualquer minuto. Nigel dizia que queria voltar a se dedicar à fotografia e que talvez acabasse indo ao Afeganistão. Eu estava com a ideia fixa de passar um bom tempo no Canadá. Quando dizíamos essas coisas em voz alta, um para o outro, pareciam ser promessas que certamente viriam a se cumprir.

Imagens de casa flutuavam continuamente pela minha cabeça. Eu mal conhecia meus irmãos atualmente. Meus avós estavam ficando velhos. Eu tinha amigos que queria visitar. Sonhava acordada com o ar frio e a beleza de um inverno com neve. Imaginava que me mudaria para Vancouver, que, para mim, era a cidade mais bonita do mundo. Em minhas caminhadas pelo meu quarto, os limites do meu confinamento se embaçavam e eu imaginava que estava passeando pelas trilhas do Stanley Park, andando por entre os bosques de cedros altos e ao longo do paredão recurvo que contornava a margem do Oceano Pacífico.

Algo acontece quando você passa a maior parte do tempo sozinho, quando não há distrações. Sua mente fica mais poderosa — até mesmo mais musculosa. Ela toma o controle e começa a levar você nos braços. Em pouco mais de um mês depois que Nigel e eu fomos separados, eu conseguia sentir um novo tipo de energia se revelando para mim. A sensação era física e, ao mesmo tempo, não física. Podia deixar a minha mão a vários centímetros da minha perna e, mesmo assim, sentir o calor interior. A energia nas minhas mãos era estranha, mas parecia ser algum tipo de poder, como uma ferramenta que eu poderia utilizar se aprendesse como. Não sabia se era algo bom ou ruim, ou mesmo se aquilo realmente era alguma coisa — uma ferramenta de sobrevivência ou o primeiro sinal de loucura. Certa manhã, eu comi uma lata de atum e depois passei uma hora sentada, segurando a colher na minha frente, tentando dobrá-la com a minha mente. Não consegui, nem mesmo um pouco, mas mesmo assim a ideia parecia menos louca e mais possível do que anteriormente. Mais tarde, conversando na janela, quando contei a Nigel sobre minha tentativa de fazer algo digno de ser apresentado em um parque de diversões, ele confessou que também estava fazendo experimentos com sua energia psíquica, tentando transmitir mensagens urgentes sobre o pagamento do resgate para seus pais, na Austrália.

★

— Quem é a pessoa que você mais odeia? — perguntou Nigel, certo dia.

Fazíamos esse tipo de pergunta um ao outro o tempo inteiro. Eram o trampolim para várias das nossas conversas na janela. As conversas, para nós dois, iam sempre em uma de duas direções possíveis: para a frente ou para trás. Passávamos o nosso tempo afundados em memórias ou antecipações. *Qual foi o melhor país que você já visitou? Qual foi a sua melhor transa? Qual é a primeira coisa que você vai comer quando sairmos daqui? O que deixaria você mais feliz — tomar um banho quente ou dormir em lençóis limpos?*

Agora ele estava me perguntando sobre o momento presente, sobre nossos captores. A resposta era fácil. Abdullah era a pessoa que eu mais odiava. Odiava-o totalmente, desde as suas axilas sem pelos até o seu hálito podre. Odiava sua crueldade e sua violência. Odiava ter que enfrentar aquelas tardes, sem saber se ele viria me atacar ou não. A cada cinco dias, ele aparecia no meu quarto três vezes, mais ou menos; e, quando não vinha, eu perdia aquelas horas em meio à torrente de adrenalina, preocupando-me com a possibilidade de ele aparecer. Quando vinha, entrando sorrateiramente pela porta enquanto o resto da casa dormia, eu tinha fantasias enormes, onde arrancava o rifle das mãos dele e arrebentava sua cabeça com um tiro — acordando todas as almas naquele bairro para o horror que ele vinha causando. Queria matá-lo. Queria que ele morresse. Esses pensamentos me ajudavam a suportar alguns momentos, mas não as horas. E o que eu precisava era suportar as horas, várias delas. Meu ódio estava ali, borbulhando como um poço de lava abaixo da corda bamba que eu deveria atravessar a cada dia. Eu o via, mas não queria nadar nele. Sabia que não duraria muito, se o fizesse. Preferia conversar sobre comida, sexo e planos.

— Acho que não consigo brincar disso — eu disse a Nigel. — Não vamos falar disso.

Mesmo com tudo o que discutíamos, eu não lhe contei sobre Abdullah. Não queria envenená-lo com aquilo. Não havia nada que ele pudesse fazer, embora eu me perguntasse se ele ouvia os barulhos através da parede.

De qualquer maneira, o relacionamento que ele tinha com os garotos era diferente do meu. Para se exercitar, Nigel começara a praticar ioga em seu quarto. Disse-me que Hassam e Abdullah entraram pela porta um dia, viram-no praticando as diferentes posições e acabaram por participar também, tentando animadamente imitar seus movimentos. Voltaram algumas vezes depois daquilo, pedindo instruções enquanto tentavam coisas novas, rindo enquanto erguiam suas pernas magricelas, tentando fazer a posição da árvore por baixo dos saiotes masculinos que usavam. Aquilo era uma indicação de que eles estavam terrivelmente entediados. Um sinal de que o meu lado da parede nunca seria igual ao lado de Nigel.

★

Conforme as semanas passavam, eu desejava coisas que eram grandes e abstratas — liberdade, conforto, segurança. Além disso, meus desejos mais específicos envolviam comida — bandejas de filés malpassados, sacos de doces, uma cerveja gelada em uma caneca recém-tirada da geladeira. Podia passar duas horas imaginando uma refeição em seus detalhes mais ínfimos, o êxtase de preparar uma omelete, por exemplo — fatiar um pimentão maduro, o *sssss* da manteiga derretendo na frigideira, o amarelo dos ovos sendo batidos em uma tigela. Mais do que qualquer coisa, eu sentia falta de um abraço, a oportunidade de cair nos braços de alguém, qualquer pessoa, que se importasse comigo.

Nunca me ocorreu desejar algo mais direto do que estar de volta à minha casa. Mas, no meio de novembro, Donald Trump entrou no quarto trazendo uma sacola plástica amarela enorme e de aparência resistente, junto com um saco preto menor.

— Chegou um pacote para você do Canadá — disse ele. Lentamente, Donald descarregou o conteúdo no quadrado de linóleo sobre o meu piso. Pegou alguns pacotes de comprimidos, cada um deles com uma etiqueta datilografada e instruções: "Noroxin, 400 mg (para infecções bacterianas — tomar duas vezes ao dia por via oral)" e "Roxitronicina, 150 mg, 10 comprimidos (tratamento para infecções suaves e moderadas no ouvido, nariz, garganta, vias respiratórias, pele e trato urinário e genital — tomar um comprimido a cada 12 horas, por via oral), e assim por diante. Havia alguns lápis e canetas, um caderno de redação, um par de cortadores de unhas, loção St. Ives para o corpo, um pacote embrulhado em celofane com cinco calcinhas de algodão, elásticos para o cabelo, fio dental, vários pacotes de absorventes, uma caixa plástica de lenços umedecidos e um pacote de biscoitos digestivos. Em seguida, ele me deu um pequeno estojo que continha um par de óculos e — oh, meu coração deu um salto nessa hora — alguns livros.

— Você tem sorte — disse Donald antes de sair do quarto.

Depois que ele saiu, eu fiquei olhando para cada um daqueles objetos sem acreditar, sentindo as lágrimas enchendo meus olhos. Quase tinha receio de tocar em qualquer coisa. Recebi um livro de palavras cruzadas, um livro com frases em somali e a autobiografia de Nelson Mandela, *A Longa Caminhada Até a Liberdade*, volumes um e dois, cerca de novecentas páginas ao todo. Eu podia ouvir Donald no corredor, batendo na porta de Nigel. Esperava que Nigel estivesse recebendo presentes tão bons quanto os meus.

Algum tempo depois, nós conversamos pela janela e estávamos bem animados. Nigel também recebera remédios, objetos de higiene pessoal e materiais para escrever. Também tinha uma edição recente da *Newsweek*, um livreto de *sudoku*, dois livros escritos por Ernest Hemingway — *As Neves do Kilimanjaro* e *As Verdes Colinas da África* — junto com o segundo livro de Khaled Hosseini sobre o Afeganistão, *A Cidade do Sol*. Assim como eu, ele recebera um pacote com cinco peças íntimas. Eram cuecas de algodão, mas alguém — Adam? Donald? — abrira o pacote e surrupiara uma delas para si. Saberíamos mais tarde que nossos captores examinaram cuidadosamente os pacotes de presentes, retirando uma boa quantidade de medicamentos e também algumas cartas pessoais escritas pelas nossas famílias.

Eu li o primeiro volume da biografia de Mandela em menos de três dias e entrei de cabeça no segundo, que cobria os vinte e sete anos que ele passara em uma prisão na África do Sul. Deixei-me levar pela história, lendo-a como se fosse uma mensagem escrita diretamente para mim. Mandela dizia que ele e seus companheiros da prisão se comunicavam com bilhetes grudados com fita adesiva embaixo das bordas da privada que compartilhavam. Sua mente começara a lhe pregar peças. Ele duvidava da sua própria sanidade, às vezes. "Convicções fortes são o segredo para sobreviver às privações", escreveu. "Seu espírito pode estar pleno mesmo quando seu estômago está vazio." No início, Donald me dera uma pequena lanterna, a qual eu vinha usando com parcimônia para preservar as pilhas, mas agora eu lia até tarde da noite, as palavras brilhando sob o facho estreito da lanterna.

Usando a estante no alto do banheiro como nosso ponto de transferência, Nigel e eu trocamos livros. Líamos e resolvíamos palavras cruzadas. Rimos de um livreto fino que estava incluído na minha pilha. O título era *Aliviando o Estresse em 5 Minutos: Tranquilidade Instantânea para Pessoas em Viagem*, e incluía trechos como: "Nosso ritmo de vida frenético e a pressão para termos boa aparência e sucesso em tudo o que fazemos indicam que o estresse está mais predominante do que nunca". *O estresse está mais predominante do que nunca.* Com certeza, aquilo era verdade. Embora zombássemos do livro, líamos tudo. Fazíamos uma espécie de clube do livro com dois membros em nossas janelas. Discutíamos cada detalhe de cada livro, até mesmo o que estávamos sentindo quando líamos as palavras. *As Verdes Colinas da África* estava cheio de descrições sobre cozinhar e comer, o que nos atormentava. Mesmo assim, era um livro que precisava ser comentado infinitamente enquanto estávamos apoiados contra os beirais das nossas janelas. A *Newsweek* tinha um artigo sobre energia verde, um tópico no qual nos tornamos especialistas, baseados naquela única fonte. Um velho amigo de Nigel, um colega da área de fotografia, tirara uma das fotos daquela edição — uma imagem de alguns soldados no Afeganistão —, o que pareceu alegrá-lo e lhe dar um pouco de esperança, oferecendo uma conexão com a realidade.

Era como receber não somente uma refeição, mas um banquete. Mastigávamos cada palavra, sentindo cada uma delas como se fosse preparada pelas pessoas que mais nos amavam, mesmo que, quando eu realmente parava para pensar naquilo, tivesse a certeza de que os pacotes foram enviados pela embaixada canadense, e não pela minha família. Meus óculos foram feitos de acordo com a receita prescrita para mim, mas o estojo exibia o logotipo de uma ótica em Nairóbi. E, depois de todas as horas que eu e minha mãe passáramos assistindo ao programa de Oprah Winfrey juntas e todos os livros maltratados de autoajuda que trocáramos durante os anos, eu duvidava que ela escolheria um manual que ensinava a se livrar do estresse em cinco minutos para me ajudar a passar por aqueles momentos difíceis. Depois de muito tempo, eu saberia que estava certa: os pacotes, montados pelos agentes da RCMP que trabalhavam em conjunto com a Polícia Federal Australiana foram enviados para Nairóbi e depois para o Aeroporto Internacional de Mogadíscio. Foram mandados aos cuidados de Adam Abdule Osman, o nome usado pelo sequestrador que vinha ligando para a minha mãe algumas vezes por semana, o homem com os pequenos óculos bifocais de aro redondo que viera conversar conosco no segundo dia do nosso cativeiro, mas que raramente aparecera desde então.

Adam era o responsável pelas comunicações. Parecia conduzir as negociações da sua casa em Mogadíscio, com seus dois filhos pequenos correndo ao fundo. Nas transcrições dos telefonemas para a minha mãe, que eu viria a ler muito tempo depois, ele sempre se referia a ela como "mãe", e uma ou duas vezes perguntou se poderia se casar comigo. Quando ela o lembrava de que ele já tinha uma esposa, ele a lembrava de que, em sua religião, era permissível que um homem se casasse mais de uma vez.

Se Adam estava preocupado com a possibilidade de ser apanhado, não parecia demonstrar. Ele ligava para a minha mãe, repetindo as exigências do resgate, dizendo a ela que minha saúde estava piorando. Os investigadores pareciam concordar com a possibilidade de ele estar usando um nome falso. Se houvera algum plano para montar algum tipo de emboscada para capturá-lo quando apanhasse o pacote no aeroporto, eu não sei. Provavelmente ele pagara a alguém para ir buscar a caixa, exatamente para evitar uma situação como essa.

O lado negativo de receber aquela encomenda era ter a certeza de que ninguém — e isso incluía nossas famílias, nossos governos e nossos captores — pensava que seríamos libertados em breve. Um banquete é um banquete, eu logo reconheci, mesmo que dure pouco tempo. Apesar do fato de que eu estava lutando constantemente contra dores de cabeça e diarreias, eu guardei as embalagens de remédios, deixando-as junto da parede, ao lado do meu colchão. Comecei a racionar minha leitura a alguns capítulos por dia. Nelson Mandela me ajudava a suportar as manhãs, mas Hemingway, com suas páginas de diálogos, seus homens e mulheres envolvidos em conversas sensuais, me colocava na cama à noite. Eu continuava pensando que nossa situação seria temporária, mas também tomava cuidado para não acabar rapidamente com tudo o que tínhamos — com exceção dos biscoitos digestivos, que devorei em questão de dias. O pacote de suprimentos me deixara em júbilo, mas o desespero veio logo em seguida. Tudo tinha dois lados. Havia uma linha sutil entre aguentar firme e deixar-se afundar no desespero.

Enquanto isso, a pele que ficava entre o meu lábio superior e o nariz começou a ficar áspera e a coçar. Olhando-me no pequeno espelho compacto, eu consegui ver uma mancha branca nela, algum tipo de fungo. A cada dia ela parecia se espalhar um pouco mais pelo meu rosto, lentamente estendendo-se ao redor do meu nariz e subindo por uma das bochechas de uma maneira que eu achava aterrorizante. Tentei tomar alguns dos antibióticos que havia recebido no pacote, mas nada mudou. Depois, tentei aplicar o meu novo creme para a pele nas áreas esbranquiçadas, mas isso só fez a situação piorar. Parecia que a Somália estava tentando me devorar viva.

Em um momento de fraqueza, certo dia, escrevi um bilhete para Nigel e deixei-o no banheiro. Estava me sentindo muito desanimada — até mesmo para conversar na janela. Em meu bilhete, eu me desculpava pelo desânimo e acrescentava uma linha explicativa: "Alguém tem feito visitas indesejáveis no meu quarto, durante a tarde". Bati na parede para dizer a Nigel que o bilhete estava lá. Depois de pouco tempo, ele bateu na parede para dizer que havia recebido.

Durante nossa conversa seguinte na janela, ele estava mais quieto do que habitualmente ficava. Perguntei a mim mesma se ele suspeitava do que vinha acontecendo.

— Quem está indo aí? — disse ele, finalmente. — É Abdullah, não é?

— Sim, mas eu não quero falar sobre isso.

— O que ele está fazendo com você? Ele está... — A voz de Nigel morreu no ar. — Há quanto tempo isso está acontecendo? — disse ele, as palavras carregadas de tristeza.

Por uma fração de segundo eu senti vontade de dizer tudo, despejar os detalhes sobre ele sem dó, ouvi-lo chorar, explodir ou arriscar tudo para começar a lutar contra os garotos. Mas eu já me arrependia de haver lhe contado aquilo. Não era justo com Nigel e só servia para tornar as coisas mais reais para mim.

Quando ele começou a fazer outra pergunta, eu o interrompi no meio da sentença.

— Estou falando sério, Nigel. Esqueça isso — eu disse, sabendo que ele não o faria.

Voltei a aguentar firme. De maneira geral, porque simplesmente não havia escolha.

No centésimo dia do nosso cativeiro — 1º de dezembro — eu deixei mais um bilhete para Nigel no banheiro. "Parabéns por chegar aos cem dias", escrevi. "Temos que continuar a pensar positivamente. Temos que acreditar que há muitas pessoas do outro lado do mundo fazendo tudo o que podem para nos tirar daqui e nos levar para casa em segurança antes do Natal". Como sempre acontecia com os meus bilhetes, escrevê-los me ajudava a acreditar neles. Fazia com que eu pudesse tomar as rédeas da verdade, mesmo que por pouco tempo.

27

O Deserto

— Levante-se, estamos indo embora — disse alguém no escuro. Eu estava dormindo. Era tarde. A porta do meu quarto estava aberta. Um dos garotos apontava uma lanterna para o meu rosto. Era Hassam. Eu vi o Capitão Skids atrás dele. — Estamos indo embora — disse Hassam, pela segunda vez. Ele apontou a lanterna para a borda do colchão onde eu deixava as minhas coisas — meus livros, objetos de higiene pessoal e roupas extras. — Vista suas roupas e nós iremos.

Sentei-me na cama. Conseguia ouvir outras atividades na casa, um murmúrio generalizado. Eles nos levariam para algum outro lugar. Já havia acontecido anteriormente, sempre de forma abrupta e no meio da noite.

— Vamos sair daqui? — perguntei para Hassam, evitando olhar diretamente para Skids, cuja frieza me dava nos nervos. — Devo colocar as minhas coisas em uma sacola?

Hassam parecia estar impaciente.

— Não, não. Só vista as suas roupas — disse ele.

Pensei no que aquilo poderia significar.

— Oh, meu Deus. Vamos ser libertados?

— Sim, sim, rápido, agora — disse Hassam. Ele fez um movimento com a palma em direção ao teto, como se quisesse me apressar, levantando-me do meio dos mortos.

Fogos de artifício começaram a explodir dentro da minha cabeça, lampejos de luz e cores. Alegria, incredulidade. Encontrei o jeans masculino que eu deixava perto do colchão e puxei-o por cima dos meus quadris, por baixo do vestido vermelho de poliéster que eu vestia durante todos os dias e noites. Levantei-me rapidamente e encontrei um lenço para colocar ao redor da cabeça. Segui Skids pelo corredor escuro, com Hassam e seu rifle vindo logo atrás. Segurava a cintura do jeans com uma das mãos para que não caísse. Percebendo que a porta de Nigel estava fechada, eu me virei para Hassam. Perguntei, apenas para ter certeza:

— Vamos ganhar a liberdade? É isso? — Ele não disse nada.

Na área em frente à casa, o Suzuki de Ahmed estava esperando com o motor ligado. Hassam fez um gesto e eu embarquei no banco traseiro. Vi Abdullah saindo da casa, enrolando um lenço ao redor do rosto, e depois trocar seu saiote por um par de calças — algo que os garotos faziam sempre que saíam da casa. Em seguida, eu vi Ahmed surgir. Nunca o vira cobrir o rosto com um lenço quando estava na minha presença, mas, desta vez, ele também estava usando um, ocultando cada milímetro de sua face. Sozinha no carro, eu podia sentir meu otimismo se esvaindo.

Em seguida, Abdullah sentou-se no banco traseiro, ao meu lado. Ahmed abriu a porta do motorista e entrou.

— Abdullah, Ahmed, está tudo bem? — eu perguntei.

Ninguém respondeu. Era como se eu não estivesse ali. Sob a luz interna, Ahmed girou a chave na ignição e engatou a marcha a ré. Atrás de nós, um dos garotos destrancou o portão. A porta traseira do outro lado se abriu, e Skids, totalmente encapuzado, sentou-se ao meu lado no banco traseiro.

Em minha garganta, eu sentia um pânico borbulhante. Perguntei:

— O que está acontecendo? Onde está Nigel? Vocês vão trazê-lo? Para onde estamos indo? — A minha voz parecia estar alguns passos à frente do meu cérebro, sentindo o perigo verdadeiro. Eu a ouvia alta e estridente.

Com um braço colocado por cima do encosto do banco do passageiro, Ahmed manobrou a perua pelo portão aberto e levou-a até a estrada de terra. Ninguém respondeu às minhas perguntas. Ninguém disse onde Nigel estava.

Estávamos rodando agora, os três homens e eu, rapidamente sobre areia pesada, serpenteando por entre o labirinto de muros altos da vizinhança. Uma parte racional dentro de mim avisava para prestar atenção ao lugar onde eu estava, para descobrir a qual direção as ruas levavam, caso eu tivesse uma oportunidade de correr — agora, mais tarde ou assim que fosse possível. Mas tudo parecia igual. Nossos faróis iluminavam apenas muros de concreto, à medida que virávamos esquinas, indo de uma rua sem nome para outra. Eu olhava por cima do painel conforme algum arbusto surgia no meu campo visual e depois sumia. Após alguns minutos, Ahmed parou o carro em frente à entrada de uma propriedade escura, onde um homem estava à espera. Era o homem do dinheiro, Donald Trump. Fiquei grata por ver que o seu rosto não estava coberto e que ele não empunhava uma arma.

Donald abriu a porta traseira do Suzuki e silenciosamente se enfiou no carro, ao lado de Abdullah. Havia quatro de nós no banco traseiro agora, e apenas Ahmed seguia na frente.

O carro deu um solavanco para a frente. Concentrei-me em Donald, ainda tentando me apegar à ideia de que seria libertada.

— O que está acontecendo, Mohammed? — eu disse, usando seu nome verdadeiro. — Para onde estamos indo? O que está havendo?

Enquanto eu falava, ele olhava diretamente para a frente. Agia como se não pudesse me ouvir. Percebia os olhos dele indo de um lado para o outro, por cima do painel — nervosamente, pelo que parecia —, mas ele não olhava para mim. Eu disse:

— Para onde eles estão me levando, Mohammed? Onde está Nigel? Por favor, me diga. Sou sua irmã, lembra-se?

Um novo medo começou a girar em círculos dentro do meu peito. Talvez eu estivesse sendo vendida. Eles haviam ameaçado fazer aquilo algumas vezes, dizendo que, se o dinheiro do resgate não surgisse, sempre poderiam recuperar suas perdas se nos entregassem para a Al-Shabaab. Eu me perguntava se era isso que fariam. Explicaria o fato de que Nigel não estava comigo: eu estava a caminho de ser morta ou vendida a um novo grupo de sequestradores. A família de Nigel tinha dinheiro e a minha, não. Eles ficariam com Nigel e se livrariam de mim.

Naquele momento, eu fiz algo instintivo e totalmente não islâmico. Estendi a mão por cima do colo de Abdullah e agarrei o antebraço de Donald, sem parar de falar, querendo apenas segurar alguém que pudesse me ouvir. Não discutíramos certa vez o que faz um bom azeite de oliva? Não fora ele quem me trouxera uma lata de Coca-Cola e um teste de gravidez? Eu estava chorando, agora. Seu braço estava rígido sob a minha mão.

— Por favor, não deixe que me matem! — pedi a ele. — Por favor, diga-me o que está acontecendo. Onde está Nigel? Você pode impedi-los de fazer isso? Vou ser vendida? Eles me venderam? Está tudo bem?

Desajeitadamente, Donald se livrou do meu agarrão e limpou a garganta.

— Ahhh... — disse ele, com um olhar hesitante na direção de Ahmed, que estava no assento do motorista. — Eu realmente não sei. *Inshallah*, está tudo bem, mas eu realmente não sei.

Com aquele comentário, ele voltou a ficar em silêncio.

Depois de mais um minuto, o carro parou de avançar. Desta vez nós estacionamos em frente a uma pequena porta encaixada entre dois muros. Achei que reconhecia aquele lugar como a porta que levava à Casa Elétrica, o lugar de onde saíramos seis semanas antes, onde Nigel e eu jogáramos partidas de gamão. Dois homens pareciam estar esperando por nós. Eles subiram no banco dianteiro do Suzuki, ao lado de Ahmed, e ambos estavam encapuzados. Reconheci um deles como Romeu, com seu tronco alongado e o lenço de tecido xadrez amarelo, que ele geralmente mantinha ao redor do pescoço. O outro homem era novo para mim — ombros largos, corpulento e com uma postura de comando.

Como se estivessem seguindo um conjunto de instruções ditado de antemão, nenhum dos recém-chegados olhou para mim. Ninguém cumprimentou ninguém. Ninguém falava.

Avançamos em meio à escuridão da noite, seguindo por uma estrada de terra iluminada pelos nossos faróis. Eu estava um pouco inclinada para a frente, em parte para evitar ficar muito perto de Abdullah, de um lado, e do Capitão Skids, do outro, apoiando uma das mãos sobre o console forrado com pele de animal no meio do carro para me equilibrar. Parecíamos estar atravessando algum tipo de rua onde havia um mercado a céu aberto. Vi o que pareciam ser quiosques fechados feitos de restos de madeira e metal pregados. Havia barracos construídos com galhos de árvores e caixas de papelão, com caixotes quebrados e chapas de zinco corrugado. Todas as estruturas, grandes e pequenas, pareciam ser feitas com gravetos e lixo. Garrafas plásticas de água estavam espalhadas pela estrada. Pedaços de papel soltos giravam sob nossas luzes. À nossa frente havia uma fogueira alaranjada que se projetava contra o céu negro, alta como uma torre, quase como uma ilusão. Conforme nos aproximamos, eu vi que aquilo era real, uma enorme fogueira projetando luz, com as chamas no topo se agitando e soltando faíscas muito acima das figuras humanas reunidas ao redor.

Ahmed não diminuiu a velocidade quando se aproximou da fogueira. Ele acelerou, passando ao lado dela, com os ombros encurvados sobre o volante. Olhei por cima de Skids e pela janela quando passamos. Homens jovens, talvez quinze ou vinte ao todo, reuniam-se em grupos esparsos ao redor das labaredas. Pelo que eu pude ver, muitos também levavam rifles de assalto, parecidos com os que nossos captores tinham.

Cerca de vinte metros mais adiante nós passamos por outra fogueira. Esta era menor, com outro grupo de homens reunidos ao seu redor. Vi várias outras fogueiras acesas ao longe. Percebi que havia sombras na rua, pessoas indo de um lado para o outro. Todas eram homens jovens, constantemente em movimento. Era como se estivéssemos atravessando uma caverna subterrânea com lampejos de luz.

Donald percebeu que eu estava olhando. Sem fazer contato visual, ele disse:

— Por favor, olhe ao seu redor. Está vendo este lugar? Está vendo as gangues? — Sua voz estava carregada de escárnio. — Você achou que estava em Paris ou Toronto? Bom, não está. Isso é a Somália.

Ele pronunciou a palavra do mesmo jeito que o restante dos rapazes fazia, com uma espécie de orgulho temerário, pronunciando enfaticamente todas as quatro sílabas, *So-ma-li-a.*

Continuamos avançando rumo ao que estava para acontecer. Eu tinha a sensação de que estava caindo pelo espaço, rolando por um amplo vazio sem qualquer textura, sem barreiras, sem chance de impedir minha própria queda. Após uns poucos minutos, a cena humana do lado de fora das janelas do carro se esmaeceu, com as pessoas, os barracos e o lixo espalhado, e logo estávamos em uma área rural, numa estrada pavimentada, planando sobre uma região vazia e totalmente silenciosa. Após algum tempo, Ahmed virou o volante e o carro passou a andar por uma estrada de areia. Eu não sabia o que deveria dizer a mim mesma. Não conseguia, nem por um segundo, imaginar o que havia à frente. Será que haveria uma troca no deserto com a Al-Shabaab — eu por uma pilha de dinheiro? Seria possível que eles me matassem e me abandonassem ali, como uma maneira de pressionar a família de Nigel a pagar mais e rapidamente? Minha mente acendia fogueiras e depois as apagava. Ahmed girava calmamente o volante, como se soubesse precisamente para onde estava indo, desviando de moitas que surgiam sob os nossos faróis, com os pneus jogando areia para todos os lados. Em quarenta e cinco minutos de percurso, ele ainda não havia dito uma palavra.

Sem avisar, ele pisou nos freios e colocou o carro em ponto morto. Ouvi quando ele desligou o motor. Um instante de silêncio se fez dentro do carro. Comecei a chorar outra vez. Ouvi minha própria voz enquanto eu falava, preenchendo o espaço:

— O que está acontecendo? Por que estamos aqui? O que vocês estão fazendo? Por favor, não me machuquem, por favor, não.

Ninguém no carro se virou para olhar para mim. Um por um, eles abriram suas portas e desembarcaram. Eu estava no banco traseiro, curvada sobre os joelhos, sentindo que ia vomitar. As mãos de alguém puxavam meu braço, impelindo-me na direção da porta.

A lua estava no céu, estreita e azulada. As estrelas formavam um belo carpete acima da nossa cabeça. Eu olhei para cima e percebi. Não sei por quê. O céu estava lá, e eu também, metade dentro do carro e a outra metade fora. Foi Donald quem me segurou pelo braço.

— Venha — disse ele. Eu segurava na maçaneta da porta aberta do carro com as duas mãos. Ele puxou com mais força, tentando me arrastar. — Venha, vamos lá — parecendo estar irritado e aborrecido. Meus pés deslizavam por cima da areia. Soltei-me da porta.

Estava andando ereta. Caminhamos por entre moitas espinhosas típicas do deserto em direção a uma clareira com uma acácia, uma coisa retorcida iluminada pela lua. Os homens do carro já estavam lá, todos, com exceção de Donald e Abdullah, que estavam me escoltando até a árvore. Claramente, já haviam discutido aquele plano e como proceder. Estavam alinhados, com expressões sérias e solenes, cerimoniais. Não havia outros carros à vista, nem outras pessoas. Afastei a ideia de que estava sendo vendida para a Al-Shabaab, embora esta fosse a opção que poderia me trazer mais esperança. Estava tudo acabado. Eu ia morrer.

As palavras transbordavam pela minha boca. Eu estava falando comigo mesma, mais do que com eles. *Sinto saudades da minha mãe, sinto saudades do meu pai. Quero ver minha família de novo.* Todos os desejos se tornaram simples. Eu me lembro de chorar, de tremer, do medo constante de cair, rodopiando sem parar pelo vazio. Lembro-me do que aconteceu de maneiras que não gostaria de me lembrar, cada passo que demos em direção à clareira. Como eu me agarrei a Donald quando chegamos à árvore, como ele colocou suas mãos sobre os meus ombros — gentilmente, pelo que pareceu — de modo que eu não ficasse olhando diretamente para os meus captores. Como estendi as mãos e agarrei sua camisa quando ele me empurrou para baixo, como ouvi o *ffffft* do tecido rasgando-se, conforme eu me abaixava e como, finalmente, fiquei de joelhos sobre a terra, com as costas viradas para o grupo. Senti a aspereza da areia do deserto através do meu jeans. Lembro-me de como o calor do dia se irradiava pelo solo, mesmo que já fosse tarde da noite.

Por trás de mim, alguém arrancou o lenço que eu tinha ao redor da cabeça e agarrou um punhado dos meus cabelos, puxando minha cabeça para trás. Algo grosso e frio foi colocado contra a minha garganta — uma faca, longa o bastante para que, pelo canto do olho, eu conseguisse ver sua ponta arredondada, o final da lâmina. Senti que estava engasgando. Quem quer que estivesse segurando os meus cabelos deu um novo puxão na minha cabeça e posicionou a faca de modo que ela deslizasse pelo lado esquerdo do meu pescoço, a parte macia, a jugular. Percebi que a lâmina era serrilhada; senti os dentes da arma presos na minha pele. Implorei a eles que não fizessem aquilo. Pensei em todas as vezes que Abdullah e Ali imitaram o movimento de decapitar com as mãos. Pensei no homem iraquiano degolado que eu vira. Continuei falando. Deixei escapar um pensamento que nunca tivera, nem uma vez na minha vida, mas que parecia ter uma boa dose de certeza: *Vocês não podem fazer isso. Eu não tive filhos. Quero ter filhos.*

Era realmente eu? Era, sim.

Não havia uma saída. Eles disseram várias vezes que me matariam, e agora cumpririam a promessa. Em meu corpo, alguma espécie de fusível explodiu. Meus músculos ficaram rígidos. Ouvi minha respiração quando tomei fôlego.

Por trás de mim, os homens estavam conversando, dizendo coisas em somali. Donald e Skids estavam tendo algum tipo de discussão, e Ahmed intervinha com suas opiniões. Uma palavra mais dura foi dita. A pessoa que segurava os meus cabelos largou de mim, abruptamente. Caí para a frente, sobre a areia.

Quando me virei para ver o que estava acontecendo, a voz de Donald me apanhou. Ele disse, com um tom severo:

— Vire-se para o outro lado.

Conversaram por mais alguns minutos enquanto eu chorava sobre a areia, parecendo um animal, alguma criatura ferida e incapaz de falar. Lembro-me fielmente do som da minha própria voz, a loucura de tudo aquilo. Não sei quanto tempo se passou ou o que me fez olhar para trás outra vez, mas percebi que Skids estava com seu telefone na mão, digitando um número. Estava falando pelo aparelho — com Adam, pelo que eu saberia mais tarde. Donald veio até mim. Ele se inclinou e olhou diretamente nos meus olhos pela primeira vez em toda aquela noite. Parecia estar assustado, temendo pela minha vida.

— Quanto dinheiro a sua família tem? — disse ele.

— Eu não sei, não sei! — respondi, sem fôlego de tanto chorar. — Eles vão dar tudo o que vocês quiserem. Por favor, não me matem. Eles vão dar o dinheiro para vocês. Vão dar tudo.

— Eles querem um milhão de dólares — disse Donald. — Você tem sorte por eu estar aqui. Pedi a eles que lhe dessem mais uma chance. Você tem sete dias, e, se esse dinheiro não surgir, vão matar você.

Um momento depois, ele me entregou o telefone do capitão, com a voz da minha mãe do outro lado da linha.

28

Ligando para Casa

REAL POLÍCIA MONTADA CANADENSE
INTERCEPTAÇÃO AUTORIZADA DE LINHA TELEFÔNICA

Identificação do caso:	Lindhout
Identificação da linha:	403-887-XXXX
Número da sessão:	1122
Data:	Sábado, 13 de dezembro de 2008
Horário de início:	12h04m24s, GMT-7 horas
Direção:	Recebendo
De:	Adam Abdule Osman
Telefone:	2521537XXXX
Localização:	Desconhecida
Para:	Lorinda STEWART
Número do telefone:	403-887-XXXX
Localização:	Avenida 50, 3939, Sylvan Lake, Alberta

(Diálogo ininteligível ao fundo)

ABDULE OSMAN:	(Pigarro)
STEWART:	Alô?
ABDULE OSMAN:	Alô?
STEWART:	Olá, Adam.
ABDULE OSMAN:	Certo. Queremos conversar e, Amanda... (a ligação é interrompida temporariamente), e depois...

(Diálogo em idioma estrangeiro ao fundo).
[Um segundo telefone é acionado]

ABDULE OSMAN: ...e depois, nesse momento, temos pouco tempo.
STEWART: Tudo bem.
ABDULE OSMAN: Não desperdice o nosso tempo e não desperdice o seu tempo. Temos pouco tempo, entende?
STEWART: Oh, eu entendo.

(Diálogo em idioma estrangeiro ao fundo).

LINDHOUT: (Chorando) Mamãe?
STEWART: Amanda. (Chorando). Amanda, eu amo você. (Chorando). Amanda... Amanda, como você está?

(Ao fundo: diálogo em idioma estrangeiro).

LINDHOUT: Mãe, escute. Escute o que eu vou dizer, tá?
STEWART: Tá.
LINDHOUT: ...com atenção, está bem?
STEWART: Está bem. Estou escutando, querida.
LINDHOUT: (Chorando) Se... se vocês não pagarem (soluça) um milhão de dólares para me resgatar em uma semana, eles vão me matar. Entendeu?

(Ao fundo: diálogo em idioma estrangeiro).

LINDHOUT: Hoje eles me tiraram da casa para me matar (soluça) e... mas... mas eles... eles me deram mais uma chance para ligar para vocês. (Chorando)
STEWART: Amanda, s-seja forte. Seja forte, querida. Nós...
LINDHOUT: (Chorando)

STEWART: ...estamos fazendo...
LINDHOUT: Mãe.
STEWART: ...tudo o que podemos...
LINDHOUT: Mãe, escute o que estou dizendo. Nós temos... uma semana, entendeu? E eu não... Eu estou me sentindo tão mal. Não acredito que eles estão fazendo isso, mas (soluça) eu... eu odeio estar fazendo isso com vocês. (Chorando)
STEWART: Amanda, Amanda. Por favor, não se preocupe conosco. Por favor, não se preocupe conosco.
LINDHOUT: (Chorando)
STEWART: Amamos você.
LINDHOUT: (Chorando)
STEWART: Você precisa...
LINDHOUT: Eu sei que...
STEWART: ...ser forte e...
LINDHOUT: (Ininteligível)
STEWART: ...se manter saudável.
LINDHOUT: (Chorando) Existe... existe algum modo de vocês entregarem o dinheiro para eles em uma semana?
STEWART: Amanda, nós estamos tentando fazer tudo o que podemos para juntar o dinheiro para você, porque o...
LINDHOUT: (Chorando)
STEWART: ...governo não vai pagar. Nós fomos ao banco outra vez.

(A ligação é encerrada).

29

Natal

Tarde, muito mais tarde, naquela noite, eles me levaram de volta ao meu quarto. Rastejei para cima do colchão e puxei o lençol com flores azuis por cima de mim, exausta demais para ajustar a rede de proteção contra os mosquitos. A casa estava imersa no silêncio. Eu não tinha energia para imaginar o que havia acontecido, se tudo aquilo fora uma armação — uma execução fajuta à luz da lua, preparada para me levar exatamente até o lugar aonde eu fora levada, balbuciando e projetando o terror para um ponto a vinte mil quilômetros dali.

Na manhã seguinte, depois que Hassam entrou para abrir minhas janelas e deixar a luz do dia entrar, eu fui até o meu beiral e esperei que Nigel chegasse ao seu. Quando ele apareceu lá, eu lhe contei sobre a noite anterior, chorando outra vez durante todo o relato, sem mencionar a parte da faca serrilhada pressionada contra a minha garganta — de algum modo, imaginei que estava fazendo aquilo para protegê-lo, para impedir que ele soubesse que aquela faca existia, e também porque não me sentia pronta para viver aquele momento outra vez. Eu disse apenas que ameaçaram me matar. Deixei que Nigel presumisse que a ameaça fora feita com um dos rifles. Contar a história a Nigel não facilitou nada. Ele disse que ouvira quando me tiraram da casa e chorara por muito tempo. Nós dois compreendemos que havíamos entrado num território novo e mais perigoso com nossos captores. Estávamos chegando a um encerramento. O grupo inteiro havia ensaiado uma morte. A minha morte. Tentei não pensar naquilo, mas não havia como afastar as imagens. Eu chorei, inutilmente, reflexivamente, durante a maior parte daquela manhã.

Hassam surgiu na minha porta posteriormente, trazendo a jarra de chá da tarde. Ele parou e me observou com o que parecia ser uma expressão de preocupação. Eu ainda estava deitada no meu colchão e continuava chorando

— os soluços espasmódicos da manhã deram lugar a um rolar manso e aparentemente interminável de lágrimas. Alguma coisa na expressão de Hassam me dizia que, embora houvesse ficado para trás, ele sabia exatamente para onde eu fora levada e o que acontecera.

— Gosta de ir lá fora? — ele me perguntou. No início, parecia ser uma piada de mau gosto, uma referência à noite passada, mas eu percebi que, na verdade, era uma oferta.

— Ir lá fora? Hoje? Agora? Sim, por favor — eu disse. Atrapalhada, procurei pelo meu Alcorão e dei a impressão de que queria pegá-lo e levá-lo comigo, dizendo com um suspiro choroso: — Posso estudar lá fora.

Hassam assentiu.

— Eu pergunto — disse ele, antes de fechar a porta.

Não senti muita esperança. Se você já teve a oportunidade de ler *Aliviando o Estresse em 5 Minutos: Tranquilidade Instantânea para Pessoas em Viagem*, saberá que a esperança é algo que pode desaparecer. "Pessoas que se defrontam com situações emocionalmente carregadas, durante um longo período", dizia o livro nas minhas semanas de leitura após receber o meu pacote de suprimentos, "podem chegar a um estado de 'burnout' — um termo que descreve a exaustão física, mental e emocional. A pessoa tem a sensação de desamparo, desilusão e cinismo (além dos sintomas físicos, mentais e emocionais que são comuns em casos de estresse)."

E aquilo parecia descrever perfeitamente a minha situação.

Para a minha surpresa, Hassam voltou depois de dez minutos. Indicou que eu deveria pegar o meu Alcorão e segui-lo pelo corredor, passando pelo quarto de Nigel, passando pelo banheiro e o chuveiro, até uma porta que quase nunca era usada. A luz do dia que nos recebeu queimou meus olhos, acostumados com as sombras, fazendo com que manchas amarelas surgissem entre eu e o mundo exterior. Quando as manchas desapareceram, pude ver que estávamos em uma pequena área externa que se ligava ao portão por onde o carro entrava, e do outro lado do canto da casa, fora da linha de visão da varanda, onde os garotos passavam o dia com o capitão, embora estivéssemos cercados pelos mesmos muros. O sol brilhava por entre as folhas do mamoeiro que crescia no meio da terra, exibindo alguns brotos de frutas verde-escuros.

Agora que estávamos do lado de fora, Hassam parecia estar tímido. Trouxera sua arma. Indicou com um gesto que eu deveria me sentar à sombra da árvore, sobre um balde virado de ponta-cabeça. Em seguida, foi até o lado mais distante do terreno, onde dois portões de metal trancados com um cadeado levavam para a rua. Eu passara por ali na noite passada, na escuridão, mas agora o lugar era diferente. Ainda empunhando sua arma, Hassam sentou-se contra a parede, perto dos portões, talvez a uns seis ou sete metros de distância. Era o maior espaço que eu recebera para utilizar em quatro meses.

Sentando-me sobre o balde, apoiei as mãos na capa do meu Alcorão e olhei para elas, as veias azuis sob a pele opaca. Estudei o mamoeiro, com seus galhos que se erguiam em arcos e suas folhas encurvadas. Algumas nuvens flutuavam como pipocas brancas contra o céu brilhante. À luz do dia, meu vestido de poliéster reluzia com um tom psicodélico de vermelho. Os muros que cercavam a casa eram pintados de branco com uma moldura azul-bebê que os encimava, por baixo de vários metros de arame farpado emaranhado. Uma sacola plástica retalhada estava presa no arame farpado. Tudo parecia ser pontiagudo, esquisito, irreal. Mais adiante, sentado contra o muro, Hassam parecia estar perdido em pensamentos profundos, esquadrinhando o céu com os olhos. Não fiz qualquer menção de abrir meu Alcorão, e ele não olhou na minha direção nem uma vez. Antes que tudo terminasse, permanecemos lá fora por cerca de vinte minutos, Hassam e eu, cada um de nós tendo algo que se aproximava de um momento privado. Foi tempo suficiente para que o sol agisse sobre o meu rosto pálido, meu nariz e até as costas dos meus dedos, queimando cada pedaço exposto do meu corpo, deixando-o num tom dolorido, mas nostálgico, de rosa-vivo.

★

Nigel me disse que eu deveria deixar minhas coisas em ordem, caso eles me matassem. Disse que eu deveria escrever qualquer coisa que quisesse dizer à minha família ou contá-la a ele pela janela. Se tivesse a sorte de sobreviver ao sequestro e sair dali, passaria as mensagens à minha família. Últimos pensamentos, pedidos de desculpas, uma declaração agonizante de amor, últimos desejos, um testamento onde indicasse como meus pertences mundanos deveriam ser distribuídos ou qualquer coisa do tipo. Essa era a minha chance.

Tentei não me sentir ofendida por aquela ideia, a ideia de que eu morreria e ele ficaria vivo. Nigel disse que estava apenas tentando ser prático.

— Pense no caso e me diga o que decidir — disse ele.

— Não quero fazer isso — eu respondi.

Pensava em Nigel apenas como uma voz agora, desincorporada e flutuante, como um campo de energia. Imagino que ele pensasse o mesmo em relação a mim. Quase todas as interações entre nós se desenrolavam em meio à acústica suave do beco que havia atrás da nossa casa.

Certa vez, quando eu estava voltando do banheiro, Nigel havia deixado a porta do seu quarto aberta e estava sob o batente, esperando que eu passasse. Tentei não ficar chocada pela mudança em sua aparência nas oito semanas desde que fôramos separados. Ele vestia uma camiseta branca sem mangas e tinha um sarongue ao redor da cintura. Estava extremamente magro, com a barba espessa e a pele com um tom amarelado e doentio. Seus olhos azuis estavam lacrimejantes e tinham um toque de icterícia, como o que se vê no rosto de um velho. Eu também era um show de horror. Pude perceber isso no olhar de Nigel. Estava raquítica e pálida, e vi no meu espelho compacto o fungo branco que se espalhava pelo meu rosto, amontoando-se nas minhas bochechas como faixas de sal ressecado. Em sua porta, eu formei as palavras "olhe para mim" com os lábios, como se quisesse dizer: *Olhe no que eu me transformei*. Sorri e dei de ombros, e ele fez o mesmo. Não havia como mudar aquilo. Estávamos mais felizes, provavelmente, pensando um no outro como vozes que ziguezagueavam pelo beco.

Assumindo mais um risco antes de me afastar, estendi o braço para pegar na mão de Nigel e a segurei. Por trinta segundos exatos nós ficamos ali, de mãos dadas, juntos, sem dizer nada.

Sete dias vieram e passaram. Eu esperava, ansiosa, que Donald, Ahmed ou Romeu aparecessem para me levar embora. A sétima noite passou com uma lentidão excruciante. Acordei na oitava manhã no meu quarto, incapaz de sentir qualquer outra coisa que não fosse medo. Recalculei automaticamente: quando Donald declarara que a minha família tinha uma semana para arrumar o dinheiro do resgate, talvez ele quisesse dizer que eles esperariam sete dias e, *em seguida*, me matariam. O que significava que isso aconteceria agora ou em breve. O oitavo dia se passou, depois o nono. Algo que se parecia vagamente com esperança começou a crepitar, uma pequena brasa em uma fogueira que se apagara havia algum tempo. Esperei por um sinal. Nenhum dos líderes veio visitar a nossa casa. O telefone do capitão não tocou mais. Eu espiava os garotos pelo pequeno buraco da fechadura da minha porta, uma fresta pela qual podia observar suas vidas no pátio. Eu os via rezando, dormindo, comendo e tomando chá. Nos fins de tarde, depois da hora do chá, os garotos frequentemente se reuniam ao redor do Capitão Skids, que ficava sentado sobre uma mureta circular — o que, em tempos melhores, deveria ter sido um canteiro de plantas — e dava aulas sobre o que pareciam ser questões militares. Às vezes, ele se levantava e demonstrava uma manobra com uma arma.

Eu observava os garotos tentando atravessar aquelas horas longas. Quando não estavam rezando ou escutando o que Skids lhes dizia, eu os via arrancar meticulosamente os pelos das axilas com as unhas, de acordo com as regras do profeta sobre a higiene.

Eu estava ficando desesperada em busca de algum sinal que indicasse que a ameaça imediata havia passado. No pacote que recebera algumas semanas antes havia várias folhas de frases em somali com as traduções para o inglês impressas logo ao lado. Frases como: "Há alguma coisa que faça a dor diminuir?" e: "Por favor, não atire. Estamos fazendo tudo o que é possível para salvar vidas" indicavam claramente que as folhas foram elaboradas para médicos e enfermeiras estrangeiros que agiam como missionários na Somália. Eu as estudava cuidadosamente, procurando alguma maneira de entrar em contato com o Capitão Skids, que raramente vinha até o meu quarto, mas era a única pessoa na casa que, provavelmente, sabia o que estava acontecendo com as negociações do resgate. Após copiar uma seleção de palavras no idioma somaliano e algumas frases em uma folha do caderno, elaborei uma carta que pedia notícias e tentava assegurar que os meus pais, no Canadá, estavam fazendo todo o possível para conseguir juntar o dinheiro. A carta era mais ou menos assim: "Que a paz esteja com você. Faz uma semana. Qual é a situação? Por favor, diga-me. Estamos fazendo tudo o que é possível para salvar vidas". Ao final, eu assinei: "Amina".

Mais tarde, naquele dia, bati na minha porta e fiz um sinal para que Jamal viesse me ver. Entreguei-lhe a carta e pedi que fizesse o favor de levá-la até o capitão, pedindo que a respondesse. Jamal estudou a folha de papel. Eu o observei; primeiro, quando ele abriu um sorriso, e depois, quando começou a rir.

— Está tudo certo?

Jamal se recompôs. Ele dobrou o bilhete em dois, ainda sorrindo.

— Sim, tudo certo — disse ele. — Vou entregar.

Depois de alguns minutos, eu conseguia ouvir todos eles rindo na varanda. Pelo buraco da minha fechadura, vi que a minha carta era passada de mão em mão. Os garotos se inclinavam para lê-la, gargalhando com os fragmentos do idioma somaliano que eu conseguira juntar. Logo eles estavam rolando no chão de tanto rir, a hilaridade crescendo cada vez mais, suas vozes elevando-se conforme a nota era relida e reinterpretada. Foi a ocasião em que eu consegui ouvi-los rindo mais alto durante todo o tempo em que permanecemos aprisionados. Consegui ver o Capitão Skids pela fresta; até mesmo ele estava contagiado pelas gargalhadas. Os garotos estavam conversando animadamente, fazendo piadas uns com os outros, criando o que eu imaginava ser uma enorme onda de piadas secundárias sobre mim e as minhas palavras. Era o meu presente para eles, supus; uma pequena distração em um dia quente. Eu enviara a mensagem e, agora, sabia que nada voltaria. Não receberia resposta nenhuma.

Por nada, pensei por trás da minha porta. *Aproveitem bem, filhos da puta.*

★

No começo de dezembro, nossos captores celebraram o Eid outra vez. O feriado acontece duas vezes a cada ano no calendário muçulmano — uma vez para marcar o fim do Ramadã, a quebra do jejum, e a segunda vez dois meses depois, por volta da época do *hajj*, a peregrinação anual a Meca. Este era o segundo tipo do Eid, chamado Eid al Adha. Era similar ao último Eid, quando os garotos se lavavam e se vestiam com um cuidado redobrado, e a comida e as orações eram mais abundantes. Eu espiava as festividades pelo buraco da minha fechadura, observando enquanto nossos captores iam e vinham das celebrações na mesquita, quando Skids saiu e retornou com uma enorme panela de cozido. Ele mesmo veio até o meu quarto e entregou um prato de metal com alguns pedaços de carne de cabrito, levando um segundo prato para Nigel. Jamal entregou três balas de *toffee* para cada um de nós, embaladas em papel-alumínio. Mais tarde, naquele dia, fomos chamados para junto do grupo enquanto eles faziam suas orações em um cômodo enorme e vazio na parte da frente da casa. Como eu era mulher, esperava-se que eu fizesse as minhas orações no fundo da sala, o que era um grande alívio. Eu havia ficado muito preguiçosa em relação às minhas orações e temia que eles pudessem perceber que já havia quase me esquecido de como orar da maneira certa. Como se estivesse apenas pegando carona, atrás de todos, tudo que eu precisava fazer era imitar os movimentos.

Levados de volta aos nossos quartos, em frente às nossas respectivas janelas, Nigel e eu tomamos uma decisão — algo pequeno e, ao mesmo tempo, grande: guardar nossos *toffees* para mais tarde, para o Natal. Seria o pessimismo ou o pragmatismo que nos dizia que não voltaríamos para casa antes daquela data? Não sei, mas pensar naquilo era algo tão sofrido, tão entristecedor, que imaginei que, pelo menos, devíamos nos preparar. Eu não conseguia suportar a ideia de que estaria longe da minha família durante o feriado, presa em um quarto quente com nada além de um colchão, uma rede contra os mosquitos e um pedaço de linóleo marrom, ainda sendo obrigada a suportar os abusos de Abdullah e rezando para encontrar uma maneira de sair dali.

O Natal era a única época do ano em que meus irmãos voltavam para casa, quando meus avós, meu pai e Perry congregavam-se para comer o peru assado da minha mãe, quando tirávamos fotografias e sentíamos que éramos uma família normal e unida. Conforme os dias se aproximavam, parecia cada vez mais certo que, mesmo depois da minha quase-execução, não haveria qualquer mudança na situação entre nossos captores e nossos governos, ou entre nossos captores e nossas famílias. Nigel e eu começamos a fazer mais planos. Tínhamos os *toffees*, para começar. Eu havia guardado os meus junto com os tesouros que recebera em meu pacote, ao lado do colchão, perto da minha loção St. Ives para o corpo. Concordamos em trocar presentes e escrever histórias um para o outro — histórias sobre os melhores Natais que já tivéramos, registrando tudo em detalhes minuciosos, especialmente as partes sobre a comida.

Trabalhei bastante na minha história, recuperando memórias muito antigas do Natal em que minha mãe me surpreendera com uma viagem para a Disneylândia, com um quarto no Holiday Inn e passeios extravagantes para mim e meus irmãos. Escrevi tudo aquilo para o benefício de Nigel e para o meu próprio. Escolhi também um tubo plástico branco de xarope para tosse em formato de ampulheta que recebera junto com o pacote de suprimentos, e, com bastante esmero, transformei-o em uma pequena boneca. Desenhei um rosto sorridente na parte de cima, peguei uma das minhas meias e transformei-a em um pequeno suéter, com mangas e tudo. Cortei a haste de um dos cotonetes para que me servisse de agulha e utilizei o fio dental como linha. Usei o aparador de barba de Nigel — que, a meu pedido, ele deixara no peitoral da janela do banheiro — para fazer os cortes. Bordei duas palavras: — "Minha Amiguinha" — na frente do suéter da boneca. Em seguida, fiz um cartão de Natal para Nigel como se fosse um animado anúncio publicitário para o seu novo brinquedo. "Você nunca mais vai se sentir sozinho: a sua Amiguinha está aqui!". Finalmente, peguei uma folha em branco e desenhei bengalas de doce por todo o papel, colocando o presente de Nigel dentro dela como se fosse papel de embrulho e amarrando tudo com mais fio dental. Fiz também uma meia natalina para ele, usando mais papel, costurada com mais fio dental, e enfiei meus três *toffees* dentro dela.

Na manhã de Natal, sentindo-me mais audaciosa, eu caminhei pelo corredor com um embrulho escondido debaixo do meu vestido e deixei tudo na prateleira alta do nosso banheiro — o presente, a meia natalina e até mesmo o caderno inteiro que continha a minha história. Bati na parede para dizer a Nigel que fosse pegá-lo. Algum tempo depois, ele bateu na parede outra vez, instruindo-me para ir buscar algumas das coisas que ele deixara para mim, um presente embrulhado e uma meia de papel decorada com seus *toffees* dentro dela.

Passamos a manhã toda cantando músicas natalinas como *Hark the Herald Angels Sing*, *Joy to the World* e outras. Chupamos nossos *toffees* lentamente, um depois do outro, até que cada um se transformasse apenas em um grão na língua. A história de Nigel relembrava o Natal em que ele e seus irmãos compraram passagens de avião para que seus pais fossem à Irlanda. Em nossas janelas, fizemos perguntas para tentar ampliar ainda mais as histórias. Eu o amei naquele momento, naquele dia, mas do que já amara qualquer pessoa, de uma maneira que ia além do amor comum entre um garoto e uma garota, atingindo uma espécie de substrato ainda mais profundo. Eu o amava como um ser humano, sem qualquer complicação.

Graças a Deus, nossos captores nos deixaram em paz. Cantamos *Little Drummer Boy* e, os dois com a voz embargada pela emoção, cantamos *Noite Feliz*. Finalmente, no peitoral da sua janela, Nigel abriu o pacote da sua Amiguinha com um longo suspiro de surpresa, e eu pude abrir o meu presente. Ao fazer a meia, ele usara uma esferográfica vermelha para colorir por completo duas páginas do seu caderno. Ele as rasgara em dois pedaços com o formato de uma meia natalina e os costurara com fio dental, acrescentando uma faixa seca de um lenço umedecido no topo para enfeitá-lo, como se fosse uma borda de pele de coelho. Dentro dela havia uma pequena caixa — o suporte interno de uma caixa de vidro de colônia que Donald trouxera para Nigel havia alguns meses — embrulhada em papel decorado à mão. Dentro da caixa havia um delicado bracelete que ele fizera para mim, uma corrente feita com os anéis das velhas latas de atum que ele guardara. Estavam ligados de maneira cuidadosa e detalhada com cordões e enfeitados com pequenos pompons que ele retirara das bordas do seu sarongue, amarrando uma em cada elo da corrente. Ficou claro que ele passara vários dias trabalhando naquilo, usando as pontas dos dedos para atar nós do tamanho de sementes de papoula. Tudo fora feito com cuidado, com tudo o que ele tinha. Era melhor do que qualquer coisa que eu pudesse encontrar em alguma joalheria cara como a Tiffany's. Foi melhor, naquele momento, do que qualquer coisa que eu já recebera antes.

30

Fuga

Será que havia alguma forma de sair dali? Tinha que haver. Em janeiro, começamos a conversar sobre tentar fugir. Começou num dia em que Nigel anunciou que estava estudando a janela no banheiro e pensava que poderíamos passar por ela.

Eu também já havia examinado aquela janela, várias vezes. Não vira nenhuma possibilidade ali. A janela ficava a mais de dois metros do piso do banheiro, em um recesso profundo na parede grossa, perto do teto, com um beiral de cerca de sessenta centímetros de profundidade, quase como uma alcova ou um nicho na parede. O que havia no final daquela alcova nem podia ser considerado uma janela. Em vez disso, era algo como uma tela feita de tijolos com algumas poucas frestas decorativas entre elas, servindo como buracos de ventilação para o banheiro. Os tijolos estavam unidos com cimento. E também, como se aquilo não fosse suficiente, havia cinco barras de metal ancoradas horizontalmente na armação da janela.

— Está louco? — eu disse a Nigel. — É impossível. Como vamos sair?

— Você deveria tentar subir até lá — respondeu ele. — Estive observando os tijolos. O reboco está esfarelando. Podemos escavá-lo.

— Sim, mas as barras...

— Acho que podemos arrancá-las. Não estão tão firmes assim. Não sei — disse ele, embora não demonstrasse tanta confiança. — Mas acho que pode funcionar.

Eu tinha minhas dúvidas. A ideia era louca por outros motivos. O mais óbvio era que, se fôssemos apanhados tentando escapar, eu tinha certeza de que nossos captores nos matariam ou nos castigariam de maneiras que nem éramos capazes de imaginar. Além disso, quando me levaram para o deserto, eu vira o mundo exterior — a área imediatamente à nossa volta —, uma paisagem de enormes fogueiras e homens que andavam de um lado para o outro com armas em punho. Se quiséssemos correr, não poderíamos correr em uma direção que nos garantisse qualquer tipo de segurança. Finalmente, havia também a questão dos três homens somalianos que eram mantidos em cativeiro junto conosco — Abdi, Marwali e Mahad — e o que poderia acontecer com eles se escapássemos. Se fugíssemos, eu estava convencida de que eles seriam mortos. E não conseguia imaginar a possibilidade de que nós cinco conseguíssemos escapar juntos.

Eu mal conhecia os três somalianos, mas sentia um tipo de camaradagem em relação a eles e uma espécie de responsabilidade por ter provocado a captura deles. Sempre que estava no corredor, eu me apanhava olhando na direção da porta deles, onde seus sapatos — dois pares de sandálias e um par de botas para montanhismo de aparência ocidental que pertenciam a Abdi — estavam sempre alinhados, talvez para que pudessem calçá-las quando fosse hora de ir ao banheiro externo. Vez por outra, eu conseguia ver um deles sentado sob a luz, lendo o Alcorão ou remendando alguma peça de roupa. O que eu sabia deles vinha apenas daqueles rápidos vislumbres e sons que ecoavam pelo corredor e do pouco que sabíamos antes de sermos sequestrados. Abdi me dava a impressão de ser um dedicado pai de família. Marwali, o motorista do Shamo Hotel, parecia mais espalhafatoso. Eu apreciava o som do seu riso pela casa. Parecia ser capaz de rir facilmente e com frequência, apesar das circunstâncias. Mahad, que viera da clínica médica que estivéramos planejando visitar no dia em que fôramos sequestrados, parecia ser extremamente religioso, recitando eloquentemente os versos do Alcorão durante boa parte do dia.

Conforme nos aproximávamos do quinto mês de cativeiro, Jamal continuava a ser a melhor fonte de informações sobre o que estava acontecendo com nossos captores e nossas famílias.

— Alguma notícia? — eu perguntei um dia, quando ele trouxe a sacola com a comida da manhã.

— Nenhuma notícia — disse ele, balançando a cabeça negativamente e acrescentando com um suspiro: — *Inshallah,* isso terminará em breve.

À minha pergunta sobre quando os líderes fariam sua próxima visita, ele franziu os lábios, com uma expressão que indicava um certo incômodo.

— Não sei — disse. Já fazia quase um mês que eles não apareciam.

Foi somente por causa de Jamal e seu interesse em falar inglês, ficar perto de nós e conversar em nossos quartos que soubemos que os garotos, até certo ponto, também se sentiam como reféns, vivendo daquela maneira sob as ordens do capitão e dos líderes do grupo, cada vez mais ausentes. Não estavam comendo bem, disse Jamal. O guarda chamado Yahya, que não tinha mais do que dezoito ou dezenove anos, perdera o nascimento do seu primeiro filho no início do mês, embora Skids houvesse lhe dado alguns dias de folga para voltar à sua casa. Jamal fizera um apelo para conseguir alguns dias de folga e casar-se com Hamdi, mas Skids negara seu pedido, dizendo que ele precisava esperar até que o dinheiro do resgate viesse e o Programa — todos eles se referiam ao nosso cativeiro como *o Programa* — estivesse encerrado.

Todos nós queríamos que aquilo terminasse logo, cada uma das almas presas naquela casa. Eu adormecia todas as noites pensando: *Logo*, e acordava pela manhã chamando a palavra de volta. *Logo, logo*. Acreditava nela o bastante para pensar que não deveríamos tentar cavoucar os tijolos da janela do banheiro, que deveríamos confiar que o *logo* estava chegando.

Até que um dia eu saí para o corredor, no caminho para o banheiro, e percebi um novo tipo de silêncio. Era 14 de janeiro, uma quarta-feira. Os calçados que ficavam em frente à porta de Abdi, Marwali e Mahad desapareceram, todos os três pares. Parecia que eles foram levados a outro lugar. Minha esperança era a de que tivessem sido libertados, embora eu soubesse que aquilo era pouco provável. Nossos captores não quereriam deixar três testemunhas andando em liberdade por aí.

Algum tempo depois, consegui perguntar a Abdullah o que havia acontecido aos nossos colegas somalianos. Ele não hesitou. Aparentemente satisfeito consigo mesmo, ergueu um dedo até a garganta e deslizou-o sobre a pele em linha reta. Minha mente foi até o deserto, até a acácia solitária sob a lua. Será que os líderes vieram no meio da noite e os levaram embora? Por que eu não ouvira nada? Será que Abdullah estava dizendo a verdade? Quando conversei com Nigel pela janela, ele disse que também perguntara sobre o paradeiro dos homens. Embora Jamal houvesse lhe dado uma resposta vaga, sugerindo que eles simplesmente foram soltos, Abdullah fizera o mesmo gesto enfático de cortar a garganta. Meu estômago começou a se revirar. A pior das hipóteses parecia ser a mais provável: os somalianos foram mortos. E nós éramos os responsáveis. Antes de sermos capturados, Abdi me mostrara orgulhosamente as fotos de seus filhos: dois meninos e uma menina, crianças sorridentes em uniformes escolares, que agora, por minha causa, não tinham mais pai.

Todas as partes de mim estavam fracas. O desaparecimento de Abdi e dos outros nos dizia algo importante sobre nossos captores: o dinheiro para alimentar e abrigar nosso grupo estava terminando. O desespero estava tomando conta deles. O fato de que eram capazes de matar seus compatriotas, seus três irmãos muçulmanos, não trazia muita esperança para mim e Nigel. Não restava qualquer dúvida em minha mente: tínhamos que sair dali.

★

Precisei me esforçar um pouco para conseguir me erguer até a janela do banheiro e verificar as possibilidades. Tive que ficar com um pé plantado em cada lado do vaso sanitário, erguer os braços acima dos meus ombros para conseguir colocar as mãos no beiral e, de lá, dar um impulso no meu corpo, como se estivesse me erguendo para sair de uma piscina. A alcova que levava até a janela era estreita demais para que eu pudesse apoiar meu peso nela. Assim, inclinei-me para a frente, apoiando-me sobre os cotovelos, com a barriga equilibrada na beirada e as pernas pendendo pesadamente em direção ao chão.

Com o peito pressionado contra a beirada da alcova e o rosto perto da janela, eu percebi instantaneamente que Nigel tinha razão. Os tijolos que cobriam a abertura estavam unidos por uma camada muito rala de cimento. A argamassa entre eles se esfarelou quando eu a toquei, desfazendo-se em pequenas cascatas de poeira esbranquiçada. Do meu quarto, eu trouxera o cortador de unhas e, usando o pequeno aparato que tinha a função de tirar a poeira debaixo das unhas, consegui alcançar entre as barras de metal que bloqueavam a janela e enfiá-lo em meio a alguns dos espaços mais profundos e menos espessos entre os tijolos, onde senti uma frouxidão bastante promissora — a indicação de que havia falhas estruturais naquela construção. Com esforço e paciência, parecia possível remover algumas fileiras de tijolos, criando uma abertura grande o bastante para podermos rastejar por ela.

As barras de metal sobre os tijolos eram outra questão. Tinham pouco menos de um metro de comprimento e pareciam estar chumbadas profundamente nas paredes, em ambos os lados da janela, embora eu percebesse que Nigel já fora capaz de afrouxar uma delas em um de seus pontos de ancoragem. Ele jurara para mim que seria capaz de forçar pelo menos mais uma daquelas barras. Sentindo uma alegria enorme, voltei ao chão do banheiro, coberta de poeira e teias de aranha. Corri de volta para o meu quarto, pela primeira vez em meses sem pensar no perigo, na fome ou na preocupação. Em vez disso, estava consumida pela ideia de que poderíamos fazer um buraco que dava para o exterior da casa, uma passagem do tamanho de um corpo, e atravessá-la.

Em nossas janelas, começamos a fazer um plano. A que horas do dia nós iríamos? O que levaríamos conosco? Para qual direção correríamos? Quem procuraríamos, e o que diríamos? As considerações eram enormes. Debatemos se seria melhor escapar durante a noite, quando a maioria dos guardas estaria dormindo e teríamos menos chances de causar um tumulto correndo pela rua. Lembrando-me das fogueiras, eu presumi que sair durante a noite fosse mais perigoso. E talvez, também, nós quiséssemos causar um tumulto. Talvez precisássemos fazer barulho e nos tornar visíveis, forçando alguém a chamar as autoridades, fossem lá quem fossem as autoridades neste lugar. Ou poderíamos encontrar uma pessoa caridosa e implorar que nos deixasse usar um telefone celular, esperando que ela tivesse créditos em quantidade suficiente para manter uma ligação de um minuto para o Canadá ou para a Austrália? Ou uma chamada mais barata para Ajoos, cujo número eu havia anotado em um pedaço de papel que estava escondido. Ou para o diretor somaliano do Programa Mundial de Alimentos em Mogadíscio, cujo número eu também levara comigo quando fôramos capturados.

Nigel e eu concordamos que precisávamos nos distanciar dos nossos captores o mais rapidamente possível e que seria melhor tentar nos misturar às pessoas. Para mim, vestindo um *abaya* e um *hijab*, parecer com qualquer outra mulher na rua não seria muito difícil. Mas não haveria como esconder a pele branca de Nigel. Consideramos se eu deveria lhe emprestar algum dos meus trajes somalianos e ele poderia se passar por uma mulher muito alta e totalmente encoberta, mas até mesmo o meu *abaya* mais longo lhe chegaria apenas até a metade das canelas. Sabíamos, também, que vestir Nigel com roupas de mulher era o tipo da coisa que poderia se virar contra nós no final. Todas as opções que explorávamos pareciam ser becos sem saída. Todas as ideias pareciam ser apostas altas, com inúmeras maneiras de darem errado.

Passamos muitas horas discutindo o plano. Durante todo aquele tempo nós nos alternávamos no banheiro, erguendo nosso corpo até o beiral da janela com os cortadores de unha em mãos, raspando o reboco da janela em sessões curtas e apressadas de cinco e dez minutos. O trabalho era gratificante, como realizar uma cirurgia com sucesso ou cavar à procura de ouro. Às vezes, eu cavoucava e tirava apenas poeira; outras vezes, com manobras precisas, conseguia arrancar um belo bloco de cimento intacto.

Como a minha porta ficava visível para quem estivesse na varanda, eu tinha que ser mais cautelosa — bater na porta e pedir permissão para sair do meu quarto, nunca ficar muito tempo no banheiro, escovar cuidadosamente todos os sinais de poeira da argamassa antes de voltar ao corredor. Percebi também o quanto eu estava fraca, apesar de todas as horas que passara caminhando no quarto. Embora minhas pernas estivessem fortes, os músculos dos meus braços estavam exaustos e frouxos. Na metade do segundo dia, meus cotovelos começaram a ceder toda vez que eu tentava erguer o corpo até o beiral da janela, e eu tive que desistir.

Nigel continuava a trabalhar sem pestanejar. Estava em uma posição melhor do que a minha para fazer viagens ao banheiro sem despertar a atenção dos garotos e conseguia ficar mais tempo lá. Eu vigiava pelo buraco da minha fechadura, pronta para criar alguma distração se algum dos garotos viesse para cá. Usando minhas folhas de frases médicas, consegui elaborar uma pequena mensagem e escrevi as palavras no idioma somali em um pedaço de papel para levar comigo quando escapássemos, enfiado no bolso da frente do meu jeans, que eu vestiria por baixo do meu *abaya* vermelho. "Por favor, ajude. Sou muçulmana. Não tenha medo." Ensaiei as sílabas em somali várias e várias vezes. Não tinha 100 por cento de certeza do que eu estava falando: *Fadlan i caawi. Waa islaan. Ha baqin.* Em um outro pedaço de papel, copiei os poucos números de telefone da Somália que eu tinha em meu bloco de anotações de repórter, colocando-o em meu bolso também.

A cada vez que ia ao banheiro, eu olhava para a janela para acompanhar o progresso de Nigel. Embora ele fosse cuidadoso o bastante para encobrir seu trabalho, recolocando cada tijolo que retirava da parede de volta em seu lugar, prendendo-o com restos de cimento, era possível ver que alguém estava fazendo alguma coisa naquela parede, os tijolos tortos e os restos de argamassa sobre o beiral. Tentei me acalmar, pensando que os garotos só entravam em nosso banheiro uma ou duas vezes por semana — geralmente para retirar o balde enorme que usávamos como reservatório de água e para voltar a enchê-lo. Mesmo assim, o risco que estávamos assumindo parecia ser enorme. Desde que Abdi e os outros desapareceram, eu me sentia estressada demais para comer muito, e agora o meu estômago estava totalmente revirado.

★

No início do terceiro dia, Nigel declarou que havia conseguido remover o último tijolo. Agora, tinha que trabalhar nas barras de metal, mas já havia afrouxado aquela primeira e acreditava que seria necessário soltar apenas mais uma para criar espaço suficiente para podermos passar pela abertura. Primeiramente, entretanto, teríamos que reafirmar nosso desejo de escapar. Quando ele arrancasse as duas barras, as paredes laterais provavelmente desmoronariam. Não haveria como disfarçar os restos de tijolos e cimento no banheiro. Não teríamos nenhuma escolha além de correr.

Decidimos fugir naquela mesma noite, saindo pela janela por volta das oito horas, logo depois da última oração da noite. Mal conseguíramos dormir naqueles três dias, empolgados pela descarga perpétua de adrenalina. Parecia não haver motivo para esperar mais. Eu estava preocupada com a possibilidade de que, se o fizéssemos, nosso nervosismo poderia nos denunciar.

Esperávamos que a escuridão servisse como uma espécie de camuflagem. Tentaríamos disfarçar Nigel como uma pessoa doente, um velho, enrolando sua cabeça com um lençol para cobrir sua face e envolvendo seus ombros em um cobertor que esconderia suas mãos. Eu fingiria que o guiava, enterrando minhas mãos nas dobras do mesmo cobertor. Nós dois andaríamos propositalmente encurvados, com o rosto voltado para o chão, como se estivéssemos em busca de um médico. Levaríamos um Alcorão em minha pequena mochila para provar que éramos muçulmanos, que não éramos inimigos. Procuraríamos por uma porta em que pudéssemos bater, uma casa que parecesse ser amistosa, um lugar onde houvesse mulheres e crianças. Eu estava apostando minhas fichas em encontrar uma mulher. Não tivera contato com nenhuma em cinco meses. Uma mulher, eu imaginei, não nos rejeitaria.

Estávamos contando com que aquela noite fosse igual a todas as outras naquela casa, governada pela rotina entorpecente e mecânica — orações seguidas pelo jantar, seguido por uma oração, seguido pela hora de dormir para todos, exceto os dois garotos que ficavam de guarda e estariam sentados fora da casa, conversando sobre amenidades em meio à escuridão.

Fiquei assustada, portanto, quando Jamal entrou no meu quarto com o jantar, uma hora antes do horário em que a refeição geralmente chegava.

— *Asalaamu Alikum* — disse ele, com um sorriso lento.

Meus pensamentos começaram a girar. Será que suspeitavam de alguma coisa? O que estava acontecendo? Passara as últimas semanas tão ansiosa que sentia estar exalando algum novo tipo de cheiro, alguma coisa que pudesse entregar nossos planos.

Retribuí o cumprimento de Jamal, enjoada pela preocupação.

Ele gesticulou para que eu pegasse o meu prato de metal e o colocasse no chão. Em seguida, abriu um saco plástico e deixou cair algo nele — um pedaço magro de peixe frito, marrom e dourado, brilhando com o óleo. Do seu bolso ele tirou dois pequenos limões e colocou-os ao lado do peixe. Finalmente, pegou dois ovos cozidos e colocou-os no prato também.

Era proteína. Ele estivera preocupado com o meu apetite. Era um presente, e Jamal se orgulhava daquilo.

— Você gosta? — disse ele, apontando para o peixe. — Posso comprar todos os dias para você no mercado, mas somente à noite. Eles não fazem durante a manhã.

Ficamos nos entreolhando por alguns segundos. Dei um chute em mim mesma, pelo menos internamente. *Deixe disso.*

— Oh, Jamal — eu disse, erguendo o prato. — É muita gentileza sua. — Sorri com gratidão para ele, sentindo um toque de culpa. Esperava que os líderes não o castigassem com muita crueldade depois que eu desaparecesse.

Sozinha outra vez, eu me sentei no chão e forcei-me a comer o que Jamal me trouxera — não somente porque aquilo funcionaria como combustível, mas para não levantar suspeitas. Em seguida, fiz os movimentos da última prece do dia. Quando terminei, conforme combinara com Nigel, bati na porta e abri uma fresta para ver quem viria até lá. Abdullah olhou pelo corredor, o que significava que era ele quem ficaria de guarda naquela noite. Meu coração afundou um pouco. Abdullah não era tão preguiçoso quanto alguns dos outros. Ele gostava de andar pela casa.

— *Mukuusha* — eu disse em somali, apontando para a minha barriga. *Banheiro.* — Estou me sentindo mal. Muito mal.

Sem hesitar, Abdullah estalou os dedos para indicar que eu podia ir. Normalmente, eu não ia ao banheiro após a última prece, mas problemas digestivos nunca eram motivo de discussão. Aquilo também me daria mais tempo para ficar lá. Neste caso, o pedaço de peixe frito que Jamal me trouxera serviria para corroborar a veracidade do meu caso.

De maneira lenta e tranquila, saí do meu quarto e andei pelo corredor na direção do banheiro. No início daquela noite, enfiara minha mochila embaixo do meu *abaya* e a deixara sobre o beiral da janela. Nigel estava esperando por mim na porta do seu quarto. Fora da linha de visão de Abdullah, nós aceleramos. Imaginei que teríamos dez minutos, no máximo quinze, antes que ele descobrisse que eu não havia retornado do banheiro e viesse procurar por mim.

Dentro do banheiro, eu puxei a cortina e rapidamente tirei o *abaya* preto de dentro da minha mochila, colocando-o sobre o vestido vermelho. Nigel subiu no vaso, erguendo as mãos para começar a remover as barras da janela. Ele havia se esgueirado até o banheiro mais cedo e feito algumas preparações, arrancando as barras da parede e depois colocando-as novamente no lugar, apoiadas precariamente em pedaços soltos de cimento. Apesar de seus esforços para disfarçar o trabalho, as paredes em ambos os lados da janela, a esta altura, pareciam totalmente desfiguradas, com fendas no revestimento dos locais onde as barras haviam sido instaladas pela primeira vez. O objetivo, agora, era tirar tudo o que pudéssemos do caminho em perfeito silêncio.

Em um minuto, Nigel conseguiu arrancar a primeira barra e entregou-a para mim. Em seguida, veio a segunda barra, com o seu peso frio em minhas mãos. Eu coloquei as duas barras no chão, ao lado da pia, com o meu nervosismo me deixando tonta. Rapidamente, Nigel suspendeu o corpo, subindo do vaso sanitário para a alcova. Apoiando-se sobre a barriga e com as pernas pendendo em direção ao chão, ele começou a desempilhar cuidadosamente os tijolos que emolduravam a janela, colocando-os sobre a parte externa do beiral. Eu podia ouvir sua respiração pesada. Um tijolo saiu, depois dois, depois três, depois quatro. Após tirar todos, ele saltou de volta ao chão e indicou que estávamos prontos. Era hora de ir. Nigel entrelaçou os dedos para que eu pisasse em suas mãos e deu um impulso para que eu alcançasse a janela e a fenda de quase cinquenta centímetros que havia ali agora.

Olhei por aquele buraco por não mais do que dois segundos, mas foi o bastante para ver tudo. Eu pude ver a ruela que havia logo abaixo, a escuridão de um vilarejo sem luzes e tudo o que havia de incerto além daquele ponto. Calculamos que seria uma queda de três metros e meio até o chão, já que a casa fora construída sobre um alicerce de concreto. Estávamos preocupados com a possibilidade de quebrar os tornozelos. Estávamos preocupados com tantas coisas, e, quando eu olhei pelo buraco da janela, cada uma das preocupações parecia estar ali, logo do outro lado, junto com a nossa liberdade. Como planejáramos, eu me virei e comecei a recuar por entre as barras da janela que ainda restavam, enfiando os dois pés pela fresta — com duas barras acima de mim e outra abaixo — e baixando o corpo em meio ao ar gelado de fora. A noite estava fria e úmida. Senti uma brisa em meus tornozelos. Estava funcionando, até que tudo parou: empurrei meu corpo e senti meu traseiro travar contra uma das barras que ainda estava na janela. Empurrei mais uma vez, mas não avancei. A fresta era pequena demais. Se eu não conseguisse passar por ela, Nigel não teria qualquer chance.

Mais abaixo, ele estava ficando ansioso.

— Vá, vá, ande logo — sussurrava.

— Não posso. Não está funcionando — eu disse. Empurrei o corpo outra vez contra a barra para mostrar-lhe a situação. Seu rosto parecia estar abalado, a testa encharcada de suor. — Você consegue tirar outra barra?

— Agora não — disse ele, quase sibilando. — Vai fazer muito barulho.

O peitoral da janela estava cheio de tijolos e pedaços de argamassa quebrada. Abdullah provavelmente estava começando a se perguntar por que eu não havia voltado ao meu quarto. Estávamos presos — e não apenas presos, mas encrencados.

Nigel fez um gesto com a mão, dizendo-me para descer.

— Volte ao seu quarto — disse ele. — Rápido. Vou tentar consertar isso.

— E a minha mochila?

— Deixe-a aí — disse ele. — Eu a levarei comigo. Vá, rápido.

Voltei para o meu quarto de maneira tão casual quanto pude e fechei a porta com um ruído alto, para informar Abdullah que eu havia retornado. Deitei no meu colchão no escuro, tentando encontrar algum pensamento tranquilo. Ouvi o que Nigel estava fazendo no banheiro. Ele estava vomitando ruidosamente na privada, traído por seus próprios nervos. Ouvi barulho de passos no corredor e vi a luz de uma lanterna. Nigel também deve ter percebido a luz se aproximando, porque, em poucos segundos, ele estava fora do banheiro, voltando pelo corredor, resmungando alguma coisa sobre estar passando mal e precisar de mais água para dar a descarga. Houve uma discussão discreta, a luz desapareceu e então voltou após alguns minutos. Logo, Nigel estava no banheiro outra vez, sozinho.

Eu sabia que era apenas uma questão de horas até que o nosso plano fosse descoberto — antes que um dos sequestradores percebesse a pilha de tijolos encaixada às pressas na parede e as barras de metal dobradas que cobriam a janela, ou que simplesmente percebessem todo aquele plano estúpido nos meus olhos.

Quando o dia raiou e Hassam veio para abrir as nossas janelas antes das orações, Nigel e eu conversamos, concordando que precisávamos sair imediatamente. Rapidamente, nós reelaboramos o plano. Pelos chamados dos muezins, sabíamos que havia uma mesquita nas proximidades. Decidimos correr até lá. Parecia ser a única boa opção, um lugar para encontrar uma multidão. Aceitei a sacola matinal de comida que Jamal me trouxe, esforçando-me para não olhá-lo nos olhos. Em seguida, vesti meu jeans sob o *abaya* vermelho. Esperamos pela oração do meio-dia, para que o calor chegasse e os garotos começassem a sentir o sono do início da tarde. Bati na porta, indicando que queria ir ao banheiro, e Nigel me encontrou lá, com minha mochila nas mãos. No início daquela manhã ele retirou uma terceira barra da janela. O banheiro estava num estado lastimável. Esperei enquanto ele removia os tijolos outra vez. Desta vez, com a pulsação acelerada, eu não hesitei. Passei uma perna pela janela e depois outra. Deslizei alguns centímetros de bruços para diminuir a distância até o chão, segurando na última barra da janela para me apoiar, e, em seguida, deixando o corpo cair.

Chegamos ao chão um depois do outro, eu primeiro e Nigel logo em seguida, dois baques suaves na areia. Meu coração se elevou e desmoronou com o impacto.

A situação era ruim. Soube disso no instante em que toquei o solo. Não se parecia em nada com o eu pensara. Nada parecia ser do jeito que planejara em minha mente. Eu construíra uma cena, um palco armado para que pudéssemos atravessá-lo correndo, baseado na vista que eu tinha pela fresta da minha janela. Lembrava-me de alguns fragmentos da viagem de carro que nos trouxera para a casa. Lembrava-me de ver camelos, pessoas caminhando pela rua, fileiras de arbustos e um vilarejo pequeno e sujo com curvas, ruelas e lugares onde podíamos nos esconder. Imaginara que tudo aquilo estaria à nossa espera, logo depois da janela. Mas agora, olhando para a minha direita e a minha esquerda, em direção às duas saídas da ruela, eu percebi, com certeza absoluta, que estivera errada. À esquerda havia uma cerca inclinada feita com pedaços de zinco colorido e velhos latões de óleo que foram martelados até ficarem achatados. À direita havia uma fileira de barracos, construídos com mais folhas de metal, pedaços velhos de lona e outros refugos. Não havia nem um pedaço de vegetação à vista além de algumas moitas espinhosas, baixas e desfolhadas em meio à areia. Mais alarmante foi o aparecimento súbito de uma criança raquítica, um garoto de uns sete anos, que estava a poucos metros de mim, nu com exceção de um par de calções, com as costas encurvadas e os olhos arregalados, olhando para mim em choque, como se estivesse prestes a berrar a plenos pulmões.

Fixei meu olhar no garoto, tentando sorrir e parecer gentil. Levei um dedo aos lábios. A criança olhou para mim e depois para Nigel, arregalando ainda mais os olhos. Sem qualquer ruído, ele saiu em disparada — buscando, com certeza, o primeiro adulto que pudesse encontrar.

Era como se a arma que sinaliza o início de uma corrida houvesse sido disparada. Já estávamos em risco. Um abalo sísmico agitou o ar, passando por cima dos telhados até o pátio onde nossos captores estavam deitados, repousando. Naquele momento, tudo ficou instintivo. As cores perderam o brilho e o mundo ficou louco. Nigel e eu não trocamos sequer um olhar. Simplesmente começamos a correr alucinadamente.

31

Minha Irmã

O garoto saiu correndo para a direita; Nigel e eu fomos para a esquerda, pelo beco estreito, passando ao longo do lado da casa e em direção ao lugar onde o caminho se abria em uma rua, a cerca de dez metros de distância. Nossos pés se agitavam na areia profunda e escaldante. Nós dois estávamos usando chinelos, que retardavam cada passo. Agora que estávamos correndo, não havia como manter a cabeça de Nigel coberta com o lençol que trouxéramos, fingindo que ele era um somaliano doente e que eu era a sua cuidadora gentil. Não havia como fingir nada. Todas as estratégias que planejáramos enquanto estávamos no beiral da janela haviam fugido da nossa cabeça. Cada fragmento da razão desapareceu. Nossos corpos balançavam em meio ao ar livre, como se nossos ossos houvessem se transformado em borracha durante todos aqueles meses na casa.

No final da ruela havia uma estrada esburacada de areia, e, na estrada, havia barracos e alguns estandes de vendedores ambulantes. Além daquilo, o terreno era somente um marrom sem qualquer característica especial.

Nigel estava gritando — outro desvio em relação ao plano original — para ninguém e, ao mesmo tempo, para todos, berrando: *I caawin, I caawin,* as palavras em somali para "ajude-me".

Eu via tudo aquilo em um pânico em alta velocidade, considerando que eu realmente estivesse vendo alguma coisa. Percebia as imagens apenas em lampejos — metade de uma parede que ruíra, algumas cabras nervosas, um homem em pé sob uma porta em formato de arco, um jumento amarrado a uma carroça por duas varas finas. Corremos por entre aquilo, deixando tudo para trás, esta paisagem que passáramos horas e horas conjurando em nossa mente, um lugar onde éramos imensamente diferentes de todo o resto, eu atrás de Nigel, Nigel gritando, o calor distorcendo o ar ao nosso redor, tudo aquilo com o aspecto surreal de um sonho ruim. Mais adiante, várias mulheres andavam juntas sob o sol, com os *hijabs* esvoaçando por trás delas em ondas de rosa e amarelo. Gritamos e andamos mais rápido, indo na direção delas — mulheres, *graças a Deus* —, mas agora elas estavam olhando para nós por cima dos ombros, murmurando entre si e apontando para nós, o rosto flutuando dentro de seus trajes. Percebendo que estávamos indo em sua direção, as mulheres começaram a correr.

Mais pessoas nos viram e começaram a fugir. A rua se esvaziou, todas as pessoas correndo em direções diferentes à nossa frente. Mais tarde, eu voltaria a pensar nessa ocasião e entenderia que, se você estiver correndo em um lugar como a Somália, todos saberão que você está fugindo de algo perigoso. E isso significa que eles também devem correr.

Em uma esquina, nós instintivamente viramos à esquerda, correndo para uma rua maior. Procurei pela mesquita, mas não consegui vê-la. Procuramos fazer nossa fuga exatamente durante a oração do meio-dia, sabendo que encontraríamos um salão cheio de pessoas na mesquita, na esperança de que acharíamos alguma simpatia ali. Finalmente, Nigel olhou para trás e percebeu um minarete, uma torre pontiaguda no céu azul sobre o meu ombro. Demos meia-volta e disparamos em direção a ele. A mesquita estava cem metros à nossa frente, depois a cinquenta e finalmente a dez.

Em frente à mesquita, vi um homem jovem que estava parado, observando-nos com interesse. Eu o reconheci imediatamente. Era o vizinho que vira pela minha janela alguns meses antes, o homem com quem trocara um olhar sobre o terreno do quintal.

Corri imediatamente em direção a ele, ajustando o meu véu para que ficasse preso mais firmemente ao redor do meu rosto, mantendo a minha aparência muçulmana, as palavras atropelando-se umas por sobre as outras:

— Socorro, socorro, por favor, você fala inglês?

Sem parecer surpreso, ele fez que sim com a cabeça.

— Você me viu — eu disse. — Lembra-se? Na janela?

Mais uma vez ele demonstrou que entendia. Nigel havia parado de correr e viera se juntar a nós.

Eu continuei, falando um inglês cuidadoso enquanto tentava recuperar o fôlego:

— Somos muçulmanos. Fomos sequestrados. Eles nos mantiveram presos por cinco meses. Pode entrar na mesquita conosco?

O homem hesitou por um segundo, como se estivesse ponderando suas opções. Alguma coisa me dizia que ele sentia culpa por ter morado na casa ao lado durante todos esses meses e não fazer nada para nos ajudar.

— Venham comigo — disse ele.

Acompanhando-o lado a lado, Nigel e eu andamos a passos rápidos, cobrindo os últimos metros até a mesquita, cada um de nós mantendo uma das mãos enlaçada ao redor dos braços do homem, quase arrastando-o, ou, pelo menos, impedindo que ele mudasse de ideia.

O prédio da mesquita era alto e amplo, pintado de verde e branco, com uma lua crescente no topo e um lance curto de degraus de madeira que levavam até uma plataforma, também de madeira, e uma entrada. A plataforma estava cheia de sapatos, mostrando que o lugar estava cheio de gente. Subindo as escadas atrás do vizinho e de Nigel, eu senti o primeiro resquício de alívio, uma sensação tão pouco familiar que eu mal consegui identificá-la.

Naquele momento, uma pessoa solitária surgiu rapidamente, virando a esquina da rua. Virei-me para olhar, observando-a, quando ela percebeu nossa presença e parou, talvez a dez metros de distância. Era Hassam — o garoto do mercado e mestre das minhas lições do Alcorão — e, agora, uma figura magra e escura contra uma tela de areia. Vestia uma camiseta regata branca que pendia do seu corpo ossudo, junto com um sarongue e sem as calças, um sinal de que ele saíra da casa apressadamente. Sua expressão era de descrença, fúria e terror egoísta.

Em seguida, outro dos nossos captores virou a esquina — Abdullah, sem a máscara e trazendo sua arma.

Disparei para dentro da mesquita, esquecendo de remover meus sapatos. A primeira coisa que vi foi um grupo enorme de homens — ajoelhados, sentados, conversando em pequenos grupos. Havia pequenos tapetes de oração espalhados em uma linha sobre o piso de concreto. Cabeças se viraram. O interior da mesquita era vasto, um único salão com o teto abobadado, do tamanho de um ginásio. Ouvi a mim mesma gritar palavras em somali, em inglês e até mesmo algumas em árabe. Meu cérebro estava atordoado com aquela situação. Eu gritava *Socorro!* e *Que as bênçãos de Alá estejam com vocês!*

e *Sou muçulmana!* e *Por favor, me ajudem!* e *Socorro!* e *Por favor, me ajudem!* Nigel também estava gritando.

Uma multidão se juntou à nossa volta, homens com expressões de confusão no rosto, alguns deles alarmados. Vi nosso vizinho conversar com alguns deles, gesticulando e apontando para nós, como se estivesse explicando o que sabia. E, em seguida, Abdullah estava ao meu lado, depois de entrar afobadamente na mesquita, com Jamal logo atrás. Os dois vestiam sarongues.

Abdullah avançou e eu me esquivei, sentindo a mão dele tentar me agarrar pelo ombro, mas escorregando. Corri até um canto afastado do salão, onde outro grupo de homens estava sentado no chão. Disse todas as palavras em árabe que consegui lembrar conforme eles erguiam o rosto barbado na minha direção, parecendo estar embasbacados. Do outro lado, Jamal havia encurralado Nigel contra uma parede e batia repetidamente em sua cabeça, golpeando-o com o punho fechado, agredindo-o com toda a força que tinha. Nigel, pelo que eu percebia, estava tentando revidar, enquanto gritava:

— Jamal! Jamal! — como se quisesse lembrá-lo de que, de alguma maneira esquisita, os dois já tinham sido amigos.

Assim que Abdullah estava prestes a me agarrar, eu saí por um pórtico que levava para fora, sem pensar se sair da mesquita seria bom ou ruim, num movimento desesperado e frenético.

Meu medo se transformou em velocidade. Com Abdullah dois passos atrás de mim, eu saltei por cima dos três degraus que desciam pela porta lateral da mesquita, aterrissando em uma areia pesada por baixo do brilho branco e forte do sol. Eu corria e ele me perseguia, mas agora eu estava correndo rápido, mais leve, livrando-me dos chinelos enquanto me movia. Havia sebes de moitas cercando aquele lado da mesquita, e eu as atravessei como se fosse uma gazela, a urgência do momento encobrindo a sensação dos galhos pontiagudos — cinco centímetros de comprimento e retos feito agulhas — cortando meus tornozelos e meus pés descalços, um deles invadindo a pele macia embaixo da unha do meu dedão esquerdo como se fosse um torpedo. O estrondo de um tiro soou mais acima, rasgando o ar. Olhei para trás, na direção de Abdullah, que parara de correr por tempo o suficiente para atirar em mim. Sua arma disparou outra vez. Minha mente voltou a se concentrar na mesquita. Nigel estava lá dentro. O interior era mais seguro do que o exterior.

Mantendo os ombros abaixados, eu saí em disparada num percurso de vinte metros, dando a volta ao redor de Abdullah, que estava correndo na minha direção, mas era refreado pelo peso e o tamanho da sua arma. Passei outra vez por entre as moitas de espinheiros, precipitando-me de novo pela escadaria e entrando no salão da mesquita.

A cena ali dentro estava estranhamente calma. Nigel conseguira se desvencilhar de Jamal e estava sentado, não com calma, mas fingindo que estava calmo, na frente da mesquita, na área semicircular que servia como o púlpito do imã, cercado por um grupo esparso de cerca de quinze homens barbados, que, em sua maioria, permaneciam em pé. Correndo para perto de Nigel, eu vi Jamal e o jovem Mohammed próximos do grupo, andando de um lado para o outro, ansiosos, com as mãos nas armas. O que quer que houvesse acontecido, a dinâmica de poder se invertera. Alguém colocara os garotos em seu devido lugar. Eu caí de joelhos ao lado de Nigel, que falava em inglês com alguns dos homens, aparentemente respondendo ao ceticismo em relação ao fato de ser muçulmano.

Lembrei-me da mochila que trazia nas costas, que continha o meu Alcorão e dois livros em inglês que nossos captores haviam nos dado no início do cativeiro, um pequeno volume de capa roxa chamado *Hijab*, impresso na Arábia Saudita e defendendo que a mulher deveria cobrir o corpo inteiro, e também outro, baseado no *hadith*, que também divagava sobre os costumes da feminilidade no mundo islâmico.

Tirei os livros da mochila apressadamente, colocando-os nas mãos dos homens que estavam à nossa volta.

— Estão vendo? Estão vendo? — eu disse. — Somos bons muçulmanos. Por favor, ajudem-nos — eu implorava. Lembrava-os de que muçulmanos ajudam muçulmanos, era o seu dever.

Vários dos homens começaram a folhear cuidadosamente os meus livros, examinando-os com interesse, passando-os entre si. Havia uma janela grande e ampla em um dos lados do púlpito, e eu consegui ver uma mulher, encerrada totalmente em um vestido preto, espiando por ela, até que um dos homens foi até lá e fechou as folhas de metal com força.

Abdullah havia voltado para dentro da mesquita. Eu o vi se esgueirar por entre o grupo de observadores, com a arma apontada frouxamente na minha direção, o suor escorrendo-lhe pelos cabelos e brilhando em seu rosto. Em cinco meses, esta era a primeira vez que eu conseguia vê-lo claramente, sem que seu rosto estivesse coberto com o lenço. Estava acostumada aos seus olhos bastante espaçados, mas agora havia um contexto maior — estavam incrustados debaixo da sua testa ampla e recurva. Seu nariz também era largo e achatado. Tinha cabelos encaracolados cortados bem rentes à pele e uma barba rala que o fazia parecer um garoto.

Percebendo meu olhar por entre o mar dos ombros das outras pessoas, ele fez uma careta. Eu rapidamente desviei os olhos.

Nigel, enquanto isso, estava recitando em voz alta um *surah* como um aluno em idade escolar perante os observadores. Dezenas de novas pessoas estavam enchendo o lugar, algumas delas com o rosto oculto por lenços e portando armas de fogo. Quem seriam? O que me surpreendia, agora, era quantos homens ao nosso redor pareciam ser capazes de falar um pouco de inglês. Lembrei-me de que Ajoos explicara que, trinta anos antes, durante o governo de Siad Barre, a educação fora uma das maiores prioridades na Somália. Meninos e meninas estudavam italiano e inglês nas escolas.

Um dos homens explicou que alguém estava telefonando para o imã local, que estava no vilarejo vizinho, mas viria ouvir a nossa história e passar seu julgamento.

— *Inshallah*, tudo vai ficar bem — disse ele, indicando que deveríamos continuar sentados no chão. — *Inshallah*, talvez quinze minutos.

Senti-me aliviada com aquilo. Um imã, eu imaginava, quereria nos ajudar. Consegui ouvir Abdullah e Jamal discutindo — educadamente — com alguns dos homens.

Abruptamente, uma mulher abriu caminho no meio da multidão, avançando por entre os homens com armas, passando pelo meio do caos e do bate-boca. Eu a reconheci. Era a mulher que estivera olhando pela janela. Usava um *abaya* preto e um *hijab* completo, incluindo um *niqab* drapeado sobre seu nariz e a boca, cobrindo tudo com exceção dos olhos. Todos os homens naquele lugar estavam olhando para ela. Ela veio imediatamente em minha direção, ajoelhando-se ao meu lado sem dizer uma palavra. Automaticamente, busquei a mão dela. Seus dedos envolveram os meus. Por um segundo, senti-me mais segura do que já havia me sentido em muito tempo.

Seus olhos eram castanhos e tão familiares, de alguma forma, que era como se eu já os conhecesse de algum lugar. O dorso das suas mãos fora pintado com traços finos e delicados de hena da cor de ferrugem, o tipo de ornamento que uma mulher desenha cuidadosamente em outra. Ela conversava em somali com os homens à nossa volta. Eu a observava, com os nervos em alerta. Não era capaz de entender o que ela dizia. Sabia que, de alguma forma, ela estava me ajudando. Ouvi a aflição em sua voz. Quando ela olhou para mim, seus olhos pareceram flutuar com emoção.

Sem pensar, estendi a mão e acariciei o rosto dela com os meus dedos, sentindo o calor daquela face por baixo do tecido. Em meio ao murmúrio generalizado da mesquita, eu a puxei para mim.

Perguntei:

— Você fala inglês?

— Um pouco — disse ela, aproximando-se. — Você é muçulmana?

— Sim, do Canadá.

— Você é minha irmã, então — disse ela. — Do Canadá.

Ela estendeu os dois braços e eu me deixei cair. Afundei o rosto na maciez do corpo pesado dela, que tinha um perfume marcante. Seus braços se encaixaram confortavelmente ao redor de mim. Senti que os limites da minha vigilância começavam a ceder, as minhas defesas desarmando-se num efeito dominó. Comecei a chorar. Enquanto os homens tagarelavam à nossa volta, a mulher apertou seu abraço ao redor do meu corpo. Era o maior conforto que eu sentia em meio ano, ou mais, se considerasse os meses de solidão no Iraque. Queria ficar ali para sempre. Queria dizer tudo a ela. Erguendo minha cabeça e encontrando seus olhos outra vez, eu disse à mulher que era prisioneira, que queria ir para casa. Minha voz se erguia e sumia de maneira irregular. Pronunciar a palavra "casa" me fez soluçar. Apontei para onde Abdullah estava, olhando para nós com uma expressão de desprezo, a pouco mais de três metros de distância.

— Ele está abusando de mim! — eu disse, subitamente, desesperada. — Está me estuprando! — Para ter certeza de que ela entendera, usei meus dedos para imitar os movimentos do sexo.

Vi que os olhos da mulher se arregalaram. Ela olhou para mim, depois para Nigel, que assentiu, como se quisesse confirmar o que eu dissera.

— Oh, *haram* — disse a mulher. — *Haram, haram.* — Ela ergueu os olhos para a multidão, com uma expressão feroz, segurando minha cabeça contra o seu peito, acariciando meus cabelos. Gritou algumas palavras agitadas em somali. Senti um silêncio pairar sobre aqueles que estavam à nossa volta. A mulher falava com a voz estridente, sem parar. Levantou um dedo e agitou-o contra os homens, repreendendo-os com ferocidade. Senti um arrepio passar pelo corpo daquela mulher e percebi que seus olhos também estavam cheios de lágrimas. Ao nosso lado, Nigel estava sentado em silêncio, com a cabeça baixa, olhando para o chão.

A dinâmica no salão da mesquita mudou repentinamente. Ahmed e Donald Trump marcharam para dentro da mesquita, desgrenhados e furiosos, trazendo o Capitão Skids ao seu lado, brandindo uma pistola como se fosse uma bandeira. Embora estivessem ausentes havia um mês, pareciam ser capazes de se materializar quase instantaneamente em caso de crise.

Ahmed me localizou e apontou o dedo. — Você! — gritou ele. — VOCÊ CAUSOU UM PROBLEMA ENORME!

As pessoas continuavam a encher o salão, todas elas homens. Claramente, a notícia de que havia estrangeiros na mesquita estava se espalhando pelo vilarejo, e o boato ocorria em voz alta. O ar ficou pesado e carregado pela incerteza, cheio de ruído. Em seguida, um estampido forte soou, uma arma que disparou em algum lugar dentro do salão.

O som do disparo quebrou o feitiço, o campo de força que nos cercava. As pessoas começaram a correr, disparando em todas as direções. Outro tiro ecoou pelo lugar. Vi Abdullah tentando abrir caminho na minha direção, com a cabeça abaixada como se fosse um touro. Gritei quando ele mergulhou sobre mim. Tentei chutá-lo, mas ele era forte. A correia da sua arma estava colocada sobre um dos ombros, balançando e batendo em minhas pernas conforme eu me contorcia. Senti que estava deslizando por entre os braços da mulher somaliana. Abdullah estava me arrastando em direção à porta lateral. Eu arranhava o chão à medida que ele me puxava. Não me lembro de qualquer um dos homens que observava a cena tentar impedi-lo.

A mulher foi a única que tentou.

Ela agarrou em um dos meus pulsos e puxou-me na direção oposta, usando o peso do seu corpo para resistir, largando uma enxurrada de palavras em somali. Por alguns minutos, meu corpo ficou preso entre os dois, esticado, com Abdullah puxando minhas pernas enquanto a mulher somaliana, com as duas mãos ao redor do meu braço esquerdo, transformou-se em uma âncora teimosa. Quando outro homem, alguém que eu nunca vira antes, começou a ajudar Abdullah segurando a minha perna esquerda e avançando em direção à porta lateral por mais alguns passos, eu vi a mulher, minha protetora, tombar com o rosto no chão. Sem se deixar abalar, ela usou o tranco para se atirar quase em cima de mim, reposicionando suas mãos de modo que elas se fechassem acima dos meus cotovelos. Estávamos sendo arrastadas — nós duas, unidas como vagões de um trem — centímetro a centímetro pelo piso da mesquita. As articulações dos meus ombros doíam a ponto de eu achar que se romperiam.

Finalmente, ela não conseguiu mais segurar. Senti o equilíbrio mudar quando as mãos dela escorregaram e Abdullah e o outro homem conseguiram acelerar o passo. Meu *abaya* vermelho deslizou pelo chão conforme nos movíamos. Quando chegamos à porta, consegui levantar a cabeça e olhar para trás. A mulher estava jogada no chão e chorando copiosamente. O véu e o *niqab* que ela usava na cabeça foram rasgados durante o confronto, deixando-a exposta. Eu percebi que ela tinha a idade da minha mãe, pouco mais de cinquenta anos, com um rosto gorducho e gentil e uma testa alta. Seu cabelo estava alinhado em pequenas tranças que corriam por cima do couro cabeludo. Ainda estava com um braço estendido na minha direção. Três homens armados a cercavam, agora.

Completando a minha abdução da mesquita, alguém ergueu os meus ombros, manobrando meu corpo de maneira rude por cima das escadas do lado de fora do prédio e levando-me para um pátio cercado por muros. Eu estava esperneando, torcendo meu corpo, agitando-me de maneira selvagem, com os cotovelos batendo no chão de areia. Quando estávamos do lado de fora, o homem que me segurava pelos ombros deixou meu corpo cair.

Meu *abaya* havia subido até acima da cintura. Meu jeans, que já estava largo por eu ter perdido tanto peso, escorregou na direção dos meus tornozelos conforme Abdullah me empurrava para a frente, segurando minhas pernas dos dois lados do seu peito como se estivesse puxando uma carroça. Conforme avançávamos pelo pátio, com meu corpo arrastando-se pelo chão sujo, eu senti que a minha roupa íntima esfarrapada começava a deslizar pelo meu corpo também. Basicamente, eu estava nua, da barriga até os joelhos.

Estiquei o pescoço para procurar algum tipo de ajuda ou rota de fuga, mas não havia nada — somente cerca de vinte homens olhando para mim. Eu era um espetáculo totalmente explícito. Senti algo úmido atingir minha barriga e percebi que alguém havia cuspido em mim. Ouvi um murmúrio, mas não consegui entender o que as pessoas diziam. Estávamos passando por um mourão de metal que demarcava os limites do pátio e a saída para a estrada, onde parecia haver um grupo ainda maior de pessoas reunidas. Estendi o braço e segurei a borda do mourão, agarrando-me nele com as duas mãos.

Abdullah virou-se para ver o que havia interrompido seu progresso. Adiante dele, passando pelo portão, eu vi uma caminhonete azul esperando, com o motor ligado. Fui tomada por outra torrente de força animalesca. Faria qualquer coisa para não ser levada para aquela caminhonete. Outro disparo ecoou de dentro da mesquita. *Nigel*, eu pensei. *Eles mataram Nigel.* Aquele pensamento era como um redemoinho, algo que podia me matar. Abdullah puxava e eu me agarrava ao mourão, tentando libertar minhas pernas. Percebi o rosto estreito de uma mulher olhando para mim. Fazia parte da multidão que estava do lado de fora do portão, com a expressão indecifrável. Gritei para ela em inglês:

— POR QUE VOCÊ NÃO ME AJUDA?

Ela parecia estar abalada.

— Não falo inglês — disse, num inglês perfeito.

Subitamente, senti uma dor horrível explodir nos dedos de uma das mãos. Alguém havia chutado a minha mão para que eu largasse a borda do portão. Gritei de dor e soltei a barra. Em seguida, fui colocada de pé e empurrada em direção à caminhonete, que tinha cabine dupla e quatro portas. Abdullah me enfiou no banco traseiro, mas, ao fazer isso, percebi uma última oportunidade: meti o pé com toda a força em sua virilha e observei-o quando ele caiu para trás.

Abri a porta do lado oposto e corri, desta vez diretamente para a multidão, agitando os braços, com as orelhas zunindo, puxando minhas calças para cima enquanto corria. Comecei a recitar em voz alta a oração em árabe que todos os muçulmanos entoam, o primeiro *surah* do Alcorão. Tentei fazer contato visual com todas as pessoas que me observavam. *Bismillahi ar-rahman ar-rahimm. Al hamdu lillahi rabbi al-alamin. Ar rahami ar-rahimm. Maliki yami d-din. Iyaka na'budu wa iyyaka nasta in. Ihdina s-sirat al-mustaquim...* que era traduzida em: "Em nome de Deus, o compassivo, o piedoso. Glória a Deus, o Senhor dos Mundos. O compassivo, o piedoso. Mestre do Dia do Julgamento. Somente a Vós nós adoramos, e somente a Vós nós oramos em busca de ajuda. Guiai-nos pelo caminho da virtude..."

Eu dizia tudo aquilo de maneira apressada e atropelando as palavras umas sobre as outras, gritando a plenos pulmões, mas estava dizendo isso a eles — berrando tudo aquilo, na realidade —, a dezenas de observadores, tentando provar alguma coisa. Se não uma afirmação perfeita de fé, então uma afinidade; se não uma afinidade, então o simples fato de que, apesar de estar desacabelada, suja e de ser estrangeira, eu também era humana.

Ninguém se mexeu. Ninguém parecia saber como responder. Eles olhavam para mim, parecendo estar mais amedrontados do que qualquer outra coisa conforme eu gritava o meu árabe em meio ao vácuo. Gritei as palavras até ficar rouca, mesmo quando senti as mãos de alguém me agarrando por trás e começando a me erguer, levando-me de volta à caminhonete, e continuei gritando quando vi dois outros homens arrastando Nigel pela porta da mesquita e vindo em nossa direção. Vê-lo me trouxe uma onda de alívio e serviu para desferir um golpe forte na minha ansiedade. Fazia quarenta e cinco minutos desde que escapáramos pela janela. Conseguíramos sair, mas não conseguíramos realmente fugir. Só atravessáramos o rio até a metade.

Ele sobreviveu, eu sobrevivi, mas agora, com certeza, estávamos mortos.

32

Casa Cafona

Enfiada no banco de trás da caminhonete com o Jovem Mohammed, Nigel e eu estávamos de mãos dadas. Eu observava, embasbacada, enquanto dois dos homens que estavam na mesquita — rapazes que não sorriam e que, vinte minutos antes, pareciam estar defendendo a nossa liberdade com o grupo maior — se empilharam no veículo com nossos captores, depois de, aparentemente, virar a casaca e se juntarem ao esquadrão. Um deles se sentou no banco do motorista ao lado de Skids e Abdullah; o outro sentou sem dizer qualquer palavra ao lado de Nigel, na parte de trás. Jamal subiu na caçamba da caminhonete. As portas se fecharam com um estrondo. O motor rugiu. Várias pessoas na multidão acenaram, despedindo-se.

Aonde quer que estivéssemos indo, não seria o mesmo lugar que deixáramos. Comecei a tremer e, em seguida, comecei a falar, uma última tentativa desesperada de despertar a vergonha neles. Dirigi minha fala ao Jovem Mohammed ao meu lado, mas, de maneira geral, ao resto dos homens, especialmente aos dois recém-chegados.

— Como puderam fazer isso conosco? — eu disse, observando a lateral do rosto de Mohammed enquanto ele olhava direto em frente. — Vocês dizem que acreditam no Alcorão, mas nós também acreditamos. Vocês estão nos mantendo aprisionados, e isso não é certo!

Ele havia me socado várias vezes antes de me levar para o carro. Meu maxilar estava dolorido. Agora, eu esperava que Mohammed fosse me bater outra vez, mas ele não o fez. Continuava olhando em frente conforme a caminhonete avançava rapidamente pela areia. Ninguém dentro do carro dizia nada. Nigel apertava a minha mão. Pelo para-brisa, eu podia ver Ahmed e Donald acompanhando o nosso percurso dentro de uma perua, encobertos por uma nuvem de poeira amarela.

Depois de cerca de dez minutos correndo por uma estrada esburacada, um dos pneus da caminhonete estourou, e o veículo diminuiu a velocidade até parar. Quando aquilo aconteceu, percebemos que o veículo estava parado em frente a um prédio cor-de-rosa que exibia os dizeres Universidade de Mogadíscio, confirmando a noção de que as casas nas quais eles nos mantiveram presos ficavam próximas — senão dentro dos limites — da capital do país. As paredes do prédio estavam marcadas por buracos de bala e disparos de morteiro, deixando claro que a vida de estudante não era um passeio no parque. Com suas armas, os garotos nos mandaram sair do carro e ir na direção da perua de Ahmed, que estacionara logo atrás. Ahmed desembarcou. Por cima do ombro dele, percebi as formas de palmeiras e prédios baixos. O impulso de sair correndo outra vez fazia cócegas na minha garganta, uma chance ponderada contra outra chance, um tiro sem um alvo definido.

De repente, senti-me mais cansada do que já estivera em toda a minha vida. Não havia mais qualquer impulso de luta dentro de mim.

Entramos no outro carro com Donald, enquanto Ahmed ficou para trás com a caminhonete quebrada. Skids, sentando-se no banco do passageiro, virou-se e apontou o dedo para mim e Nigel. Em seguida, colocou o dedo friamente contra a própria têmpora e fez um gesto como se estivesse disparando uma arma.

— Eles vão nos matar — eu disse a Nigel, sem que aquilo fosse necessário. A mensagem era clara o bastante.

Percebi que uma das mangas da camisa de Nigel fora arrancada quase completamente. Sua pele parecia estar lívida, quase drenada de qualquer cor. Naquele momento, Mohammed, sentado ao lado dele, lhe deu um soco no rosto, com força. Nigel baixou a cabeça e cobriu os olhos. Percebi que ele estava se esforçando para não chorar.

Ele foi salvo de outro golpe pelo telefone celular de Mohammed, que tocou naquele momento, com um *ringtone* que imitava sapos coaxando. Sem olhar para Nigel outra vez, Mohammed tirou o telefone do bolso e atendeu a ligação.

Falando com a voz baixa, pouco acima de um murmúrio, comecei a dizer a Nigel o que eu queria que ele dissesse à minha família caso ele sobrevivesse e eu não. Havia a afirmação óbvia de que eu os amava, de que estava arrependida pelo transtorno que causara, pela agonia que eles sentiram. Instruí Nigel a dizer à minha mãe que ela deveria ir à Índia, pois pensava que ela me entenderia melhor se fosse até lá.

— E diga a meu pai e Perry para visitarem a Tailândia — eu acrescentei —, porque isso vai deixá-los muito felizes.

Nigel disse outras coisas para mim, mensagens para seus pais, seus irmãos, sua namorada — coisas amáveis, lamentosas e desesperadas, assim como as minhas.

Mohammed falava ao telefone num tom carinhoso em somali. Pensei que estava ouvindo a voz de uma criança do outro lado da linha, rindo das coisas que Mohammed lhe dizia.

Dirigimos por entre ruas, passando por eucaliptos, micro-ônibus que avançavam lentamente e pneus de borracha jogados ao longo da estrada. Passamos por prédios e casas caiados de branco e castigados pelo sol, como velhas ossadas. Vi homens empurrando carrinhos de mão, mulheres carregando baldes, crianças observando o trânsito conforme os veículos passavam. Para mim, agora, tudo pareciam ser portas fechadas, uma lembrança do quanto a Somália era inacessível à nossa presença.

Depois de algum tempo, paramos para abastecer, estacionando o carro em frente a uma mulher velha e magricela que estava em uma esquina, ao lado de vários galões de gasolina. Skids passou-lhe algumas notas pela janela e ela usou um dos galões para encher nosso tanque. Nigel e eu, no banco traseiro, estávamos à vista. Olhei para a mulher, quase implorando a ela que fizesse algo, observando seus olhos passarem sobre nós antes de nos dar as costas.

Continuamos a avançar. Parecia que estávamos andando em círculos, sem um destino certo. Eu estava convencida de que eles esperariam até o cair da noite para nos matar. O que significava que ainda teríamos que passar várias horas daquele jeito.

Donald, que nos mostrara uma dose de empatia durante aqueles meses, estava sentado atrás de nós, no bagageiro. Decidindo arriscar, eu me virei e agarrei a manga da sua camisa.

— Você tem que nos ajudar — eu disse. Ele fingia estar olhando pela janela. Acrescentei: — Por favor, por favor, por favor.

Aquilo o fez explodir.

— Vocês acham que são os únicos? — disse ele, a voz carregada pela raiva. — Há pessoas alemãs, italianas. Todas voltam para casa facilmente — disse ele. Falava sobre outros reféns, provavelmente pessoas sobre as quais lera nos jornais. Ele continuou: — Ninguém quer pagar por vocês, e agora vocês causaram problemas! — Ele desvencilhou a manga da minha mão.

Afundei no assento do carro, sentindo que as dores no meu corpo começavam a sobrepujar a adrenalina. Minhas costas e meu traseiro estavam arranhados, em carne viva, após ser arrastada para fora da mesquita. Meus pés estavam inchados e cobertos de sangue ressecado após a fuga pelas moitas de espinheiros. Se não estivessem latejando, eu poderia pensar que eles pertenciam a outra pessoa.

Saímos de uma estrada e entramos em outra antes de finalmente alcançar uma espécie de destino — uma casa atrás de um muro. Uma casa que, diferentemente das outras onde ficáramos até agora, estava claramente ocupada. Havia sapatos de criança jogados ao redor da entrada. As roupas de uma mulher estavam penduradas em um varal. Donald e Skids nos levaram por um corredor de teto baixo, passando por várias portas fechadas, até que chegamos a um quarto nos fundos. Deixaram-nos lá, vigiados por Abdullah e Mohammed. Senti o cheiro de comida sendo preparada.

Imediatamente, imaginei que estávamos na casa do capitão. O cômodo em que estávamos era um dormitório. Não era somente um quarto simples, mas um quarto totalmente mobiliado, com cortinas floridas sobre as janelas, uma colcha rosada com estampa de flores cobrindo a cama tamanho *queen size* e uma penteadeira com vários frascos de creme para a pele, perfume e gel para o cabelo, tudo organizado cuidadosamente em fileiras.

Estávamos no interior da vida de alguém, do casamento de alguém, do ninho de aroma doce e tons rosados de alguém. Eu podia ouvir uma mulher conversando em voz alta no idioma somaliano na frente da casa, provavelmente protestando contra a chegada abrupta de dois estrangeiros e uma milícia de adolescentes sujos com armas na mão.

Donald retornou.

— Sentem — disse ele, apontando para o chão.

Nigel e eu nos sentamos contra a parede oposta à cama, enquanto Donald começou um interrogatório. Mohammed e Abdullah ficaram ao nosso lado, como se estivessem esperando ordens. O Capitão Skids fazia perguntas em somali. Donald traduzia com uma fúria ácida, que mantinha a agressividade mesmo em linguagens diferentes:

— Por que vocês fugiram?

— Como conseguiram escapar?

— Quem os ajudou?

— Vocês querem morrer?

Respondemos a cada uma daquelas perguntas mais de uma vez. Donald nos insultava, dizendo que éramos idiotas e maus muçulmanos. Nigel e eu nos desculpávamos, jurando que não tivéramos a ajuda de ninguém, dizendo que não queríamos morrer, que queríamos apenas voltar para casa.

Skids estava apontando para mim, o dedo tremendo pela emoção. Donald repetia as palavras em inglês.

— Foi *você* — disse ele. — *Você* inventou esse plano. — Na cabeça deles, fora eu quem criara toda aquela situação. Eu era, como sempre fora para eles, a mulher má e indigna de confiança.

Bateram em nós várias vezes. Quando eu me curvei sobre mim mesma por causa da dor, Mohammed bateu com a coronha do seu rifle entre os meus ombros.

Donald finalmente gritou aquilo que parecia ser a questão culminante:

— Por que você disse que estamos fodendo você? — cuspiu ele. As palavras me fizeram tremer. Donald continuou: — Você sabe o que é foder? Poderíamos ter feito isso, *subhanallah*, mas não fizemos. Você é uma mentirosa!

A acusação ficou pairando no ar. Senti a expressão de advertência que Abdullah tinha em seus olhos. Todos estavam olhando intensamente para mim.

Meus pensamentos estavam acelerados. Este era o momento de expor Abdullah. Mesmo assim, alguma coisa dentro de mim não foi capaz de fazê-lo. Eu estava com medo. Tinha certeza, sem qualquer dúvida, de que ele negaria tudo o que fizera comigo e que, de qualquer maneira, eu seria responsabilizada pelos atos.

Eu disse a Donald:

— A mulher não falava inglês! Ela não entendeu. Eu disse a ela que estava com medo dos garotos, tinha medo de que fossem me machucar. Não usei essa palavra. Não é uma boa palavra. Não é bom dizer isso. E eu sou muçulmana — eu disse, virando-me para Nigel. — Diga a eles que eu não falei aquela palavra. Diga a eles!

Nigel não disse nada.

Skids e Donald estavam conversando em silêncio. Abdullah e Mohammed socavam minha cabeça e meus ombros. Comecei a ficar tonta, como se o chão houvesse se aberto diante de mim. Quando Donald andou de um lado do quarto para o outro, eu estendi a mão e agarrei a perna da sua calça, tentando fazer com que ele olhasse para mim.

— Me ajude, por favor! *Por favor*!

— Eles já estão culpando você — Nigel sussurrou para mim. — Acho que deveria simplesmente aceitar desta vez.

Aquelas palavras permaneceriam comigo durante muito tempo. Durante muito, muito tempo. Por tudo que ainda viria a acontecer, por todas as horas nas quais eu tivesse que pensar naquilo, eu reviraria aquelas palavras na minha mente como se fossem uma pedra na mão, procurando por alguma abertura que não estava ali.

Acho que deveria simplesmente aceitar desta vez.

— Não posso fazer isso — sussurrei para Nigel.

Donald e Skids continuaram com o interrogatório. Os garotos continuaram a me bater. Durante todo aquele tempo, Nigel não mencionou uma única vez que fora ele quem tivera a ideia de fugir pela janela em primeiro lugar, ou como discutíramos juntos para colocar aquele plano em ação. Não assumiu a responsabilidade por nada.

O mais próximo que ele chegou de assumir alguma coisa foi quando disse a Donald, em um determinado momento, com a voz trêmula pelo medo:

— Me desculpe. Não sei por que fiz isso. Eu não deveria ter prestado atenção. — Como se quisesse dizer que não deveria ter prestado atenção em mim. Porque eu simplesmente estava aceitando desta vez.

★

O que eu sentia em relação a Nigel? Ódio, amor, confusão, dependência, tudo aquilo emaranhado em um nó. No momento, eu não conseguia desatá-lo para examinar qualquer um daqueles sentimentos individualmente. Ele era Nigel e eu era Amanda, e estávamos unidos de uma maneira muito profunda. Quando pensava naquilo, não era tão diferente do que eu sentia quando era criança, presa dentro da existência caótica e mirabolante da minha família. É difícil sentir raiva quando você precisa de alguém de forma tão fundamental.

Não sei dizer com certeza quanto tempo aquele interrogatório continuou, se foram mais sete minutos, mais quinze ou mais cinquenta. Tudo o que eu podia sentir era a minha mente caindo em parafuso em um buraco, um espaço escuro e vazio sem paredes ou piso, sem conexão com o mundo exterior.

O que eu pensava era: *Estamos morrendo agora. Eles vão nos bater até que não possamos mais responder. Só vão nos deixar em paz quando estivermos mortos.*

Depois de algum tempo, Donald disse que precisava ir embora. Balançou a cabeça como se estivesse farto e cansado de nós. Estava sentado na beirada da cama coberta com a colcha florida.

Eu não queria que ele fosse embora. Confiava menos em Skids do que em Donald.

— Por favor, não vá embora — eu disse, com a voz fraca. — Não vá.

Donald olhou-me de forma quase paternal. Bateu com a mão levemente sobre a cama, indicando que eu deveria me sentar ao seu lado. Mohammed fez menção de se opor àquilo, mas Donald o calou com um gesto. Vacilando, eu levantei do chão e fui me sentar perto de Donald na cama, com as costelas doendo pelo movimento.

Ele estendeu a mão e tocou levemente o meu rosto inchado, causando uma onda de dor.

— Seu rosto está muito mal — disse ele. Acrescentou que precisava ir embora e que lamentava pelo que viria a acontecer. — Não sei o que é, mas não será bom — disse.

Seu telefone celular tocou, e ele atendeu com um rápido *Salaam*. Olhando para mim, segurou o telefone longe da orelha. Ouvi a voz de uma mulher do outro lado da linha, falando com uma rapidez incrível.

— Está vendo? — disse-me Donald, levantando-se e abrindo um rápido sorriso. — Estou atrasado. Preciso ir agora.

Depois que ele partiu, Hassam, que, até agora, estivera ausente, chegou trazendo um saco de papel pardo. Entregou-o ao Capitão Skids, que deixou o conteúdo cair no chão — duas longas correntes e quatro cadeados, provavelmente comprados em um mercado nas proximidades, empilhando-se com um tilintar. As correntes eram grossas e de aparência pesada, de um tom metálico prateado e escuro — o tipo que alguém usaria para trancar duas portas pesadas. Observei os olhos de Hassam correrem por mim, registrando os hematomas recentes, avaliando o que havia ocorrido. Pensei ter visto uma pequena onda de alarme ou compaixão passando pelo seu rosto e, em seguida, desaparecendo, como um coelho fugindo pela floresta.

Skids ergueu as correntes, parecendo satisfeito pelo peso que tinham. Passou-as para Mohammed, que se ajoelhou na minha frente. Ele prendeu meus tornozelos com as pontas da corrente e travou-as com um cadeado em cada lado, de modo que cada uma das pernas ficasse presa por um círculo de elos gelados, meu pé esquerdo ligado ao direito por cerca de quinze centímetros de corrente. Fez a mesma coisa com Nigel.

Quando terminou, nós dois estávamos manquejando. Evitei olhar para Nigel, confusa demais pelos meus sentimentos para encará-lo como um aliado ou até mesmo uma vítima. Eu estava sozinha, ainda mais do que antes — presa dentro do meu corpo, presa dentro da minha vida. Era capaz de andar, mas apenas com uma lentidão aparvalhada, as correntes forçando a minha pele. Correr era algo totalmente impossível. Estávamos totalmente à mercê deles. Fosse lá qual fosse o jogo que tentáramos jogar, havíamos perdido.

33

Documentos

Quando a noite chegou, nossos captores nos tiraram da casa com as cortinas floridas. Suponho que a mulher que morava ali — aquela que ficara irritada quando chegáramos — lhes deu ordens de levar seus problemas para outro lugar. Antes de sairmos, ela nos mandou um jantar, trazido por Jamal, um prato de espaguete e uma jarra de suco de laranjas frescas servido em uma bandeja com dois copos de plástico. Mais elegante do que qualquer coisa que houvéssemos comido naqueles últimos meses. Meu maxilar estava tão dolorido que eu mal fui capaz de mastigar, mas a comida — o gosto do macarrão, a normalidade de beber algo dentro de um copo — oferecia algum conforto.

Abdullah observou enquanto comíamos, parecendo estar contente consigo mesmo. Sem qualquer aviso, ele perguntou:

— Você fodeu muitos homens? — Seu tom de voz era bastante casual, mas estava claramente experimentando um verbo novo que aprendera. Eu sabia que era uma pergunta que ele nunca se atreveria a fazer se os outros estivessem por perto. — Qual número? Qual número de homens você fodeu?

Eu não disse nada. Abdullah olhou para Nigel.

— Você — disse ele. — Qual número de garotas você fodeu?

Nigel engoliu sua comida. Seu rosto estava inchado depois das surras.

— Quatro? — disse ele, como se estivesse tentando adivinhar a resposta certa.

O sorriso de Abdullah se abriu ainda mais.

— Ah, quatro! — disse ele. — Muitas! — Parecendo estar contente, ele voltou a se recostar contra a parede.

Nigel e eu terminamos nossa refeição em silêncio.

★

Surpreendentemente, naquela noite, eles nos levaram de volta à Casa da Fuga, a mesma casa da qual escapáramos pela janela poucas horas antes. Retornar parecia arriscado da parte deles. Provavelmente toda a vizinhança já sabia sobre Nigel e eu — nosso espetáculo, afinal de contas, fora testemunhado por uma verdadeira multidão —, mas nossos captores decidiram ignorar a possível ameaça ou sentiam-se desesperados o bastante para nos trazer de volta. Ocorreu-me que eles não tinham nenhum outro lugar para ir.

Meu quarto estava exatamente como eu o deixara — livros, roupas, loção para a pele e pacotes de medicamentos, todos colocados ao lado do colchão de espuma. O lençol com flores azuis estava dobrado sobre a cama. As venezianas da janela estavam fechadas.

Deitei-me, com as correntes pesando desconfortavelmente entre os meus tornozelos, meu corpo úmido após suar profusamente durante o dia inteiro, meus braços e pernas latejando com uma dor desconfortável que parecia vir de dentro dos ossos. Na fuga, eu perdera meus sapatos, minha mochila, meus óculos, meu Alcorão e os dois livretos com instruções sobre como ser uma mulher islâmica. Lutei contra o terror. Não conseguia parar de pensar na mulher da mesquita — o quanto ela fora corajosa, as consequências que sofreria por tentar me ajudar. Orei por ela, desejando que ficasse bem.

Mais tarde, quando Jamal surgiu na minha porta, pedi que me deixasse usar o banheiro. Ele caminhou por trás de mim pelo corredor, com a arma apontada para um ponto entre meus ombros. Quando abri a cortina do banheiro, senti a respiração se prender na garganta, vendo a situação que Nigel e eu deixáramos ao fugir. O cômodo estava cheio de pedaços e poeira de tijolo e argamassa. O buraco que fizéramos na janela parecia ser enorme e feito com violência, um portal de bordas pontiagudas que se abria para a escuridão do exterior. Imaginei o choque do guarda que descobrira aquilo.

Enquanto eu usava o vaso sanitário, Jamal se colocou do outro lado da cortina. Eu podia ouvi-lo respirando. Senti-me constrangida, sabendo que ele estava ouvindo enquanto eu urinava.

De volta ao meu quarto, esperei durante a noite inteira que me levassem embora. Minha mente inquieta não conseguia se afastar da imagem daquele pedaço do deserto sob a acácia retorcida, a lembrança da faca pressionada contra a minha garganta.

Até que, de maneira muito improvável, o muezim começou a tagarelar. O sol brilhava por uma fresta na persiana da janela, iluminando o verde espalhafatoso das minhas paredes. Em algum momento, eu caí no sono. E agora estava desperta, viva. Os sons flutuavam sobre a minha cabeça como se a casa estivesse em movimento, pessoas se lavando e orando, como sempre acontecera. Ouvi uma espécie de conversa sendo entabulada na varanda.

Senti uma onda reconfortante de alívio.

Pensei que, talvez, isso significasse que ficaríamos bem.

★

Seria bom se as coisas ruins acontecessem somente nas sombras, se a vida se dividisse facilmente entre luzes e sombras. Eu gostaria muito que a luz do sol que bateu sobre a nossa casa naquela manhã, sobre o bairro, os vizinhos e toda a cidade de Mogadíscio, tivesse algum tipo de efeito que alegrasse as pessoas e diminuísse a tensão.

Parecia ser um daqueles momentos em que ninguém sabia o que aconteceria a seguir, como as coisas deveriam ser dali por diante. Eu podia ouvir os murmúrios dos nossos captores, conversando na varanda, provavelmente discutindo o que fariam. Ontem fora um dia realmente ruim. Suas duas arcas de tesouro criaram pernas e correram para longe.

Algum tempo depois, o Capitão Skids e Abdullah me trouxeram comida. Skids nunca se ocupava com as tarefas do dia a dia, e Abdullah nunca trazia minhas refeições. Mas eles estavam no meu quarto, quase com expressões gentis no rosto, colocando à minha frente algo que parecia ser um café da manhã incrivelmente farto: uma manga amarela e madura, um pão de cachorro-quente e uma xícara de chá morno.

— Coma a sua comida — disse Abdullah, sem qualquer resquício da sua fúria costumeira. — Vamos esperar.

Com aquilo, meu coração começou a bater mais rápido. Esperar o quê? Olhei para a comida nas minhas mãos e a xícara de chá no chão. Olhar para aquilo me deixava tonta. Eu estava faminta. A movimentação da fuga drenara toda a energia que eu tinha.

Skids fez uma mesura curta com a cabeça e saiu do quarto. Abdullah se virou para segui-lo, olhando-me mais uma vez de uma maneira que não consegui entender.

Quando saíram, eu arranquei um pequeno pedaço do pão de cachorro-quente e comi. Tomei um gole do chá. Imaginei se Nigel havia recebido a mesma comida e se estavam esperando até que ele terminasse, também.

Descasquei a fruta com os dedos, chupando os pedaços de polpa presos em cada pedaço da casca. Dentro, a manga tinha uma cor alaranjada vibrante, mais clara ao redor das beiradas e mais forte conforme se aproximava do caroço. A doçura da manga era gratificante, embora não servisse realmente para preencher o vazio imenso que eu sentia no estômago. Aprendera o bastante sobre a fome para entender que o impulso de abocanhar toda a comida era um impulso animal, inútil se você não estivesse junto com uma matilha ou manada. Quando se está sozinho, é melhor para o corpo e para a alma fazer com que uma pequena refeição dure o máximo possível.

Mastiguei o pão de cachorro-quente pedaço por pedaço, alternando-o com pequenas mordidas na fruta. Pela parede, eu consegui ouvir um som — um gemido de dor. Percebi que eles estavam no quarto de Nigel.

Depois de cerca de dez minutos, Abdullah surgiu outra vez na minha porta, parecendo tranquilo.

— Está bom? — perguntou ele. Parecia que realmente queria saber a resposta.

Fiz um gesto, indicando que ainda não havia terminado de comer a refeição. Ele se afastou outra vez, deixando a minha porta aberta.

Comi o que restava do pão, continuando a arrancar pequenos nacos, cada pedaço do tamanho de uma pérola pequena. Quando terminei, limpei o caroço da manga com os dentes e a língua, roendo tudo até chegar ao núcleo duro. Bebi os últimos goles do chá.

Abdullah e Skids voltaram ao meu quarto. Abdullah estava com seu rifle AK-47 nas mãos. Skids empunhava uma pistola. Abdullah perguntou:

— Terminou agora? — Ele indicou que eu deveria me levantar e segui-los até o corredor. Skids lhe disse algo em somali. Abdullah apontou para o meu colchão e depois para o seu *macawii* — o sarongue de algodão que ele usava ao redor da cintura — e, mais uma vez, para o meu colchão. Estavam me dizendo para pegar o lençol com flores azuis da minha cama. Era mais ou menos do mesmo tamanho e peso de um *macawii*. Queriam que eu o trouxesse comigo, fosse lá para onde estávamos indo.

Andamos pelo corredor, em direção à varanda, passando pelo quarto onde Abdi e os outros reféns somalianos ficaram presos. As correntes nas minhas pernas dificultavam cada passo, dando-me um equilíbrio precário, na melhor das hipóteses. Eu avançava com um pé e empurrava o outro por trás, arrastando-os com dificuldade. Estava descalça, usando as roupas com as quais tentara escapar — o *abaya* de poliéster vermelho, a camiseta regata verde por baixo dele, o jeans largo e um *hijab* preto ao redor da cabeça — todas as peças manchadas de terra depois da minha saída humilhante e involuntária da mesquita.

Na metade do caminho pelo corredor, eu perdi o equilíbrio e caí, batendo um dos quadris com força no chão. Skids observou enquanto tentei me erguer algumas vezes, com a extensão curta da corrente impedindo-me de ajustar meu peso. Imaginei ter visto um brilho de orgulho em seus olhos, percebendo toda a dificuldade que eu tinha para me mover.

★

Fui conduzida por uma porta dupla que levava até um quarto enorme e vazio. Estivera ali antes, durante a celebração do Eid de dezembro, quando Nigel e eu fôramos convidados a nos juntar a nossos captores para as orações e celebráramos o propósito do Eid — a disposição de Abraão em sacrificar seu próprio filho a Deus. O quarto estava iluminado pelo brilho do sol. Suas paredes estavam pintadas de amarelo. Na manhã do feriado, eu havia ficado atrás dos meus captores, olhando para as suas costas. Ajoelhei-me no piso de concreto, esperando a luz do dia entrar pelas duas janelas da parede esquerda, fascinada pela visão da árvore maltratada que crescia no terreiro enorme do outro lado da janela — algo que eles viam, e eu geralmente não via.

Desta vez, Abdullah me empurrou para a frente do cômodo. Skids estava falando outra vez em somali, dizendo palavras que Abdullah traduzia para mim.

— Você é uma mulher má — disse ele, aumentando o volume da voz. — Você foge. Tem documentos?

— Documentos? Não, não tenho documentos — eu respondi.

— Você mente — disse Abdullah.

Percebi que eles deviam ter revistado o quarto de Nigel e encontrado o papel no qual ele escrevera algumas frases em somali, pedindo ajuda. Dificilmente aquilo passaria por um documento, mas nossos captores sempre foram obcecados por aquilo que chamavam de documento — qualquer papel que tivesse palavras escritas. A palavra escrita exercia algum poder estranho sobre eles.

Skids avançou, pela primeira vez em cinco meses vindo a uma distância relativamente próxima de mim. Não gostei do que vi nos olhos dele. Instintivamente eu ergui uma das mãos para afastá-lo, mas aquilo pareceu fazer com que seus movimentos ficassem mais rápidos. Com a mão esquerda ele agarrou a gola do meu *abaya* vermelho, no mesmo instante em que usou sua outra mão para bater a coronha da sua pistola violentamente contra o meu crânio. Senti a dor nos meus dentes, nos meus olhos, nas pontas dos dedos. Meu primeiro pensamento foi que ele poderia ter me causado algum dano cerebral.

Caí de lado, mas Skids ainda me segurava pelo vestido. Ergueu-me outra vez com um tranco e depois puxou o *abaya* por cima da minha cabeça. Seus dedos encontraram a minha camiseta regata manchada pelo suor. Quando tentei me desvencilhar, ele me bateu outra vez.

— Por favor, por favor, não faça isso! — pedi.

Skids rosnou uma ordem para Abdullah, e eu comecei a entender por que eles me mandaram trazer o lençol da minha cama. Com Skids segurando meus braços, Abdullah pegou o tecido de algodão florido e envolveu minha cabeça com ele, cobrindo-me e amarrando-o com força na base do meu pescoço. Agora eu não via nada além de uma luz azul. Senti mãos no meu corpo. Minha camiseta foi rasgada e arrancada. Eu me contorcia e recuava, tentando me esquivar das mãos, mas elas simplesmente vinham de novos ângulos. Alguém acertou outro golpe na minha cabeça. Eu estava tonta. Sentia o vômito me subir pela garganta. Senti as pernas fraquejarem. Havia outras vozes no quarto. Mais pessoas. Falando em somali. Ouvi Mohammed e Yusuf. O quarto pareceu se encher repentinamente, adensando-se com energia masculina. Ouvi a voz de Hassam, o jovem e meigo rapaz do mercado, e isso, mais do que qualquer coisa, fez com que meu espírito se estraçalhasse. Pensei: *Até ele? Não pode ser.*

Alguém estava puxando meu jeans, baixando a calça até pouco acima de onde as correntes estavam amontoadas ao redor dos meus tornozelos. O ar no quarto estava quente, e eu estava nua, a não ser pelo lenço na minha cabeça e o jeans nos meus pés. Minha pele estava arrepiada. Apertei os braços sobre meus seios e quadris, tentando me cobrir. Mais embaixo, nos meus tornozelos, eu senti que algumas mãos se moviam ao redor dos meus calcanhares. Ouvi um murmúrio e depois uma exclamação surda, coletiva. Alguém pronunciou o nome de Ajoos, o *fixer* do Shamo Hotel.

Meu coração afundou com aquele som. Eles estavam revistando os bolsos, eu sabia, e encontraram o meu único fragmento de contrabando. Eram os dois pequenos pedaços de papel nos quais, antes da fuga, eu copiara minhas frases em somali e os números de telefone. Enrolara os papéis até que eles estivessem do tamanho de duas sementes de girassol e os enfiara no bolso triangular e estreito da parte da frente do meu jeans.

Meus captores falavam em voz alta, animados, quase triunfantes, como se agora tivessem permissão para prosseguir.

E foi isso que fizeram. Prosseguiram. Disseram que era uma revista, o que fizeram comigo naquela manhã, naquela sala. Mas o que eles fizeram foi arrastar a todos nós para um novo território. Todos os rapazes estavam lá. Eu entendi mais tarde a importância que esse ato tinha, como aquilo impedia que qualquer um deles julgasse os outros nos meses que viriam a seguir. Juntos, eles atravessaram o limiar de um lugar mais escuro, de onde não haveria como recuperar a dignidade de ninguém. Tornaram-se culpados, todos eles, sem distinção. Não sangrei por horas ou dias, e sim por várias semanas depois daquilo.

34

Novas Regras

Daquele momento em diante, caí em uma escuridão profunda. E, ao dizer isso, refiro-me a uma escuridão física, um vácuo negro e angustiado com quatro paredes ao redor, na forma de um novo quarto em uma nova casa — desta vez, parecendo estar bem longe de Mogadíscio, no interior do país, algum lugar nas catacumbas de outro vilarejo formado por casas caiadas de branco. Poucas horas depois do que acontecera na sala de orações, na calada da noite, eles nos levaram — Nigel e eu — ao nosso novo cativeiro. Envolta em meu *abaya* e meu lenço, eu estava estranhamente entorpecida durante o percurso. Meu corpo fora estraçalhado. Várias partes de mim estavam doloridas e em carne viva, e eu não conseguia mudar para uma posição mais confortável sem que o movimento desencadeasse uma nova onda de dor. Durante todo aquele tempo, minha mente parecia estar presa em uma rede, pendurada bem acima daquilo que estava acontecendo.

Ao meu lado, Nigel estava arfando com tanta força que eu temia que isso desse motivo para que o agredissem. Estava sem sua camisa, por razões que eu não queria imaginar.

Na parte de trás do carro, onde vários dos garotos estavam sentados, enfiados no compartimento de carga com seus rifles, eu conseguia ouvir o tilintar de panelas e sacos plásticos aos seus pés, um sinal de que haviam arrumado as coisas para uma longa viagem.

★

Não vi quase nada da nova casa. Fui tirada às pressas do carro, conduzida por entre uma porta e depois por um corredor longo.

Antes de sermos levados para dentro, eu me virei para Nigel e disse:

— Seja forte. Nós vamos sair dessa, Nigel. Mas pode ser que não nos vejamos por algum tempo. — Meus olhos se encheram de lágrimas ao pensar naquilo. Ele também ficou com os olhos úmidos. Apesar de tudo que acontecera, eu queria me aconchegar nos braços dele.

Eles me colocaram em um quarto que não tinha janelas e era todo negro, jogando para dentro o meu colchão de espuma, várias sacolas com os meus pertences e o quadrado marrom de linóleo que parecia viajar junto comigo agora. O quarto era grande. Meu colchão ficou em um canto, com as outras paredes bem distantes. O ar tinha um cheiro acre, uma combinação de podridão e urina. Parecia ser um lugar isolado, como uma caverna ou um depósito, distante da luz e das partes mais movimentadas da casa. Havia um banheiro dentro do quarto, em uma alcova perto da porta, que cheirava a bolor e à ausência de uso.

Durante vinte e duas semanas de cativeiro, eu mantivera a esperança de que, de algum modo, Nigel e eu seríamos encontrados, de que algum sinal de telefone celular poderia ser rastreado e mapeado, que talvez o Canadá ou a Austrália encontrariam uma maneira de enviar soldados ou mercenários para nos tirar dali, ou que alguém — uma das esposas ou mães dos nossos captores — denunciaria toda a operação, forçando-a a chegar a um final. Minhas esperanças eram cada vez menores, mas, naquela jaula sem ar que era o novo quarto, acabaram-se por completo.

Eu já perdera muito sangue e estava ardendo em febre; minha cabeça doía cruelmente. Tinha certeza de que estava morrendo e de que aquilo aconteceria devagar. Enquanto estava deitada no colchão, minha mente se apegava aos menores ruídos: o rastejar de um rato no canto oposto da sala, uma pessoa que martelava alguma coisa — um mosquiteiro, provavelmente — em uma parede. Ouvi outra coisa, um tossir leve que vinha do corredor, estertores humanos que eu não reconheci. O som era indiscutivelmente feminino, mas isso parecia ser impossível. Imaginei que estava tendo alucinações.

Depois de algum tempo eu adormeci, imaginando que a manhã seguinte aliviaria um pouco da dor e também da escuridão. Quando acordei, entretanto, estava com a boca seca e o corpo encharcado em suor, sentindo calafrios e os hematomas doloridos sob a superfície da minha pele. No meu colchão, eu só conseguia ver uma linha estreita de luz do dia que entrava por baixo da porta do quarto e não iluminava nada.

Essa era a Casa Escura. Havia novas regras aqui. Meus captores deixaram tudo muito claro desde o início: eu não tinha permissão para falar. Também não tinha permissão para ficar sentada em meu colchão, nem por um minuto. Só tinha permissão para comer e beber apoiando-me sobre um dos cotovelos, sem sair do lugar onde ficava deitada. Qualquer infração seria motivo para uma surra. Minha prisão não era mais do tamanho de um quarto. Havia encolhido até ficar do tamanho do colchão, com uns noventa centímetros de largura por dois metros de comprimento. Também desapareceu a prática de me trazerem garrafas plásticas com água filtrada do mercado. Eu recebia a mesma garrafa de dois litros todos os dias, provavelmente enchida em uma torneira fora da casa, com gosto de ferrugem e que deixava uma sensação áspera na minha boca.

Na segunda tarde, Abdullah entrou no meu quarto com uma lanterna e viu que eu estava deitada com as costas sobre o colchão. Deu-me um chute furioso.

— Vire! — disse ele, usando a ponta do pé para que eu ficasse de lado. — Somente assim. Sem exercício.

Ele me chutou de novo, para confirmar qualquer afirmação que estivesse fazendo.

Percebi, mais tarde, que eles viram a minha rotina diária de caminhadas de um lado para o outro na casa anterior, nas semanas que antecederam a nossa tentativa de fuga. Eu lembrava da expressão de fúria frenética no rosto de Abdullah enquanto ele me perseguira pela mesquita, a força das minhas pernas debatendo-se enquanto ele me arrastava pelo pátio. Ele não queria arriscar que aquilo se repetisse. Fariam tudo o que fosse possível para me manter fraca. Eu não podia me deitar de costas, por medo de que isso pudesse me fortalecer. Acho que eles pensavam que eu começaria a fazer flexões de perna ou agachamentos e encontraria outra forma de fugir.

Cinco vezes por dia, eu recebia permissão para ir até o banheiro, andando a passos curtos por causa dos tornozelos acorrentados, com um garoto e uma arma por perto. O banheiro tinha uma pequena grade de ventilação no alto da parede que, durante o dia, deixava entrar um frágil mosaico de luz, o suficiente para revelar uma privada em estilo ocidental cuja descarga não funcionava, uma pia sem água corrente e um chuveiro enferrujado no canto. A água vinha de um galão deixado do lado de dentro da porta.

Depois de me lavar, eu devia orar. Agora, eu me sentia feliz em orar, pois aquela era a única ocasião em que eu podia variar meus movimentos, os únicos momentos em que eu tinha permissão para ficar em pé além das idas ao banheiro. Na maior parte do tempo, um ou dois dos meus captores ficavam atrás de mim enquanto eu orava, usando uma lanterna ou a tela prateada de um telefone celular como fonte de iluminação, observando conforme eu fazia os movimentos, murmurando as palavras, usando meu quadrado de linóleo como um tapete de oração. As correntes castigavam os meus tornozelos conforme eu trocava de posição, primeiro em pé e depois de joelhos. Eu não conseguia mais me sentar sobre os calcanhares para terminar cada ciclo de oração.

Os garotos zombavam do jeito como eu falava o árabe. Imitavam a minha voz aguda, minha pronúncia ruim.

— Você é uma muçulmana má, Amina — dizia Abdullah. Seu riso era como uma chicotada no meio da escuridão. — Você é uma mulher mentirosa.

No quarto dia, eu estava doente após tomar aquela água suja. Meu estômago estava embrulhado e meus intestinos borbulhavam. Batia com a minha garrafa plástica de água no chão, indicando que eu precisava ir mais vezes ao banheiro. Às vezes, os garotos me atendiam; outras vezes, não. Passaram a deixar a porta de madeira do meu quarto entreaberta, o que lhes dava a possibilidade de se esgueirar para dentro sem fazer barulho, para me surpreender enquanto eu estivesse dormindo. Acordei algumas vezes com Abdullah e o Jovem Mohammed jogando minhas coisas contra a parede, exigindo saber se eu tinha "documentos", os fachos das suas lanternas castigando-me. Com a mudança para a Casa Escura, eles tiraram meus livros e meus remédios. Eu ainda tinha os cotonetes e a loção para o corpo. Tinha uma única muda de roupas, o frasco de perfume e o tubo enorme de pasta de dentes. Nada além disso.

O único objeto novo que eu tinha, que, de algum modo, acabara surgindo entre os meus pertences, era uma camisa que pertencia a Nigel. A camisa que ele usara durante a nossa fuga — uma peça roxa com botões, que estava rasgada em vários lugares, da qual uma manga fora arrancada. Eu a mantinha na cama comigo, dormindo com ela perto de mim.

Eu adormecia em meio a uma névoa febril, meu cérebro parecendo flutuar no espaço, meu corpo ardendo em brasa. No escuro, sentia que estava encolhendo e que em breve não restaria mais nada de mim. Certa vez, acordei em pânico, sentindo que alguém me chutava repetidamente na lateral do corpo. Era Mohammed, com o pé enfiado por baixo do meu tórax. Levei alguns segundos para entender o que ele estava fazendo. Havia rolado acidentalmente durante o sono e estava deitada de costas, quebrando a regra de "nada de exercícios". Ele me chutou até que eu voltei a deitar de lado.

Algumas vezes eu ouvia o som débil que indicava a presença de Nigel, suas correntes tilintando no corredor. Também ouvia, repetidas vezes, aquela tosse estranha que vinha de algum lugar da casa. Era estridente, rouca e decididamente feminina. Ouvia aquela tosse à noite e também durante o dia, o que parecia sugerir que ela estava morando naquela casa. Quem quer que fosse, parecia estar muito doente. E confundia o meu senso sobre as coisas. Por que haveria uma mulher tão perto dali? Seria outra prisioneira? Uma esposa, uma serva? Minha mente fervilhava com a presença dela, embora eu já não pensasse mais que qualquer mulher, em qualquer circunstância, teria condições de me salvar. Fosse lá quem fosse, imaginei que ela, assim como eu, era apenas mais uma prisioneira.

★

Quando se está no escuro, o tempo se dobra sobre si mesmo, surreal e elástico. Infla-se como uma sanfona, estendendo-se e depois contraindo-se sobre si mesmo. Uma hora se torna indistinguível de uma noite ou um dia.

Meu colchão flutuava como uma jangada no meio de um oceano negro. A escuridão que me cercava podia ser tocada. Tinha peso. Era espessa como o piche, fechando-se ao redor da minha garganta e enchendo meus pulmões. Tive que aprender a respirar dentro dela. Havia momentos em que a escuridão parecia ser agressiva, como se estivesse tentando me engolir. Eu erguia a mão na frente do rosto, mas não via nada. Agitava meus braços, tentando criar vento, exercer algum tipo de poder sobre a escuridão. Às vezes, eu apertava a base do meu pescoço, apenas para lembrar-me de que ainda era uma pessoa de carne e osso.

Oito dias se passaram, depois veio o nono. Tentei não ficar obcecada com o tempo, mas, sem o ritmo do dia e da noite, era impossível não fazer isso. Meus pensamentos eram simples. *Não entre em pânico. Não enlouqueça.* Eu forçava meu cérebro a agir, como se estivesse brincando com um trem em miniatura sobre seus trilhos, contornando os mesmos círculos. *Fique calma*, eu dizia a mim mesma. *Isso tem que ser temporário. Eles vão nos levar para outro lugar em breve.* Eu marcava os dias de acordo com os chamados para as orações. Parecia haver uma mesquita no terreno vizinho, literalmente do outro lado das paredes do meu quarto. A voz do muezim que entoava os chamados era velha e desagradável.

Meus olhos se esforçavam para tentar enxergar em meio à escuridão, o que me causava uma dor de cabeça quase constante. Comecei a deixá-los fechados quase o tempo inteiro, o que era um esforço, uma perturbação do funcionamento do cérebro. Comecei a me concentrar em minha audição; sentia que ela estava ficando mais aguçada. Durante as tardes, eu podia ouvir o som distante de um rádio que parecia estar ligado nas transmissões da BBC para a Somália, com o locutor falando em somali. Prestava atenção, tentando buscar palavras que pudesse reconhecer. Eu conhecia muito poucas. A maior parte do meu vocabulário fora adquirida durante os primeiros dias em Mogadíscio, com Abdi, e nas primeiras semanas do cativeiro, quando nossos sequestradores pareciam estar ansiosos para conversar. Eu sabia que *bariis* era arroz e *basal* era cebola. Sabia que *biyo* era água. Eu conhecia as palavras do idioma somali que designavam hotel, jornalista, banheiro, mesquita. Conhecia "como vai você?", "estou bem", "socorro" e "estamos fazendo tudo o que é possível para salvar vidas". Mas pouco daquelas referências surgiam nas transmissões de rádio. No decorrer dos dias em que escutava o rádio, pensei ter ouvido o locutor somaliano mencionar Mogadíscio, Etiópia, Alemanha e George Bush. As palavras, em sua familiaridade, eram quase como um prato de comida.

Ocasionalmente eu ouvia o som de panelas batendo em algum lugar da casa, junto com o *cof-cof-cof* da tosse da mulher conforme ela andava de um lado para o outro. Comecei a pensar que, provavelmente, ela seria uma cozinheira, contratada para cuidar das refeições dos garotos e limpar a sujeira que eles deixavam. Ouvia-os trazendo sacolas do mercado para um lugar no final do corredor, que parecia ser uma cozinha. De vez em quando eu sentia também o cheiro de cebolas fritando em uma frigideira. Decidi que ela deveria ser uma viúva, desesperada em busca de um emprego. Nenhuma mulher somaliana de respeito — casada ou solteira, jovem ou velha — teria permissão para viver com um grupo de homens jovens como ela estava fazendo. E a Somália, como eu bem sabia, tinha um número muito alto de viúvas.

Pelas palavras e pelos sons, eu às vezes acabava adormecendo e sonhando. Certa vez, com os olhos fechados, achei que estava ouvindo o riso de Nigel, mas não confiava totalmente em meu cérebro. Percebi que era apenas um desejo fugaz. Estava me sentindo totalmente, desesperadamente sozinha. Imaginei Nigel trancado em um quarto escuro em algum lugar do outro lado da casa. Enviei mensagens mentais para ele, implorando-lhe para ser forte, para aguentar firme. Não poderia continuar irritada por ele haver tentado me culpar pela tentativa de fuga. Ele estava apenas assustado. Eu entendia. Nada daquilo tinha importância. Tentei imaginar que ele estava respondendo às minhas mensagens.

Nos meus piores momentos, eu me enrodilhava ao redor da camisa rasgada de Nigel e chorava. Deitava com o tecido sob o meu rosto, cheirando o aroma pantanoso do corpo dele. Tínhamos uma história que, agora, já remontava a alguns anos. Tínhamos um catálogo de experiências compartilhadas, embora tudo de que eu pudesse me lembrar naquele momento, com meu nariz tocando a camisa dele, fosse a paranoia suarenta da nossa tentativa de fuga, nossa corrida louca para dentro da mesquita. Não era uma boa lembrança, mas tinha uma carga de eletricidade, uma sensação da qual eu precisava desesperadamente. Por quanto tempo nossa esperança durara naquele dia? Dez minutos? Doze? Eu desejava ser capaz de sentir três segundos daquela esperança agora. Ansiava por uma única possibilidade, algo que nos limpasse os pulmões, que estivesse totalmente contra nós, um verdadeiro desastre que, mesmo assim, não fosse totalmente impossível. Na escuridão, sem qualquer outra opção, tentei inalar aquilo nas fibras daquela camisa.

35

Uma Casa no Céu

Duas semanas se passaram, depois uma terceira. Em seguida, algo próximo de um mês.

Eu estava deitada em meio ao nada, cada vez mais perdida num estado de quase-ser, onde a escuridão rançosa devorava lentamente todos os limites. Via fragmentos de fios azuis, pequenas bandeirolas parecidas com plumas que flutuavam à minha frente, independentemente de meus olhos estarem abertos ou fechados. Às vezes, imaginava se havia ficado cega. Outras vezes, perguntava a mim mesma se ainda estava viva.

Será que isso era o inferno?

Não era um pensamento tão desarrazoado assim.

Gradualmente, consegui construir uma espécie de rotina, cercada em todos os lados pela escuridão e pelas regras. Mas ainda havia um certo conforto em qualquer coisa que eu pudesse fazer por mim mesma. Organizei minha pequena coleção de objetos de higiene pessoal em uma linha ao longo de uma das beiradas do meu colchão. Usava a loção para o corpo pela manhã, depois da minha ida ao banheiro, massageando o creme nas minhas mãos e antebraços e pelo meu rosto. Meus captores me deram uma lâmina de barbear, um pequeno instrumento metálico e afiado, embrulhado em uma folha de papel. Com ela, eu deveria raspar a minha virilha diariamente, para atender aos regulamentos conservadores do islã sobre os pelos do corpo. Eu fazia aquilo sob a luz fraca do banheiro, testando o fio da lâmina contra a minha pele, sabendo que, se eu quisesse, provavelmente poderia cortar os pulsos com ela. Era um pensamento, uma ideia esperando para ser ativada, mas nada além disso.

A cada manhã, entre a ida ao banheiro e até me deitar outra vez, eu roubava quinze segundos críticos para arrumar a cama, enfiando a parte de baixo do lençol por baixo das laterais do colchão e usando uma das mãos para alisar as ondulações do tecido. Dobrava meu lençol de flores azuis em um retângulo liso e colocava-o nos pés do colchão. Para mim, este ato marcava o início de um novo dia.

Para passar o tempo, eu me lembrava do que sabia, das coisas que me prendiam ao mundo lá fora: era fevereiro, quase março. No Canadá, as Montanhas Rochosas estariam cobertas por uma grossa camada de neve. Minha mãe estaria usando um cachecol. Os jardins do meu pai estariam todos murchos e tingidos de marrom. As calçadas de Calgary estariam sendo castigadas pelos ventos serpenteantes do inverno. Lã, vento, flores mortas. Tentei sentir tudo aquilo na minha pele. Passara muitos dos meus invernos longe do Canadá, em países onde raramente esfriava. Agora, mais do que qualquer outra coisa, eu queria a sensação de uma estação, o aconchego de uma casa aquecida e segura com o mundo frio lá fora.

Em meu quarto, os ratos ficavam mais audaciosos. Às vezes, eu acordava sentindo um corpo peludo roçando minhas pernas no escuro. Procurava pelo filete de luz, por qualquer movimento em meio ao vácuo escuro, mas não havia nada. Minhas pernas doíam por causa daquela imobilidade forçada. Eu rolava de um lado para o outro e depois voltava à posição original. Sentia-me enjoada e doente. Tentava beber o mínimo possível da água que me traziam. Comia o que eles me davam todas as manhãs — pão seco, pedaços de gordura de camelo por cima de arroz e bananas — com a mesma hesitação.

Todos os sons exteriores pareciam vir de um mundo diferente. Apenas a voz encarquilhada do muezim da mesquita ao lado era clara, e as pegadas — o *shhh-shhh-shhh* de um par de sandálias aproximando-se da minha porta. Ao ouvi-las, meu coração começava a bater mais forte. Não acho que chegava a sentir algo tão simples quanto o medo agora. O que eu sentia, sempre que alguém se aproximava de mim, era uma explosão ardente de terror. Com os passos, eu nunca sabia quem estava chegando ou por quê.

Geralmente era Abdullah. Os outros faziam visitas no meu quarto, também, às vezes sob a pretensão de estarem me inspecionando para terem a certeza de que eu estava depilando os pelos do meu corpo, mas, frequentemente, para abusar de mim. Se, antes da fuga, eu era uma curiosidade para aqueles garotos — uma estranha com quem eles poderiam praticar o idioma inglês enquanto ganhavam pontos com Alá por me doutrinar no islã —, isso não existia mais. Agora eles me tratavam como um espólio de guerra. Alguns eram piores do que os outros. Uns poucos, como Hassam e Jamal, deixavam-me em paz. Mas, como um grupo, eles pareciam acreditar que eu os envergonhara ao fazer uma falsa acusação na mesquita e que isso justificava ignorar qualquer senso de dignidade ou restrição comunal que antes refreara seus impulsos.

Às vezes, Abdullah vinha até o meu quarto várias vezes em um único dia. Abria a porta e me ofuscava com o facho da sua lanterna. Depois, ajoelhava-se sobre o meu colchão, sem dizer qualquer palavra. Não chegava realmente a me tocar; na verdade, agarrava pedaços da minha carne, com força. Encontrava um dos meus seios no escuro e apertava-o como se fosse algo que ele esperava que fosse explodir. Às vezes, ele me dizia em uma voz jocosa que eu era "suja" e "aberta", pois, ao contrário do que acontecia com virtualmente todas as mulheres somalianas, meus genitais não foram mutilados — meus lábios vaginais e meu clitóris não foram cortados e a minha vagina não fora costurada de maneira draconiana para proteger a minha honra.

Às vezes, Abdullah amarrava minhas mãos para trás com o lençol de flores azuis que estava sobre o meu colchão para que eu não o afastasse quando ele tentava me sufocar. Eu ignorava os sons que ele fazia.

A morte começou a parecer algo bastante atraente. Fosse lá o que fosse a morte, tinha que ser melhor do que a situação em que eu estava. Não tinha certeza de como eu morreria — mesmo com a lâmina de barbear, eu não tinha o desejo de dar um fim à minha própria vida —, mas conseguia sentir a morte por perto, esperando por mim. A morte não exigiria nenhum esforço. Apenas que eu desistisse de viver.

Em meu peito, eu podia sentir a pressão se acumulando, crescendo a cada dia, até mesmo a cada hora, como se o galho de uma árvore estivesse se dobrando dentro de mim. Eu sentia como se estivesse me aproximando do ponto onde não poderia mais aguentar a agonia, como se minha mente estivesse prestes a se despedaçar. Aquele pensamento me enervava muito. O que aconteceria depois? O que haveria do outro lado? A morte? Ou a loucura? Eu não sabia.

Eu ficava deitada enquanto Abdullah fazia o que queria, mas minha mente nunca parou de tentar fugir. Eu lutava para não entregar os pontos. Lutava para aliviar a pressão. Ele geralmente colocava sua lanterna no chão. Quando vinha por cima de mim, excitado, a ponta da sua língua ficava para fora da boca, e o facho da lanterna apontava na direção oposta do colchão, iluminando coisas que eu nunca via — as vigas de madeira escura que sustentavam o teto e as partículas de poeira que ficavam suspensas no ar como pequenos diamantes. Concentrava-me naquelas coisas. Tentava me livrar do choque em relação ao que a minha vida se tornara.

Em minha mente, eu construía escadas. No final das escadas, eu imaginava salas e quartos. Eram lugares altos e arejados, com enormes janelas e uma brisa fresca soprando. Imaginava que um quarto se abria com bastante luz e dava em outra sala, até que consegui construir uma casa — um lugar com corredores e mais escadarias. Construí muitas casas, uma depois da outra, e elas se transformaram em uma cidade — uma cidade tranquila e reluzente ao lado do oceano, um lugar como Vancouver. Coloquei-me lá, e era lá que eu vivia, nos céus amplos e límpidos da minha mente. Fazia amigos, lia livros e saía para correr em uma trilha em meio a um parque verdejante à beira-mar. Comia panquecas cobertas com calda, tomava banhos e observava a luz do sol brilhar por entre as árvores. Não era apenas um desejo e não era insanidade. Era um alívio. Ajudava-me a resistir.

Depois que ele saía, minhas outras emoções voltavam. Eu chorava todas as vezes, abalada pelas ondas de fúria e desespero. Sentia como se estivesse em pé ao lado de um oceano manchado pelo ódio, meus pés molhados por aquela água.

Dia após dia, entretanto, eu procurava momentos melhores e me alimentava deles. Lembrava-me de momentos mais felizes da minha vida, desdobrando-os com languidez, já que o tempo era a única moeda que eu tinha para gastar. Revisitava a minha antiga paixão por Jamie, com seu cabelo embaraçado, suas roupas compradas em brechós e seu violão.

Para onde você quer ir?, ele me perguntara uma tarde em um parque, à beira do rio, em Calgary, bem antes de irmos a qualquer lugar e ver o que quer que fosse.

Qualquer lugar, eu disse. *Qualquer lugar, é uma ótima ideia.*

E fora a resposta certa.

Com detalhes exatos, eu conseguia me lembrar da pressão causada por uma mochila pesada em minhas costas, o borrão com cheiro de gasolina dos caminhões cheios de penduricalhos no Paquistão, as estações de trem e espetinhos de carne de carneiro, a barraca da cor do fogo onde eu dormira à margem do rio em Cartum. Rememorei a semana que passara caminhando pelas trilhas na base do Monte Everest, no Nepal, certa vez com Kelly, as primeiras noites em que dormira na casa de Amanuddin em Cabul. Lembrei-me da sensação de pegar punhados de pistaches açucarados em Calcutá e colocá-los na minha boca e de mergulhar triângulos de pão pita macio em uma tigela de homus cremoso servido com brotos de hortelã em Beirute. Lembrei-me do rapaz — o britânico tranquilo, que se vestia cuidadosamente, chamado Dan Hanmer — que se sentara à margem do lago de águas verde-escuras na Guatemala, havia muitos anos, segurando a mão de Kelly. Lembrei-me de mergulhos em piscinas, garrafas geladas de Fanta Laranja ao final de longas viagens de ônibus, o início de cada diálogo que surgia no salão do café da manhã de um albergue de duas estrelas, em algum lugar do mundo.

Conjurei as risadas do meu pai e a comida da minha mãe, as estrelas no céu em Sylvan Lake. Perdoei qualquer pessoa que poderia considerar um inimigo. Pedi perdão pelas coisas egoístas ou mesquinhas que fizera em minha vida. Dentro da casa no céu, todas as pessoas que eu amava se sentavam para uma bela refeição, digna de um feriado. Eu estava segura e protegida. Estava onde todas as vozes que normalmente rasgavam meus pensamentos expressando medo e desejando que a morte chegasse ficavam em silêncio, até restar apenas uma. Era uma voz calma e forte, que, para mim, parecia ser divina.

Ela dizia: *Está vendo? Você está bem, Amanda. É apenas o seu corpo que está sofrendo, e você não é o seu corpo. O restante de você está bem.*

★

As coisas ficaram mais suportáveis depois — não mais fáceis; mas eu era capaz de aguentá-las. Embora estivesse faminta, machucada e tivesse uma febre da qual não conseguia me livrar, o restante de mim estava bem. Eu estava sozinha e acorrentada, mas o restante de mim estava sobrevivendo. O restante de mim sabia que não devia entrar em pânico. Tinha um lugar aonde ir. Era como se uma voz houvesse chegado e reorganizado discretamente algumas coisas fundamentais. Como se, dentro daquela escuridão sufocante, eu houvesse conseguido mais espaço, um bolsão de ar fresco. Lembrava a mim mesma de que devia respirar. Colocava uma das mãos sobre o peito para ter certeza de que cada exalação estava realmente acontecendo. Passava de uma inspiração para uma expiração, e assim por diante.

Continuei com meus exercícios de respiração, transformando momentos em horas, dias em semanas, conforme os garotos vinham até o meu quarto, conforme o meu ódio por eles crescia e recuava, sentindo como se, a cada vez, eu estivesse me arrastando pouco a pouco para fora de um buraco escuro — do lugar de onde eu era jogada em uma queda infinita toda vez que me violentavam, que me batiam ou que diziam algo horrível. Decidi que era mais fácil para eles pensarem em mim de uma certa maneira, não reconhecerem que eu era um ser humano como eles, porque, se o fizessem — se qualquer um deles parasse para pensar no que estavam fazendo —, também acabariam por enlouquecer.

Com esta respiração, eu escolho a paz. Com esta respiração, eu escolho a liberdade. Não importava se fosse a décima vez ou a milésima; resistir às crueldades deles nunca ficou mais fácil. Sempre tinham o mesmo efeito, consumindo-me, colocando-me em um estado de desespero agudo e pungente. Passara minha vida inteira acreditando que as pessoas, no fundo, eram boas e gentis. Fora isso que o mundo me mostrara. Mas eu não conseguia achar nada de bom nestes garotos, em nenhum dos meus captores. Se os humanos podiam ser tão monstruosos como eles, talvez eu houvesse entendido tudo errado. Se o mundo era assim, eu não queria viver nele. Este era o pensamento mais assustador e acachapante de todos.

★

Certo dia, em algum ponto do meu segundo mês na Casa Escura, Yusuf — o garoto grandalhão que às vezes liderava os outros em seus exercícios físicos no pátio — veio até o meu quarto com uma lanterna e me entregou a metade de um mamão, do tamanho de uma bola de *softball*, cortada pela metade com uma faca e com as sementes escuras formando o desenho de uma estrela no centro da polpa. Olhei para a fruta e depois para Yusuf, que vestia um sarongue e uma camisa branca com listras pretas finas. Ninguém sorria para mim havia muitas semanas, mas ele estava sorrindo. Esperei que começasse a me insultar ou arrancasse a fruta das minhas mãos, mas ele não fez nada disso.

Eu sabia, por tentativas anteriores, que ele não falava ou entendia quase nada do inglês. Bateu no peito de modo que eu compreendesse que a fruta era um presente pessoal para mim e depois sentou-se a um ou dois metros de distância, enquanto eu comia.

Vagarosamente, eu disse "obrigada". O som da minha voz me surpreendeu. Fazia algumas semanas que eu não dizia uma única palavra.

Yusuf sorriu outra vez. Conforme continuei a comer, ele se inclinou na minha direção e estendeu o braço, alinhando-o com o meu de modo que nossos antebraços estivessem lado a lado sob o facho da lanterna.

— Negro — disse ele, apontando para o seu braço. Em seguida, apontou para o meu: — Branco — disse. Olhando diretamente em meus olhos, completou: — Sem problema.

Eu tive a certeza de que ele dizia que a cor das nossas peles não importava.

Quando ele saiu, eu comecei a chorar. Tudo aquilo fora muito estranho. Yusuf não era menos culpado do que os outros garotos. Mas aquela pequena gentileza permaneceu comigo.

A voz forte e calma também permaneceu. Dizia-me para procurar pelo bem, porque o bem sempre estava lá. Nos dias em que eu realmente sofria, quando sentia a pressão na minha mente indo mais uma vez em direção a um ponto de ebulição, a voz fazia perguntas. Dizia: *Neste exato momento, você está bem?*.

A resposta, naquele exato momento, era reconfortante: *Sim, neste momento, eu ainda estou bem.*

Repassei as coisas que eu tinha e pelas quais sentia que deveria mostrar minha gratidão — minha família no Canadá, o oxigênio nos meus pulmões. Comecei a executar um ritual para mim. Todas as noites, após a oração das dezoito horas, eu me acomodava no colchão e fazia minha própria oração silenciosa, citando o nome de cada pessoa da minha família, reservando tempo para visualizar cada rosto, pedindo que todos fossem protegidos. Fiz o mesmo por Nigel, sua família e cada um dos seus amigos. Repassava as pessoas com quem trabalhara em Bagdá, os somalianos que conhecera nos meus primeiros dias em Mogadíscio. Rezei pelo vizinho que tentara ajudar Nigel e a mim durante a nossa fuga e especialmente pela mulher que tentara evitar que eu fosse arrancada da mesquita. Orava para que ela estivesse viva e segura. Afastei a culpa que sempre perseguia as minhas esperanças.

Tentei localizar o que ocorrera de bom no que acontecera em cada dia. Procurava por quaisquer momentos em que meus captores houvessem demonstrado sua humanidade: *Dou graças porque, hoje, Jamal colocou minha comida no chão em vez de jogá-la em mim. Dou graças porque Abdullah fez a saudação* Asalaamu Alikum *quando entrou no meu quarto. Estou feliz por ter ouvido, por alguns segundos, os garotos rindo e brincando no corredor, porque isso me fez lembrar que, mesmo que por apenas um minuto, há um adolescente dentro de cada um deles que deseja ser livre para viver a própria vida.*

No contexto da vida que eu costumara ter, essas eram as pequenas coisas — ridículas, na realidade —, mas, neste lugar e nestas circunstâncias, significavam tudo. Ao me concentrar nas coisas pelas quais eu sentia gratidão, consegui afrouxar os nós. A cada vez que meus captores me jogavam naquele buraco, eu encontrava outra maneira de me arrastar para fora dele. Não era fácil — nunca foi, nem mesmo uma única vez. Mas essa maneira de pensar se transformou na minha escada, no meu portal.

Qualquer lugar, qualquer lugar, eu lembrava a mim mesma. Eu poderia ir a qualquer lugar.

36

O Perigo Chegará em Breve

Em Alberta, era o início da primavera. Minha mãe continuava morando na casa alugada pelo governo em Sylvan Lake, não muito longe da casa onde Perry e meu pai viviam. Na parede, ela tinha um calendário onde cada um dos 207 dias que eu passava em cativeiro estavam marcados com um X. Os negociadores da RCMP permaneciam de plantão ao lado dela, vinte e quatro horas por dia. Entretanto, ela não estava mais negociando. Depois da última vez que minha mãe e eu conversáramos — em dezembro, quando os sequestradores ameaçaram me decapitar no deserto antes de deixar que eu falasse ao telefone —, os investigadores mudaram sua estratégia, instruindo-a a não mais atender o celular quando um número somaliano aparecesse no identificador de chamadas. A ideia era que, se ela parasse de atender, Adam seria forçado a lidar com uma equipe de agentes de inteligência canadenses em uma base de Nairóbi. De acordo com os investigadores, isso serviria para diminuir a manipulação emocional e traria mais progressos.

A frustração de Adam com a nova situação dos telefonemas ficou evidente. Às vezes, ele ligava para o número da minha mãe mais de dez vezes em um dia, desligando sem nem sequer deixar uma mensagem no correio de voz. Como não tinha mais acesso à minha mãe pelo telefone, enviava e-mails furiosos, cheios de erros de ortografia, para o endereço do Hotmail que a minha mãe usara quando passara os detalhes para que recebêssemos os pacotes com suprimentos na época do outono. Uma das mensagens, com data de janeiro, por volta da época em que tentáramos escapar, resumia os seus pensamentos na linha de assunto do e-mail: "O perigo chegará em breve para Amanda e Nigel se você não pagar o resgate que nós queremos!!!".

Quase sete meses depois do início do sequestro, os raptores nem sequer chegaram a reduzir o valor que exigiam para o pagamento do resgate. Insistiam em dois milhões de dólares pela libertação dos dois cativos, uma diminuição do valor estabelecido inicialmente, de três milhões. Adam rejeitou uma oferta que fora feita apenas uma vez, um pagamento de 250 mil dólares para libertar Nigel e a mim, quantia que fora reunida conjuntamente pelos governos canadense e australiano e tecnicamente declarada como "despesas gerais", de modo que cada país pudesse manter sua política oficial de não pagar resgates. Não ofereceriam nada além disso. Quaisquer outras soluções viriam apenas por meio de diplomacia.

Meus pais recebiam somente noções vagas sobre o que seria essa diplomacia. Às vezes, diziam-lhes que um dos governos poderia financiar a construção de um hospital em um lugar como Mogadíscio, por exemplo, para conseguir o apoio do governo local. Foram informados de que as autoridades canadenses estavam tentando pressionar os anciões dos clãs e outros líderes somalianos a exigir nossa soltura. Mas, com o governo somaliano em um estado de constante instabilidade e em meio a informes de que o grupo que nos sequestrara não mantinha nenhuma afiliação mais forte a nenhum clã, várias e várias vezes os esforços não obtiveram nenhum resultado.

O impasse se arrastava. Adam continuava telefonando para a minha mãe, sem conseguir conversar com ela. Outras ligações vinham da Somália, e vários estranhos deixavam mensagens no correio de voz, alegando ter notícias ou conhecer maneiras de nos libertar. Minha mãe nunca entendeu como as pessoas conseguiam o número do seu telefone, nem o que elas buscavam — se estavam ligadas aos sequestradores ou se eram apenas pessoas honestas tentando ajudar. Ela geralmente chorava, observando o telefone tocar.

A expectativa, sustentada por vários meses, acaba se tornando sua própria agonia. Nos finais de tarde, depois que a noite já havia caído na Somália, quando provavelmente não receberia mais notícias, minha mãe saía da casa para arejar a cabeça e tentar manter sua própria sanidade. Ia até o supermercado ou saía para uma caminhada solitária nos bosques nevados que havia por perto, tentando acalmar seus pensamentos. O negociador de plantão ficava na casa, mantendo a vigilância, embora fosse difícil saber exatamente o que as pessoas estavam esperando.

O que ajudava meus pais a ter esperança, aquilo sobre o qual construíam sua fé, era a ideia de que havia outras pessoas confiando num bom desfecho.

Os agentes do governo que lhes telefonavam diariamente de Ottawa lhes passavam relatórios obscuros, mas reconfortantes, do departamento de inteligência. Nigel e eu estávamos sendo alimentados, disseram-lhes. Tínhamos permissão para fazer exercícios. Quando, no início, minha mãe expressara sua preocupação com minha segurança pelo fato de eu ser mulher, os investigadores agiram rapidamente para dirimir seus medos: entre muçulmanos devotos, o estupro era considerado um crime pior do que o assassinato, disseram. A probabilidade de eu estar sofrendo abusos era baixa, afirmaram.

Os agentes davam a entender que muitas coisas estavam acontecendo nos bastidores e que não podiam ser reveladas. De acordo com a minha mãe, a mensagem que vinha de Ottawa, quase diariamente, era de que o nosso caso estava "muito, muito próximo" de ser resolvido. Ela sempre se apegou àquelas palavras — "muito próximo" —, mesmo sem nunca chegar a saber exatamente o seu significado.

A tensão aumentava entre a minha família e a família de Nigel em relação a como proceder. Nossas famílias raramente conversavam diretamente, pois foram instruídas a confiar somente nos intermediários designados por seus respectivos governos. Desiludido com a falta de progresso, o irmão mais velho de Nigel, Hamilton, começou a conversar com um homem na Austrália chamado Michael Fox. Dizia que era uma espécie de caçador de recompensas especializado em segurança pessoal que tinha uma rede de contatos na Somália. Ele acreditava que, se a família Brennan pudesse levantar quinhentos mil dólares, ele seria capaz de libertar Nigel. Para isso acontecer, teriam que dispensar os planos da Polícia Federal Australiana, mas os Brennans estavam questionando cada vez mais como qualquer governo teria condições de agir eficientemente nesta situação. Tinham seus recursos, pelo que Nigel me dissera: o dinheiro que conseguiram com a venda da fazenda da família. Outros parentes tinham imóveis que podiam usar como garantia para um empréstimo. Não havia um acordo entre os Brennans sobre como lidariam com a insuficiência de fundos da minha família. Se o tal Michael Fox estivesse certo, eles poderiam angariar a quantia necessária para libertar Nigel. Por que, perguntava esse irmão, estavam sendo responsabilizados também pela minha libertação?

No início de março, minha mãe soube que Hamilton conseguira fechar um acordo privado com Michael Fox, autorizando-o a ir para a Somália e usar o dinheiro da família para negociar a liberdade de Nigel. Ela ficou devastada. Teve conversas muito irritadas com Hamilton e a mãe de Nigel, insistindo que os sequestradores receberiam o dinheiro, libertariam Nigel e, logo depois, me matariam.

No final daquele mês, nossas duas famílias chegaram a uma trégua frágil. Os Brennans concordaram em dispensar a ajuda de Fox e voltar a confiar nos agentes do governo que trabalhavam em nosso caso, esperando por alguma espécie de progresso nas negociações.

★

Foi então que uma postagem em um blog surgiu na internet e deixou meus pais desesperados. Um blogueiro americano disse que eu estava grávida. Sua postagem — em um site especializado em assuntos ligados a guerra e inteligência militar — era curta, sem qualquer detalhe mais específico. Ele destacava que a informação viera de Mogadíscio, de uma fonte em quem confiava, mas, ao mesmo tempo, advertia seus leitores de que aquilo era pouco mais do que um boato.

Os negociadores da RCMP na casa da minha mãe insistiam que aquilo, provavelmente, era somente conversa-fiada, uma das dezenas de histórias não confirmadas que chegavam da Somália desde que fôramos capturados. Possivelmente, diziam eles, o boato fora plantado por Adam, aborrecido com o impasse, ou alguém próximo a ele para tentar acelerar as negociações.

A Somália parecia ser uma fábrica de boatos, com um punhado de sites de notícias e blogueiros sem credenciais cuspindo o que passava por informação, especialmente para o benefício dos mais de um milhão de somalianos que fugiram do país e se espalharam pelo globo. E também, pelo visto, para o benefício da minha mãe, que todas as manhãs lia os sites com relatórios mal traduzidos sobre as incertezas da guerra civil no país, as políticas entre seus clãs e os piratas, e a ligação cada vez mais intensa entre a Al-Shabaab e a Al-Qaeda. A mídia na Somália, em sua maioria, agia às escondidas e de forma não oficial. A Al-Shabaab fazia questão de atacar torres de transmissão de rádio, forçando seu fechamento. Ameaçava, detinha e até assassinava jornalistas que tentavam fazer seu trabalho honestamente. Alguns dos sites de notícias que sobreviviam estavam sob o controle de certos clãs, e as informações disponibilizadas eram tendenciosas. Era impossível saber o que era verdade e o que não era.

Qualquer notícia sobre Nigel e eu chegava em vislumbres desfocados, publicada por algum blogueiro, ou era passada para os agentes de inteligência canadenses ou australianos por meio de uma rede misteriosa de informantes. Nós dois fôramos avistados no banco traseiro de um carro. Havia outros informes, mais dúbios, como o que dizia que eu estava muito feliz, ensinando inglês para crianças somalianas. Ficaria embasbacada, posteriormente, ao saber que algumas das informações tinham bastante exatidão e que alguns fragmentos da verdade pareciam vazar da nossa existência aparentemente isolada. Meus pais foram informados, por exemplo, que eu havia torcido o meu tornozelo no início da estadia na Casa da Fuga, durante as semanas em que andara em círculos pelo meu quarto, o que era verdade. E foram informados também de que os meus captores se incumbiram de me trazer gelo, um produto raro na Somália, o que também era verdade.

Era a especificidade desses fragmentos que, ao mesmo tempo, alarmava e reconfortava a minha mãe. Apesar do inglês precário no qual as notícias eram transmitidas, as informações eram frequentemente expressadas com palavras que não deixavam margem para a incerteza. Na maior parte do tempo, ela acreditava que as coisas que ouvia eram prova de que eu estava viva e, pelo menos, parcialmente visível na Somália, embora também pudesse dar a impressão de que eu fora seduzida pelo lugar e que passara por uma lavagem cerebral, a mulher-fantasma descrita nas notícias que tinha muito pouca semelhança com a filha que ela conhecia. Uma das notícias mais extensas, publicada em um site somaliano de notícias, depois de quase um ano desde o início do nosso sequestro, dizia o seguinte:

A jornalista Amanda Lindhout não é mais cristã, renunciou às suas crenças na trindade e agora crê na adoração ao único Deus que é Alá, o altíssimo. Agora ela faz suas cinco orações diárias e está muito feliz com o relacionamento e o casamento com um dos seus captores. É impossível imaginar como eles trocam risos e sorrisos por meio de gestos, pois não conseguem entender a linguagem um do outro, disse Hashi, um dos captores de Amanda Lindhout que falou ao Waagacusub Website na sexta-feira.

Um repórter do Waagacusub Website que vive em uma casa a poucos metros da casa onde Amanda vive está acompanhando a situação dos dois jornalistas e confirmou que Amanda está feliz em uma certa casa em Suuq Holaha, no norte de Mogadíscio, e executa regularmente seus trabalhos femininos como lavar, cozinhar e limpar a casa onde está residindo.

O repórter também acrescentou que ele não tem notícias suficientes sobre o jornalista freelance *australiano, mas tem certeza de que ele também está vivendo na mesma vizinhança com Amanda. Amanda usa um enorme véu preto, é difícil ver partes do seu corpo, e agora está aprendendo o Sagrado Alcorão.*

Posso dizer com certeza de que não estávamos em qualquer lugar próximo de Mogadíscio quando essa notícia foi publicada. Vale também ressaltar que eu não estava grávida, não estava casada e definitivamente não estava nada feliz. Não cozinhava nem limpava, também, exceto por uma tarde, cerca de dois meses depois de sermos levados para a Casa Escura, quando Jamal e Abdullah me mandaram lavar o chão do banheiro que eu usava. Imagino que eles estavam pensando que me humilhariam, mas, depois de várias semanas confinada ao meu colchão em meio àquela escuridão espessa, foram os melhores dez minutos do meu inverno. Sob os parcos raios de luz que entravam pela grade de ventilação, eu espalhei a água de um balde marrom e o detergente em pó por todo o cômodo escuro, grata pela liberdade de movimento, a ideia de que estava deixando o banheiro melhor para mim e para mais ninguém. Com uma lentidão deliberada, esfreguei um pano ao redor da pia e sobre o assento de plástico cor-de-rosa da privada, jogando bastante sabão no vaso e observando quando a espuma escorria por entre as manchas escuras.

Do lado de fora do meu quarto, Abdullah e Jamal estavam sentados contra uma parede no corredor escuro. Estavam entretidos em uma conversa profunda, conversando no idioma somali em um tom de voz que eu não ouvia havia muito tempo, como dois amigos falando sobre amenidades. Pareciam estar muito tranquilos, como se houvessem esquecido de passar por alguma rotina para aumentarem a hostilidade que normalmente demonstravam contra mim.

Decidi arriscar, enfiando a minha cabeça pela porta, com a caixa de sabão em pó na mão.

— Por favor — eu disse. — Posso lavar as minhas roupas neste balde aqui?

Eu não recebia permissão para tomar banho ou mudar de roupa desde o dia da fuga. Quando limpava o meu corpo, tinha que fazê-lo agachada ao lado do vaso, perto do galão de água — um galão de óleo de cozinha reaproveitado, feito de plástico amarelo, com o topo cortado e a alça deixada intacta — recolhendo a água com um copo de plástico vermelho que flutuava até a superfície. Eu sempre me lavava às pressas e atenta para conservar a água, nunca usando mais do que dois copos de cada vez, sabendo que, se o galão ficasse vazio, poderia levar vários dias até que os garotos se lembrassem de enchê-lo. Eu cheirava tão mal que meus captores, às vezes, vinham ao meu quarto trazendo um vidro de colônia, borrifando o ar à frente deles como se estivessem criando uma trilha de ar fresco no meio da escuridão fétida.

Naquele dia, sentados no corredor do lado de fora da minha porta, Abdullah e Jamal debateram por um momento sobre mim e as minhas roupas. Enquanto o faziam, eu percebi uma sombra que se movia, uma figura magra que agitava um lençol de cor clara, pendurado sobre o batente de uma porta diretamente em frente à minha porta, no mesmo corredor. Alguém havia parado ali, talvez para escutar a conversa, mas depois se afastara. Era a mulher — tinha que ser ela —, a outra presença feminina e fantasmagórica na casa. Percebi que o quarto do outro lado da cortina pertencia a ela. Sua proximidade explicava por que eu a ouvia tossir com tanta frequência.

— Cinco minutos — disse Abdullah, interrompendo meus pensamentos. — Ande logo.

Era impossível remover o meu jeans com as correntes ao redor das pernas, mas, voltando ao meu quarto, eu tirei o *abaya* vermelho, junto com a minha camiseta regata e o sutiã, e vesti o vestido preto pesado que estivera usando no dia em que fôramos sequestrados. Retornando ao banheiro, trabalhando rapidamente, enfiei as roupas no que restava da água no balde marrom com a água da limpeza, jogando bastante sabão e apertando cuidadosamente cada peça com os dedos, sentindo o sabão queimar a parte de cima das minhas mãos, alegrando-me ao perceber a potência daquele produto de limpeza. A ideia de ter algo limpo tocando a minha pele era uma dádiva enorme.

Quando terminei, pendurei o sutiã em uma barra ao lado da pia. Voltei pela porta e ergui o vestido e a camiseta regata úmidos para que os garotos os vissem, indicando que as roupas precisavam ser penduradas em algum lugar para secar. Fiz menção de entregá-las a Jamal, mas ele se esquivou. Os dois garotos começaram a discutir em somali. Nenhum deles queria tocar nas minhas coisas.

Depois de alguma discussão, disseram que eu mesma poderia pendurar minhas roupas. Aquilo não era uma decisão pequena. Outros garotos foram chamados, chegando com suas armas. Tive permissão, pela primeira vez em dois meses, para sair completamente do meu quarto. Tropeçava nas minhas correntes, carregando o vestido vermelho. Conforme os garotos me escoltavam para a frente, empurrando-me pelo longo corredor, a luz se intensificava, entrando por uma porta aberta que ficava mais à frente. Sentia como se meus olhos fossem explodir. Vi clarões — um branco quente e excruciante, com faixas azuis e alaranjadas. Consegui identificar formas contra a parede, pessoas que ladeavam o caminho que eu percorria.

Alguém gritava ao meu ouvido:

— Rápido, rápido, rápido!

Eu passara muitas horas imaginando como seria a disposição da Casa Escura. Agora o meu cérebro se enchia com informações reais. Havia portas, janelas, cantos. Eu vivera ali, mas nunca chegara realmente a conhecer o lugar. Subitamente eu estava fora da casa, após sair para uma varanda de concreto castigada pelo sol, em frente a um muro caiado de branco. A luz me deixou tonta. O calor do cimento queimava as solas dos meus pés descalços. Senti lágrimas rolarem pelas minhas faces. Não conseguia abarcar a enormidade azul do céu acima de mim. Alguém me empurrou.

— Rápido, rápido agora. Pendure aqui.

À minha frente estava um varal frouxo e vazio. Joguei o *abaya* vermelho e a camiseta regata sobre a linha e fui rapidamente levada de volta para dentro.

O ar mudou novamente. Úmido no início e depois bastante abafado. Eu estava percorrendo o corredor, meus pés lentos demais para o meu corpo, meus olhos desorientados pelas manchas de luz, minha mente tentando compreender o que eu estava enxergando. Passamos por um quarto grande à esquerda, onde parecia que os garotos guardavam seus pertences, e outra porta aberta à direita. O quarto era pequeno, mas havia uma janela — com luz suficiente para fazer meus olhos doloridos latejarem — e uma pessoa ali dentro. Era Nigel, banhado pela luz do sol, sentado em um colchão com seu mosquiteiro azul colocado ao redor do corpo como se fosse um robe. Estava lendo um livro. Não levantou os olhos quando passei, arrastando os pés acorrentados. Percebi, pela sua postura rígida, que ele sabia que eu estava passando, mas provavelmente estava assustado demais para olhar para mim.

Eles me levaram de volta para o meu colchão, usando uma lanterna para que eu pudesse encontrá-lo outra vez dentro da escuridão do meu quarto. Senti-me desorientada, com o coração aos pulos. O quarto parecia ainda mais escuro do que fora antes. Meus olhos demoraram para se ajustar. Mais tarde, alguém — não percebi quem foi — jogou meu *abaya* e a camiseta regata, já secos, pela porta. Seu peso era muito leve e eles estavam livres da sujeira que eu tirara deles, cheirando a sabão e ainda quentes após secarem ao sol.

Por várias horas depois eu permaneci deitada no colchão, minha mente funcionando em alta velocidade depois do meio minuto que passara ao ar livre, e também atordoada após ver Nigel. Tentei não odiá-lo pelo que eu vira. Ele tinha livros, uma janela e uma rede para manter os mosquitos longe do seu corpo. Imaginei se ele recebia comida, se nossos captores conversavam com ele em tom gentil, se ele se preocupava comigo ou se sabia o quanto as nossas situações haviam ficado diferentes. Imaginei o que teria acontecido se ele levantasse o rosto e seu olhar se cruzasse com o meu, se isso me traria um reconforto ou uma oportunidade de saber o que ele pensava.

Eu não sabia, não tinha como saber.

Pensei em Nigel incansavelmente por vários dias, decidindo finalmente que eu não tinha escolha, a não ser sentir-me feliz por ele, embora me sentisse simultaneamente castigada por uma inveja amarga. Em relação a mim mesma, sentia-me grata por ter visto alguma coisa além dos limites do meu quarto naquele dia. Era uma lembrança da existência do ar, de oceanos e até mesmo de continentes. Eu cuidadosamente redesenhei o mapa de onde estávamos, colocando Nigel e seus livros perto da parte da frente da casa, onde os garotos dormiam, localizando a cozinha e a mulher que tossia mais perto de mim, no fundo, encaixando um cômodo após o outro como peças em um quebra-cabeça, satisfazendo-me com o poder de colocar as coisas em seus devidos lugares.

37

A Revelação

Certo dia, na Casa Escura, Skids apareceu na minha porta com um telefone celular na mão. Do outro lado da linha havia um homem, falando inglês com um forte sotaque, que dizia trabalhar para a embaixada da Somália em Nairóbi. Fez uma pergunta cuja resposta serviria para atestar que eu ainda estava viva, a primeira em vários meses, com a voz estalando no viva-voz do telefone. Eu não ouvia a voz de qualquer outra pessoa além dos meus captores desde o dia em que tentáramos fugir.

— Diga-me para onde sua mãe a levou durante as férias quando você tinha nove anos de idade — falou o homem.

A resposta era a Disneylândia, na Califórnia. Viajáramos de avião.

Depois que Skids levou o telefone embora, eu chorei sem parar por um dia e meio, incapaz de trazer as emoções para dentro do meu peito novamente.

Ainda assim, aquela ligação trouxe um pouco de esperança. A voz viera de uma embaixada. Uma embaixada implicava a existência de ordem. Mesmo enquanto eu chorava, minha mente aproveitava para se apegar àquele fragmento que tinha um significado em potencial, um filamento frágil de substância naquela pergunta, e a usava como se fosse uma corda de um rebocador. Convenci a mim mesma de que a pergunta era um sinal pré-planejado de que Nigel e eu voltaríamos às nossas casas. Minha mãe fizera aquela pergunta; eu respondera. Ela estava me lembrando, deliberadamente, de uma viagem que fizéramos. Tinha que ser uma pista, um indício, uma maneira de me informar que eu logo embarcaria na viagem que mais desejava. Eles — nossas famílias, nossos governos — tinham que estar nos últimos estágios das negociações para nos tirar do cativeiro. Estávamos prestes a reencontrar a liberdade. Eu sabia.

Durante vários dias depois daquilo eu esperei no escuro, deixando aquelas sensações fermentarem, certa de que estava atravessando minhas últimas horas como refém e de que a porta logo se abriria.

Demorou uma semana até que as minhas esperanças se esvaíssem. Em meu coração, um avião correu pela pista e decolou sem que eu estivesse a bordo. Sentia minha mente se derretendo, quase escorrendo e se mesclando à escuridão que havia ao meu redor. Iludira a mim mesma. Eu estava verdadeiramente sozinha. A ligação psíquica que eu sentia com minha mãe era uma ilusão. E agora eu compreendia tudo. Uma sensação esmagadora de desamparo tomou conta de mim.

Meus pensamentos se aproximavam da irracionalidade. Emoções me atingiam como inundações repentinas, derrubando-me quando eu menos esperava. Imagens de Nigel surgiam sem aviso e desmantelavam minhas defesas. Eu sentia uma onda de afeição e preocupação por ele — *Como ele está conseguindo resistir? O que ele diz a si mesmo?* —, mas, quase sempre, ela era afastada por uma dose paralisante de veneno. *Ele me culpou por toda a tentativa de fuga. Ele está sentado lá, sob a luz do sol, lendo livros.*

Quando eu estava irritada, não poupava praticamente ninguém. Tinha tempo demais para açoitar as pessoas em minha mente, especialmente os meus captores. Comecei a nutrir uma fantasia muito vívida na qual eu era invisível. Imaginava-me andando pela casa sem ser vista, amarrando meus sequestradores, um por um. Às vezes, imaginava que agarrava uma das armas e fuzilava todos eles, sem exceção. A única pessoa que eu deixaria viva, além de Nigel, é claro, seria a outra mulher na casa, a cozinheira.

Agora eu sentia uma dor aguda no lado esquerdo do corpo que me mantinha curvada o tempo inteiro, com os joelhos erguidos contra as costelas. A tensão dentro de mim estava ficando insuportável, como uma corda esticada até quase arrebentar. Nada que eu fizesse parecia aliviá-la. Eu tinha consciência da pressão a cada momento em que estava acordada.

Certa tarde, ouvi o som de sandálias batendo contra o piso do corredor do lado de fora do meu quarto. Tensionei o corpo, esperando para ver quem viria até lá.

Era Abdullah. Ele veio direto para o meu colchão.

— Como está? — disse. Em seguida: — Eu quero. Puxe para cima.

Ele queria que eu puxasse a barra do *abaya* até a cintura para que ele pudesse abrir o meu jeans. Rolei e fiquei deitada de costas, virei a cabeça para o lado e fechei os olhos com força.

Em seguida ele estava sobre mim, e eu o odiei com cada molécula do meu corpo. Queria que ele morresse. Coloquei as mãos contra o seu peito para criar uma espécie de barreira entre nós. Minha mente gritava. Eu podia sentir o que estava acontecendo — o galho da minha mente havia alcançado o ponto em que se quebraria. Não conseguia me afastar daquilo, não conseguia diminuir a tensão. Não conseguia aguentar mais um segundo desta vida. Estava desabando em meio à insanidade. Sentia aquilo. Minha cabeça latejava conforme o inevitável chegava.

Preparando-me, empurrei o peito de Abdullah com mais força, e algo aconteceu. Uma explosão de calor intenso atingiu as minhas palmas, algum tipo de energia, um choque rápido seguido por uma calma estranha que se espalhava. Eu não estava mais no meu corpo. Estava em algum outro lugar, minha mente dissipando-se em um espaço amplo, um lugar que pairava acima daquela casa, estendido como uma manta coberta por luzes minúsculas. Imagens passaram por mim, cenas de histórias que Abdullah me contara vários meses antes. Sua vida estava abruptamente, continuamente à mostra. Eu o vi quando era um garotinho, correndo em direção a uma explosão, percebendo que a tia que ele tanto amava estava bem no centro das chamas. Eu o vi recolhendo e levando para casa o que restara dela — um pedaço de uma das pernas —, sem saber o que devia fazer. Eu o vi alguns anos depois, escondido atrás de um caminhão enquanto um grupo de homens armados ia de casa em casa, massacrando seus vizinhos.

Por uma fração de segundo, conheci o sofrimento dele. Foi erguido ao meu redor, envolvendo-me rapidamente. A clareza absoluta daquela história fez com que eu perdesse o fôlego. Era a angústia reunida durante seu breve tempo de vida. Eram a fúria e a sensação de impotência. Era um garotinho que se escondia atrás de um caminhão.

Essa era a pessoa que estava me machucando. Sua tristeza estava entrincheirada por baixo da minha.

Quando ele se foi, eu continuei deitada no colchão, com o corpo dolorido da mesma forma que sempre acontecia. Sentia-me completamente confusa.

O que exatamente acontecera? Eu não fazia ideia. Fosse lá o que fosse, aquilo me deixou incomodada. No momento, parecera algo perfeitamente racional e até mesmo profundo, como se uma enorme cortina estivesse sendo erguida, o vislumbre de uma verdade escondida. Mas agora a minha mente começava a analisar, tentando martelar o que havia ocorrido e transformar aquilo em palavras e frases — e, mesmo assim, a coisa resistia. Eu não era capaz de dar-lhe forma ou explicá-la. Podia apenas viver com aquela nova sensação, por mais complicada que fosse.

No final, aquilo acabou me ajudando. Porque, com essa sensação, comecei a cultivar algo que jamais esperara sentir no cativeiro — uma semente de compaixão por aqueles garotos.

38

Omar

A guerra ao nosso redor estava ficando cada vez pior. A Somália, em 2009, estava num fluxo político. O presidente do frágil governo de transição renunciara abruptamente ao cargo no final de 2008, deixando um vácuo no poder em Mogadíscio. A vizinha Etiópia, que passara dois anos tentando apoiar o incipiente governo somaliano, já havia praticamente entregado os pontos, convocando suas tropas para voltar para casa. Batalhas eclodiam por todo o país conforme a Al-Shabaab e outros grupos islâmicos competiam pela autoridade, atacando uns aos outros em combates urbanos, quarteirão a quarteirão, enquanto alguns poucos milhares de soldados das tropas de paz da União Africana — em sua maioria vindos de Uganda ou Burundi — tentavam proteger o que restava das funções do governo em Mogadíscio.

Tudo o que eu sabia era que os combates pareciam nos perseguir. O bairro que cercava a Casa Escura, no início, era silencioso. Entretanto, depois de mais ou menos um mês, eu comecei a ouvir explosões de morteiros e tiros ricocheteando quase que diariamente — os *blams* e *zings* de uma guerra por território que crescia pouco a pouco.

A proximidade do conflito deve ter causado preocupações a nossos captores, pois eles nos levaram para outro lugar — desta vez, uma casa que parecia uma mansão. No carro, eu estava sentada ao lado de Nigel, mas, quando virei o rosto para olhá-lo e perguntei se ele estava bem, o Jovem Yahya bateu na lateral da minha cabeça.

— Sem conversa! — gritou ele.

A nova casa tinha o formato de um L gigante, e o quintal ficava encerrado atrás de muros altos. Era maior e mais majestosa do que qualquer outro lugar que eu já vira na Somália, com uma porta de entrada ornada feita de madeira e uma edícula retangular em um dos cantos do jardim maltratado. Era a Casa Positiva, como eu viria a chamá-la posteriormente.

Abdullah e Yahya me conduziram por um corredor com piso de azulejos. Eu andava desajeitadamente com as correntes ao redor dos pés, com as costelas doloridas e a postura encurvada. Durante o tempo em que ficara no escuro, fora chutada na boca com tanta força que dois dos meus dentes de trás ficaram frouxos. Um havia caído, e o outro havia se transformado em um abscesso, deixando minha gengiva inchada e causando fortes dores no meu queixo, que pioravam sempre que eu me movia. Mesmo assim, ao entrar na nova casa, eu também estava em estado de alerta, meus sentidos tomados de assalto pela mudança de cenário.

Ficou claro que estávamos em uma residência de família — um lugar que, diferentemente dos outros em que estivéramos, parecia ter sido esvaziado havia pouco tempo. O ar tinha um certo frescor; os azulejos do chão eram brancos e limpos. Eu quase conseguia sentir a energia e a prosperidade das pessoas que saíram dali. Passamos por cômodos que ainda tinham sua mobília. Vi um sofá e uma luminária. Vi um colchão que parecia confortável com uma cabeceira de madeira logo atrás. Ao final do longo corredor, viramos à direita para um passadiço menor, e fui colocada no último quarto à esquerda.

Era um quarto pequeno com uma janela coberta por venezianas pesadas. Em um dos cantos havia uma cadeira de metal com o espaldar reto e sem uma das pernas, e também uma almofada com o forro rasgado, a espuma amarelada transbordando para fora. Um tapete persa enrolado estava encostado na parede como se fosse um longo charuto.

Pregado à direita da janela havia um pôster grande e impresso com cores brilhantes, laminado em plástico, com a imagem de uma ponte suspensa. Eu já vira pôsteres como aquele várias vezes antes, pendurados nas paredes de restaurantes e hospedarias baratas que apinhavam os guetos de mochileiros que eu costumava frequentar, mostrando pontos turísticos e cenas da natureza cujos tons foram realçados no Photoshop até se transformarem em uma explosão surreal em Technicolor. Sempre achara-os risíveis, por serem tão artificiais. Mas ali estava aquela imagem, afixada na parede à minha frente, uma ponte gigantesca por cima de um rio imenso, com campos de um verde exuberante ao fundo que se erguiam em direção ao céu do entardecer, tingido com as cores de uma orquídea. Eu ansiava pelas cores daquela imagem, sentindo-me transfixada pela geometria dos seus cabos e vigas.

Estudei a ponte, a cadeira, o tapete, a janela que deixava a luz entrar pelas frestas da veneziana. Tudo era lindo. Tudo aquilo trazia um fragmento de esperança.

Os garotos jogaram meu colchão de espuma no quarto, junto com duas sacolas plásticas que continham meus pertences e lençóis, e foram embora. Parecia que esta seria a minha nova casa. Conforme me ocupava arrumando a cama, percebi que havia alguma coisa embaixo do tapete enrolado — um pedaço de papel, que parecia ser o canto de um envelope. Meu coração palpitou quando vi aquilo.

Não sei o que pensei que poderia haver naquele envelope. Uma mensagem para mim? Um mapa? Não importava. O papel, fosse lá o que fosse, não viera dos meus captores. Fora deixado por outras pessoas, que tinham outras vidas. Trazia consigo um resíduo de normalidade. Com os dedos trêmulos, puxei-o na minha direção. Era realmente um envelope estreito, com uma aba dobrada na parte de cima, do tipo que se recebe ao buscar fotografias reveladas em um quiosque ou laboratório. Dentro havia uma única fotografia em cores — a fotografia do passaporte de um menino, com as bordas brancas, e um pedaço de papel com algumas palavras em somali escritas, incluindo o que devia ser o nome dele: Omar.

Parecia ter nove anos de idade. Usava uma camisa social e tinha uma expressão séria. Tinha cabelo cacheado curto e círculos escuros sob os grandes olhos castanhos. Seu pescoço era longo, como o caule de uma flor. Por baixo daquela seriedade, ele parecia ser doce e curioso, como se estivesse tentando parecer mais velho do que realmente era, digno de qualquer jornada que pudesse haver motivado aquela sessão de fotos.

Olhei fixamente para a foto de Omar por dez segundos, depois coloquei-a de volta no envelope e deixei-a no chão, como se fosse um objeto radioativo. E era, de certa forma. Eu tinha quase certeza de que meus captores encarariam aquilo como um documento, e documentos eram um problema.

Depois que terminei de colocar o lençol sobre o meu colchão, eu me deitei. Em seguida, busquei o envelope novamente. Era irresistível. O garoto era irresistível. Segurei a pequena foto em frente ao meu rosto para que pudesse ver Omar e para que ele, na minha imaginação, pudesse me ver melhor. Examinamos um ao outro solenemente, e, em seguida, preocupada com a possibilidade de que alguém surgisse na minha porta, coloquei-o de volta em seu envelope e escondi-o debaixo do meu colchão. Minha pulsação estava acelerada. Eu sabia que, se os garotos me apanhassem com aquilo, eu levaria uma surra. Mesmo assim, uma parte de mim não conseguia se afastar da foto. Tinha a sensação de que Omar era meu e de que eu devia protegê-lo. Pensava em nós como aliados. Ele saíra da sua casa e agora, na lógica distorcida do seu país, eu estava aqui, em seu lugar. Era possível que seu pai fosse o líder de uma milícia e ele já estivesse alistado na *jihad*. Mas alguma coisa, talvez o desespero, me indicava o contrário.

A cada poucos minutos, incapaz de me conter, eu tirava a foto de Omar de debaixo do meu colchão e olhava para ela outra vez, tentando memorizar os detalhes do rosto daquele menino, seu queixo estreito, a curvatura em forma de concha da sua boca, enquanto prestava atenção no vão da porta.

Eu acabara de enfiar o envelope novamente em seu esconderijo quando Abdullah e Yahya retornaram. Abdullah me olhou com uma expressão feroz, como se estivesse lendo a culpa em meu rosto, e ordenou que eu me levantasse. Tinha certeza de que ele faria mais uma de suas buscas por documentos, mas, em vez disso, indicou com um gesto que eu deveria recolher minhas coisas. Decidiram me levar para um novo quarto em uma parte diferente da casa.

O próximo quarto em que fiquei não tinha nenhuma peça de mobília, exceto por uma caixa de papelão cheia de pratos de porcelana e um buquê de flores plásticas azuis colocado em cima. Pelo vão da porta eu podia ver um pedaço da parede do corredor. Ali, encontrei, pregado no concreto, um outro pôster com as cores saturadas, algo que poderia ter sido cafona se a situação fosse diferente. Desta vez, a imagem mostrava uma pilha de frutas — um abacaxi, maçãs vermelhas, bananas com cores fortes e uma pirâmide orvalhada de uvas verdes bulbosas —, todas em cores luminosas contra um plano de fundo azul-celeste. Ver aquilo era um castigo. Eu observava o pôster deitada no meu colchão. Ele atiçou ainda mais a minha fome cavernosa nos dias seguintes, até que, finalmente, percebendo o desejo que a imagem me causava ou preocupados com a possibilidade de que o pôster pudesse ser uma ofensa a Alá, um dos garotos o removeu da parede.

Mas, antes disso, quando recebi a ordem de juntar minhas coisas e sair do primeiro quarto, eu precisava descobrir o que fazer com o meu contrabando. Passei meus últimos trinta segundos no quarto de Omar em um dilema, sem saber se devia ou não agir, com o coração aos pulos, sob os olhares de Abdullah e Yahya. Puxei lentamente o lençol do colchão, tentando ganhar tempo. O envelope com a foto estava embaixo do colchão. Usando o lençol como um biombo, eu pensei que poderia enfiar a mão por baixo e agarrar a foto, tentando jogá-la dentro de uma das minhas sacolas plásticas antes que os garotos percebessem. Eu poderia levar Omar comigo, o que me deixaria feliz e também poderia ser mais seguro do que expor o envelope onde ele estava no piso, um indício claro de que eu o estava escondendo.

Não havia tempo para ponderar. Com um movimento rápido, peguei as sacolas e o colchão de espuma enquanto fazia, com minhas correntes, algo que lembrava passos rápidos em direção à porta. Isso deixou Omar onde ele estava, em algum lugar entre a cadeira quebrada e o tapete, sob o olhar da ponte em Technicolor, com o rosto para cima em seu envelope de papel, abandonado pela segunda vez. Ao sair do quarto, não olhei para trás, e, por sorte, meus captores também não.

39

Casa Positiva

Ficamos na Casa Positiva por cerca de dois meses, e de lá, também, os combates começaram a se aproximar. Eu podia ouvir tiroteios do lado de fora da minha janela. Os garotos pareciam estar contagiados pela guerra. Um novo presidente fora indicado para administrar o governo de transição em Mogadíscio — um ex-professor de geografia do Ensino Médio chamado Sheik Sharif Sheik Ahmed, que, alguns anos antes, ajudara a construir uma aliança de grupos islâmicos em Mogadíscio e conseguira, durante algum tempo, manter os líderes das milícias da cidade na linha. Os garotos estavam animados com seu novo presidente. Na semana em que Sheik Sharif fora eleito pelo parlamento somaliano, ainda na época em que eu estava na Casa Escura, Abdullah rompera com sua rotina e passara alguns minutos conversando comigo sobre o quanto estavam contentes pelo fato de que as tropas etíopes haviam se retirado do país e por terem um líder muçulmano forte no governo. A luta estava terminada, dissera ele. Milhares de pessoas que fugiram de Mogadíscio estavam voltando para suas casas. Sheik Sharif uniria todas as facções islâmicas sob a lei da *sharia*.

— Os combates vão parar — previra Abdullah, com confiança. A possibilidade de paz parecera deixá-lo feliz. Eu acreditara que a nova ordem política significaria um prospecto melhor para Nigel e para mim, também.

Mas tudo que eu conseguira ouvir por entre as paredes da Casa Escura foram mais combates.

O que eu soube quando chegamos à Casa Positiva era que os garotos não só rapidamente perderam a fé no novo presidente; eles agora o viam como um inimigo. Seu otimismo fora transformado em algo mais sombrio. Nas primeiras semanas do mandato de Sheik Sharif, ele se estabelecera como um líder moderado e — ainda mais horrível, para os nossos captores — um construtor de coalizões, aberto a buscar apoio de governos estrangeiros, dizendo que desejava estabelecer a paz com a Etiópia, uma nação predominantemente cristã. Na Casa Positiva, os garotos se amontoavam em frente ao rádio durante as tardes, escutando as notícias transmitidas pela sucursal da BBC na Somália. A guerra estava crescendo ao invés de se dissipar, e os islamitas linha-dura se colocavam contra o novo presidente e suas ideias sobre a paz. A Al-Shabaab e o Hizbul Islam, outro grupo rebelde, estavam fazendo novos ataques contra as tropas de paz que protegiam o governo na capital. Os soldados das forças de paz estavam revidando. Depois que uma bomba no acostamento de uma estrada atingiu um de seus caminhões, houve relatos de que os soldados da União Africana abriram fogo contra uma multidão, matando mais de uma dúzia de transeuntes.

Com isso, os garotos declararam que o novo presidente era um *kafir* — um infiel — e a *jihad* voltou com toda a força.

Eles estavam falando comigo novamente, mais do que haviam feito desde a tentativa de fuga. Todas as regras continuavam a ser observadas — eu não podia me sentar no meu colchão sem permissão; deveria ficar deitada somente de lado —, mas o ódio dos garotos havia se realinhado, de alguma forma; pareciam estar mais focados na política e menos em me fazer sofrer. Continuavam a manter as janelas do meu quarto fechadas durante o dia, chegando até mesmo a enfiar sacos plásticos por entre as frestas para bloquear os raios de luz solar. Mesmo assim, nada daquilo funcionou. Eu podia ver e ouvir mais do que jamais pudera. A escuridão, para mim, se tornou uma coisa relativa.

Romeu começou a fazer longas visitas à casa, passando três ou quatro dias a cada vez que vinha e trazendo uma energia diferente consigo. No papel de líder, ele deu novas liberdades aos garotos e ao Capitão Skids. Todos eles, agora, tinham o direito de tirar noites e dias inteiros de folga, indo para casa para visitar suas famílias. Voltavam à casa com novos cortes de cabelo, camisas limpas e o humor renovado. Às vezes, chegavam com uma sacola de frutas ou pedaços de peixe frito, que compartilhavam com todos. Algumas vezes, eles até me traziam alguma coisa, como um presente — um *toffee* ou um maracujá maduro de casca roxa, cortado ao meio.

No meu colchão, eu podia ver a minha porta e o outro lado do corredor, sendo capaz de vislumbrar o quarto no lado oposto, onde eles estavam mantendo

Nigel. Podia ver um sofá marrom encostado em uma das paredes. Os garotos frequentemente passavam seu tempo ali, conversando com Nigel. Eu conseguia ouvir fragmentos de conversas. Nigel lhes contava sobre seu gosto por construir casas, dizendo até mesmo que tinha vontade de construir casas na Somália. Ouvi quando ele pediu se poderia dormir no sofá, e ouvi quando lhe responderam que não. Permitiram, entretanto, que ele retirasse as almofadas e fizesse uma cama no chão.

Pareciam discutir frequentemente sobre garotas e o islã.

— Nós chamamos isso de *masturbação* — eu ouvi Nigel dizer em voz alta, certo dia. Os garotos soltavam risadinhas. Estavam provocando uns aos outros, apontando o dedo para quem fazia aquilo, contando piadas sobre o banho extra que o islã requeria após a ejaculação. Um deles imitou os sons de um orgasmo com exagero, o que provocou ainda mais risos.

Com Romeu na casa e a guerra rugindo a todo vapor à nossa volta, Abdullah teve permissão para executar missões como soldado durante o dia, saindo uma ou duas vezes por semana para se juntar a milícias que lutavam contra as tropas da União Africana. Algum comandante lhe telefonava no início da noite, e ele passava várias horas se preparando para o dia seguinte. Ajustava e mexia em seu equipamento, às vezes trazendo-o até o meu quarto para se exibir. Estes eram os raros momentos em que eu conseguia conversar com Abdullah, quando ele me permitia fazer uma pergunta ou comentar sobre o que ele dizia. Ficava em pé sob o vão da minha porta e limpava sua arma com um trapo oleoso. Durante todo o processo, falava sobre como, se Deus quisesse, ele mataria muitos inimigos no dia seguinte.

— *Inshallah*, serei morto amanhã — disse ele em uma das primeiras noites em que tivemos um diálogo daqueles.

Eu reagi automaticamente com uma objeção — não por não querer que ele morresse, mas porque parecia ser a única resposta decente.

— Não diga isso! — falei a ele. — Você não quer morrer. Pense em sua mãe. Ela vai ficar muito triste.

Abdullah balançou a cabeça negativamente.

— Não, é melhor assim. — Acrescentou também um de seus comentários favoritos: — Você é uma muçulmana ruim. — Em seguida, pegou sua arma e saiu pela porta. Reapareceu alguns minutos depois, trazendo o exemplar do

Alcorão de couro azul de Nigel. Colocando o rifle no chão e sentando-se perto do meu colchão, ele folheou o livro, até chegar ao trecho correto. Apontou para a linha relevante na parte onde estava a tradução em inglês. *Deixe que lutem pela causa de Alá aqueles que venderam a vida neste mundo em troca do que virá depois.*

"*Que combatam pela causa de Deus aqueles dispostos a sacrificar a vida terrena pela futura, porque a quem combater pela causa de Deus, quer sucumba, quer vença, concederemos magnífica recompensa.*"

Eu já lera aquela passagem. Sabia que os garotos acreditavam que o paraíso seria a sua recompensa. Era simplesmente impossível arguir que qualquer sacrifício feito em seu país quente e faminto não valeria um assento em um sofá cravejado de joias no *Jannah* por toda a eternidade. Isso, para eles, era o credo. Abdullah estava me lembrando de que eu também deveria acreditar naquilo.

★

Com vinte e quatro anos, Romeu não era apenas mais velho do que os outros garotos, mas parecia vir de um mundo totalmente diferente. Era sofisticado, falava inglês sem esforço, com um sotaque intelectual e entrecortado que lembrava o inglês que eu ouvira na Índia. Usava jeans, um lenço bonito e uma colônia que parecia ser cara. Dizia ter um diploma universitário em engenharia e falava sobre suas viagens ao Quênia.

Ele vinha me visitar durante a tarde, sentando-se com as pernas cruzadas, apoiando as costas contra a parede oposta àquela em que o meu colchão ficava encostado. Olhava diretamente nos meus olhos e pontuava sua fala com expressões ocidentais bem corriqueiras.

— Entende o que eu quero dizer? — comentava, depois de me contar alguma coisa. — Sacou?

Não me parecia ser muito amigável, mas falar comigo parecia alimentar o seu ego. Disse-me que era o vigésimo oitavo filho em sua família. Seu pai se casara com quatro mulheres. Depois que seu pai morrera, todos os seus familiares, com exceção de Romeu, fugiram de Mogadíscio rumo à cidade de Hargeisa, ao norte. Ele dizia que não era casado, que preferira se concentrar em sua educação. Estava fazendo cursos por correspondência pela Universidade do Iêmen. Queria outro diploma, em tecnologia da informação, e trabalhar com computadores. Estava tentando se matricular em alguma universidade que oferecesse pós-graduação.

— Você está com boa aparência — disse ele, certo dia. — Muito saudável. — E inclinou-se na minha direção, aproximando-se. — Sabe de uma coisa? Antes do dia em que a capturamos, você não parecia estar bem. Parecia estar muito mal. — Ele apontou para a sua testa e depois para a minha, imitando o movimento de tirar pelos da sobrancelha, algo que eu sabia ser um ato de vaidade proibido pelo *hadith*. Em minha vida anterior, eu arrancava os pelos da sobrancelha de forma assídua, com bastante afinco. Depois de oito meses no cativeiro, sabia que minhas sobrancelhas estavam grossas e retas como taturanas. Romeu expressava sua aprovação. — Alá a deixa muito bonita — dizia ele. — Quando você sair daqui, algum homem terá muita sorte em tê-la como esposa.

Naquele momento, mais do que em qualquer outro, eu daria qualquer coisa para ter a oportunidade de arrancar os pelos das minhas sobrancelhas com uma pinça. Eu era vaidosa. *Ainda* era vaidosa. Arderia no fogo do inferno por uma chance de delinear minha sobrancelha no formato de um arco.

Na verdade, eu estava um desastre, muito feia. Meu corpo estava se deteriorando. Tinha dentes quebrados, consequência de algumas das surras. Minhas costelas nunca paravam de doer antes de serem chutadas novamente. Meu cabelo estava caindo aos tufos. A água suja me embrulhava o estômago. O fungo da pele que me causava tanta coceira havia se espalhado pelo lado esquerdo do meu rosto, pelo meu pescoço e pelo peito. Minha pele exalava pus.

Mas eu não sentia mais pena de mim mesma. Comecei a fazer declarações, forçando-as a entrarem nas minhas conversas silenciosas comigo mesma ao cair da noite. Eu conseguira sair da Casa Escura, lembrava a mim mesma, e conseguiria sair deste lugar. Reuni toda a minha confiança e a direcionei para o meu corpo. Em vez de pensar, como eu sempre fizera, *Espero que meu estômago pare de sofrer com as cólicas e que talvez a minha diarreia termine amanhã*, eu fiquei mais audaciosa. Afirmava tudo como se fossem verdades, proclamações. *Meu sistema digestivo está saudável. Consigo me nutrir com a comida que recebo. Minha pele está saudável, lisa e curada.* Eu repassava aquelas frases diariamente, um exame ponto a ponto do meu corpo — um encantamento, uma ressurreição. *Minha visão está em ordem. Meus dentes estão sólidos. Meu cabelo está bonito e saudável. Minha mente está forte.* Eu me concentrava bastante no meu sistema reprodutor, a parte com a qual eu mais me preocupava. Eu não menstruava desde que fora capturada. Sentia dores em lugares que não conseguia identificar. Tentava não pensar nelas. *Meus órgãos estão protegidos,* eu dizia a mim mesma. *Meus ovários ainda funcionam. Eu estou bem.*

Certo dia, Skids veio até o meu quarto e deixou cair no chão um pequeno saco plástico. Dentro havia uma embalagem com comprimidos encapsulados, envolvidos em uma caixa estreita que exibia uma imagem de bananas e laranjas na frente. As informações ao paciente pareciam estar escritas em chinês. Metade dos comprimidos já havia sido consumida. No fundo do saco eu encontrei um quadrado de papel, a receita de uma farmácia de manipulação, escrita em inglês e preenchida com caneta. Trazia as seguintes informações:

Nome: Sahro

Idade: 34

Havia um X ao lado da palavra "mulher".

Era um presente. O medicamento era um presente, mas saber o nome dela significava ainda mais para mim. Sahro, 34 anos. Tinha que ser ela, a mulher cuja tosse constante penetrava nas minhas noites na Casa Escura, a pessoa que, exceto quando tossia, era a cozinheira silenciosa dos meus captores. Ela me ouvira tossindo. Quisera ajudar. Entregara os comprimidos para o Capitão, eu tinha certeza, dizendo-lhe que eu deveria ficar com eles. Talvez ele a houvesse repreendido no início, mas ela insistira e ele acabara concordando. Eu visualizei toda a história na minha mente. Ela se importava, e isso fazia a diferença. Tomei os comprimidos de Sahro, um a cada manhã. Não senti qualquer efeito, mas, pelo menos, eu e ela desenvolvemos uma espécie de elo.

★

O banheiro que eu usava na Casa Positiva ficava do lado de fora. Chegar até lá envolvia uma longa caminhada pelo corredor principal, virar à direita e percorrer o corredor menor, passando pelo quarto de Omar — que agora era usado como cozinha —, e atravessar uma porta até chegar a uma cabine no jardim que era usada como banheiro. Os garotos me deram um par de calçados — dois chinelos enormes e amarelos com as palavras FELIZ 2008 e um monte de balões estampados nas solas, mas já desgastados pelo uso.

Conforme eu andava, mantinha os olhos no chão, sempre acompanhada de perto por um dos garotos. Meu olhar deveria estar sempre baixo. Algumas vezes, ao passar pelo quarto de Omar, eu via um par de pés que pertenciam à cozinheira — Sahro, 34 anos — quando ela parava o que estava fazendo, evidentemente me observando. Estava perto o bastante para que eu pudesse tocá-la. Eu via a barra florida do seu vestido, longo o bastante para tocar o chão e esconder seus pés, de acordo com os costumes islâmicos.

Certo dia, tomada por uma onda de coragem e um desejo profundo de conhecer a mulher que demonstrara tanta gentileza por mim, eu a olhei no rosto.

Ela era muito bonita, com uma aparência incrível. Seu corpo era esguio e alto, e as feições eram finamente esculpidas. Seus olhos eram escuros, as maçãs do rosto altas e o queixo afilado. Tinha o mesmo rosto angular e porte elegante da modelo somaliana Iman. Usava um véu marrom-claro enrolado firmemente ao redor da cabeça.

Quando nossos olhares se cruzaram, Sahro prendeu a respiração. Ergueu rapidamente a mão para cobrir a boca. Vivêramos sob o mesmo teto durante vários meses, mas este seria o nosso primeiro e único contato. Com os olhos se arregalando, alarmados, ela olhou para Yahya, que estava me seguindo até o banheiro com sua arma, e disse uma palavra em somali que parecia indicar seu estado de surpresa, algo como "oh!".

Não era uma traição, mas certamente não era um ato que indicasse qualquer tipo de aliança. Se tanto, aquilo indicava que Sahro tinha tanto medo dos garotos quanto eu, e que, apesar de estar disposta a dividir seus remédios, ela não seria, nem mesmo por um instante, apanhada conspirando junto comigo. Não ousaria.

Sem hesitar, Yahya me acertou por trás, com um soco nas minhas costas e outro na minha cabeça. Meu olhar baixou novamente para a barra do vestido de Sahro, que tocava o chão.

Mais tarde, naquele mesmo dia, Jamal e Abdullah viriam ao meu quarto e me bateriam repetidamente enquanto eu estava deitada, encolhida e enrodilhada ao redor de mim mesma, fazendo-me prometer que nunca ergueria o olhar. Eu não me atreveria a tentar fazer aquilo outra vez, mas estava feliz, pelo menos, por ter visto o rosto dela.

40

Lições de Esposa

— Isso pode ser difícil para você — disse-me Romeu numa tarde de junho. — Mas esta vida é assim. — Ele estalou os dedos para mostrar que o tempo passa depressa. — E as recompensas do paraíso são para sempre.

Aquela frase foi dita como uma maneira de me encorajar. A ideia era de que deveríamos aguentar as dificuldades com firmeza, porque coisas melhores estavam por vir. Para os meus captores, o plano de Deus estava se desdobrando. Para mim, o cativeiro era um momento — um longo momento — que passaria. Todos nós esperávamos por uma pós-vida melhor. A diferença é que eu planejava estar viva para aproveitar a minha.

Fôramos levados a outro lugar, mais uma vez. Estávamos, agora, em uma localidade muito distante de Mogadíscio, em algum lugar perto da cidade portuária de Kismayo, no sul da Somália, não muito longe da fronteira com o Quênia. Eu não deveria saber exatamente onde, mas sabia. No caminho até lá, um percurso de doze horas em uma *minivan* pilotada por Ahmed, nós corrêramos por de estradas desertas, batendo o fundo do carro em valetas na estrada e subindo pelas encostas de ravinas íngremes, evitando completamente a estrada que cortava o país de norte a sul. Enquanto os garotos se sentavam nos dois assentos dianteiros, com o metal das suas armas tilintando no escuro, Nigel e eu, receosos demais para trocar uma única palavra, estávamos enfiados no compartimento de carga do carro, junto com Romeu, que, por algum motivo, se oferecera para sentar ali, e um tambor de gasolina com capacidade para 200 litros. Escutei os rapazes murmurarem animados com o prospecto de um lugar desconhecido. Era como se estivessem em uma excursão escolar. Parecia ser o mais longe de casa que já estiveram. Com a lua acompanhando nosso trajeto, eles esticavam o pescoço para olhar pela janela.

Kismayo, diziam eles em voz baixa, traindo o segredo sem perceber. *Kismayo, Kismayo.*

Em Kismayo, eu podia sentir o Oceano Índico em minha língua. Sua umidade cobria a minha pele, fazendo com que as correntes nas minhas pernas enferrujassem, deixando manchas em forma de flor nos meus tornozelos. Nunca consegui ver o oceano diretamente, mas eu sabia que ele estava perto, estendendo-se para o leste em direção à Austrália, povoado, pelo que eu imaginava, por iates, petroleiros e ilhas cheias de pessoas que cuidavam dos seus afazeres. À noite, as tempestades castigavam a cidade, encharcando todo o lugar.

Durante várias semanas, Romeu e Ahmed ameaçaram vender Nigel e a mim para a Al-Shabaab. Eu tinha certeza de que eles nos trouxeram até aqui para concluir a negociação. Sabia-se que Kismayo era uma fortaleza da Shabaab. A ideia de ter que viver sob novos captores e novas regras — eles estavam entre os extremistas mais extremos do país — me enchia de ansiedade.

Após alguns dias, entretanto, eu percebi que fôramos levados a Kismayo apenas para fugir dos combates. Passamos duas noites em um apartamento no segundo andar de um prédio no coração da cidade e agora estávamos morando em um prédio comercial vazio, um lugar com cinco salas pequenas, longe do tumulto do centro da cidade — um lugar que, mais tarde, viríamos a chamar de Casa da Praia. Meus captores, provavelmente, estavam pagando uma taxa de proteção à Shabaab para poderem ficar ali. Durante a nossa viagem pelo deserto, tivéramos que parar várias vezes para que Skids pudesse entregar dinheiro aos vários chefes de milícia que controlavam a estrada.

Nigel foi colocado numa sala diretamente à frente da minha. Fazia tanto calor que os garotos não vadiavam mais ao ar livre. Em vez disso, estavam aquartelados na área da recepção, logo depois da minha porta, mais próximos do que jamais estiveram. Guardavam seus exemplares do Alcorão em uma pilha na mesa dilapidada do recepcionista, em um dos cantos. Todos nós usávamos o mesmo banheiro, com uma privada em que era necessário agachar para usar, manchada e fétida, como fora deixada pelos seus usuários anteriores. O suprimento de água era uma cisterna de cerca de um metro de altura, a superfície borbulhando com larvas de mosquitos.

Romeu, ao que parecia, juntara-se ao grupo definitivamente. No decorrer de dez meses, os rostos haviam mudado, com homens diferentes montando guarda em horários diferentes. Alguns dos nossos captores desapareceram totalmente, desintegrando-se como nuvens de fumaça. Ali, o homem que fora o nosso principal vigia durante os primeiros dias do cativeiro, o mesmo que recebera o crédito por nossa conversão ao islã, se foi após algumas semanas. Ismael, o soldado mais jovem de todos, que dissera ter quatorze anos, mas parecia ter cerca de onze, também escapuliu durante o primeiro mês. Conforme o inverno se transformava em primavera, víamos Donald Trump com uma frequência cada vez menor. O Jovem Yahya, cuja esposa estava com um novo bebê em casa, ficou em Kismayo por algumas semanas e depois partiu, para nunca mais retornar. Sahro, 34 anos, minha aliada silenciosa, não chegou a fazer a viagem para o sul.

Eu tinha apenas uma noção muito vaga do que mantinha os nossos captores unidos. Ismael não tinha uma família para a qual pudesse retornar. Eu sabia disso porque, no início, quando Nigel e eu éramos mantidos no mesmo quarto, Abdullah fez Ismael puxar a barra da sua calça para cima, mostrando-nos como os músculos da sua panturrilha foram arrancados em uma explosão, deixando a parte inferior da perna com a aparência de uma baqueta carcomida. O garoto ergueu também a sua camisa, expondo a pele amarelada e cheia de cicatrizes em forma de chamas que circulavam o seu tronco, difícil até de olhar. Abdullah explicou que Ismael fora a única pessoa em sua família a sobreviver a um ataque de morteiro. Era um órfão, e, como acontecia com muitos meninos órfãos em Mogadíscio, fora trazido para o grupo com promessas de abrigo, comida e comunidade.

Depois que Ismael desapareceu, perguntei a Romeu o que havia lhe acontecido. Ele precisou pensar por alguns momentos, sem lembrar o nome do garoto. Até que, finalmente, deu de ombros, dizendo que Ismael provavelmente fora passado a uma nova milícia — colocado entre as cartas de outro baralho, aparentemente.

★

Era difícil entender como o nosso grupo funcionava — quem estava ditando as regras, quem recrutava os garotos e custeava a comida, quem tomara a decisão de nos levar para Kismayo. Quem, eu me perguntava, teria mais a ganhar se o nosso resgate fosse pago? Se não fosse pago, quem tomaria a decisão sobre o momento de desistir, quando teriam que escolher entre nos matar e nos libertar?

Muito tempo depois, eu viria a saber sobre as operações rebeldes e aparentemente violentas dos piratas somalianos no Golfo de Áden. Em muitos casos, eram organizações administradas com o acúmen e a sofisticação de minicorporações completas, com investidores, contadores e folhas de pagamento estruturadas, baseadas no valor líquido do resgate. Um jornalista estudou uma operação bem-sucedida de sequestro que durou dois meses e meio, com um resgate de 1,8 milhão de dólares, e determinou que metade do valor foi para os financiadores, enquanto seus subordinados (provavelmente homens como Adam, Donald Trump e Romeu) ganharam algo em torno de 60 mil dólares, e os guardas receberam algo próximo de 12 mil. Em um país onde a renda per capita média era de 266 dólares por ano, esse era um ótimo pagamento, mas somente se as coisas corressem conforme o planejado.

Em uma tarde, Romeu apareceu na minha porta trazendo grandes notícias: ele enviara seu currículo e fora aceito em uma universidade em Nova York, para estudar tecnologia da informação. Mudaria para os Estados Unidos dentro de alguns meses. Tinha muitas perguntas para mim. Eu já estivera em Nova York? Quanto frio fazia lá? Eu achava que as pessoas nos Estados Unidos seriam capazes de entender o seu sotaque? Ele planejava viver com parentes que já estavam lá. O resgate que receberia pela minha libertação, dizia, financiaria os seus estudos.

— *Inshallah,* se Alá permitir — acrescentou ele.

Ele pareceu desenvolver um novo interesse na minha educação como muçulmana, trazendo o Alcorão em inglês de Nigel ao meu quarto e fazendo longos sermões sobre a devoção e o destino. Feliz por ter acesso a um livro, qualquer que fosse, eu novamente assumi o papel de uma aluna interessada. Quando Romeu estava presente, eu tinha permissão para me sentar e conversar. Sentia-me humana. Sua presença também era protetora, mantendo Abdullah e os outros longe de mim. Uma ou duas vezes ele abriu o Alcorão e me mostrou as linhas que citavam os cativos, "aqueles a quem tua mão direita possui", que, à sua maneira de pensar, era uma categoria que incluía a mim. Ele e os outros líderes sabiam que eu estava sofrendo abusos de alguns dos garotos da casa, mas, mesmo vendo-se como homens dignificados demais para participar de atos como aqueles, acreditavam que eu não devia questionar o que os garotos faziam. Era a minha sina como prisioneira. Assim como acontecia com todas as pessoas na terra, meu destino fora impresso em minha alma quando eu estava no ventre da minha mãe.

— Alá decidirá quando tudo isso terminará para você — disse ele. Nesse meio-tempo, estava convencido de que Alá ajudaria a transformar seu plano de ir à faculdade em realidade.

— Por que você quer estudar em um país de infiéis? — eu perguntei. Já o ouvira referir-se aos Estados Unidos daquela forma por várias vezes.

A pergunta pareceu deixar Romeu desconfortável por alguns momentos, como se reconhecesse a própria hipocrisia, mas ele rebateu, com a voz lânguida e equilibrada:

— Alá diz que nós podemos ir a esses países, se houver um propósito — disse ele. — Se pudermos tirar algo daquele país e entregarmos à comunidade islâmica, então tudo estará bem.

Às vezes, ele se aventurava em uma conversa mais sedutora.

— Você acha que os homens somalianos são bonitos? — perguntou, certo dia. — São melhores que os homens do seu país?

Do lado de fora, uma rara brisa começou a soprar, agitando o teto de folha de zinco. Romeu estava sentado em frente ao meu colchão, com as pernas cruzadas e o Alcorão apoiado em seu colo. Quando eu não respondi, ele tentou abordar o problema de um ângulo diferente:

— Por acaso há algum dos soldados com quem você gostaria de se casar?

Dizendo "soldados", ele se referia aos garotos. Eu disse que não, que nunca quereria me casar com nenhum daqueles soldados. Ele sorriu, erguendo as sobrancelhas. Sua voz era sonora, lisonjeira:

— E se eu pedisse a você que se casasse comigo? Ficaria feliz?

Percebi que ele não perguntou se eu diria sim. Eu sentira que esse tipo de proposta estava por vir, mas ouvi-lo dizer aquilo me causou tremores de medo. Se fosse forçada a tomar parte em um casamento formal, eu provavelmente nunca conseguiria escapar.

— Não estou em condições de tomar uma decisão sobre casamento — eu disse, balançando a cabeça para enfatizar que não havia possibilidade disso. — Sou uma prisioneira.

— Ah, sim — disse Romeu. — Mas este é o lugar onde Alá decidiu que você deveria estar. — Ele cruzou as mãos sobre o colo e olhou para mim com uma expressão de conformidade. — Não lute contra isso, Amina.

Para Romeu, a conversa sobre o casamento parecia, em parte, alguma espécie de fantasia, uma maneira de fazer passar o tempo. Eu suspeitava que até mesmo ele se cansava de falar sobre o Alcorão o tempo inteiro. Ele descrevia um tipo de situação favorável para ambos os lados, na qual receberia, de uma vez só, um gordo pagamento e uma noiva. Disse que, se dependesse dele, não hesitaria em se casar comigo imediatamente. O problema era que todos no grupo tinham esperança de receber suas partes no resgate; assim, "o Programa", como ele o chamava, teria que ser resolvido. Quando chegasse ao fim, eu poderia viver na casa da sua mãe em Hargeisa, mesmo enquanto ele estivesse na universidade em Nova York. Ele acrescentou que, como eu era uma mulher branca, provavelmente teria que permanecer escondida em um quarto — "um quarto grande!" — disse, como se aquela ideia pudesse me influenciar, de modo que não fosse assediada ou sequestrada.

— Se você fosse a mãe dos meus filhos, ensinaria a eles sobre a *jihad* — disse ele. — Você os encorajaria a lutar a *jihad* na Somália ou em outro país. Você lhes ensinaria sobre o Alcorão e seria muito, muito boa nisso.

Aqueles elogios nunca eram reconfortantes. Certa tarde, ele se aproximou de mim e apontou para um certo verso no Alcorão. Era um dos que eu já havia lido várias vezes antes. *Vossas mulheres são vossas lavouras. Desfrutai, pois, da vossa lavoura, como vos apraz...* Uma lavoura, pelo que eu entendia, era um campo que devia ser arado e cultivado.

Romeo sorriu.

— Você sabe, quando for minha esposa, o que isso vai significar?

Meu coração afundou.

— Sim, mas não quero discutir essas coisas — eu lhe disse.

A expressão que ele usava para descrever o sexo era "fazer agradável".

— *Inshallah*, quando você for a minha esposa, nós vamos fazer agradável o tempo todo — disse-me Romeu naquele dia. — Porque eu estou querendo o agradável o tempo inteiro.

Mantive os olhos no chão e não disse mais nada até que ele se levantou e deixou a sala.

★

Na Casa da Praia, quando Romeu não estava por perto, tudo o que eu podia fazer era prestar atenção nos sons à minha volta. Na área da recepção, logo depois da minha porta, eu podia ouvir os garotos tossindo e cuspindo. Ouvia-os quando se lavavam e oravam. Eu sabia quando estavam limpando seus dentes com gravetos fibrosos de acácia, contando piadas ou imersos em um estado coletivo de tristeza e tédio. Podia ouvir quando um dos garotos estalava os dedos, chamando Nigel para se levantar e fazer suas abluções.

Muito do barulho da casa vinha dos seus telefones celulares. Todos tinham um. Alguns dos garotos possuíam dois. Eram telefones bastante sofisticados, alguns com telas sensíveis ao toque, comprados com o dinheiro que eles ganharam nos combates antes de se envolverem com o nosso sequestro. Como não tínhamos eletricidade, alguém levava os telefones até o mercado no final do dia para serem carregados em um quiosque e deixados ali durante a noite em troca de algumas moedas. Os telefones raramente eram usados para conversar. Jamal ocasionalmente tinha diálogos curtos e desajeitados com Hamdi. Somente o capitão e Romeu recebiam chamadas regularmente, provavelmente dos líderes que ficaram para trás, em Mogadíscio.

Os garotos fuçavam em seus celulares o tempo inteiro, mudando os sons dos toques, que nunca eram musicais, já que a *sharia* proibia a música. Usavam o canto de pássaros, sinos que dobravam e risos de crianças, e tudo aquilo me deixava louca. Longe da casa, eles carregavam seus telefones com *nasheeds* — cânticos em árabe que exortavam a glória de Alá e as virtudes de Maomé. Às vezes, os garotos vinham até o meu quarto e mostravam os vídeos que haviam baixado de sites da Arábia Saudita. Os vídeos pareciam ser feitos especificamente para incitar a fúria e a violência, mostrando palestinos mortos, afegãos mortos e muitas crianças mortas. Havia explosões no Iraque, entremeadas por trechos nos quais as torres do World Trade Center desabavam em meio a uma poeira amarelada. Havia soldados mujahedins mascarados fazendo exercícios militares e disparando lançadores de granadas contra um cenário de picos escarpados. Com legendas em árabe correndo na parte inferior da tela, um vídeo mostrava repetidamente o presidente americano George W. Bush anunciando: "Esta cruzada, esta guerra contra o terrorismo, vai durar algum tempo". Por todo o mundo, o islã estava cercado.

Eu logo conseguiria distinguir entre as vozes de cada um dos imãs que as narravam contra ruídos de fundo compostos por rajadas de metralhadora e pessoas gritando. Podia dizer qual era o vídeo da *jihad* que estava mais em voga em um determinado momento. Novos vídeos entravam e saíam da rotina da nossa casa, em um ciclo. Lembro-me de pensar: *Meu Deus, esses caras passam umas dez horas por dia assistindo, em seus telefones a pessoas morrendo.*

★

Pelas barras que cobriam a janela do banheiro da Casa da Praia, eu podia observar um pouco adiante do prédio onde estávamos. Um luminoso de néon verde brilhava ao longe durante a noite, marcando o que eu imaginava ser a entrada de uma mesquita. De vez em quando, eu conseguia ver o brilho dos faróis de um carro que passava.

Gatos ferais às vezes entravam na casa, à procura de comida. Os garotos jogavam coisas neles — sapatos, lixo — para afugentá-los. Ainda assim, às vezes, os gatos encontravam uma forma de chegar ao meu quarto — criaturas sinuosas, raquíticas, a maior parte quase completamente sem pelos. Confinada a meu colchão, incapaz de ficar de pé, eu não estava em posição de me defender quando eles se aproximavam. Rodeavam-me enquanto eu comia uma refeição, irrompendo em brigas violentas e sibilantes pelo prato fundo e gorduroso de estanho que eu por fim deixava no chão.

As semanas se transformaram em um borrão. Meu vigésimo oitavo aniversário veio e passou, embora eu já houvesse perdido a conta dos dias individuais. Acordava e dormia, escutando o som dos pássaros que pousavam em nosso teto. Certo dia, a voz do locutor somaliano da BBC entrou na minha consciência enquanto os garotos estavam sentados ao redor do rádio na sala ao lado.

— Michael Jackson — dizia ele. — Michael Jackson. Michael Jackson. — O cantor estava morto, mas demoraria um bom tempo até que eu soubesse daquilo.

Eu estava começando a definhar. A cada manhã, recebia três cubos de gordura animal fervidos em um caldo ralo e oleoso e uns poucos pedaços pequenos de pão chato. Às vezes, ganhava uma xícara de chá. Mais tarde, após as orações da noite, recebia a mesma coisa outra vez, ocasionalmente com uma banana madura como acompanhamento. Outras vezes, em vez dos três cubos de gordura, haveria apenas dois. De quando em quando, um dia se passava sem nenhum sinal de comida. Meu próprio corpo me chocava. Os ossos do meu quadril se projetavam como as asas de um frango. Eu era capaz de ver cada uma das minhas costelas. Meus seios haviam praticamente desaparecido, e meu peito não era mais do que uma sequência de ossos.

A fome dá a sensação de ser uma pedra em sua barriga, pesada e pontiaguda. Outras vezes, meu estômago parecia ser um balão inflado até quase explodir, preenchido com um vazio firme e seco. A dor tomava conta do meu cérebro, a ponto de eu querer bater a cabeça contra alguma coisa para fazê-la parar.

Deitada em meu colchão, eu encontrava alívio nas visitas que fazia à casa no céu. Eu ia até lá e tentava ficar o máximo que pudesse. Dentro do abrigo da minha mente, eu cozinhava, comia e cuidava do meu corpo. Preparava sopas, pratos com salmão, coisas saudáveis. Imaginava-me colhendo legumes frescos em uma horta ou pegando laranjas nas árvores carregadas que eu vira, muito tempo atrás, na Venezuela. Isso me sustentava. Fazia toda a diferença.

Ainda assim, eu precisava conseguir mais comida. Da mesma forma que fizera com os outros problemas, procurei soluções dentro da religião dos meus captores. Em algumas das notas de rodapé do meu Alcorão, o profeta recomendava que seus seguidores jejuassem às segundas e quintas-feiras. Não era obrigatório — não da maneira como o jejum durante o Ramadã era obrigatório —, mas vários garotos na casa faziam aquilo rotineiramente, dizendo que servia para mantê-los puros. Hassam, um dos jejuadores mais contumazes, explicou-me certa vez que o profeta ordenava que seus seguidores encerrassem o jejum com pão e tâmaras, mas, de acordo com a tradição somaliana, eles o quebravam com samosas, que tomavam o lugar do pão.

Sabendo disso, decidi tentar uma coisa. Em uma manhã de quinta-feira, ao receber minha comida, eu disse:

— Hassam, Alá disse que é bom que os muçulmanos jejuem. Quero jejuar, ser uma boa muçulmana como você.

Ele abriu um sorriso enorme ao ouvir aquilo, sabendo que receberia créditos com Alá por qualquer incremento na minha devoção.

— Certo, Amina, isso é muito bom. — Ele saiu do quarto, e eu consegui ouvi-lo transmitir o meu anúncio aos outros que estavam lá.

Jamal e Yusuf colocaram a cabeça para dentro do vão da minha porta para me parabenizar pela decisão de jejuar. Vi que eles ficaram surpresos, mas, novamente, o meu crescimento na religião muçulmana lhes dava mais pontos no Dia do Julgamento.

Minha aposta teve um ótimo desfecho. Consegui passar pelo dia, após recusar a refeição da manhã, e, pouco antes do chamado do muezim às dezoito horas, Jamal apareceu, trazendo uma pequena sacola plástica. Eu conseguia sentir o cheiro do conteúdo, mesmo estando do outro lado do quarto. Dentro da sacola havia três pequenas samosas, triângulos de massa frita recheados com arroz temperado e o que parecia ser repolho. Eu jejuava para poder comer. Às vezes, as samosas eram quentes e deliciosas; outras vezes, não estavam frescas e me deixavam enjoada. De qualquer forma, não importava. Eram comida.

★

Comecei a ouvir uma nova voz nos telefones dos garotos. Esta voz era mais tranquila do que os sermões inflamados que eles ouviam, o tom de voz claro e alto de um homem falando árabe que ecoava pela Casa da Praia e às vezes era transmitido por mais de um telefone ao mesmo tempo. Do lado de fora, eu ouvia a mesma voz saindo dos carros que passavam por perto.

Certa tarde, Romeu entrou no meu quarto empunhando seu telefone celular e um bloco de papel.

— Amina — disse ele, quase de maneira amável. — Preciso de ajuda para melhorar o meu inglês. — Sentando-se no chão, ele me entregou o papel e uma caneta. — Você pode escrever as palavras para mim. Em inglês. E eu vou praticá-las. Sacou?

Ele apertou um botão em seu telefone e depois girou o aparelho para que eu pudesse ver a tela. Um vídeo começou a rodar: uma tela preta com inscrições em árabe esmaeceu até mostrar um mapa da Somália, com uma foto de Osama bin Laden sobreposta em um dos cantos. Ele estava vestido com trajes negros e tinha um lenço de algodão branco amarrado ao redor da cabeça caindo-lhe por sobre os ombros. Estava com um dedo em riste no ar. O áudio começou a tocar. Era a voz que eu começara a ouvir alguns dias antes. Bin Laden divulgara uma faixa de áudio com um discurso direcionado aos guerreiros mujahedins na Somália e, pela primeira vez, ligara as lutas no país aos objetivos maiores da Al-Qaeda. No decorrer de vários meses, a mensagem se tornara viral. Percebi que todos à minha volta estavam eletrizados.

— Por favor — disse Romeu. — Escreva o inglês. — Eu apertei os olhos para enxergar as legendas minúsculas que passavam na parte inferior da tela e comecei a escrever. *Aos meus irmãos muçulmanos... pacientes... perseverantes.* O vídeo tinha onze minutos de duração. Levei quase três dias para transcrever tudo, enquanto Romeu ia e vinha, sentando-se ao meu lado e segurando o telefone por quase uma hora a cada vez que vinha. Fazia meses desde que eu escrevera mais do que um punhado de palavras de uma única vez. Minha mão doía pelo esforço. Bin Laden convocava os soldados islâmicos a derrubar Sheik Sharif, o novo presidente, que mal conseguia governar o país naquela situação. Fazia muitos elogios aos guerreiros somalianos e deixava claro que os via como aqueles que estavam na linha de frente do campo de batalha, protegendo seus irmãos na Palestina, Iraque e Afeganistão. Com um tom estável e paternal, ele os exortava contra os americanos, chamando todos a pegarem em armas e a não mostrarem qualquer tolerância às alianças com o Ocidente.

Bin Laden falava. Romeu observava. Eu escrevia, com a cabeça baixa sobre o papel, em meio à pouca luz do quarto. O vídeo tocava e depois era interrompido, tocava e era interrompido, conforme as palavras enchiam as páginas do bloco de notas. Bin Laden estava avisando seus irmãos somalianos que não se tornassem presas de acordos de paz ou diplomacia, com todas as armadilhas envolvidas naquele compromisso: *Como as pessoas inteligentes são capazes de acreditar que os inimigos de ontem, de acordo com sua religião, podem se tornar os amigos de hoje?*

Em outras palavras, uma guerra, depois de iniciada, deveria ser levada até o fim.

41

Tudo Mudou

O pedido que Romeu fizera à embaixada dos Estados Unidos, solicitando um visto de estudante, fora aprovado. Estava muito animado, fazendo mais perguntas do que nunca. Quanto tempo demoraria a viagem de avião? Era verdade que as garotas em Nova York usavam blusas que mostravam a barriga? Quando ele vinha para me dar lições sobre o islã, pedia-me para ajudá-lo a corrigir quaisquer erros de pronúncia em inglês que cometesse, de modo a aparar as arestas do seu sotaque. Comprou um caderno especial — um volume fino e barato, com corações roxos e cor-de-rosa na capa —, pedindo-me para escrever as palavras mais difíceis do idioma inglês de que eu conseguisse me lembrar, termos que seriam úteis para um estudante que quisesse parecer inteligente em um novo país.

Era agosto. Ele deveria partir em setembro para o início das suas aulas. Eu esperava que isso servisse para colocar mais pressão nas negociações que estivessem acontecendo com a minha família e a de Nigel.

Em mais de três meses na Casa da Praia, embora sua porta estivesse a menos de quatro metros da minha, eu vira Nigel somente umas poucas vezes. De vez em quando, quando ouvia os garotos estalando os dedos para permitir que eu fosse ao banheiro antes da oração do meio-dia, ele se arrastava para a frente e esticava o pescoço para espiar pelo corredor estreito. Vê-lo era um choque. Seu rosto estava esquálido e marcado, sua barba imensa e desgrenhada. Olhávamos um para o outro, decepcionados e com a sensação de impotência.

Assumindo um risco maior certo dia, Nigel apontou para si mesmo e depois para mim, formando um coração com as mãos. *Amo você*. Éramos prisioneiros havia quase um ano.

Pela janela do banheiro eu vi a estação mudar novamente, as chuvas diárias lentamente transformando-se em nada, substituídas pelo calor duro e cáustico do final do verão, chamado pelos somalianos de estação do *hagaa*. Na mesquita, ao longe, alguém trocou o letreiro luminoso da entrada de verde para um pink cafona e hipnótico.

Junto com o calor, a tensão estava crescendo na casa entre os garotos, a frustração aliada à futilidade. Hassam passara duas semanas acometido pela malária. O casamento de Jamal com Hamdi fora adiado indefinidamente. Agora que Yahya, que costumava me guardar com mais frequência, não estava mais na casa, o Jovem Mohammed — um dos membros mais violentos do grupo — me vigiava com uma intensidade redobrada. O dinheiro parecia estar acabando. Os garotos reclamavam constantemente de sua própria fome.

Comecei a ter um pouco de esperança porque Romeu ainda falava sobre Nova York, como se o dinheiro para a sua passagem de avião — o dinheiro que receberia pelo nosso resgate — estivesse prestes a chegar. Como um ato de fé, eu anotava palavras para que ele estudasse.

Sectário, escrevi. *Parcimonioso. Autônomo.*

★

Eu percebia que os garotos estavam desesperados para que o nosso sequestro chegasse ao fim, mas não conseguia compreender o que estava acontecendo com os líderes do grupo em nossa casa. Quando eu perguntava sobre progressos, Romeu fingia-se impotente, culpando a minha mãe por não pagar o resgate. Depois de investir doze meses de tempo e dinheiro, e de conjurar a ideia de que todos os ocidentais nadavam em rios de dinheiro, meus captores não estavam interessados em entrar em nenhum tipo de acordo em relação ao dinheiro. Estavam convencidos de que a minha mãe era a guardiã da fortuna deles. Precisavam apenas encontrar uma maneira de quebrar sua resistência. Só mais tarde eu compreenderia o quanto eles eram cínicos e calculistas, que tipo de xadrez estava sendo jogado entre os dois continentes.

No Canadá, minha família havia desistido de confiar no governo canadense, unindo-se à família Brennan para contratar um especialista em sequestros e resgates chamado John Chase para nos tirar da Somália. Tentativas de diplomacia e relatórios de inteligência e espionagem não renderam nenhum progresso visível. As famílias precisariam levantar o dinheiro e fazer um acordo diretamente com os nossos captores. No início de agosto, assinaram um contrato com a empresa de Chase, uma companhia britânica especializada em "avaliação e redução de riscos" chamada AKE. As duas famílias concordaram em dividir os custos — o resgate e as taxas de serviço da AKE, de cerca de dois mil dólares por dia —, mesmo que a minha família precisasse tomar dinheiro emprestado dos Brennans para reembolsá-los depois. Rapidamente, começaram a reunir os recursos de que dispunham.

Depois de passar vários meses sem atender seu telefone celular quando Adam ligava, minha mãe voltou à ativa como negociadora — desta vez, sob a supervisão de Chase e seus associados na Inglaterra e informações regulares que recebia da família de Nigel na Austrália. A irmã de Nigel, Nicky, também estava se comunicando com Adam. A casa alugada pela Polícia Montada em Sylvan Lake foi desativada; minha mãe alugou um apartamento no subsolo de um prédio para si mesma em Canmore, a algumas horas de distância dali. Gravava os telefonemas de Adam por conta própria e os transmitia para Chase por meio de um e-mail criptografado.

Pelo telefone, Adam parecia mais belicoso do que nunca. O grupo estava furioso, dizia ele. Aceitariam 2 milhões para nos libertar, e nada menos do que isso. Minha mãe, em nome das duas famílias, fez uma série de contrapropostas, aumentando em incrementos pequenos, seguindo de perto as orientações da AKE. Cada movimento era planejado para envolver lentamente os nossos captores em um acordo. Chase pensava que a questão poderia ser resolvida por cerca de meio milhão de dólares. No dia 2 de agosto, minha mãe disse a Adam que poderiam pagar 281 mil dólares. No final do mês, estava oferecendo 434 mil.

Nada daquilo era o bastante. Adam continuava a pressioná-la. Os telefonemas ficaram mais insistentes. Ele sugeria que eu não devia ser a filha biológica da minha mãe, porque ela não se importava muito comigo. Farta com a resistência em baixar o valor do resgate, mesmo que apenas uma pequena fração, minha mãe, em dado momento, chegou a acusá-lo de "estar agindo sem seriedade".

Isso deixou o temperamento de Adam ainda mais explosivo. E levou a uma ameaça:

— Estou agindo sem seriedade e fazendo um jogo? — disse ele, com um desprezo cáustico. — Você deveria ver o jogo que sou capaz de jogar!

★

Com o início de mais um Ramadã no final de agosto, eu já havia baixado minhas defesas. Era o mês sagrado, uma época onde havia limites. A atividade sexual era proibida durante o tempo em que o sol estivesse brilhando no Ramadã, o que me ajudava a sentir mais segurança. Pelas minhas janelas, eu conseguia ouvir *nasheeds* tocando pelo alto-falante da mesquita.

Romeu saiu da casa por algum tempo, sem dizer para onde ia. O humor dos garotos pareceu melhorar um pouco. Skids recebeu algum dinheiro e comprou sandálias novas para todos. Estávamos comendo melhor — abstendo-nos de comer do alvorecer até o pôr do sol, mas, posteriormente, sendo recompensados com tâmaras frescas e doces para quebrar o jejum. Dois garotos iam até o mercado no fim da tarde e compravam uma quantidade enorme daquelas frutas, entregando-me algumas ao cair da noite, embaladas em um pedaço de jornal em língua inglesa impresso em Dubai, chamado *Khaleej Times*. Quando eu estivera tentando trabalhar como jornalista *freelance*, enviara algumas histórias para o editor daquele jornal, esperando que pudessem ser publicadas. Agora eu lia qualquer pedaço de jornal que recebesse junto com minhas tâmaras, procurando por quaisquer notícias que pudesse encontrar. Vi relatórios do mercado de ações e, certo dia, uma notícia curta do Canadá — uma matéria sobre a superpopulação de coelhos no campus da Universidade de Victoria.

Com o dinheiro extra, Jamal e Hassam tinham os suprimentos necessários para preparar a refeição da noite, geralmente um prato de feijões vermelhos e arroz que chamavam de *ambola*. Deixavam-no cozinhar durante a tarde inteira e serviam-no após a oração do pôr do sol, coberto com montes de açúcar refinado e sal para melhorar o sabor.

— Gosta? — perguntava Jamal, observando enquanto eu comia e esperando um elogio. — Está bom?

À noite, os garotos se ocupavam com orações extras chamadas de *taraweeh*, ou “preces do descanso”. Eu lera sobre elas no *hadith*. Orações noturnas durante o Ramadã ajudavam Alá a perdoar os pecados de uma pessoa.

Houve um dia em que as coisas mudaram abruptamente. Três dos garotos — Abdullah, Mohammed e Jamal — entraram no meu quarto com expressões graves. Abdullah rosnou uma ordem, dizendo que eu deveria ficar em pé. Estavam bastante compenetrados, evitando me olhar nos olhos.

Fizeram-me andar até o meio do quarto e deitar de bruços, com a cabeça pressionada contra o chão de concreto. Abdullah tirou o lençol de flores azuis de cima do meu colchão. Ficando sobre o meu corpo, ele usou o lençol para amarrar meus pulsos às minhas costas. Um minuto depois ele ajustou as amarras, afrouxando e deslizando o lençol um pouco, de modo que estivesse na altura dos meus cotovelos, e depois o apertou com força outra vez. Meus ombros se ergueram dolorosamente do chão. Minha pulsação estava acelerada e a minha mente se aproximava de um estado de pânico. O que estava acontecendo?

Eu podia ouvir os garotos conversando em somali acima de mim, como se estivessem debatendo alguma coisa. Depois de um minuto, eles me desamarraram e mandaram que eu voltasse ao meu colchão, continuando a discussão durante todo aquele tempo, como se eu não estivesse presente. Suando, voltei a me deitar. Mohammed estava apontando para dois pedaços de vergalhão que se projetavam de um ponto alto na parede, como se, talvez, pudessem pendurar alguma coisa neles. Jamal torcia e puxava o meu lençol azulado, testando sua resistência. Os três inspecionaram tudo o que havia no quarto cuidadosamente, metodicamente. Sem dar outra olhada na minha direção, foram embora.

Continuei deitada no meu colchão, sabendo que algo terrível estava por vir.

Esperei todo aquele dia, e o dia seguinte também.

Na noite seguinte, eles voltaram depois que o sol se pôs, depois que o jejum foi encerrado e o jantar foi servido. Eram Mohammed e Abdullah desta vez. Fecharam a porta por trás de si. Mohammed trouxe um lençol de um tom amarelo-claro. Estava torcido como uma corda. Ele o largou no chão.

Sentei-me no colchão.

— Está tudo bem? — perguntei. Meu coração parou. Tudo o que conseguia ver era aquele lençol torcido.

— Levante — Abdullah disse.

Fiquei em pé bem devagar, com as correntes tilintando ao redor dos meus tornozelos. Olhei para o rosto dele e não vi nada, nenhuma expressão que eu pudesse identificar. Minha mente começou a saltar junto com o meu coração, buscando alguma rota de fuga.

— Ainda não orei — ouvi minha voz dizer. — Preciso me lavar.

Os garotos se entreolharam. Nunca poderiam discutir um preceito do islã.

— Rápido — disse Abdullah.

Arrastando os pés no caminho até o banheiro, eu percebi que haviam fechado a porta do quarto de Nigel.

Quando entrei, coloquei-me em frente à janela aberta, observando o luminoso cor-de-rosa da mesquita ao longe, tentando me fortalecer para qualquer coisa que estivesse por vir. A noite estava escura, o céu sem estrelas. Eu sentia uma brisa fraca. O pavor que eu sentia era primitivo, animais correndo para as colinas, um sino muito antigo dobrando para ordenar a evacuação do vilarejo. Eles iam me machucar, eu sabia. *Reúna suas forças,* eu disse a mim mesma. *Você precisa ser forte.*

Abdullah e Mohammed estavam esperando do lado de fora do banheiro. Seguiram-me de volta ao meu quarto, fecharam a porta e sentaram-se com as costas contra a parede enquanto eu orava. Segui os ciclos de oração da maneira mais lenta e precisa que consegui, esperando conseguir incutir-lhes a ideia de que eu era como eles. Ao terminar o último *raka'ah*, dei início à prece silenciosa, uma das orações adicionais às preces regulares, em que o fiel exalta Alá cem vezes mentalmente. Eu estava colocando algumas palavras extras em minha mente, tão lentamente quanto era capaz. *Seja forte, seja forte, seja forte, seja forte, seja forte.* Repeti aquilo mais de cem vezes.

Quando terminei, quando todas as minhas opções para ganhar tempo estavam esgotadas, eu me levantei e virei-me para encarar os garotos. Abdullah me disse para deitar no chão de bruços, como fizera dois dias antes. Com o lençol amarelo ele amarrou meus braços, logo acima dos cotovelos e abaixo dos bíceps. Meus ombros e peito se ergueram em uma posição estranha, e eu senti que eles puxavam ainda mais. Todo o meu tronco estava arqueado. Meus pés também estavam sendo puxados para cima, para trás, na direção dos meus braços amarrados. Senti que estavam amarrando um pedaço de tecido ao redor dos meus tornozelos e, de repente, uma tensão que conectava todas as partes. Foi quando eu entendi o que fizeram: minhas mãos e pés estavam amarrados, tensionados em direções opostas. Eu estava imobilizada. Meu corpo estava preso como um arco retesado. Meus músculos imediatamente começaram a gritar. Mohammed arrancou o véu da minha cabeça e amarrou-o como uma venda ao redor dos meus olhos, prendendo-o com força. Senti meus olhos latejarem instantaneamente, os nervos por trás deles castigados pela dor. Vi luzes brancas. Parecia que a minha cabeça ia estourar.

Eu estava amarrada como um animal. Meu pânico foi imediato. Não conseguiria durar um minuto assim. Não poderia durar nem mesmo um segundo. Não conseguia formar um único pensamento além da dor daquela posição, minhas costas estiradas do pescoço até a base da coluna. O lençol torcido pressionava cruelmente os meus braços e tornozelos, cortando a circulação. Meus pulmões pareciam estar comprimidos. Tinha que me esforçar para respirar, engasgando como se alguém estivesse despejando areia na minha garganta.

— Está apertado demais! — eu gritei, com a voz arrastada e estranha. — Está apertado demais!

Em algum momento, os garotos deixaram o quarto. Nenhum deles dissera qualquer palavra durante todo aquele tempo.

★

No que eles pensaram, todos juntos, sentados do lado de fora da minha porta durante aqueles primeiros minutos, aquelas primeiras horas? Conversaram? Riram? Eu nunca soube.

Estava perdida para todo mundo, enfiada em algum lugar subterrâneo, tentando erguer rochedos imaginários, tentando reunir energia suficiente para conseguir sobreviver. A dor atacava meus ombros e as costas, queimando ao longo da minha coluna. Meu pescoço estava dobrado em direção ao chão e minha cabeça era incapaz de alcançá-lo para se apoiar e aliviar um pouco do esforço. Meus pensamentos lutavam entre si. *Não consigo aguentar isso. Você tem que ser forte.*

Em algum momento, na calada da noite, ouvi a porta se abrir e o som de passos.

Tentei formar palavras, mas elas acabaram se transformando em um gemido estrangulado. Implorei à escuridão, a quem quer que estivesse ali, que me desamarrasse.

Alguma coisa pousou com força na minha região lombar, fazendo com que meus músculos se contraíssem ainda mais. Era um pé. Quem quer que fosse, estava puxando o lençol, usando o pé descalço como apoio. Senti uma nova tensão em meus ombros, minhas coxas erguendo-se ainda mais em relação ao chão. Ele só entrara para apertar os nós.

Pela manhã, eu já havia me urinado inteira, após tentar me conter o máximo que conseguira. Ouvi vozes no quarto. Sabia que eles podiam sentir o cheiro da urina. Talvez conseguissem ver uma poça que escorria por baixo do meu *abaya*. Eu não saiba o que eles estavam dizendo, mas, a princípio, pareciam estar ofendidos. Então, alguém riu. Eu tinha certeza de que estavam fazendo piadas sobre quem teria que limpar aquilo.

Mais horas se passaram. Continuei acordada e totalmente em estado de alerta, meu corpo preso como se estivesse atravessado por esporões de metal quente. Acompanhei o passar do tempo pelos chamados do muezim, entoando seu cântico em uma escala menor. As unidades de tempo se desprenderam de onde normalmente viviam e estavam flutuando ao meu redor, grandes e pequenas. Passei por outro ajuste nas minhas amarras: alguém entrou no quarto e amarrou o que parecia ser um lenço ao redor do meu pescoço, atando suas pontas no lençol que mantinha os meus braços e pernas presos, de modo que, sempre que a minha cabeça pendesse, a tensão no lenço me faria engasgar. *Eles estudaram isso*, eu pensei. *Consultaram algum manual que ensina a fazer com que uma pessoa sofra.*

Conseguira atravessar um ano de cativeiro quebrando o tempo em pedaços menores que pudessem garantir a minha sobrevivência, dizendo a mim mesma para tentar chegar até o dia seguinte. Quando um dia parecia ser longo demais, eu dizia a mim mesma para conseguir aguentar até a próxima oração, ou até a próxima hora. Agora, perdida na cacofonia da minha mente, eu tinha que me esforçar simplesmente para conseguir respirar outra vez.

A dor no meu corpo começou a se mesclar, engolfando-me como se fosse uma estrela rodopiante, pulsante. Cotovelos, costas, pescoço, joelhos — todos perderam sua distinção. Eu sentia a dor a cada segundo. Nunca conseguia ignorá-la.

Mas havia alguma coisa acontecendo, também. Algum pequeno compartimento se abriu na minha mente, como um poleiro. Se eu conseguisse me manter firme o suficiente, poderia descansar ali. Seria capaz de observar a dor com mais tranquilidade. Ainda a sentia, mas podia senti-la sem precisar me debater, sem a sensação de que eu estava me afogando nela. Quando eu não me debatia, o tempo passava mais tranquilamente. Embora houvesse descoberto como me equilibrar naquele poleiro, só durava alguns minutos de cada vez. A dor no meu corpo sempre voltava a me atacar, fazendo meu cérebro gritar outra vez.

Vez por outra, uma voz surgia no meio dos meus pensamentos — a mesma voz reconfortante que sempre parecia oferecer bons conselhos, dizendo-me que eu ficaria bem. Desta vez, embora eu a ouvisse, não conseguia acreditar nela. Eu estava desejando que meus captores me matassem para fazer com que a dor sumisse.

Jamal se aproximou em um determinado momento e tirou a minha venda e o lenço que prendia o meu pescoço. A luz inundou meus olhos. Implorei a ele que me ajudasse, mas ele apenas me lançou um olhar frio em resposta.

— Lamento — disse-me, finalmente, com a voz sem qualquer traço de emoção. Parecia claro que ele não estava se desculpando pelos seus atos. Lamentava o fato de que eu estava nessa situação, e só.

Eles vinham e voltavam. Mexiam nas cordas. Colocavam a venda em mim e depois a tiravam. Quando eu gritei pedindo ajuda, enfiaram uma meia na minha boca, forçando-me a respirar pelo nariz. Devo ter perdido a consciência, pois, quando despertei, Skids estava à minha frente, apoiado sobre as mãos e os joelhos, observando meu rosto atentamente — verificando se eu estava viva. Duas vezes, naquele segundo dia, eles me viraram de costas, com o corpo por cima dos braços e pernas amarrados, o que fez com que o meu sangue fluísse para as todas as partes de mim que estavam entorpecidas. A sensação era excruciante, uma torrente de circulação que parecia ser feita de agulhas pontiagudas, mas que deu aos meus braços e pernas alguns momentos de alívio. Mesmo assim, a cada vez que me colocavam novamente de bruços, a dor parecia ficar pior do que antes.

A voz tranquila tentava me dizer coisas, mas eu discutia com ela agora.

Respire, dizia.

Não consigo.

Você vai ficar bem.

Não. Vou morrer.

Você não vai morrer. Continue respirando.

Estou morrendo.

Não, não está.

Já estávamos no período da tarde outra vez. Ou, pelo menos, era o que eu pensava. Mohammed e Abdullah entraram e me chutaram nas costelas, enquanto meus gritos eram sufocados pela meia. Fui jogada de um lado para o outro nas ondas provocadas pelo meu pânico, minha mente vacilando pela exaustão. Eu sabia que morreria naquele quarto. A dor era vívida a ponto de ser elétrica, elétrica a ponto de ser como um relâmpago atingindo a água. Eu não conseguia escapar.

Até que senti uma força chicotear por dentro de mim como se fosse um vento forte. Era como se eu estivesse sendo tomada por alguma coisa, agarrada, puxada para cima. A dor desapareceu. Senti um alívio bizarro, desincorporado. Nada doía. Eu estava solta, como um pequeno fragmento de um dente-de-leão pairando sobre uma coluna de ar. Eu era uma observadora, puramente uma observadora, uma consciência sem um corpo. Talvez eu houvesse morrido. Não tinha certeza. Estava no alto de um dos cantos do quarto, olhando para o que havia abaixo.

De cima, eu conseguia ver dois homens e uma mulher no chão. A mulher estava amarrada feito um animal e os homens a estavam machucando, desferindo golpes em seu corpo. Eu conhecia todos eles, mas, ao mesmo tempo, todos eram estranhos. Reconheci a mim mesma ali embaixo, mas não sentia nenhuma conexão com a mulher ou com os homens no quarto. Atravessei um limiar que nunca conseguiria compreender. A sensação era, ao mesmo tempo, profundamente pacífica e extremamente triste.

O que eu vi eram três pessoas sofrendo, a torturada e os torturadores juntos.

★

No final do terceiro dia, cerca de quarenta e oito horas depois de aquilo começar, eles me desamarraram. Não sei quem afrouxou os nós ou se qualquer coisa foi dita. Caí para a frente no chão. A venda foi retirada. A mordaça saiu da minha boca. Alguém fez meu corpo rolar. Pegaram-me pelos braços e pernas e jogaram-me com força contra o colchão. O sol já havia se posto e a casa estava às escuras. Eu podia ver Mohammed me chutando várias e várias vezes, mas não conseguia sentir. Estavam gritando comigo. Eu apertei os olhos para tentar enxergá-los por entre as lágrimas ressecadas. As palavras pareciam brotar de suas bocas em câmera lenta. Sentia que estava encharcada de suor. Meus braços pareciam ser duas coisas mortas, um de cada lado do corpo.

Jamal estava acima de mim. Segurava uma garrafa de água. Abri a boca, e uma curva de água limpa foi despejada sobre ela. Jamal derrubou metade da garrafa pela minha garganta, e o líquido fez com que eu cuspisse e engasgasse, até conseguir me sentar sobre o colchão. Jamal segurava alguma coisa diferente perto de mim — um papel e uma caneta.

— Pegue, pegue — dizia ele. Queriam que eu escrevesse alguma coisa. Meus dedos não conseguiam segurar a caneta. Minhas mãos eram inúteis. Olhei-as à luz das lanternas dos garotos e vi que elas tinham um tom acinzentado horrível.

Abdullah estava ditando palavras para um telefonema:

— Hoje tudo mudou. Diga à sua mãe. Tudo mudou.

Eu não conseguia absorver o que eles queriam que eu dissesse. Estava sentindo muita dor.

Consegui ouvir o estalido de um telefone com o viva-voz ativado que foi trazido até o quarto. Skids ergueu-o contra o meu rosto. Mohammed chutou uma das minhas pernas mortas. A linha estalava com a estática, mas minha mãe estava do outro lado.

— Amanda? Alô? Alô? Alô? — dizia ela.

— Mamãe.

— Amanda...

— Mamãe — eu disse, com a cabeça exausta demais para conseguir dizer qualquer outra coisa, minha necessidade de senti-la comigo maior do que jamais fora. — Mamãe, mamãe, mamãe... mamãe... mamãe... mamãe... por favor.

42

O Pássaro

No final, eu disse praticamente tudo o que eles queriam que dissesse à minha mãe, embora formar as palavras já fosse, por si só, um esforço. Eu disse, conforme eles me instruíram: "Tudo mudou", e disse com convicção. Disse a ela que fora amarrada e torturada. Disse a ela que não conseguiria aguentar nem mais um dia.

Ela me disse que ofereceram meio milhão de dólares a Adam, mas ele não aceitara. Nós duas choramos durante toda a duração do telefonema. Parecia ser um adeus.

Quando o telefonema terminou, Skids e os garotos saíram do meu quarto em fila, deixando-me sozinha no colchão com a metade que sobrara da garrafa de água. Pouco antes de sair, Abdullah voltou a olhar para mim.

— Amanhã nós faremos de novo com você — disse ele. — Todos os dias, até que a sua mãe pague o dinheiro, faremos de novo.

Ele deixou o quarto. As palavras pareciam ser blocos de concreto. Não era o fim da tortura. Era somente um intervalo entre as sessões.

Eles voltariam. E fariam tudo outra vez.

Senti uma escuridão se aproximar de mim. Foi nesse momento que entendi o que significava perder toda a esperança. Desesperar. Não sentir qualquer traço de fé em nada. Eles me amarrariam outra vez.

Deitei-me rígida no colchão conforme o sangue voltava a fluir por entre as minhas articulações com uma intensidade dolorosa. Minha mente continuava fixa em uma ideia: eles fariam tudo de novo. Não parariam. Continuariam insistindo nessa ideia impossível de que nossas famílias tinham milhões de dólares para pagar. Continuariam com aquilo por uma eternidade, porque, para eles, o tempo não importava. O tempo que passavam na terra era apenas o tempo que passavam esperando sua chance de alcançar o paraíso.

Haviam descoberto uma maneira de me destruir sem me extinguir totalmente. Eles me manteriam viva até conseguirem o dinheiro.

Ouvi um som surgir de dentro dos meus pulmões, um soluço longo e lamentoso, mais animal do que humano.

Isso era a minha vida? Era, sim.

Eu estava acabada.

Seria melhor morrer.

Foi o pensamento mais calmo que surgiu em minha mente em muito tempo.

★

Minha lâmina de barbear, o instrumento que meus captores me deram alguns meses antes para depilar meus pelos púbicos, estava enferrujada pela umidade, com o fio da lâmina tingido pelo óxido alaranjado. Mas ainda era capaz de cortar. Eu sabia porque ainda a utilizava. Guardava a lâmina em sua bainha de papel entre meus objetos de higiene, a pequena fortaleza de frascos que estava alinhada ao lado do meu colchão. Com um pouco de pressão na lâmina, eu tinha certeza de que conseguiria cortar os pulsos.

No escuro, eu continuei deitada, esperando que a sensibilidade voltasse às minhas mãos. Flexionava e estendia os dedos, sentindo que voltavam a funcionar lentamente. Planejei como faria aquilo. Percebi que tudo o que eu precisaria fazer seria golpear meu braço com força e depois rasgar a veia com a lâmina, primeiro a direita e depois a esquerda. Imaginei que não levaria mais do que vinte minutos entre o início e o fim. Com alguma satisfação, imaginei os garotos entrando e me encontrando quase morta, incapazes de me salvar. Sentia prazer ao pensar que poderia observá-los vendo sua fortuna desaparecer enquanto eu morria.

Decidi esperar até o começo da manhã para executar meu plano.

Passara horas, muitas horas, durante todo aquele ano, sendo dura comigo mesma. Repreendera a mim mesma pela vida que levara, por todas as coisas autoindulgentes que fizera. Censurei-me por ter entrado estupidamente na Somália, por ter ambições vazias, por acreditar que eu era invencível. Estava furiosa comigo mesma por nunca dizer à minha mãe que a perdoava pela feiura da minha infância. Arrependia-me dos anos que passara odiando o meu corpo, forçando-me a passar fome para continuar a ser magra. Quisera outra chance para fazer tudo aquilo de uma maneira melhor, mas agora eu aceitava que essa chance não chegaria.

Com essa aceitação, eu senti algo diferente, reconfortante. Uma paz, uma sensação de que meus arrependimentos estavam desaparecendo, uma maré baixa recuando no oceano para deixar exposta uma faixa de areia numa praia reluzente.

Eu vivera uma vida? Sim. Vira o mundo? Sim. Fizera coisas. Amara pessoas. Vira a beleza. Tivera sorte. Estava grata por tudo.

Quando o primeiro raio fino de luz entrou pelas frestas da janela, eu pensei em cada uma das pessoas, entre familiares e amigos, das quais sentiria saudades quando estivesse morta. Sentia-me muito mais triste por Nigel, por deixá-lo sozinho no meio da Somália. Na minha mente, pedi perdão a ele e a todas as pessoas por não tentar viver por mais tempo. Enviei meu amor e esperei que, de alguma forma, aquilo se erguesse do lugar onde estava o meu colchão, por sobre oceanos e continentes, até onde cada um deles estivesse. Chorei um pouco, mas sentia-me preparada. A hora chegara.

O que eu queria era morrer rapidamente. Podia ouvir, um pouco além da minha porta, o som dos garotos dormindo na área da recepção — os suspiros e fungadas ocasionais durante o sono. Eu sabia que o muezim provavelmente estaria se levantando da sua cama agora, andando a passos lentos rumo à mesquita com seu letreiro de néon cor-de-rosa para fazer o primeiro chamado da manhã. As manhãs, para mim, sempre foram a parte mais difícil do dia, os momentos sonolentos em que o sonho se separava da realidade, quando eu despertava o bastante para perceber as correntes ao redor dos meus tornozelos. Às vezes, eu as tocava para confirmar que eram reais.

Busquei a lâmina de barbear, e, quando ela estava na minha mão, voltei a me deitar, esperando mais um minuto para fazer o primeiro corte.

Então, acabou, eu pensei.

Mas, antes de fazer qualquer movimento, senti uma sensação curiosa e cálida se espalhando do topo da minha cabeça para o resto do meu corpo, como se um líquido estivesse sendo despejado sobre mim. Aquilo me relaxou completamente, fazendo com que eu me sentisse como se estivesse me mesclando ao colchão. Não sentia qualquer dor. Sentia como se estivesse me unindo a algo maior, conectando-me a uma nova fonte de força. Imagens passavam pela minha mente — praias, topos de montanhas, a rua onde eu morara com minha mãe e meu pai durante os primeiros seis anos da minha vida — quase como se eu estivesse sendo levada em uma viagem à velocidade da luz. A clareza das imagens era assustadora. Senti um forte desejo de ver tudo aquilo outra vez, de fazer parte daqueles lugares.

Alguma coisa se moveu no vão da porta. O sol da manhã, ao brilhar por uma janela na área da recepção, iluminou um quadrado pálido no chão do meu quarto, que, não fosse por isso, estaria escuro. No meio do quadrado havia um pequeno pássaro marrom, parecido com uma andorinha, pulando de um lado para o outro no chão sujo, inclinando a cabeça e bicando o solo. O pássaro olhou para cima e pareceu estudar o quarto e a mim, dentro daquele ambiente. Um momento mais tarde, ele se levantou no ar e, com um bater de asas e penas, desapareceu — voando pela porta, de volta à área da recepção e rumo ao céu.

Eu não via um pássaro havia mais de um ano. Sempre acreditara em sinais — em amuletos e talismãs, em mensageiros, presságios e anjos —, e agora, no momento mais crucial, eu recebera um.

Eu viveria e voltaria para casa. Não importava o que viesse a seguir ou as coisas pelas quais tivesse que passar. Eu conseguiria sobreviver. Acreditei nisso com uma certeza que não sentia desde o início.

43

Um Caderno e Uma Promessa

O Ramadã terminou. Nossos captores mataram um cabrito, comeram-no e nos levaram para outro lugar, uma casa bem no interior do país, longe de Kismayo e do litoral, em algum lugar no meio do caminho de volta para Mogadíscio. Eu a chamei de Casa dos Arbustos. Tinha um quintal enorme de areia com duas caminhonetes quebradas enferrujando em um dos cantos e um muro alto de pedras que cercava o lugar inteiro. Uma fileira de árvores maltratadas crescia do outro lado.

Skids e os garotos não voltaram para me amarrar no dia seguinte. As abrasões ao redor dos meus cotovelos e tornozelos lentamente começaram a sarar. Alguns dias depois de eu ser desamarrada, Skids jogou uma sacola plástica para dentro do meu quarto. Dentro dela havia dois novos vestidos cuidadosamente dobrados, feitos de algodão fino, com estampas florais vibrantes. Eram um presente, um reconhecimento de que eu havia sofrido.

Percebi que havia uma sensação generalizada e perene de culpa entre os meus captores devido ao que acontecera. Hassam e Jamal me evitaram completamente por vários dias. Os outros se concentraram nos novos vestidos — pedindo-me que os experimentasse, elogiando-me quando eu o fazia, dizendo-me que eu parecia uma mulher somaliana. Na verdade, o tecido era fino demais para ser confortável. Sentia-me exposta naqueles vestidos e nunca os usava por muito tempo, preferindo o *abaya* vermelho e pesado. Abdullah veio ao meu quarto certo dia e me deu um pequeno tubo plástico de loção perfumada para o corpo, dizendo-me orgulhosamente que pagara pelo produto com seu próprio dinheiro.

— Veio da Alemanha — afirmou. Parecia ser o seu modo de suavizar a própria culpa. Eu abri o tubo e o cheirei, mas nunca o apliquei no meu corpo.

Romeu não estivera presente na casa durante os dias em que eu fora amarrada. Quando eu lhe contei o que acontecera, ele fingiu estar surpreso, mas, pela expressão no rosto dele, eu soube que tinha plena consciência daquilo. Ele podia até mesmo ter sido o responsável por dar aquela ordem. Conforme as semanas se passavam, ele ficara cada vez mais moroso. Pelo que me havia dito, Alá não quisera que ele fosse à universidade em Nova York. A data do seu embarque veio e passou. Seu destino era permanecer comigo, com Nigel, os garotos e Skids, e continuar esperando.

Passamos cerca de seis semanas na Casa dos Arbustos. Tempo suficiente para que, pela janela do banheiro, eu fosse capaz de ver um mar de hastes verdes de trigo brotarem e crescerem no quintal, engolindo as duas caminhonetes. Estava chovendo outra vez, o início de outra estação.

Romeu se atirou de cabeça na tarefa de me ensinar a recitar o Alcorão. Ele me trazia o exemplar de Nigel para estudar, deixando-o comigo durante a noite. Começando pelo final do livro, onde os capítulos eram mais curtos, eu aprendi os versos, geralmente cinco ou seis de cada vez, lentamente assimilando os trechos mais longos, até ser capaz de entoar trinta linhas de cada vez num árabe sofrível. Eu acompanhava a parte em inglês, tentando entender o que estava recitando. *Deus é a Luz dos céus e da terra. O exemplo da Sua Luz é como o de um nicho em que há uma candeia; esta está num recipiente; e este é como uma estrela brilhante...*

Às vezes, Romeu ria da minha pronúncia. De vez em quando, aplicava-me um tapa se eu dissesse algo errado. Mas, outras vezes, eu conseguia um bom resultado e ele ficava orgulhoso.

Ele chamava os garotos ao meu quarto para que eu pudesse recitar para eles, como se eu fosse um canário que ele se orgulhava de possuir.

— Estão vendo? — dizia Romeu aos garotos, como se quisesse provar alguma coisa. — Amina é uma boa muçulmana.

Esse sempre parecia ser o ponto central do debate.

O Alcorão viajava regularmente do quarto de Nigel para o meu e depois voltava, junto com um livro de capa dura com o *hadith*. Eu tinha permissão para me sentar no colchão enquanto os lia. Quando Romeu não estava por perto, Hassam vinha para dar minhas lições. Parecia estar arrependido pelo que acontecera e esforçava-se para verificar se eu estava bem, trazendo-me comprimidos de ibuprofeno e esgueirando-se para dentro do meu quarto de vez em quando com uma xícara extra de chá. Também permitiu que eu tivesse acesso a dois dos livros que haviam chegado meses antes no pacote de suprimentos, passando-os às escondidas para mim por algumas horas a cada vez. Para ajudar com meus estudos do Alcorão, ele me trouxe uma caneta, um lápis e um caderno fino sem pautas com capa de cor verde-hortelã, com o logotipo da UNICEF estampado na frente.

Ao perceber o caderno em meu quarto, certa tarde, Abdullah o arrancou das minhas mãos e o agitou em frente ao meu rosto.

— Você sabe o que é isto? — disse ele, numa voz enraivecida. Estava apontando para o logotipo — a figura de uma mãe de perfil, segurando uma criança contra um plano de fundo onde havia um globo.

Eu disse:

— UNICEF?

O dedo se moveu da mãe para a criança. Ele me olhou enfaticamente.

— Muito ruim.

Abdullah levou o caderno embora, deixando-me abatida. Até o momento, eu só o havia utilizado para anotar algumas perguntas que queria fazer a Romeu ou Hassam sobre o Alcorão, mas ele era importante para mim — o branco leitoso das páginas, a liberdade de expressar até mesmo uma questão simples com tinta. Cerca de vinte minutos depois, Abdullah retornou, jogando o caderno no chão com desdém. Havia pegado uma caneta preta e fizera enormes rabiscos pretos sobre a mãe e a criança, seguindo a regra do profeta de que nenhuma das criações de Alá fosse retratada em obras de arte. Agora o caderno estava pronto para ser usado.

Passei horas olhando para aquele caderno, desafiando a mim mesma a registrar qualquer pensamento real em suas folhas, preocupada com a possibilidade de que Romeu — o único que era capaz de ler em inglês — pedisse para vê-lo.

Nesse meio-tempo, percebi que Nigel usara um lápis para sublinhar alguns dos versos em inglês do seu Alcorão. Em uma página em branco no final do livro, ele fizera algumas anotações — uma listagem simples de números de páginas, marcando os versos que eu imaginava que ele quisesse analisar mais a fundo. O que ele sublinhara era relativo a prisioneiros, leis e comportamento. Parecia que Nigel, como eu, estava usando o Alcorão para exigir um tratamento mais humano.

Decidi tentar uma coisa. Folheei o livro, passando rapidamente pelos trechos em inglês, procurando palavras individuais com as quais pudesse montar uma mensagem. Quando encontrava uma, eu sublinhava todo o trecho ao redor da palavra com o lápis, mas, sob a palavra que eu queria que ele notasse, fazia uma linha mais firme e destacada, quase como se estivesse desenhando uma seta em sua direção. Escolhia uma palavra, depois outra, depois outra e, posteriormente, no final do livro, ao lado das anotações de Nigel, listei ordenadamente as páginas onde elas poderiam ser encontradas. Naquela tarde, eu disse a Hassam que já havia concluído meu estudo do Alcorão. Observei-o sair pela porta com o livro, confiando que ele entregaria o exemplar para Nigel.

A mensagem que enviei era mais ou menos assim: *Eu / amo / você / minha / mãe / diz / eles / têm / meio / milhão.*

No dia seguinte, quando recebi o Alcorão de volta, esperei até estar sozinha e fui direto até o final do livro. Nigel anotara uma nova sequência de números de páginas. Com o coração aos pulos, eu folheei rapidamente as páginas correspondentes, buscando as referências.

Ele entendera o código e respondera: *Eu / quero / casa / eu / detesto / homens.*

★

Durante as semanas que passamos na Casa dos Arbustos, começamos a receber indícios conflitantes sobre o que estava ocorrendo em nossos países, se as negociações estavam progredindo ou não. Nigel teve permissão para fazer alguns rápidos telefonemas, embora fosse obrigado a seguir um roteiro. Ouvi fragmentos de uma conversa dele com sua irmã Nicky, na qual ela disse que a família vendera duas casas e alguns dos seus carros.

Um dia, Romeu entrou no meu quarto, seguido por todos os garotos, e disse:

— Há uma chance. Sua mãe tem 500 mil dólares, e se ela pagar amanhã nós aceitaremos. — Acrescentou: — Ela só pode pagar por você, não pelo Nigel. A família dele tem dinheiro, e ela é pobre. Mas ela decide hoje se salvará você.

Momentos mais tarde, o telefone dele tocou — uma chamada sendo transferida por Adam, com minha mãe na linha.

— Faça-a entender que você tem apenas esta chance — Romeu disse. Gesticulou em direção aos garotos, imponentes com as armas em punho, e encolheu os ombros. — Depois disso, não sei dizer o que eles farão com você.

Com Romeu segurando o telefone diante do meu rosto, repeti sua mensagem. Implorei à minha mãe que me tirasse dali, mesmo que isso significasse me tirar sozinha. Dizer aquelas palavras me arrasou. Eu sabia que Nigel seria capaz de ouvir partes da conversa. Esperava que ele compreendesse que era só mais uma manipulação: Romeu estava tentando determinar quanto dinheiro minha família tinha. Mas minha mãe foi firme. As famílias estavam trabalhando juntas, ela disse. Tinham 500 mil dólares para pagar por nós dois. Não havia nada mais que pudessem oferecer.

Romeu deixou a casa e foi substituído durante alguns dias por Ahmed, que chegou em seu carro, com a barba feita e usando roupas urbanas: uma camisa polo e calças sociais vincadas. Trouxe uma nova pergunta que serviria como prova de que eu estava viva — *Qual é a cor favorita do seu pai?* — e não escondeu o seu desgosto ao perceber a miséria em que todos na casa estavam vivendo. Ao ver que meus pés estavam inchados e marcados pelas cicatrizes das picadas de mosquitos, ele ordenou aos garotos que pendurassem o mosquiteiro sobre o meu colchão. A tela estava entre meus pertences havia muito tempo, mas eu não tivera permissão para usá-la desde a época em que tentáramos escapar, nove meses antes.

Não era realmente um ato de boa vontade da parte de Ahmed; na verdade, aquilo lhe dava garantias de que eu não ficaria doente e morreria sob a guarda dele. Skids fora acometido pela malária e estava passando seus dias encolhido ao redor de si mesmo no chão. Para chegar ao banheiro, eu tinha que passar ao lado de onde ele estava deitado, delirando de febre no piso da sala principal da casa. Parecia estar corcunda e amedrontado, a cabeça calva brilhando com o suor. Desejei que ele morresse.

— Verde-bandeira — eu disse a Ahmed. A cor preferida do meu pai.

Perguntei se Ahmed poderia me dar alguma informação sobre o progresso das negociações ou se poderíamos ir para casa em breve. Ele balançou a cabeça vigorosamente e passou notícias inquietantes. Disse que o grupo não conseguira chegar a um acordo com nossas famílias e que estava negociando um acordo para nos vender à Al-Shabaab. A Shabaab, por sua vez, nos venderia de volta às nossas famílias.

Ele me passou algumas páginas de papel e uma caneta. Mandou que eu escrevesse uma declaração para ele e referiu-se ao documento como "a

Promessa". Nela, deveria declarar que, onde quer que eu fosse parar, continuaria fiel ao islã e promoveria a fé. Se fosse libertada, teria que encontrar uma maneira de enviar a ele meio milhão de dólares que seriam usados para financiar a *jihad*. Ele queria que eu descrevesse exatamente como conseguiria o dinheiro. Pensei no caso por um minuto e escrevi que montaria um *website* focado na *jihad* com fins lucrativos, e escreveria um livro promovendo o islã para as mulheres. Sabendo o quanto ele amava documentos, usei várias palavras difíceis para dar um tom oficial à carta, tais como "destarte" e "outrossim", se isso pudesse nos favorecer mais tarde.

Ao final, coloquei uma assinatura: Amina Lindhout.

Ahmed leu todo o texto cuidadosamente e disse que estava bom. Antes de sair, ele emendou:

— *Inshallah*, sua situação vai melhorar logo.

Não acreditei nele nem por um segundo. Se concluíssem a negociação com a Al-Shabaab, eu não ficaria melhor. Na verdade, tive a certeza de que as coisas estavam prestes a piorar.

★

Decidi arriscar, finalmente, e escrevi algo pessoal no caderno da UNICEF. Já vivia com o caderno havia cerca de um mês. Ele se tornara uma tentação à qual eu não era mais capaz de resistir. Ter as ferramentas para escrever e não usá-las era como me sentar diante de uma refeição e não comê-la, embora estivesse morta de fome.

Assim, certo dia, eu o fiz. Sentei-me no colchão com o caderno. Abri suas páginas e coloquei-o à minha frente, pronta para escondê-lo se alguém entrasse no quarto. Armei a rede azul de proteção contra os mosquitos ao meu redor como se fosse uma cortina. Em seguida, anotei uma frase, tomando o cuidado de escrever com a letra tão pequena que, se algum dos meus captores a visse, não seria capaz de lê-la. Minhas palavras, conforme se acumulavam, pareciam se transformar no texto escrito por um lunático, como cordões enfeitados com pérolas minúsculas cobrindo a página.

Escrevi o que desejava como se fosse uma carta para a minha mãe, um monólogo endereçado a ela. Contei-lhe sobre os meus dias. Descrevi como passava o tempo, escapando dentro da minha mente, e como, se precisasse usar o banheiro, tinha de bater uma garrafa vazia de plástico contra o chão para que meus sequestradores dessem permissão. Escrevi sobre passar fome e estar sozinha, e sobre os arrependimentos que se acumulavam ao redor da minha mente a cada dia, pedindo para serem reavaliados. As duas coisas que eu fiz questão de não mencionar foram a religião e os abusos que sofrera nas mãos dos meus captores. Eu sabia que essas informações, mais do que qualquer outra coisa, seriam motivos para me castigar, caso fossem encontradas.

Escrever parecia ser um ato de rebeldia, uma válvula de escape, uma veia escancarada. Eu deixava o caderno guardado embaixo do meu colchão e escrevia nele quase todos os dias, geralmente quando os garotos ficavam vadiando no torpor habitual do meio da tarde, sempre com o Alcorão ou o livro do *hadith* aberto sobre o colo para fingir que estava estudando. A culpa fluía para fora de mim, velhas memórias disparando à queima-roupa. Eu escrevi sobre como, havia alguns anos, durante minhas primeiras tentativas de trabalhar como jornalista, eu visitara uma enorme prisão nos arredores de Cabul e a ocasião em que, na ala das mulheres, conhecera uma mulher sudanesa que fora presa e sentenciada a oito anos de prisão por tentar contrabandear heroína. Ela dividia uma cela com cinco outras mulheres. Durante a visita, eu percebera que a cela em que elas estavam presas era limpa e que tinham seu próprio banheiro, ainda que fosse pequeno. Lembrava-me de pensar: *Bom, até que não é tão ruim.*

A mulher sudanesa era corpulenta e usava um vestido florido. Tinha os cabelos trançados rentes ao couro cabeludo em fileiras, e seus olhos me deram a impressão de serem tristes e vazios. Era a única detenta naquela cela que falava inglês. Ela conversara comigo com uma sensação de urgência, desesperadamente, como se contar sua história pudesse ajudá-la a ser libertada mais rapidamente.

— Eu lamento o que fiz — dissera ela. — Quero ir para casa.

Minha resposta fora algo do qual eu me arrependia profundamente agora, as palavras de uma mulher jovem que não sabia de nada, que não entendia nada. Eu dissera algo como:

— Sim, mas essas são as consequências do crime que você cometeu.

Não lhe ofereci nenhum consolo. Simplesmente a constrangi. Aquela lembrança ardia dolorosamente na minha mente.

Para a minha mãe, no diário, eu escrevi: "Às vezes, eu me apanho pensando se isso aconteceu comigo por ser uma pessoa muito imprudente". Também escrevi aquilo que parecia ser o início de uma promessa maior: "Pergunto a mim mesma, quando estiver livre outra vez, como posso ajudar as pessoas oprimidas. Tenho um débito com o mundo inteiro: fazer algo importante com a minha vida".

★

Nossa próxima casa ficava em meio a um vilarejo de barracos. Eu conseguia entender o suficiente da conversa entre os garotos para saber que estávamos perto dos arredores de Mogadíscio. Skids, os garotos e Nigel ficavam em uma casa suja de concreto, enquanto eu fui colocada em um quarto de despejo sem janelas, que, a julgar pelas fezes que cobriam o chão, fora usado havia pouco tempo para abrigar cabras e bodes.

O fato de nos mudarmos para mais perto da capital poderia ter me dado esperanças — mais perto, mesmo que apenas um pouco, de um mundo que eu era capaz de reconhecer. Em um estado mental diferente, eu poderia ter imaginado o Aeroporto de Mogadíscio — o lugar onde Nigel e eu pousáramos havia dois verões, empolgados pelo primeiro vislumbre que tivéramos do litoral dourado da Somália e a cidade inexplorada de prédios baixos mais adiante. Eu poderia ter prestado atenção no som dos aviões que voavam acima da minha cabeça e tentado calcular a distância entre eu e a pista do aeroporto, como Nigel e eu fizéramos tão cuidadosamente antes de escaparmos. Mas não fiz nada daquilo. Não conseguia nem sonhar que estava livre dos grilhões ao redor dos meus tornozelos, fora dos muros que cercavam a casa onde estávamos e dentro de um carro guiado por alguém — qualquer pessoa — que não sentisse medo ou ódio de mim, que me levasse até um avião à minha espera.

Para me desanimar ainda mais, Skids acabou se recuperando totalmente da malária, embora as marcas que a doença deixou em seu corpo fossem evidentes. Não se parecia mais com um capitão de milícia, mas sim com uma viúva encarquilhada. O grupo inteiro parecia estar maltratado. Hassam, que sempre tivera a compleição física pequena, parecia estar raquítico, engolido pelas próprias roupas. Romeu não morava mais conosco. Viera para uma última visita quando estávamos na Casa dos Arbustos, depois de abandonar todas as discussões sobre a faculdade e o casamento. Falara somente sobre o acordo com a Al-Shabaab. Se fosse concluída, a transação permitiria que seu grupo pagasse suas dívidas e conseguisse um pequeno lucro. Havia novos homens, de acordo com ele, que mal podiam esperar para nos ter em suas mãos.

De acordo com Romeu, a Al-Shabaab tinha dinheiro suficiente para nos manter vivos e esperar pelo pagamento total do resgate. Poderiam nos manter em cativeiro por dez anos ou mais, de acordo com ele.

— Não podemos mais aguentar essa situação, Amina — disse Romeu, dando de ombros. — Lamento pela sua sorte.

★

Certa noite, pouco depois da oração das seis da tarde, a porta do depósito onde eu era mantida foi aberta, revelando Skids, Abdullah e Mohammed. Os três estavam com o rosto coberto por lenços. Empunhavam suas armas. Meu coração se agitou. Eu sabia que a hora havia chegado. Um dia antes, mais ou menos, Hassam me dera um pedaço de papel que continha o seu endereço de e-mail. "Hassam123" era o nome do usuário.

— Talvez, algum dia, *Inshallah*, você me escreva — dissera ele.

Skids fez com que eu entrasse na casa, a passos trôpegos, onde recebi um novo *abaya* — uma peça grossa de cetim cinza — para vestir por cima do meu jeans. Em seguida, indicou com um gesto que eu deveria voltar para fora, em direção a uma minivan que estava estacionada na frente da casa. Quando cheguei ao carro, ele fez um gesto para que eu me sentasse no asfalto. Abdullah trouxe um pequeno arco de serra e começou a cortar os aros dos dois cadeados que prendiam as correntes aos meus tornozelos. Serrava sem dizer qualquer palavra, passando de uma perna para a outra, o suor escorrendo pelo seu rosto e caindo sobre meus pés, os elos das correntes torcendo-se e raspando na minha pele com força suficiente para causar hematomas. Evidentemente, haviam perdido as chaves.

A serra arranhava o meu tornozelo enquanto Abdullah trabalhava. Todos à nossa volta estavam tensos. Eu ouvia telefones celulares tocando. Meus captores entravam e saíam da casa, impelidos por uma urgência que eu não entendia. Skids olhava impacientemente para as minhas pernas, acompanhando o progresso de Abdullah com a serra. Após algum tempo, Jamal saiu, com a cabeça também envolta em um lenço, e assumiu o lugar de Abdullah, dizendo para eu me sentar no banco traseiro do carro com a porta aberta para que ele pudesse ter um apoio melhor. Um dos cadeados caiu. Meu tornozelo estava tão entorpecido que eu não senti nenhuma diferença.

Quando Jamal começou a trabalhar na fenda que Abdullah deixara no segundo cadeado, Nigel surgiu de dentro da casa, mancando e vindo na minha direção. Suas correntes haviam sido removidas. Estava usando uma camisa limpa e jeans novos e andando desajeitadamente. Seu olhar estava fixo no chão. Quando meu outro pé foi libertado, ele foi empurrado para dentro do carro, pela porta do lado oposto.

Imaginei que as roupas novas e a remoção das correntes representavam uma tentativa de maquiar a mercadoria antes que nos passassem para a Al-Shabaab, para mostrar que valíamos o dinheiro que estavam pagando por nós. Quase todos os garotos se empilharam dentro do veículo, e Skids sentou-se ao volante. Ahmed, pelo que pude ver, estava seguindo na frente em outro carro. Começamos outro percurso serpenteante pelo deserto. Nigel e eu não trocamos nenhuma palavra. Discretamente, comecei a chorar. O sol estava se pondo, e eu me lembro de que toda a terra estava tingida por um tom arroxeado. Lembro-me de sentir meu estômago se revirar de medo.

Em algum lugar indistinguível, uma trilha de areia sem qualquer característica especial, nós estacionamos. Nigel e eu fomos colocados rapidamente em outro carro, onde havia dois homens somalianos que nunca víramos antes. Ahmed bateu com o dedo na minha janela três vezes, indicando que eu devia baixá-la. Quando eu o fiz, ele se curvou para olhar para mim.

— Não se esqueça da Promessa — disse.

Romeu também apareceu com o Alcorão de Nigel, entregando-lhe o livro pela janela.

E, em seguida, o novo carro partiu — eu, Nigel e os dois estranhos silenciosos —, disparando por entre a escuridão antes que qualquer pessoa pudesse dizer uma palavra. Nigel e eu ficamos de mãos dadas, escondendo nosso toque por baixo das dobras do meu novo *abaya* folgado. Ele manteve a outra mão pousada sobre o Alcorão em seu colo.

Fôramos entregues à Al-Shabaab, eu tinha certeza. Sentia como se estivesse caindo pelo espaço, como se houvesse dado um passo além da beirada do alto de um arranha-céu e despencasse em queda livre, sem nenhum apoio onde pudesse me agarrar, minha mente incapaz de se concentrar em um único pensamento. Eu caía, caía, caía, tão rápido que podia sentir o ar raspar contra a minha pele, tão rápido que tudo ficou negro, até que o carro freou subitamente e nós fomos puxados para fora, puxados para a noite. Mais de quarenta homens armados nos cercavam no escuro, gritando e acenando, a maioria deles escondida por trás de lenços. Senti o choque, a exaustão. Tudo estava acontecendo de novo. Agarrei-me à porta do carro enquanto alguns dos homens me puxavam pelas pernas, tentando me arrancar do veículo. Fazia dez meses desde a última vez que dera um passo sem que minhas pernas estivessem presas por correntes. Tropecei e caí quando me empurraram em direção a outro carro, uma *minivan* com os faróis ligados que estava estacionada ao lado da estrada. Homens gritavam, faziam algazarra e apontavam suas armas para nós. Eu estava chorando, gritando palavras que não reconhecia, estapeando as mãos de qualquer pessoa que tentasse se aproximar de mim. Fui empurrada para o banco traseiro da *minivan*. Nigel, que também tentara resistir, fora enfiado no carro antes de mim.

— Não acredito que isso está acontecendo! — eu dizia. — Não acredito que isso está acontecendo!

Ao meu lado, Nigel parecia estar em pânico.

As portas do carro se fecharam com um estrondo. Estávamos cercados por um novo grupo de homens — dois nos assentos dianteiros e um no traseiro. Percebi um odor muito sutil do qual eu havia me esquecido um bom tempo atrás: fumaça de cigarro. Alguém naquele carro era fumante. Nos recessos mais profundos da minha mente racional, um pensamento surgiu: um fundamentalista não fumaria. Os homens no carro não eram membros da Al-Shabaab.

Um homem somaliano de cabelos grisalhos apareceu na janela, com um telefone celular pressionado contra a orelha. Ele se inclinou para dentro do carro e nos inspecionou. Tinha uma barba curta e grandes olhos castanhos. Era muito parecido com o ator Morgan Freeman — como se houvesse acabado de sair de um estúdio de cinema e, agora, estivesse em pé ao lado de um carro estacionado no deserto da Somália, observando-me enquanto eu chorava. Tinha uma expressão séria e confusa no rosto.

— Por que você está chorando? — perguntou. Entregou-me o telefone. — Pegue. Converse com a sua mãe.

E lá estava a voz dela, mais perto do que jamais estivera, a corda de salvação que me levaria de volta ao mundo.

— Alô? Alô? — disse ela. — Amanda, você está livre!

44

Começando a Compreender

O que aconteceu em seguida parecia ser irreal, mas, ao mesmo tempo, muito vívido. Soubemos que nossos captores nos entregaram a um grupo de intermediários, que, em seguida, nos passaram ao homem que estava ao lado do nosso carro, o senhor a quem passamos a nos referir como Morgan Freeman. Ele era membro do parlamento somaliano e estava sendo pago pela AKE, a empresa de segurança que nossas famílias contrataram. Trabalhando pelo telefone durante várias semanas com John Chase, o diretor da AKE, Morgan Freeman ajudara a organizar o pagamento do resgate — 600 mil dólares —, que fora transferido de Nairóbi para um quiosque bancário em Mogadíscio no início daquele dia. Nossas famílias receberam a garantia de que um recibo do dinheiro seria entregue a um grupo de líderes tribais — algo que, em um país sem polícia, sem forças armadas organizadas e sem um governo funcional, era a única autoridade disponível. Após receberem a confirmação de que eu e Nigel estávamos em segurança, os líderes tribais retirariam o dinheiro e o entregariam aos sequestradores, descontando quaisquer dívidas que eles ainda tivessem com outros grupos milicianos e, provavelmente, guardando uma parte para si. Ninguém aqui trabalhava de graça.

De acordo com o plano, eu e Nigel deveríamos ir direto para o aeroporto em Mogadíscio, onde o mesmo avião fretado e dois homens que trabalhavam para a AKE — ambos ex-soldados, ambos membros das Forças Especiais, um da África do Sul e outro do Zimbábue — aguardavam para nos levar em segurança até o Quênia. Mas Morgan Freeman cometera um erro crítico: não avisara as forças de paz da União Africana de que iríamos naquela noite ao aeroporto, normalmente fechado a esta hora. Quando nosso carro surgiu na estrada, as tropas que defendiam o aeroporto abriram fogo contra o nosso veículo. Fomos forçados a dar meia-volta e seguir, no escuro, em direção à cidade.

Não importava o fato de ter conversado com a minha mãe. Não importava o fato de que os nossos captores já haviam desaparecido havia um bom tempo. Ainda estávamos em um carro, em uma disparada louca pela estrada. Ainda estávamos na Somália, cercados por estranhos armados. Nenhuma parte de mim acreditava que estávamos livres. Depois de algum tempo, o carro freou com força e parou em frente a um portão alto, e fomos levados para o ar livre.

— Venham, venham — dizia Morgan Freeman, indicando que devíamos passar por uma abertura no portão.

Minhas pernas pareciam dois tocos de madeira sob o meu corpo, desacostumadas ao movimento, especialmente a andar rapidamente. Caí duas vezes enquanto tentava alcançar aquela porta. Nigel tropeçava também. Tentávamos nos apoiar mutuamente para ficar em pé, com os braços entrelaçados. Atrás do portão havia um jardim cheio de arbustos cuidadosamente podados e um restaurante ao ar livre onde empresários somalianos estavam sentados ao redor de mesas de plástico, jantando sob a luz das estrelas. Estávamos em um hotel, um lugar onde poderíamos passar a noite, esperando até a manhã, quando seria mais seguro tentar voltar ao aeroporto. Os empresários que jantavam ficaram boquiabertos quando eu e Nigel passamos por eles a passos trôpegos.

Nigel e eu fomos conduzidos pela recepção do hotel até um salão de baile com vários sofás. Pinturas emolduradas com cenas de Meca e gravuras ornamentadas de textos islâmicos estavam penduradas nas paredes.

— Por favor, por favor, aqui — dizia Morgan Freeman, indicando-nos um sofá vermelho no meio do salão. O ambiente começou a se encher. Homens entravam e se agrupavam à nossa volta. Alguns queriam apertar nossas mãos. Uma boa quantidade deles falava inglês, dizendo que ouviram fragmentos de notícias sobre nós nos últimos meses — os reféns que tentaram escapar. Vários deles se apresentaram como autoridades do governo de transição. Muitos sacaram seus telefones, aparentemente espalhando a notícia.

— Vocês estão em segurança — o gerente do hotel dizia, sem parar. — Estão em segurança. — Ele disse que eu podia tirar o meu véu, mas não me atrevi a fazer aquilo. Um garçom uniformizado surgiu à nossa frente, trazendo duas garrafas geladas de Coca-Cola em uma bandeja. Nigel e eu olhamos fixamente para elas, sem coragem de estender as mãos para tocá-las. Quando você passa quinze meses tendo cada um de seus movimentos monitorado e controlado, os primeiros lampejos de independência podem deixá-lo atordoado. Nigel e eu estávamos receosos demais para agir como ocidentais.

— *Allahu Akbar* — dissemos aos homens no salão do hotel quando nos parabenizaram pela nossa liberdade. — *Inshallah*, logo estaremos em casa.

Após algum tempo, o gerente do hotel nos conduziu a dois quartos naquele mesmo corredor. Ele percebera a ansiedade em nosso rosto e não parava de repetir que tinha parentes nos Estados Unidos, como se aquilo pudesse mitigar o que sentíamos. Entregou-nos toalhas limpas, sabonete, escovas e pasta de dente. Entregou-me também um vestido florido que cheirava bem e parecia estar recém-lavado. Pertencia à sua esposa.

Sozinha no quarto, eu me sentia como uma alienígena que chegara a um novo planeta. Um ventilador de teto girava acima de mim. A cama de casal tinha dois travesseiros e ficava de frente para uma pequena televisão. Havia cortinas em frente às janelas. Tranquei a porta e empurrei a mesinha de cabeceira para bloqueá-la, apenas por garantia. No banheiro, eu abri as torneiras da pia para confirmar que havia água correndo. Em seguida, tirei o vestido cinza que meus captores me deram algumas horas antes. Nua em frente ao espelho de corpo inteiro, olhei para mim mesma pela primeira vez em muitos meses e fiquei chocada com o que vi. Meus ossos estavam aparentes por baixo da pele, marcando todo o meu corpo. Minha pele estava tão pálida, tão clara que chegava até mesmo a estar azulada. Os fios finos do meu cabelo pendiam até abaixo dos meus seios, mais longos do que jamais estiveram e escuros após meses sem qualquer exposição à luz do sol. Meus tornozelos estavam marcados por hematomas circulares onde as correntes ficaram presas. Era como olhar para uma pessoa estranha.

No chuveiro, eu liguei a água na temperatura mais quente possível, esfregando-me por completo. Fiz tudo apressadamente, acreditando que o luxo de poder me lavar era algo que eu perderia a qualquer momento. Agarrei o sabonete com força, sentindo uma pequena guerra sendo travada dentro da minha cabeça.

Acalme-se. Você está em segurança.

Não, não estou.

Sim, é verdade. Você está em segurança.

Mais tarde, Nigel e eu ficamos sentados na cama, no meu quarto. Tentei pentear os nós no meu cabelo, mas ele começou a cair, e eu desisti de fazer isso. Ele também havia tomado um banho e vestido roupas limpas. Sua barba continuava a mesma monstruosidade desgrenhada. O atencioso gerente do hotel nos trouxe dois sanduíches de frango. Assim como os refrigerantes, a comida parecia ser estranha demais para tocar. Nigel e eu ficamos de mãos dadas e conversamos, o que, por si só, parecia ser um milagre. Sentíamos uma certa timidez agora, imersos em nossas incertezas individuais, sentindo os efeitos do surrealismo da noite. Estávamos realmente prestes a ir para casa? Nossos captores haviam realmente desaparecido? Quando ouvimos um muezim chamar os fiéis para uma última oração e os outros hóspedes do hotel descendo as escadas, discutimos se deveríamos nos juntar aos homens no salão de baile e nos exibirmos em preces junto com eles. No final, optamos por permanecer no quarto.

O fato de fazermos uma escolha e não sermos punidos por ela pareceu um segundo milagre.

Nigel e eu conversamos durante uma boa parte daquela noite. Nenhum de nós tinha vontade de dormir. Ele fez perguntas sobre o que me acontecera, sobre os abusos que eu sofrera, mas não estava pronta para lhe dizer nada daquilo. Tudo ainda parecia recente demais, doloroso demais. Contamos algumas piadas sobre como nunca voltaríamos a comer bananas ou atum em lata. Compartilhamos fragmentos de informação sobre os meses depois de sermos separados. Nigel recebera livros e materiais para escrever durante seus meses de isolamento. Tivera os tornozelos acorrentados o tempo todo, mas nunca fora amarrado e torturado como eu. Reconciliamo-nos com o fato de que, como homem, ele recebera um tratamento melhor durante todo aquele calvário. Ligamos a televisão no quarto e ficamos assustados ao ver uma reportagem sobre a nossa libertação passando na Press TV, o canal em que eu trabalhava quando morava em Bagdá.

Na manhã seguinte, nós tomamos um avião e saímos da Somália, 463 dias depois da nossa chegada, afastando-nos do litoral reluzente que, à primeira vista, me parecera tão bonito, indo para longe da cidade que outrora eu vira como um lugar tranquilo. A viagem foi curta, mas com trechos de turbulência. Ao pousar em Nairóbi, fomos recebidos ainda na pista por representantes das embaixadas canadense e australiana. Fui colocada em um veículo da embaixada com bandeirinhas canadenses que tremulavam sobre os espelhos retrovisores, e Nigel foi colocado em outro veículo de aparência oficial. Com as sirenes ligadas, fomos levados até o Hospital da Universidade Aga Khan, nas proximidades.

A primeira pessoa que eu vi foi a minha mãe, esperando por mim na calçada, sob a luz do sol. Parecia um pouco magra, mas estava bonita. Fiquei chocada com a beleza dela, na verdade. Era como se o tempo houvesse se dobrado ao meio, reunindo-nos novamente como se nada tivesse acontecido. Quando ela me abraçou, nós duas choramos muito. Apoiei minha cabeça na curva do seu pescoço. Ela massageou os meus ombros com uma das mãos e pressionou a outra firmemente contra a parte de trás da minha cabeça. Senti-me protegida. Era a sensação de estar em casa.

Ela dizia a mesma coisa várias vezes, sem parar:

— Você conseguiu. Você conseguiu. Você conseguiu.

No hospital, Nigel e eu recebemos quartos em uma ala particular, onde permanecemos por uma semana. A família dele — sua mãe e sua irmã — viera ao Quênia para ficar com ele. Meu pai também viajara a Nairóbi, junto com minha velha amiga e companheira de viagem Kelly Barker, a mesma cujos cabelos eu cortara às margens do lago na Guatemala, havia tanto tempo. Descobri que Kelly fora uma fonte enorme de força e confiança para a minha mãe enquanto eu estivera no cativeiro, saindo de sua casa em Calgary para ir visitá-la e trazendo-lhe refeições. Depois que a AKE fora contratada, Kelly se tornara membro da "equipe de gerenciamento de crises" oficial, participando de reuniões semanais via Skype com John Chase e nossas famílias para discutir o caso.

No meu quarto de hospital eu recebi os cuidados dispensados por enfermeiras, médicos e uma psicóloga especialista em traumas que viera diretamente do Canadá. Passei por tratamento para desidratação e subnutrição, recebendo nutrientes por uma sonda intravenosa, e fiz uma bateria de exames. Um dentista examinou meus dentes quebrados e o abscesso. Uma das primeiras coisas que pedi foi que cortassem os meus cabelos, deixando-o bem curtos, para me livrar dos centímetros extras que cresceram durante o cativeiro.

Eu passara muitos meses fantasiando sobre a comida, imaginando o dia em que poderia escolher o que comer, e depois comeria até me sentir cheia. E o dia havia chegado: as enfermeiras me traziam um cardápio antes de cada refeição. Nos primeiros dias, eu quis tudo de uma vez. Mesmo que os médicos me dissessem para ir com calma, não tentavam me impedir de exagerar na comida, sabendo que, naquele momento, eu precisava me render àquela necessidade tão visceral de liberdade. Pedi frango, massas, legumes, batatas fritas, frutas, bolo e torta com sorvete. Meu coração borbulhava com o desejo, mas meu corpo não estava pronto para tudo aquilo. Meu estômago se retorcia horrivelmente depois de comer. Não conseguia manter tanta comida dentro de mim.

Certa tarde, Kelly veio até o meu quarto, trazendo uma sacola de comida que comprara em um supermercado elegante de Nairóbi — uma seleção extravagante de queijos *gourmet* e chocolates Cadbury. Sempre fui uma comedora insaciável de queijos e chocolates. Ela sempre me provocava quando viajávamos por países úmidos, acostumados ao consumo de arroz, onde alimentos tão gordurosos eram escassos. Agora, no quarto do hospital, nós duas ríamos com aquelas lembranças. Mesmo assim, em poucos momentos eu já estava em prantos. Sabia que comer qualquer uma das guloseimas que ela me trouxe me faria vomitar.

A frustração que eu sentia ecoava algo maior, que eu estava apenas começando a entender. Eu estava presa em um espaço de tempo; estava livre, mas ainda não estava bem.

Aquela primeira semana passou como se fosse um borrão, muito semelhante ao despertar gradual após um pesadelo. Deitada na cama macia, eu abria meus olhos pela manhã e sentia uma pontada de descrença. O travesseiro sob a minha cabeça, minha mãe dormindo no sofá ao lado, a escova de cabelos sobre a mesa, os vasos cheios de flores enviados por pessoas que me congratulavam por haver sobrevivido, o pedaço do céu que eu via pela janela do meu quarto. Tudo parecia uma ilusão, com a possibilidade de desaparecer. Nigel e eu passamos um bom tempo junto de nossas respectivas famílias. Estávamos somente começando a considerar e assimilar os eventos que ocorreram conosco.

Aos poucos, eu comecei a saber mais sobre o trabalho feito para que fôssemos libertados — o estresse, o sacrifício e os esforços intermináveis empreendidos pelos amigos e pela família de Nigel na Austrália e pelos meus familiares no Canadá. Isso sem mencionar o trabalho dos investigadores, negociadores e funcionários dos consulados e embaixadas. Nossas famílias concordaram em dividir as despesas igualmente, mas nenhum dos lados tinha recursos suficientes para cobrir a metade do valor. O custo total da nossa liberdade, incluindo a conta pelos serviços da AKE, chegava a quase 1,2 milhão de dólares. Velhos amigos, parentes distantes e completos desconhecidos se propuseram a ajudar. Meu pai e Perry contraíram uma nova hipoteca em sua casa. Amigos que trabalhavam no ramo de restaurantes em Calgary fizeram campanhas de arrecadação pela nossa libertação. Robert Draper, o repórter da *National Geographic*, voara até o Canadá para falar com um deles. Pessoas que nunca conheci em dois continentes haviam doado dinheiro para o nosso fundo de resgate, quantias individuais de dez e vinte dólares; alguns contribuíram com dezenas de milhares. Tomar consciência daquilo fez com que me sentisse bastante humilde.

No início, Nigel e eu recebemos notícias surpreendentemente boas: após passar meses acreditando que nossos sequestradores mataram Abdi e os outros dois somalianos que foram raptados conosco, soubemos que os três estavam vivos. Em meados de janeiro, mais ou menos cinco meses depois que fôramos capturados, eles foram vendados no meio da noite e levados até o coração de Mogadíscio, onde foram libertados, sem sofrer ferimentos, em um mercado deserto.

Não soube o que aconteceu com Mahad e Marwali, mas Abdi, o operador de câmera, havia se mudado para Nairóbi, tendo conseguido um visto de refugiado após o seu calvário nas mãos dos sequestradores. Não se sentira seguro para voltar à vida habitual em Mogadíscio. Não tivera condições de trazer sua esposa e seus filhos para morar com ele, deixando-os para trás. Quando recebi alta do Hospital da Universidade de Aga Khan, passei mais duas semanas me recuperando em Nairóbi, hospedada juntamente com meus pais na casa do embaixador canadense. Certa manhã, consegui combinar um encontro com Abdi em um hotel da cidade.

Estava do mesmo jeito que eu me lembrava — magro, bonito e com a voz tranquila. Passamos um longo tempo abraçados. Ele estava tentando encontrar trabalhos *freelance* como operador de câmera em Nairóbi, mas, até agora, não tivera muita sorte. Mostrou-me fotos dos filhos que deixara na Somália, dizendo que sentia saudades. Viver como refugiado em uma cidade que já estava abarrotada de refugiados era difícil. Nosso sequestro o deixara abalado, incapaz de dormir à noite, atormentado pelas lembranças de passar fome, de ser espancado e deixado em um quarto escuro. Abdi fez perguntas sobre a minha experiência como refém. Comparamos nossas impressões sobre o que observáramos no comportamento dos garotos e dos líderes. Ele, Marwali e Mahad sofreram muito durante aqueles cinco meses. Era inconcebível, para ele, que Nigel e eu houvéssemos conseguido suportar outros dez. Abdi quis saber se eu fora violentada, e, quando confirmei, ele começou a chorar.

Abdi chamou-me de irmã. Chamei-o de irmão. Percebi que estávamos unidos pelo que passáramos, mas também pelo que ainda desejávamos. Queríamos a mesma coisa — não somente ser livres, mas *sentir* que éramos mesmo livres.

★

Nigel e eu nos despedimos na casa do embaixador canadense em Nairóbi no final de 2009. Estávamos livres havia várias semanas. Ele deixara o hospital e ficara hospedado em um hotel com a sua família, recuperando as forças para voltar para casa. Estávamos pálidos, magros e assustados, mas, pelo menos por fora, lentamente voltávamos a nos parecer com pessoas normais.

Sempre imaginei que seríamos amigos para sempre, que continuaríamos com nossas vidas e ainda compartilharíamos coisas e conversas — como fizéramos durante tantos meses —, as minúcias e intimidades das nossas vidas pessoais. Imaginei que sempre, de alguma maneira, estaríamos em pé em nossas janelas, trocando histórias e descobrindo maneiras de apoiar um ao outro. Naquela primeira noite de liberdade no hotel de Mogadíscio, nós fizemos a promessa de que um visitaria o outro em seu país de origem. Imaginamos como seria voltar às nossas vidas anteriores, cheias de pessoas que não conseguiriam entender as dificuldades que passáramos. Dissemos "amo você" várias e várias vezes.

Assim que chegamos a Nairóbi, no entanto, nossas vidas individuais rapidamente começaram a nos puxar em direções opostas. Havia uma tensão palpável entre nossas famílias devido ao estresse e às enormes despesas que foram forçadas a compartilhar. Nigel e eu voltamos aos nossos respectivos países e teríamos que nos esforçar para compreender o que havia acontecido, e também para recomeçar nossas vidas. Acho que é seguro dizer que nenhum de nós sabia o quanto aquilo seria desafiador.

Nos dois primeiros meses, nós tentamos manter contato via Skype e e-mails, mas nossos diálogos eram desconexos e, às vezes, tensos. Após algum tempo, acabamos por nos afastar totalmente. Não somos as mesmas pessoas que éramos quando fomos capturados. Percebemos que era difícil estabelecer uma ligação, e isso foi bastante doloroso. Nigel escreveu um livro relatando a sua experiência na Somália e voltou a trabalhar como fotógrafo. Eu sempre vou desejar felicidades a ele e ser grata por sua força e amizade durante aqueles quinze meses.

Retornando ao Canadá, cerca de três semanas após a minha libertação, eu me reuni com meus irmãos e Perry, com meus avós, tias e tios, primos e amigos. Sentia-me como uma estranha na minha própria vida, ainda ligada ao mundo que deixara para trás, triste pelos problemas que causara à minha gente, mas, também, cercada novamente por pessoas que eu amava. Senti uma alegria pura e absoluta.

Epílogo

Por algum tempo, eu acompanhei minha liberdade cuidadosamente. Contava cada hora, dia e semana que me separava dos 460 dias que passara como refém. Parecia algo natural para fazer, como se estivesse operando alguma espécie de ábaco interior, deslizando e encaixando os dias até que uma parte desse a sensação de ser o passado e a soma de todos os momentos se tornasse o presente. Estar livre é algo que eu nunca vou ver de maneira leviana. Sou grata até mesmo pelos menores prazeres — um pedaço de fruta, uma caminhada na floresta, a chance de abraçar minha mãe. Acordo todos os dias sentindo-me grata pela ajuda que as pessoas me deram, desde trabalhar para tirar Nigel e a mim da Somália até dar assistência para que eu me ajustasse à vida após o cativeiro.

Tentei cumprir as promessas que fizera a mim mesma naquele período. Finalmente tive a oportunidade de frequentar a universidade, completando um curso de seis meses em liderança e desenvolvimento internacional no Coady International Institute, na Universidade St. Francis Xavier da Nova Escócia, em 2010. Escolhi meu curso para cumprir outra promessa, feita nas profundezas da Casa Escura: de algum modo, eu encontraria uma maneira de honrar a mulher que entrara na mesquita para me ajudar depois da nossa tentativa de fuga, a mesma que literalmente jogara seu corpo sobre o meu e lutara até eu ser arrancada dos seus braços.

Quando penso na Somália, é naquela mulher que penso. Posso visualizar seu rosto, o véu arrancado da sua cabeça, seus olhos úmidos com lágrimas. Nunca soube o nome dela. Não sei se ela viveu ou morreu.

Foi por causa dela, na verdade, que seis meses após a minha volta ao Canadá eu fundei uma organização filantrópica chamada Fundação para o Enriquecimento Global (GEF — Global Enrichment Foundation), para ajudar a fomentar a educação na Somália. Passara muito tempo no cativeiro pensando sobre os garotos que me vigiavam. Especialmente se eles seriam diferentes — menos focados no extremismo religioso e na guerra —, se houvessem tido mais oportunidades de ir à escola. Mais importante do que isso, se houvessem sido criados em lares nos quais sua mãe e suas irmãs pudessem ter frequentado a escola. As entidades parceiras da Fundação para o Enriquecimento Global ajudam a trazer mudanças positivas para a Somália — com o fornecimento de alimentos, apoio a equipes de basquete formadas por meninas e bolsas de estudo integrais por quatro anos para trinta e seis mulheres somalianas inteligentes e ambiciosas que estão frequentando a universidade. Vários projetos da GEF, incluindo o custeio de uma escola primária e a construção de uma biblioteca comunitária, estão ocorrendo no interior do assentamento da Dra. Hawa Abdi, o mesmo lugar que eu e Nigel íamos visitar no dia em que fomos capturados.

★

Cerca de um ano depois que Nigel e eu fomos soltos, eu recebi um telefonema de Ottawa. Um funcionário do departamento de Segurança Nacional me informou que, em um quarto usado para guardar ferramentas em uma cidade nos arredores de Mogadíscio, um caderno fora encontrado. Tinha a insígnia da UNICEF na capa, embora houvesse sido riscada com caneta preta. Dentro havia várias páginas com uma caligrafia pequena. De algum modo, por uma rede de contatos que nunca conseguirei conhecer ou compreender, o caderno foi entregue às autoridades canadenses. Recebi uma versão digitalizada daquelas páginas. Meu corpo inteiro estremeceu quando me atrevi a olhar para elas pela primeira vez. Mesmo hoje, eu vejo o que escrevi e sinto o desespero que corre por baixo daquelas palavras.

Há dias em que as minhas lembranças da Somália me atocaiam e oprimem, e outros dias em que tomam menos espaço em minha mente. Suspeito que sempre será assim. Em quase quatro anos desde que fui libertada, eu aprendi muito sobre traumas — o que eles fazem com a cabeça e o corpo. Certa manhã, quando estava assistindo a uma aula na Nova Escócia, um dos colegas que sentava ao meu lado comeu uma banana, deixando a casca sobre a mesa, perto do meu caderno. O cheiro me tomou de assalto, desencadeando um pânico instantâneo, trazendo uma lembrança que eu havia enfiado em um canto escuro da minha mente — um dia na Casa Escura, quando descobrira uma casca de banana apodrecida no chão do quarto. Eu estivera tão faminta e desesperada que a comera. Subitamente, todas as sensações haviam voltado — dor, fome, horror —, e eu saí correndo da sala de aula, trancando-me em uma das cabines do banheiro, sentindo que eu não era capaz de distinguir o que era real do que não era, imaginando se minha liberdade era apenas um sonho.

Percebi que, em sua essência, o mundo está cheio de cascas de banana — carregado de coisas que podem, mesmo sem intenção, disparar uma espécie de gatilho na minha mente, abrindo as comportas do meu medo sem qualquer aviso. Continuo a sentir medo do escuro, a ter pesadelos que me despertam subitamente no meio da noite. Em espaços confinados, tais como elevadores, às vezes eu sinto como se não pudesse respirar. Frequentemente, quando um homem chega perto de mim, minha mente grita: *Corra!* Meu corpo também carrega as memórias. Meus tornozelos às vezes ardem como se ainda estivessem acorrentados; as articulações de meus ombros ficam doloridas como quando eu estava amarrada.

Lidar com o período que vem após o trauma não é algo que uma pessoa consiga fazer sozinha. Passei por um programa de tratamento especializado para me ajudar a enfrentar os sintomas da Síndrome do Estresse Pós-Traumático. Trabalhei regularmente, também, com terapeutas, psicólogos, psiquiatras, acupunturistas, nutricionistas e especialistas em meditação. Todos me ajudaram de diferentes maneiras. Consegui encontrar conforto, também, ao conversar com outras mulheres que sobreviveram ao estupro. Mesmo assim, há momentos em que me sinto profundamente sozinha em relação ao que aconteceu comigo, uma estranha em meio ao que me cerca e à vida do dia a dia. Ainda há muitas coisas que eu desejo — mais estudo, novas aventuras, oportunidades para prestar serviços e ajudar os outros, e também pelo amor e uma vida que, algum dia, inclua filhos.

Continuo concentrada na minha cura. Procurei lugares tranquilos para refletir, para continuar a viajar, para encontrar apoio, como sempre fiz, no mundo — nas montanhas da Índia, nas selvas da América do Sul e na África, onde o meu trabalho para a fundação ocasionalmente me leva.

Claro, é difícil sentir-me confortável com o fato de que os meus captores lucraram com o nosso sequestro. Desde a minha libertação eu acompanhei histórias sobre outros reféns — na Somália, no Mali, no Afeganistão, na Nigéria, no Paquistão e em outros lugares — e senti ansiedade e simpatia por todos os envolvidos. Alguns governos pagam os resgates com bastante discrição. Outros fazem acordos diplomáticos ou enviam soldados armados. Muitos, incluindo os governos do Canadá e dos Estados Unidos, tentam dar apoio às famílias enquanto mantêm uma linha dura em relação a continuar financiando o terrorismo e o sequestro de pessoas com o pagamento de resgates. Como uma autoridade do Departamento de Estado dos Estados Unidos declarou em uma entrevista à *New York Times Magazine*, "se você estiver alimentando os ursos, eles vão continuar atacando sua casa".

Mesmo assim, experimente dizer isso a uma mãe, um pai, um marido ou uma esposa apanhados na agonia e na impotência de ter que esperar.

Eu sempre penso nos garotos que me mantiveram como refém. Como não poderia? Meus sentimentos em relação a eles não podem ser facilmente mensurados ou fixados, especialmente conforme o tempo vai passando. É outro conjunto de esferas que deslizam pelo ábaco. Para o meu próprio bem, eu me esforço para perdoá-los e para sentir compaixão acima de todos os outros sentimentos — raiva, ódio, confusão, autopiedade — que surgem em mim. Entendo que aqueles garotos, e até mesmo os líderes do grupo, eram produtos do próprio ambiente em que viviam: uma guerra violenta e aparentemente interminável que deixou milhares de crianças órfãs e que já dura mais de vinte anos.

Decidi perdoar as pessoas que tiraram minha liberdade e que abusaram de mim, apesar do fato de que as coisas que elas estavam fazendo eram absolutamente erradas. Decidi também perdoar a mim mesma pelo impacto que a minha decisão de ir à Somália causou aos meus entes queridos no Canadá. Perdoar não é algo fácil de fazer. Alguns dias, não é mais do que um ponto distante no horizonte. Eu olho para ele. Aponto meus pés em sua direção. Em alguns dias, consigo alcançar o ponto; em outros, não. Mais do que qualquer coisa, é o que vem me ajudando a continuar vivendo a minha vida.

Um dos projetos da Fundação para o Enriquecimento Global é ajudar a criar uma escola para mulheres somalianas que vivem como refugiadas em

Eastleigh, no Quênia — uma área empobrecida de Nairóbi conhecida como Pequena Mogadíscio. No inverno de 2012, eu passei várias semanas lá, tentando conseguir computadores e suprimentos, reunindo-me com professores e algumas das setenta e cinco mulheres que se matricularam como alunas, escutando-as enquanto descreviam as habilidades e o tipo de conhecimento que esperavam adquirir. A escola foi montada para oferecer aulas de informática e alfabetização, treinamento para habilidades necessárias no mercado de trabalho, palestras e *workshops* sobre saúde e informações sobre os direitos legais dos refugiados. Certa tarde, eu estava em uma reunião com Nellius e Farhiya, que formavam o corpo docente da escola, em uma pequena sala no centro comunitário que alugamos para ser o nosso espaço inicial. Junto com o diretor de programas da GEF, nós começamos a discutir ideias para o nome da escola, escrevendo as várias opções com giz em um enorme quadro-negro.

Uma única possibilidade surgiu entre todas as outras, e uma das mulheres a circulou com giz branco. *Rajo* foi o nome que escolhemos para a escola. É a palavra que, no idioma somaliano, significa *esperança*. E todos nós concordamos que a esperança é a melhor coisa do mundo.

Agradecimentos

Há inúmeras pessoas que nos apoiaram enquanto trabalhávamos neste livro. Agradecer-lhes é a parte mais feliz de todo o serviço.

Somos gratas pela equipe incrivelmente inteligente e carinhosa das editoras Scribner e Simon & Schuster: Daniel Burgess, Kara Watson, Brian Belfiglio, Lauren Lavelle, Leah Sikora, Greg Mortimer, Mia Crowley-Hald, Ellen Sasahara, Beth Thomas, Colin Harrison, Paul Whitlach, Tal Goretsky, Kevin Hanson, David Millar, Rita Silva, Elisa Rivlin, Elisa Shokoff, Roz Lippel e Susan Moldow. E, finalmente, à incomparável Nan Graham, que é sábia, apaixonada pelo que faz e tem um dom incrível para lidar com o seu lápis editorial: obrigada, Nan, por gostar tanto do projeto.

Na ICM Partners, recebemos muita ajuda de Kristyn Keene, Heather Karpas, Liz Farrell e John DeLaney, e, especialmente, de Sloan Harris, que entendeu desde o princípio o que queríamos fazer, guiando-nos com uma graça e ferocidade sem precedentes.

Aos nossos amigos e aos primeiros leitores, que ofereceram opiniões editoriais, críticas e coragem, somos muito gratas: Caitlin Guthiel, Debra Spark, Lily King, Susan Conley, Anja Hanson, Peggy Orenstein, Beth Rashbaum, Susan Casey e Elizabeth Weil. Anouar Majid e Dina Ibrahim emprestaram seus olhos para verificar os trechos em árabe: Hassan Alto verificou o idioma somaliano. Anne Connell ajudou no início com a revisão do texto. E Tom Colligan entrou de corpo e alma na verificação dos fatos para o livro, tornando-se um amigo e um aliado no decorrer do caminho.

Este livro surgiu a partir de inúmeras horas de conversas gravadas entre nós duas e longas entrevistas com outras pessoas. Obrigada a Kimberly Wasco, Emily Umhoeffer, Caitlin Allen e Annie Sutton por ajudarem com a transcrição.

Somos gratas pelo trabalho de uma enorme quantidade de jornalistas que concentraram seus esforços na Somália e na epidemia global de sequestros. Agradecimentos especiais vão para Jeffrey Gettleman e Mohamed Ibrahim do *New York Times*, que cobriram a guerra, a política e a cultura da Somália com uma inteligência excepcional; suas reportagens ajudaram a obter as informações gerais consistentes sobre a situação do país. A referência à folha de pagamento e à contabilidade dos sequestradores somalianos na página 388 e 322 vem do excelente livro de Jay Badahur, *The Pirates of Somalia: Inside Their Hidden World*. Robert Draper, que nos apresentou inicialmente e escreveu bastante sobre a Somália, tem nossa amizade e gratidão eternas.

Ilena Silverman pertence a uma categoria única. Amiga fiel e editora incisiva, ela fez todas as perguntas certas em todos os momentos críticos. Nossa dívida de gratidão e nosso respeito para com ela são enormes.

E à Dra. Katherine Porterfield do Programa para Sobreviventes de Tortura da Universidade de Nova York / Bellevue, que doou sua experiência de maneira incrível para este processo, de várias formas. Do fundo de nosso coração, obrigada.

Agradecimentos de Sara:

A família de Amanda no Canadá abriu suas portas para mim com um carinho e uma generosidade incomuns. Sou grata a Lorinda Stewart, Jon Lindhout e Perry Neitz por manterem cuidadosamente seus registros e por sua disposição infindável para responder a perguntas. Obrigada a Pascal Maître por seu tempo e pelas belas imagens da Somália, a Ajoos Sanura e Abdifatah Elmi pelas horas que passaram conversando comigo em Nairóbi, e a Sasha Chanoff e todos em RefugePoint por me apresentarem às pessoas de Eastleigh, uma lição de humildade.

Agradeço sinceramente aos amigos, escritores, professores e vizinhos que me inspiram e me apoiam — as estrelas que sempre brilham no meu céu, tão numerosas que não podem ser citadas individualmente aqui. Agradecimentos mais específicos à minha família: Dick e Marianne Paterniti; Manny Morgan; Lorraine Martin e Diane Bennekamper; meus irmãos e suas famílias, os clãs estendidos dos Simmons, Corbetts e Paternitis; e, acima de tudo, ao meu maravilhoso pai, Chris Corbett, que me dá abrigo e proteção de tantas maneiras. Sou grata a outros que gentilmente me ofereceram lugares tranquilos para trabalhar: Emily e Steve Ward, Melanie e Eliot Cutler, Patty e Cyrus Hagge, Aimee e Mark Bessire. Obrigada àqueles que me mantiveram feliz, alimentada e, de maneira geral, com a sanidade intacta durante esse tempo: Andy Ward, Jenny Rosenstrach, Joel Lovell, Liz e Pierre Meahl, Lynn Sullivan, Derek Pierce, Andrea Hanson-Carr, Mark Bryant, Alan Liska, Kim Wasco, Ned Flint, Benjamin Busch (o fuzileiro que mora no porão da minha casa), Linda Murray, Lane e Brock Clarke, Joe Appel, Carlos Gomez, Angela Weymouth, Michael Seymour, Chris Bowe e Stuart Gerson. Não posso esquecer de mencionar também a equipe vibrante de crianças e adultos no The Telling Room, que sempre me faz lembrar de que o mundo é um lugar bom. E agradecimentos muito profundos a Clare Hertel, Anja Hanson, Hallie Gilman, Susan Calder, Susan Conley, Lily King, Katie Redford, Peggy Orenstein, Sara Needleman e Melissa McStay — minhas amigas queridas.

Ao meu marido, Mike Paterniti, que me mostrou que a vida é muito mais divertida quando você mergulha de cabeça e com o coração aberto em tudo o que lhe aparece pela frente: obrigada por tudo, as coisas grandes e as pequenas também. E aos nossos filhos incríveis, todos os três. Amo muito vocês.

E, finalmente, gostaria de expressar meu amor e minha gratidão a Amanda — pelos três anos em que mantivemos uma conexão mental, por tudo que você me ensinou em relação a ser forte, por todos os quilômetros psíquicos que viajamos juntas, pela maneira absolutamente incansável como você trabalhou em cada linha deste livro, por permanecer aberta a opiniões e por ser uma amiga. Considero tudo isso muito importante. Tenho orgulho do que criamos juntas.

Agradecimentos de Amanda:

Agradeço, em primeiríssimo lugar, à minha mãe, Lorinda Stewart, e meus dois pais, Jon Lindhout e Perry Neitz, por seus esforços hercúleos para me resgatar. Fiquei comovida pela sua coragem e por seu amor, e agradeço profundamente por tudo o que passaram, juntamente com os sacrifícios que fizeram. Meus irmãos, Mark Culp e Nathaniel Lindhout, meus avós e os clãs Lindhout e Stewart, em sua totalidade, foram âncoras de força e esperança durante todo aquele tempo; e, depois que tudo terminou, eles me receberam com o abraço carinhoso de uma família, trazendo-me para perto do seu coração. Tia Alison — um obrigado especial a você. Aos meus padrinhos, Wendell e Beryl Lund, por sempre haverem cuidado de mim, de várias maneiras.

Àquelas que me mostraram carinho, que me amaram e me encorajaram a brincar: Zoe, Brenna, Nicola e Zahra.

Minha queridíssima amiga Kelly — por seu espírito generoso, sua determinação e por me dar uma afilhada bonita e sorridente, que se encanta com as maravilhas do mundo.

Em Calgary, Sarah Geddes, David Singleton, Michael Going e Steve Allan me ajudaram a resistir, e, por causa disso, eu vivi para escrever este livro.

Lembro-me sempre da prevalência da generosidade e da bondade. Em Red Deer, Calgary, Sylvan Lake, Rocky Mountain House, Ponoka, Nelson e por todo o Canadá e Austrália, as pessoas doaram generosamente para que Nigel e eu pudéssemos voltar a nossas casas. Toda essa gentileza me deixou muito feliz. Há pessoas demais para citar individualmente, e eu não gostaria de deixar ninguém de fora, mas vocês sabem quem são. Allan Markin, Gord Scott, Dick Smith e Bob Brown se destacam.

A toda a família Brennan por sua perseverança e muitas contribuições.

Reconheço os esforços feitos pelo governo do Canadá, pela RCMP, pelo DFAIT e o CSIS em meu nome. Em particular, gostaria de agradecer a Ross Hynes e sua amável esposa, Vanessa, por sua devoção incansável ao meu caso. Tenho uma dívida eterna de gratidão com Richard, Jonathan, Chris, Matt, Evelyn e suas famílias.

O sucesso da libertação não seria possível sem a assistência da AKE, e eu também devo muito a JC, Ed, Shaun, Alto e Derek por contribuírem e por tornarem as coisas mais fáceis.

Estou aprendendo muito sobre como me recuperar de traumas e sou grata pela educação que recebi em Sierra Tucson sobre a Síndrome do Estresse Pós-Traumático. A serenidade daquele lugar e os terapeutas talentosos me ajudaram a melhorar, trazendo-me gentilmente e carinhosamente de volta à luz do sol. Agradeço especialmente ao Dr. Mark Pirtle, Joanne Sorenson e à Dra. Judy Gianni.

A Katherine Porterfield, mais uma vez, por compreender todas as partes desta jornada. Sou muito feliz por você haver segurado na minha mão enquanto eu avançava. Amo você.

Vários profissionais de renome apoiaram o meu processo de recuperação: os médicos e enfermeiros no Hospital da Universidade Aga Khan em Nairóbi, Karen Barker, Dr. Charl de Wet, Patti Mayer, Dr. Tim Kearns, Dra. Lizette Lourens, Dr. Rick Balharry e os maravilhosos professores da Hoffman Institute Foundation no Canadá.

Eckhart Tolle, seus ensinamentos, sua orientação gentil, amizade e ideias inteligentes me encorajam e deram forma à minha perspectiva de muitas maneiras — mais do que você imagina.

Heather Cummings e João Teixeira de Fari mostraram-me que tudo é possível. Obrigado aos generosos mantenedores do Fundo de St. Ignatius.

Toda a equipe da Fundação para o Enriquecimento Global, no passado e no presente, no Canadá, no Quênia e na Somália, por trabalharem tanto, com mentes e corações abertos. Tenho orgulho do que fizemos juntos e estou animada com o que o futuro nos reserva.

Para Nigel: como o nosso velho amigo Thierry nos disse certa vez no Baro Hotel, "muitas coisas boas". Desejo a você, Nigel, muitas coisas boas.

E aqui, ao final, a Sara, minha coautora, confidente e amiga, que percebeu desde o início que este era um projeto promissor. Sou imensamente grata. Três anos atrás, nós demos um salto de fé e começamos uma longa jornada. Muito mais do que simplesmente escrever, nós vivemos essa história de mil maneiras diferentes, juntas. Sem sua inteligência meticulosa, paciência infinita e precisão, eu duvido que ela poderia ter sido contada. Tenho a gratidão mais profunda por sua sabedoria, seu comprometimento e sua fé em mim. Minha vida é infinitamente mais rica por você fazer parte dela.